DIAS GOMES
TEATRO REUNIDO

Obras do autor publicadas pelo Grupo Editorial Record:

O pagador de promessas
A invasão
O bem-amado
O berço do herói
O santo inquérito
As primícias
O rei de Ramos
Campeões do mundo
Sucupira, ame-a ou deixe-a
Odorico na cabeça
Apenas um subversivo

BERTRAND BRASIL

Apresenta

VOLUME 02

1ª edição

Rio de Janeiro | 2022

CIP-BRASIL. CATALOGAÇÃO NA PUBLICAÇÃO
SINDICATO NACIONAL DOS EDITORES DE LIVROS, RJ

G613t Gomes, Dias, 1922-1999
v. 2   Teatro reunido, volume 2 / Dias Gomes. – 1. ed. – Rio de Janeiro : Bertrand Brasil, 2022.

ISBN: 978-65-5838-132-7

1. Teatro brasileiro. I. Título.

22-79319   CDD: 869.2
                             CDU: 82-2(81)

Meri Gleice Rodrigues de Souza – Bibliotecária – CRB-7/6439

Copyright © Dias Gomes (*O berço do herói*, © 1963; *O santo inquérito*, © 1964; *Amor em campo minado*, © 1977, *As primícias*, © 1977; *O rei de Ramos*, © 1979; *Campeões do mundo*, © 1991; *Vargas*, © 1977; *Meu reino por um cavalo*, © 1989)

Design de box e capa: Alexandre Venancio

Texto revisado segundo o novo Acordo Ortográfico da Língua Portuguesa.

Todos os direitos reservados.
Não é permitida a reprodução total ou parcial desta obra, por quaisquer meios, sem a prévia autorização por escrito da Editora.

Direitos exclusivos de publicação em língua
portuguesa somente para o Brasil adquiridos pela:
EDITORA BERTRAND BRASIL LTDA.
Rua Argentina, 171 — 3º andar — São Cristóvão
20921-380 — Rio de Janeiro — RJ
Tel.: (21) 2585-2000

Seja um leitor preferencial.
Cadastre-se no site www.record.com.br
e receba informações sobre nossos lançamentos e
nossas promoções.

Atendimento e venda direta ao leitor:
sac@record.com.br

sumário

o assombroso e cotidiano Dias Gomes   7
nota da edição   9
o berço do herói   10
o santo inquérito   96
amor em campo minado   163
as primícias   233
o rei do Ramos   277
campeões do mundo   356
Vargas   440
meu reino por um cavalo   494

o assombroso e cotidiano
Dias Gomes

Dias Gomes (Alfredo de Freitas D. G.), romancista, contista e teatrólogo, nasceu em Salvador, na Bahia, em 19 de outubro de 1922, falecendo em São Paulo, em 18 de maio de 1999. E não morreu, usando a frase de Guimarães Rosa, "se encantou", sendo esta publicação da obra reunida a prova de que está na luz e muito acordado.

Estreou no teatro profissional em 1942, com a comédia "Pé-de-Cabra", encenada no Rio de Janeiro e depois em São Paulo, no teatro Procópio Ferreira, com quem assinou contrato de privacidade para a montagem de várias peças subsequentes.

Em 1944, a convite de Oduvaldo Vianna (pai) foi trabalhar na Rádio Pan-Americana de São Paulo, fazendo adaptações de peças, romances e contos. Casou-se com Janete Clair (Janete Emmer), viajou à União Soviética, com uma delegação de escritores. Ficou famoso com *O Pagador de Promessas*, que virou filme e andou pelo mundo, tendo as peças traduzidas em vários idiomas.

Em 1964, participou de inúmeras manifestações contra a censura e pela liberdade. Foi reconhecido autor de novelas da Globo, o que o popularizou.

Conheci Dias Gomes, quando foi acolhido na Academia Brasileira de Letras. Pessoa fraterna, jovial, de excelente convívio. Simples, generoso, ainda que famoso na mídia, era modesto, sem pose. Bastava-lhe o assombro de viver.

Agora, em boa hora, a Editora Bertrand Brasil publica a reunião de suas peças.

Algumas mais divulgadas, outras menos, marcadas pela genialidade de Dias Gomes, capaz de tornar fantástico o cotidiano, com alegria e reflexão que têm nos ajudado a sobreviver em tempos sombrios ou amenos.

Eis o elenco de peças editadas nestes dois volumes: *Pé-de-cabra*; *Eu acuso o céu*; *Os cinco fugitivos do Juízo Final*; *O pagador de promessas*; *A invasão*; *A revolução dos beatos*; *O Bem-Amado*; *O berço do herói*; *O santo inquérito*; *Vargas*; *Amor em campo minado*; *As primícias*; *O rei de Ramos*; *Campeões do mundo*; *Meu reino por um cavalo*. Todas essas peças preciosas integram o Teatro Reunido de Dias Gomes, que a Editora Bertrand apresenta ao público leitor, de importância fundamental para a cultura brasileira e para o teatro contemporâneo.

Dias Gomes não sabia tanto de sua grandeza, como a grandeza sabia dele, um dos nossos maiores teatrólogos, ao lado de Nelson Rodrigues. Se a ele era comparável pela criação inesquecível de tipos, ou pela comunicação com o leitor, Nelson se caracterizava pelo trágico ou por um lado bestial ou de loucura dos seres, enquanto Dias Gomes se inclinava pela ironia, às vezes, sarcasmo, com o bondoso riso sobre poderosos, ou crenças, fanatismos, com o ridículo humano exposto com apurada inteligência.

Sim, Dias Gomes sabia retratar, como poucos, a vida do povo interiorano, ou mesmo um cemitério que custou a ser povoado, com aspectos da humana espécie, debruçando-se numa fala que se alça inventiva, mágica e de alta voltagem comunicadora. Acreditava, com razão, que o popular, ao ser entendido de alma, alcançava igualmente o mágico. E no mágico, o romântico e poético.

Tinha a astúcia do observador que recolhia as minúcias nas estórias, como se descobrisse a senha do destino, ou devagar o selasse na metáfora. E era destino o sábio diálogo, entre os seres, que nos surpreendem, percebendo o cotidiano do fantástico e o fantástico no quotidiano do mundo, arrebatando-nos a uma nova realidade.

Ou seja, a arte de civilizar com o teatro e o enredo com a singeleza de água de fonte que corre do alto da montanha. Outras vezes narra como se tocasse na raiz do sonho, sempre com a visão de quem se envolve na prática social, no movimento coletivo, em certo ponto, como crítico dos hábitos e costumes. Ou como proverbial defensor da liberdade de uma consciência que não se rende aos subterfúgios do poder ou do comodismo. E nisso Dias Gomes como intérprete da existência, é universal. Conhecendo a verdadeira imortalidade que se mede e se aprofunda na palavra. Onde amor e liberdade se ombreiam e não precisam pedir licença para revelar na verdade, o segredo de estar vivo. E continuar cada vez mais presente na criação. Mostrando que o poder misterioso da palavra não erra. Nem dentro ou fora.

Casa do Vento, Rio, Flamengo, 27 de agosto de 2022.
Carlos Nejar é escritor da Academia Brasileira de Letras e
Presidente Emérito da Academia Brasileira de Filosofia

nota da edição

Dias Gomes incluiu uma nota introdutória na primeira edição de algumas de suas peças publicadas individualmente pela editora Bertrand Brasil. Reunimos no Volume 1 do Teatro Reunido Dias Gomes todas essas notas, que abarcam tanto peças contidas aqui quanto outras presentes no Volume 1.

o berço
do herói

PERSONAGENS

Antonieta
Major Chico Manga
Vigário
Prefeito
Lilinha
Juiz
Vendedor Ambulante
Rapariga 1
Rapariga 2
Mulher Grávida
Matilde
Menino da Metralhadora
Menino do Revólver
Cabo Jorge
General
E mais um Ator, uma Surda-Muda
e o povo de Cabo Jorge.

ÉPOCA: *1955*

PRÓLOGO

Palco e plateia às escuras. Ouve-se um gongo elétrico.

ATOR (*Pelo microfone.*) Notícia de falecimento: morreram todos os heróis.

Outra vez o gongo.

ATOR Transmitimos a notícia de falecimento de todos os heróis.

CORO (*Surge sob um jato de luz e canta.*)
Morreram, morreram todos
de ridículo e de vergonha
ante o advento do herói-definitivo;
humilhados, ofendidos,
morreram, morreram todos
os personagens da tragédia universal.
Voltamos, voltamos ao coro
— símbolo do destino comum.

Há um botão atravessado
na garganta do universo
— é o gogó da humanidade,
é o gogó de Deus.

Não é botão que se abra em flor,
que desabroche em vida e perfume,
não é botão que adorne a camisola
da noiva desejada
e desabotoe em prazer e amor
ao doce apelo da fecundidade;
é o contato fatal entre dois polos,
fim de todos os fins.

Botão que espera
o dedo assassino,

exterminador,
que o virá premir
e o fará parir
o feto atômico.

Eternidade — palavra sem nexo,
céu, inferno, juízo final — nada disso haverá:
Deus virou botão, botão de contato,
Deus virou comutador
e a humanidade se curva e ora
ao deus-botão,
ao deus-comutador.

De que cor será?
Vermelho, azul, lilá?
De que cor será,
de que cor será
o botão que nos mandará
a todos para o nada?

ATOR (*Surge na boca de cena, com uma lanterna elétrica.*) Atenção, atenção. Se há algum herói na plateia, queira subir ao palco, por favor. (*Lança o jato de luz sobre os espectadores.*) Nenhum herói? Nenhum herói? Obrigado. Temos então de nos arranjar com o que nos resta. (*Apaga a lanterna e sai.*)

Sobre a tela, projeta-se o filme:
Campo de batalha (noite).
1 — Bombardeio. Fogo de artilharia.
2 — A trincheira brasileira.
3 — Cabo Jorge entre os soldados entrincheirados.
4 — O bombardeio é terrível.
5 — A trincheira brasileira é violentamente bombardeada. Os soldados estão quase tomados pelo pânico.
6 — Explode uma granada: Cabo Jorge quase é soterrado.
7 — O rosto de Cabo Jorge reflete a gravidade da situação.
8 — A trincheira continua a ser duramente castigada pelo bombardeio.

9 — Cabo Jorge olha em torno, sente que é preciso tomar uma decisão.
10 — Cabo Jorge galga o alto da trincheira, subitamente, ante os olhares estarrecidos dos soldados.
11 — No alto da trincheira, brandindo o fuzil, Cabo Jorge solta um terrível grito de guerra, um grito selvagem, alucinado, e precipita-se contra as linhas inimigas.
12 — Brandindo o fuzil e gritando sempre, Cabo Jorge corre em direção às posições adversárias. No meio do caminho é metralhado.
13 — Cabo Jorge cai, varado pelas balas.
14 — Encorajados pelo heroísmo de Cabo Jorge, os soldados brasileiros abandonam a trincheira e avançam em massa.
15 — O corpo de Cabo Jorge estendido ao solo e as botas dos soldados brasileiros que saltam sobre ele. São dezenas, passando ininterruptamente, para o ataque, para a vitória, que a música descreve em tons wagnerianos, até o letreiro surgir, em superposição.

FIM

Apaga-se a tela. A iluminação muda. Estamos agora na praça, diante do monumento a CABO JORGE. O monumento está coberto pela bandeira brasileira. Junto a ele, sobre um pequeno palanque, ANTONIETA, toda de preto, um véu cobrindo-lhe o rosto. MAJOR CHICO MANGA, VIGÁRIO, PREFEITO. Populares se aglomeram em volta do palanque. Entre estes, LILINHA, JUIZ, um VENDEDOR AMBULANTE e a SURDA-MUDA.

ANTONIETA é mulher de trinta e poucos anos, de beleza um tanto vulgar. Toda ela, aliás, recende a vulgaridade. Uma certa linha, um ar de grande dama que procura manter em público, são inteiramente falsos. E, no fundo, ela se sente muito mal quando não está no seu natural, que é o de fêmea inteiramente livre de peias e preconceitos. Suas concepções morais são primitivas e simplistas, custando-lhe muito compreender que deve exercer certo controle sobre seus impulsos sexuais. No entanto, esse aparente despudor é que lhe dá uma surpreendente humanidade.

O "MAJOR" CHICO MANGA é o chefe político local. Negocista, demagogo, elegendo-se à custa da ignorância de uns e da venalidade de outros, *convicto, entretanto, de ser credor da gratidão de todos pelas benfeitorias que tem conseguido para a cidade. E talvez o seja, até certo ponto. É dessa classe de políticos — bem numerosa, aliás, entre nós — que acha que o relativo bem que fazem os absolve de todo o mal que espalham. E que se Deus fez o bem e o mal, foi para que coexistissem. O que se deve fazer é tirar o maior proveito possível do mal em favor do bem. Assim, se permite a prostituição, o jogo, mas se cobra uma boa taxa para a Igreja ou a Prefeitura, está tudo justificado. Podia-se atribuir a ele aquela célebre frase de um parlamentar patrício: "Política se faz com a mão esquerda na consciência e a direita na merda." O título de "Major" não lhe advém de posto militar, mas de seu prestígio e suas posses.*

O PREFEITO *é um homem do* MAJOR. *Depende inteiramente de seu prestígio e submete-se a ele. Se bem que procure realizar alguma coisa e projetar-se por conta própria, mas faltam-lhe personalidade e chute. O* MAJOR *lhe permite posar de autoridade, e ele não é capaz de ir muito além disso. Tenta ser um administrador moderno, mas é, no fundo, um primário.*

PADRE LOPES, *o* VIGÁRIO, *é uma figura contraditória. Tão contraditória quanto a própria Igreja católica. É já de meia-idade e os anos que tem na paróquia lhe permitiram assistir ao crescimento da comunidade. É a única pessoa que possui uma visão global desse desenvolvimento desigual e desordenado em que, sob os rótulos de progresso e civilização, entram, de contrabando, os germes que irão contaminar a futura sociedade, dita civilizada e cristã. Consciente disso,* PADRE LOPES *trava uma violenta batalha contra o pecado, que cresce como a própria cidade. Sem uma visão nítida do processo histórico, combate os efeitos, esquecendo as causas. Mas é honesto em seus propósitos. Contraditoriamente, sua paróquia se beneficia dessa mesma corrupção que ele combate. Embora pareça, em certos momentos, um fanático, é apenas um obsedado. Essa obsessão, essa ideia fixa — o combate às prostitutas que invadem a cidade — é a cristalização de uma revolta, decorrente da consciência que tem de sua impotência para impor a própria concepção moral.*

LILINHA *é um temperamento marcado pela frustração sexual. Foi levada a um voto de castidade, menos por inclinação mística do que pelo desejo de transformar em culto essa mesma frustração. De maneira curiosa, ela se sente justificada desse modo. A figura que encarna da "virgem abandonada", sublime em sua renúncia, satisfaz inteiramente a sua vaidade e aplaca a sua histeria. Esta explode, no final, quando ela se sente roubada e ridícula.*

MAJOR CHICO MANGA (*Discursando.*) Foi um herói, minha gente. Um herói de verdade. Graças a ele, as tropas brasileiras na Itália conquistaram seu primeiro triunfo. Graças a seu gesto magnífico, lançando-se de peito aberto contra a metralha, aquele batalhão, encorajado pelo seu exemplo, levou de roldão as terríveis hordas nazistas. Esta glória, que há de ficar para sempre gravada nas páginas da História, é também nossa, porque foi este o solo que lhe serviu de berço.

PREFEITO Isso mesmo.

MAJOR Mas foi preciso que se derramasse o sangue de um herói — e esse sangue era quase meu, como todos sabem, casado que sou com a tia dele — para que as autoridades federais tomassem conhecimento deste lugar, até então esquecido de Deus e dos homens. O feito heroico de Cabo Jorge atraiu para esta cidade jornalistas, cinegrafistas e turistas de toda parte. No entanto, é preciso que se saiba também, meus patrícios, meu povo, que nada disso teria acontecido se este amigo de vocês não tivesse, na Câmara Federal, lutado como lutou para trazer até aqui o progresso, as conquistas da civilização cristã.

PREFEITO Muito bem.

Aplausos. Dois populares levantam uma faixa: PELO PROGRESSO DE CABO JORGE, VOTE NO MAJOR CHICO MANGA.

POPULAR Viva o Major Chico Manga!

TODOS Viva!

MAJOR Sei que não fiz mais do que o meu dever. Não fiz mais do que me mostrar digno de Cabo Jorge — símbolo da coragem, da virilidade e do espírito de sacrifício dos homens desta terra, do mesmo modo que aquela a quem deixou viúva é o símbolo da pureza e da honestidade de nossas mulheres. E ninguém melhor do que ela, a viúva do herói, ninguém mais merecedora da honra de inaugurar este monumento, erigido pelo povo desta cidade ao maior dos seus filhos, Cabo Jorge.

Aplausos. ANTONIETA *levanta o rosto e o véu. Sorri para o povo, um sorriso de declamadora escolar em festa de fim de ano.*

ANTONIETA (*Disfarçadamente, ao* MAJOR:) E agora, o que é que eu faço?

MAJOR (*Discretamente, um pouco irritado.*) Não lhe disse, puxe a bandeira.

ANTONIETA (*Tenta retirar a bandeira que cobre o monumento, não consegue.*) Algum engraçadinho prendeu a bandeira lá atrás.

MAJOR *consegue desprender a bandeira.* ANTONIETA *descobre o monumento. Aplausos.* ANTONIETA *sorri, agradecendo, como se a homenagem fosse para ela.*

ANTONIETA (*Após ligeira hesitação, sem saber se deve ou não agradecer.*) Eu acho que devo agradecer, não é? Já que ele, coitadinho, não pode. Se pudesse, vocês iam gostar, porque falava tão bem, dizia coisas tão bonitas... Não sei aonde ia buscar tanta coisa, palavra.

MAJOR *lança-lhe um olhar de desaprovação. Ela percebe.*

ANTONIETA Bem, mas isso não interessa. O que eu queria dizer é que estou muito contente, não sabe? Ah, vocês não imaginam como eu estou contente. E Jojoca também, lá no Céu, deve estar, se é que deixaram ele ver esta festa. Mas por que não haviam de deixar, não é, seu Vigário, se a festa é pra ele?

O VIGÁRIO *balança a cabeça afirmativamente, com toda a gravidade.*

ANTONIETA Só digo que é mesmo uma pena que ele não esteja aqui, porque ia gostar de se ver assim... Bem, mas se ele estivesse aqui não podia ter virado estátua. De maneira que Deus sabe como faz as coisas. Viúva é sobejo de defunto. Um homem faz falta, e o preto não é cor que assente em qualquer pessoa; mas quando a gente é viúva de um homem que morreu de morte tão bonita, não pode se queixar, não é mesmo? E quando a gente perde um marido, mas ganha uma estátua igualzinha a ele, até parece que não é mais viúva. Se bem que haja muita diferença, vocês entendem. Sem querer desfazer da estátua, que é muito bonitinha. Mas é que uma estátua a gente não pode levar pra casa, vestir um pijama nela, não é, não pode. Mas eu não me queixo, não. Estou muito contente. E agradeço. Por mim e por ele.

Todos aplaudem. ANTONIETA *distribui sorrisos de "miss" em passarela. Foguetes espocam no ar.*

CORO (*Sai do meio do povo, avança até o proscênio e canta:*)
Não são os heróis que fazem a História,
é a História
quem faz heróis,
porém no caso do nosso Cabo Jorge,
foi a História
ou fomos nós?
Este ponto ficará esclarecido
no decorrer
de nossa história;
o que importa no momento esclarecer
é que sem ele,
sem sua glória,
este lugar não teria conhecido
as maravilhas
e as conquistas
da civilização cristã e ocidental
e ocidental
e ocidental.

primeiro ato

PRIMEIRO QUADRO

Duas quermesses ocupam as extremidades da praça embandeirada. Numa delas está LILINHA; *na outra,* ANTONIETA. *Populares à frente das barracas. Dois meninos passam correndo. Ouve-se a Banda executando um número. Um* VENDEDOR *atravessa a cena, oferecendo "abecês".*

VENDEDOR
Vamos, minha gente, vamos
melhorar sua cultura,
o "ABC de Cabo Jorge"
é obrigatória leitura;
o homem não vive só
de mastigar rapadura.

A história que vão ler
se passou lá nas Oropa
e demonstra que na Guerra
brasileiro não é sopa,
quando entra numa briga
não teme sujar a roupa.

LILINHA (*Em sua barraca.*) Medalhas com a efígie de Cabo Jorge. Comprem, que é em benefício de nossa Igreja.

JUIZ *aproxima-se da barraca e examina uma das medalhas.*

LILINHA Doutor Juiz vai ficar com uma medalhinha? É pra ajudar as obras da Igreja.

JUIZ Que obras?

LILINHA Não sabe que o telhado está pra cair?

JUIZ Há dez anos que está. Não caiu até hoje.

LILINHA   Porque Deus não quis.

JUIZ   Pois se tudo depende da vontade de Deus, não adianta fazer nada, minha filha. (*Refere-se à medalha.*) Feita aqui?

LILINHA   Sabe não? Cacá de Filomena abriu uma loja só pra vender medalhas, amuletos, retratinhos, tudo de Cabo Jorge. E não é mais preciso mandar fazer em Salvador, ele mesmo faz. Trouxe máquinas, operários, tudo pra isso.

JUIZ   Deve estar entrando nos cobres, o sabido.

LILINHA   Se está. Papai é sócio.

JUIZ   Ah, o Prefeito é sócio. Então não deve nem pagar imposto. Terra abençoada.

LILINHA   Mas pra Igreja eles não cobraram nada pelas medalhas. Fizeram uma doação.

JUIZ   Claro. Assim, Deus também entra de sócio. Cacá de Filomena tem cabeça.

Entram RAPARIGA 1 *e* RAPARIGA 2.

LILINHA   (*Ao ver as prostitutas.*) Que atrevimento!

JUIZ   (*Sem perceber o motivo da indignação de* LILINHA.) Me desculpe...

LILINHA   Essas mulheres... Aqui! (*Dá as costas às* RAPARIGAS, *que passam.*)

RAPARIGA 1   (*Pisca o olho para o* JUIZ.) Boa-noite!

JUIZ   Boa-noite! (*Percebendo que* LILINHA *não vê, arrisca um olhar.*)

LILINHA   (*Volta-se ainda mais indignada.*) E o senhor ainda dá boa-noite a elas!

JUIZ   Questão de educação. Cumprimentaram, eu respondi.

LILINHA	O senhor, como juiz, devia era expulsar daqui essas sem-vergonhas. Numa festa da Igreja, é incrível que elas tenham o descaramento de comparecer.
JUIZ	Foi seu pai, o Prefeito, quem deu permissão pra elas funcionarem. E, pelo que estou informado, elas pagam imposto. Ao passo que as medalhinhas...

As RAPARIGAS param no outro extremo do palco.

RAPARIGA 1	Que é que essa Beata está resmungando?
RAPARIGA 2	Sei lá. É a tal que diz que foi namorada de Cabo Jorge. E depois que ele morreu, jurou morrer virgem.
RAPARIGA 1	Até que não vai ser difícil: quem é que quer um bucho desses? (*Ri.*)
LILINHA	(*Para o* JUIZ:) O senhor quer dar uma olhada na barraca? Eu vou chamar o Vigário. É muito desaforo! (*Sai.*)
ANTONIETA	(*Na outra barraca.*) Um bilhetinho da tômbola que vai correr daqui a pouco. É pra ajudar a consertar o telhado da Igreja, que está pra vir abaixo. (*Um popular compra um bilhete.*) Obrigada.
MULHER GRÁVIDA	Vosmicê não tem uma relíquia, um pertence qualquer que tenha sido de Cabo Jorge? Diz que dá sorte pra quem está de bobó...
ANTONIETA	Tenho não. Aqui é só bilhete pra tômbola. Mas a senhora procure por aí que encontra. Já venderam tanto amuleto feito da farda do falecido, que se juntassem tudo dava pra fardar todo o Exército brasileiro.

VENDEDOR *chama a* MULHER *à parte.*

VENDEDOR	Vosmincê quer uma relíquia de Cabo Jorge?
MULHER GRÁVIDA	Queria...
VENDEDOR	(*Tira do bolso, discretamente, um pequeno objeto.*) Uma preciosidade.

MULHER GRÁVIDA	Que é isso?
VENDEDOR	Tá vendo não? Um botão da ceroula de Cabo Jorge. Dá sorte e faz ter filho macho.
MULHER GRÁVIDA	Da ceroula dele mesmo?
VENDEDOR	Oxente, só não chamo o testemunho da viúva porque seria desrespeito. Mas vosmincê pode levar sem susto, que logo vai ter o resultado.
MULHER GRÁVIDA	Quanto é?
VENDEDOR	Duzentos cruzeiros. Mas não falha.

MULHER *paga e se afasta.* VENDEDOR *segue-a.*

VENDEDOR	Tenho também um amuleto feito da farda do Cabo e benzido pelo Vigário...

Entra MAJOR *e vai à barraca de* ANTONIETA.

ANTONIETA	Bilhetes da tômbola que vai correr daqui a pouco. Vamos, compre o resto pra ver se acaba logo com isto. Estou farta.

MAJOR *ri, tira uma nota da carteira.*

ANTONIETA	(*Pega a nota.*) Pronto, acabaram-se os bilhetes. (*Para o* MAJOR:) Nunca pensei que ser viúva de herói fosse tão chato.
MAJOR	Tem suas compensações...
ANTONIETA	Tem, é claro. Senão eu não estava aguentando há dez anos esta amolação. E a coisa está piorando. Antigamente, só se comemorava o aniversário da morte, depois passou-se a comemorar também o nascimento, agora o Vigário inventou de festejar até a primeira comunhão.

MAJOR   É bom, tudo isso é bom. Quanto mais festas, melhor. Movimenta a cidade, o comércio. É gente que vem, dinheiro que entra.

ANTONIETA   Ganham os jogadores, as Raparigas.

MAJOR   Todos ganham.

ANTONIETA   E eu que engula discurso, sermão, quermesse, todo esse bolodório.

MAJOR   Quando tivermos a estrada então, vai ser uma beleza.

ANTONIETA   Sai mesmo essa estrada?

MAJOR   Ora, já está no meio. E fica pronta dentro de um ano. Pra semana vou ao Rio apressar a liberação da verba.

ANTONIETA   Sabe o que estão dizendo por aí? Que você só lutou por essa estrada pra valorizar suas terras.

MAJOR   Gente ingrata. Uma estrada que vai beneficiar todo mundo. Quando que este cafundó sonhou ter uma estrada asfaltada ligando diretamente com Salvador? Agora só porque a estrada passa pela minha fazenda... Mas não ia ter de passar por algum lugar? Não ia ter de valorizar as terras de alguém? Pois então que valorize as minhas, que fui quem pariu a ideia. É justo ou não é?

ANTONIETA   Eu acho. Eles é que não acham.

MAJOR   Eles quem?

ANTONIETA   Esses que dizem que a estrada vai dar uma volta enorme só pra passar por suas terras.

MAJOR   Volta enorme! Uma voltinha de nada.

ANTONIETA   Você podia era ter dado um jeito de fazer a estrada passar também pela minha fazenda.

MAJOR   Isso também era demais. Sua fazenda fica no norte do município, a estrada vem do sul.

ANTONIETA	Oxente, uma voltinha a mais, uma voltinha a menos...
	Entram LILINHA *e o* VIGÁRIO. *Ela aponta as* RAPARIGAS.
LILINHA	Lá estão elas.
VIGÁRIO	Era só o que faltava! (*Fuzila as* RAPARIGAS *com o olhar.*)
RAPARIGA 2	Xi, a Beata foi chamar o Vigário. Vamos embora.
RAPARIGA 1	Eu daqui não saio. Não arredo pé daqui. Estou na rua, não estou na Igreja.
RAPARIGA 2	Tu sabe como é esse padre. Vai fazer um fuzuê!
RAPARIGA 1	Que faça. Tenho medo de homem que veste saia?
VIGÁRIO	(*Aproxima-se das* RAPARIGAS.) Por favor, saiam daqui.
RAPARIGA 1	Mas nós estamos muito bem aqui.
VIGÁRIO	Por Deus, não me façam perder a paciência.
	As BEATAS *formam um bloco agressivo atrás do* VIGÁRIO. *O* PREFEITO *entra.*
RAPARIGA 1	(*Solta uma gargalhada.*) Que é? Vão querer briga?
LILINHA	É o cúmulo! Não respeitam nem o Vigário!
PREFEITO	(*Aproxima-se.*) Que é que há, Padre? Que está acontecendo?
VIGÁRIO	Não sei como o senhor, o Prefeito, permite essa indecência.
LILINHA	Essas mulheres aqui afrontando Deus e todo mundo!
	As BEATAS *cercam o* PREFEITO, *protestando exaltadamente:* "Uma imoralidade! Um sacrilégio! Em frente da Igreja!"
PREFEITO	(*Com autoridade.*) Calma, calma. Tudo se resolve. (*Volta-se para as* RAPARIGAS *e fala num tom menos*

autoritário:) Vão embora, não me arranjem encrenca com o Vigário. Vão embora.

RAPARIGA 1   Está bem, nós vamos porque o Prefeito pediu. Não porque a gente tenha medo dessas papa-hóstias. (*Mostra a língua, num gesto insultuoso.*)

As BEATAS *revidam com o mesmo gesto.* RAPARIGA 1 *levanta a saia até a altura da cintura. O* VIGÁRIO *e as* BEATAS *levam a mão ao rosto, com um grito de horror.*

SEGUNDO QUADRO

Uma sala em casa de ANTONIETA.

MAJOR   Só sei que com essa estória de comemorar o aniversário da primeira comunhão de Cabo Jorge, o Vigário tirou um dinheirão nas quermesses.

ANTONIETA   Quem teve a ideia?

MAJOR   Fui eu. Assim ele não amola mais a gente com o teto da Igreja que está pra cair. Agora tem dinheiro pra construir outra Igreja, se quiser.

ANTONIETA   E será que Cabo Jorge fez mesmo primeira comunhão?

MAJOR   Fez, minha mulher tem um retrato dele de branco, vela na mão e resplendor na cabeça. Não sabe que ele, quando era menino, ajudava na missa?

ANTONIETA   Daqui a pouco você vai querer me convencer de que ele era um santo.

MAJOR   Por que o espanto? Tem muita gente que acha. Há até quem garanta que antes de morrer ele teve uma visão e ouviu uma voz: "Vai! Avança! Avança!"

ANTONIETA   Devia ser algum soldado alemão...

MAJOR   O povo acredita que era o Senhor do Bonfim. Vai você contradizer o povo?

ANTONIETA   É uma gente muito tola.

MAJOR   Não tanto como você pensa. Sabe que já andam falando muito de nós? Por mais cuidado que eu tenha.

ANTONIETA   Também, o que era que você queria? Que isso ficasse em segredo, numa cidade do tamanho de Cabo Jorge, onde tudo se sabe?

MAJOR   Eu sei que é difícil. Mas sempre se pode manter a questão num ponto em que muita gente tenha dúvidas. Uma coisa é dizerem que o Major Chico Manga dorme com a viúva de Cabo Jorge, outra coisa é baterem uma fotografia dos dois na cama.

ANTONIETA   Fizeram isso?!

MAJOR   Não, estou comparando. E não é tanto por mim que tomo precauções, é mais por você.

ANTONIETA   E eu estou ligando? Qual é o meu?

MAJOR   Mas deve ligar. É preciso que o povo imagine que a viúva de Cabo Jorge é uma mulher superior. Seu prestígio na cidade vem dessa ideia que o povo faz de você.

ANTONIETA   E não é uma ideia verdadeira? Eu não sou, por acaso, superior a essas tabaroas?

MAJOR   Claro que é. Mas se todo mundo começar a falar de nós... Você compreende, isto é uma cidade de interior, agora é que está tomando um cheiro de civilização.

Entra a SURDA-MUDA.

MAJOR   (*Referindo-se à* SURDA-MUDA.) Por isso, é preciso ter cuidado.

ANTONIETA   Ela não ouve, nem fala, você sabe.

MAJOR   Mas vê.

ANTONIETA   Também nenhuma criada é perfeita.

A SURDA-MUDA *faz sinais.*

ANTONIETA	Tem gente aí. É melhor você sair pela porta dos fundos.
MAJOR	Volto de noite. (*Sai.*)
ANTONIETA	Às vezes penso que o melhor era mesmo ter ficado lá na Capital. Vivia roendo beira de sino, mas pelo menos podia roer do jeito que quisesse. Não me queixo do velho, ele tem sido bom pra mim. Como homem, não me satisfaz, é claro. Mas, coitado, ele não tem culpa disso. Ingratidão dizer que ele não faz tudo pra me agradar. Não fosse ele e eu não era hoje o que sou, dona de fazenda, com pensão do Estado, considerada, bajulada. Só não sei se tudo isso vale a liberdade da gente fazer o que dá na cabeça. É claro que nada me impede de dar umas fugidas de vez em quando e pregar uns chifres na testa do Major. Ora, eu sou moça e não vou me enterrar antes do tempo. É ou não é?

A SURDA-MUDA *faz sinais.*

ANTONIETA	Ah, sim, vamos ver quem é.

A SURDA-MUDA *sai, entra* MATILDE.

MATILDE	Dá licença?
ANTONIETA	Ah, é D. Matilde. Como vão os negócios?
MATILDE	Andavam muito fracos. Mas este mês, não sabe? Com o calor, as festas e a ajuda de Deus melhoraram bastante. A gente não pode se queixar.
ANTONIETA	Muita gente de fora, muito homem em jejum... as meninas devem ter sido muito procuradas.
MATILDE	Se foram, minha senhora. Trabalharam tanto que estou até pensando em fechar a casa por uma semana e dar férias a todas elas.
ANTONIETA	É justo.

MATILDE — Merecem, a senhora não acha? Ah, eu sou assim, o que é direito é direito. Quando o Major exigiu que se desse uma percentagem ao Vigário como condição pra deixar abrir um castelo aqui em Cabo Jorge, eu disse: é direito. E a senhora é testemunha de que nunca atrasei. Aqui está a cota deste mês. (*Entrega um maço de notas a* ANTONIETA.)

ANTONIETA — Boa bolada.

MATILDE — Se a gente vive do pecado, e o pecado é obra de Satanás, a gente se aproveita dele pra ajudar o povo de Deus; e o Diabo é passado pra trás.

ANTONIETA — Deus deve dar boas gargalhadas.

MATILDE — E deve fazer um descontozinho na nossa conta; estamos trabalhando para Ele também, é ou não é? Mas a gente trabalha satisfeita, quando vê que o negócio está se desenvolvendo, que a clientela está aumentando e que ninguém tem queixa de nosso serviço. A gente faz até sacrifícios pra atender a todos, como nesses últimos dias.

ANTONIETA — A senhora também fez "sacrifícios"?

MATILDE — E não sou eu quem dirige tudo? E sou sozinha, minha senhora, sozinha. Ah, se eu encontrasse uma pessoa pra me ajudar, uma pessoa de confiança, honesta...

ANTONIETA — Ouvi dizer que a senhora está pensando em abrir uma filial.

MATILDE — Já tenho até a casa, um sobrado perto do cais, com oito quartos. Pode-se dividir cada um em dois, e são dezesseis. Mas o Prefeito não quer dar permissão. Diz que uma casa só dá pra atender ao mercado.

ANTONIETA — Mas quem pode dizer é a senhora, que está no negócio.

MATILDE — E ele sabe que Cabo Jorge já comporta duas casas e até mais.

ANTONIETA — Na semana passada abriram outro cassino, defronte do cemitério. A cidade está progredindo a olhos vistos.

MATILDE — É o Vigário que não quer. Vive fazendo sermão contra nós. Ameaçando a gente com o fogo do Inferno e o espeto do Cão.

ANTONIETA — E vocês ainda ajudam a Igreja.

MATILDE — Mas não adianta não. Esse padre é gira. Recebe o dinheiro e dana de xingar a gente. Sabe como esse povo aqui é metido a puritano. Chegam a bater porta e janela quando eu passo na rua. E fazem o mesmo com as meninas. Ainda outro dia, a senhora não soube? Quiseram apedrejar nossa casa, depois de ouvir uma dessas arengas do Vigário.

ANTONIETA — É uma gente muito atrasada. Não entende que isso é consequência do progresso da cidade.

MATILDE — Depois eu só ia trazer pra cá meninas de bom comportamento, boa saúde e bom caráter. Saiba a senhora que isso hoje em dia não é fácil. Não é mais como no meu tempo, quando se levava a sério a profissão. Hoje é muito difícil encontrar uma profissional que se dê ao respeito. Não há mais disciplina, essas meninas estão com a cabeça cheia de ideias... Chegam até a se voltar contra mim, achando que eu exploro elas. Veja só, minha senhora, eu, que faço tudo, que sou uma mãe pra elas. Claro, tenho de tirar a minha parte, também preciso viver. Mas explorar, nunca explorei. Deus é testemunha. (*Confidencial.*) Veja se a senhora fala com o Major sobre o nosso caso. Se ele mandar, o Prefeito dá o consentimento. E eu sei que ele faz tudo que a senhora quer.

ANTONIETA — Pode deixar, eu vou falar com ele. Afinal de contas, não é justo que por causa de meia dúzia de carolas se trave o progresso da cidade. Cabo Jorge não pode parar.

MATILDE   Pois não é? Porque eu reconheço, minha casa é acanhada, sem conforto, não está à altura da importância da cidade.

ANTONIETA   Desanime não, D. Matilde. Quem abre caminho enfrenta as cobras.

MATILDE   Mas é mesmo pra desanimar. A gente quer contribuir pro adiantamento do lugar, mas qual, a mentalidade dessa gente... Ah, se não fosse a senhora e o Major Chico Manga, Cabo Jorge ainda era aquele borocotó de antes da guerra. Graças a vosmicês, este lugar está se tornando habitável.

ANTONIETA   A senhora também tem colaborado muito.

MATILDE   E não colaboro mais porque não me deixam. Disposição não me falta, graças a Deus. Ah, se eu tivesse do meu lado uma pessoa como a senhora, com o prestígio que a senhora tem aqui, olhe, eu garanto que fazia Cabo Jorge avançar cinquenta anos em cinco.

ANTONIETA   Comigo a senhora pode contar. Claro, dentro de certos limites e conservando todo o sigilo. Compreende, na minha posição...

MATILDE   Ora, minha senhora, o sigilo faz parte do meu negócio.

ANTONIETA   Se não fosse a minha posição, eu até que ia de vez em quando ao castelo dar uma mãozinha...

MATILDE   Se a senhora quiser...

ANTONIETA   Está doida? É só uma tentação que tenho de vez em quando. Maluquice. Oxente, eu sou a viúva de Cabo Jorge, a viúva de um herói.

MATILDE   Desculpe, foi vosmicê quem falou. Eu não ia ter o atrevimento...

ANTONIETA   Esqueça isso. Hoje mesmo entrego ao Vigário a doação.

MATILDE	Muito obrigada. Já escureceu, o movimento lá em casa já deve estar começando, e as meninas estão sozinhas. Boa-noite!
ANTONIETA	Boa-noite!

MATILDE *sai.*

ANTONIETA	(*Abre o pequeno embrulho de notas. Folheia-as.*) Juros para a conta de Deus.
CORO	No Banco da perdição Deus tem conta sem limite... E que importa se o Banco opera a juros altos, se faz negócios de agiotagem, se ao fim das contas os juros vão ser creditados na conta de Deus.

TERCEIRO QUADRO

Na praça, dois meninos entram correndo, empunhando armas de brinquedo. Um deles tem uma metralhadora, o outro, um revólver.

MENINO DA METRALHADORA	Mãos ao alto!
MENINO DO REVÓLVER	Eu sou Cabo Jorge. Pode atirar.
	MENINO DA METRALHADORA *aciona a sua arma.* MENINO DO REVÓLVER *leva as mãos ao peito e cai teatralmente. Logo se levanta e saem os dois, correndo. Na saída, esbarram em* MATILDE, *que entra, quase derrubando-a.*
MATILDE	Meninos da peste! Não enxergam não, seus filhos duma boa senhora!

Um rapaz surge pelo lado oposto da praça, trazendo na mão uma valise. Entra, a passos lentos, olhando em torno, intrigado. Para diante do monumento.

MATILDE — Quase me jogaram no chão, os capetas! Cambada!

RAPAZ — (*Lê a inscrição no monumento.*) "O povo a seu herói." (*Ele contempla o monumento, intrigado. Dirige-se a* MATILDE:) Quem é esse camarada?

MATILDE — É o culpado de tudo isso. Da falta de modos dessa molecada. É o exemplo. Parece que estão todos malucos também.

RAPAZ — Também?...

MATILDE — Um sujeito que oferece o peito às balas, ou é maluco ou é burro.

RAPAZ — Esse...

MATILDE — (*Nota a mala.*) O senhor é daqui não?

RAPAZ — Quer dizer... estou chegando.

MATILDE — Porque pra gente da terra não se pode falar assim, não. Todos acham que esse cabra foi um batuta. E ficam tão inchados quando falam nele, que até parece que o espírito do Cabo baixou na barriga de cada um. Também, foi a única coisa que aconteceu neste lugar até hoje: aqui se pariu um herói.

RAPAZ — Então a cidade ficou importante.

MATILDE — Sim, pro que era... Eu estou aqui há cinco anos, já faz nove que a guerra terminou...

RAPAZ — (*Corrige com muita segurança.*) Dez.

MATILDE — Ou dez. Não conheci isto antes da guerra. Mas devia ser o fim da picada. Um cafundó aonde nem o Diabo era capaz de vir fazer piquenique. Nem diversão tinha. Hoje uma pessoa tem aonde ir de noite. Se gosta de jogo, tem o cassino do Hotel e outros por aí. Se é um moço simpático, com cara de mulherengo, tem a minha casa. (*Pisca o olho, significativamente.*)

RAPAZ — (*Surpreso.*) Casa de Raparigas... aqui?

MATILDE — É a única da cidade. Mas respondo por ela. Moças bonitas, experientes, não essas tabaroas, meninas da Capital, da Ladeira do Taboão, escoladas, viajadas...

RAPAZ — E eles permitem?...

MATILDE — Eles quem?

RAPAZ — O Prefeito, o Vigário...

MATILDE — O Prefeito não manda nada. Quem faz e desfaz nesta terra é o Major Chico Manga. É um homem instruído, deputado federal e, aqui entre nós, apesar da idade, louco por um rabo de saia.

RAPAZ — O Major, a senhora sabe se ele está na terra?

MATILDE — Indagorinha mesmo vi ele sair da casa da viúva. Ele pensa que eu não vi... (*Ri.*) Seu menino, o velho é danado...

RAPAZ — Acho que é a primeira pessoa com quem eu devo falar. A senhora sabe onde eu posso encontrar o Major, agora?

MATILDE — Quem podia dizer era a viúva.

RAPAZ — Onde ela mora?

MATILDE — Ali, naquela casa. (*Aponta.*) Depois do Major, é quem manda na cidade. E não é má pessoa, não. Podia ser uma fulana cheia de cangancha. Mas, ao contrário, com ela se consegue tudo.

RAPAZ — Vou até lá, então.

MATILDE — Mas espere. Não vá dizer que fui eu quem mandei.

RAPAZ — Claro.

MATILDE	Pelo amor de Deus, não quero saber de encrenca com a viúva.
RAPAZ	Pode ficar descansada.
MATILDE	E olhe, depois, apareça lá em casa. Gostei de sua cara. Bem se vê que não é daqui. Tem Cara de Anjo.
RAPAZ	Sou capaz até de passar a noite lá, se não encontrar onde dormir.
MATILDE	Vá, que eu dou um jeito. Sabe onde é? Passando a cadeia, a segunda casa. Pergunte pelo "castelo" da Matilde, que todo mundo sabe.
RAPAZ	Está bem. E obrigado pela informação. (*Sai.*)
MATILDE	Ora... Chau, Cara de Anjo.

Os dois MENINOS *entram correndo. Um deles esconde-se atrás de* MATILDE, *fazendo-a de trincheira, enquanto o outro dispara sua arma.*

MENINO DA METRALHADORA	Eu te matei, eu te matei.
MENINO DO REVÓLVER	(*Esconde-se atrás de* MATILDE.) Matou nada, eu estou na trincheira. Esta é a minha trincheira!
MATILDE	É a sua trincheira uma ova, seu corneta! Sai de trás de mim!
MENINO DA METRALHADORA	Mas eu tenho uma bomba atômica e vou acabar com o mundo. (*Faz um gesto de quem atira uma bomba.*)

QUARTO QUADRO

Voltamos à casa de ANTONIETA. *A* SURDA-MUDA *acaba de introduzir o* RAPAZ *na sala. Faz sinais para que espere,* ANTONIETA *já vem. E sai. O* RAPAZ *arria a valise, corre os olhos em torno, curioso.* ANTONIETA *entra.*

ANTONIETA	(*Nota a valise.*) Essa minha criada, além de surda e muda é broca; podia ter logo despachado o senhor, não estou querendo comprar nada.

Ela nota que o RAPAZ *está imóvel, fitando-a quase apalermado. Há um longo silêncio, findo o qual eles se reconhecem quase ao mesmo tempo.*

RAPAZ Você não é?...

ANTONIETA Valha-me Deus!

RAPAZ Antonieta!

ANTONIETA (*Incrédula, tomada do maior espanto.*) Virgem Santíssima!

RAPAZ Se lembra mais de mim não? Mudei tanto assim?

ANTONIETA Minha Nossa Senhora da Conceição, me acuda!... Estou vendo alma do outro mundo! (*Leva a mão aos olhos e titubeia, como se fosse desmaiar.*)

RAPAZ (*Segura-a, rindo.*) Alma do outro mundo coisa nenhuma. Sou eu mesmo, o Jorge, da república de estudantes, de Salvador...

ANTONIETA Sim, eu sei, esqueci não. Como é que eu podia esquecer?...

CABO JORGE (*É a criatura humana, com suas grandes qualidades e seus grandes defeitos. Um pouco de anjo, um pouco de verme, mas, sobretudo, o homem, em sua condição mais autêntica, na consciência de sua fraqueza e na determinação de usar de sua liberdade. A ausência nele de algumas virtudes que julgamos essenciais é uma consequência da brutal revelação que teve do mundo em que vivemos.* CABO JORGE *pertence a esta nossa geração que, muito antes de chegar à idade da razão, recebeu a notícia, jamais dada a outros antes de nós: o homem adquiriu o poder de destruir a humanidade. Num mundo assim, que poderá desaparecer de um momento para outro, ao simples premir de um botão, certos conceitos de heroísmo, de dignidade, lhe parecem absurdos, ridículos. Em sua volta à cidade natal há, no fundo, um desejo de fugir a esse mundo onde a vida humana quase perdeu o sentido, e uma vontade de reencontrar o significado de sua existência.*) Quanto tempo. Mais de dez anos. Nunca podia esperar encontrar você, tanto tempo depois, na primeira casa em que entro. Que houve com você? Como veio parar aqui? Me disseram que aqui morava uma viúva...

ANTONIETA (*Ainda não se refez do choque, e a torrente de perguntas de* JORGE *parece atordoá-la.*) Espere, espere, vamos devagar. Você chega assim e já quer saber tudo. E não explica nada. Você me deixa zonza. Temos de ir com calma. Parte por parte. Quando você chegou?

CABO JORGE Desci do trem indagora.

ANTONIETA Ninguém o viu ainda?

CABO JORGE Ninguém? Você quer dizer gente conhecida? Não, não encontrei nenhum conhecido ainda. Estava à procura do Major Chico Manga, que é meu tio. Uma mulher que encontrei na praça me disse que quem devia saber era uma viúva que morava aqui. Eu podia imaginar tudo, menos encontrar você em casa dessa viúva.

ANTONIETA E vai ficar ainda mais espantado quando souber que eu sou a viúva.

CABO JORGE Você? Mas espere... Aquela mulher disse que, depois do Major, você é quem manda na cidade.

ANTONIETA Modéstia à parte, mando mesmo. Escute, essa tal mulher não reconheceu você?

CABO JORGE Como, se ela nunca me viu mais gordo? Disse que é dona de um *rendez-vous*. Isso aqui mudou muito.

ANTONIETA Mais do que você pensa.

CABO JORGE Quem havia de dizer. Uma gente tão carola, tão cheia de nó pelas costas...

ANTONIETA A cidade progrediu muito desde que... desde que você saiu daqui.

CABO JORGE — Estou vendo. A cidade e você também. Quem te viu e quem te vê. Lembra-se dos tempos da pensão, lá em Salvador?

ANTONIETA — Se me lembro.

CABO JORGE — Com saudade?

ANTONIETA — Então.

CABO JORGE — Você não tinha a vida que parece ter hoje. Não era a viúva mandachuva. Seu marido morreu há muito tempo?

ANTONIETA — Um bocado.

CABO JORGE — Algum coronel?

ANTONIETA — (*Embaraçada.*) Não, era um rapaz moderno. Morreu há dez anos.

CABO JORGE — Esteve pouco tempo casada.

ANTONIETA — Muito pouco. Coisa de nada.

CABO JORGE — Não faz muito mais de dez anos que nos conhecemos. Onze anos, se tanto.

ANTONIETA — Logo depois eu me casei.

CABO JORGE — Não foi com nenhum dos estudantes lá da república... Eu sei que não era o único... Você não dava exclusividade a ninguém... Até diziam que você era a arrumadeira ideal: arrumava os quartos e a vida da gente.

ANTONIETA — (*Ri.*) Eram bons rapazes, e eu tinha pena deles.

CABO JORGE — Ah, era por piedade...

ANTONIETA — Não me custava nada, e todos tinham tanto prazer nisso. Eu também tinha. E naquele tempo não entendia por que devia me recusar a dormir com um rapaz, se esse rapaz me agradava, e eu não tinha outro em minha cama. Não compreendia por que devia

	machucar, quando podia dar prazer. Eles ficavam tão felizes. E eu, uma simples criada, que podia desejar mais? Era tão importante pra eles aquilo que me custava tão pouco. Por que eu ia negar?
CABO JORGE	Você era uma pequena engraçada. Me lembro da última vez que você foi ao meu quarto.
	Muda a luz. Agora, apenas o sofá está iluminado, e o estudante JORGE *está deitado nele.* ANTONIETA, *de pé, tem um lenço na cabeça.*
ANTONIETA	Verdade? Você vai pra guerra?
JORGE	É, fui convocado.
ANTONIETA	Que maçada, não? Quando tem de partir?
JORGE	Não sei. Tenho de me apresentar amanhã ao Quartel-General.
ANTONIETA	Quando me disseram, fiquei com tanta pena que não pude deixar de vir aqui. Imaginei que você estivesse muito amolado e precisando de mim.
JORGE	Que é que você pode fazer?
ANTONIETA	Claro, guerra é guerra, os grandes é que decidem, ninguém pode fazer nada. E pode ser até que você esteja gostando de ir. Vai viajar, conhecer outros países, outras mulheres. Dizem que as italianas fazem miséria na cama. Meninas de doze anos já são mulheres escoladas.
JORGE	Você imagina a guerra como uma grande farra.
ANTONIETA	Estou inventando não, li numa revista do Rio. E quem sabe se você não vai voltar com o peito cheio de medalhas? Eu vi um filme de Gary Cooper, ele sozinho prendia mais de trinta.
JORGE	Vão à merda, você e Gary Cooper!
ANTONIETA	Você não gosta de Gary Cooper?

JORGE	(*Grita.*) Vá-se embora!
ANTONIETA	(*Chocada.*) Vim pra ficar com você. É sua última noite aqui, pensei que você quisesse.
JORGE	Quero ficar só.
ANTONIETA	Estava querendo lhe animar. Eu sei que a guerra é uma coisa muito pau. Foi por isso que vim ficar com você. Pra você não pensar esta noite. O Mauro queria que fosse ao quarto dele, eu não fui. Achei que você tinha mais direito. Mas se você não quer, eu vou-me embora. Mauro também está muito triste, coitado. Escreveram lá do Ceará dizendo que a noiva dele é uma galinha, anda com todo mundo. Ele está desesperado. Pensando bem, eu não sei o que é pior, se é ser corno, ou ser convocado.
JORGE	Está bem. Então tire a roupa e deite aqui. Mas não fale. Não fale.

Muda a luz. CABO JORGE *levanta-se do sofá, e* ANTONIETA *tira o lenço da cabeça.*

CABO JORGE	Sempre imaginei que você sentisse alguma coisa por mim. Que não ia ao meu quarto como ia ao quarto dos outros.
ANTONIETA	Acho... acho que você pode pensar assim até que as coisas fiquem mais claras.
CABO JORGE	Que coisas?
ANTONIETA	Minha situação, sua situação, a situação de todos.
CABO JORGE	Entendo não.
ANTONIETA	Engraçado: você chega assim, de repente, sem avisar, depois de dez anos, e já quer entender tudo. Em dez anos, muita coisa acontece. Uma mulher pode parir nove filhos, sem ser nenhum fenômeno.
CABO JORGE	Nove filhos? Todos do Major?!
ANTONIETA	Não, homem!

CABO JORGE   Vários pais...

ANTONIETA   Não seja besta! Estou falando em sentido figurado. Pra que você entenda que não se pode desenrolar em dez minutos uma coisa que foi enrolada durante dez anos.

CABO JORGE   Você fala como se eu estivesse pedindo explicações. Não tenho nada com a sua vida. E não pense que pretendo me aproveitar da situação. Não sou nenhum canalha. Se minha presença aqui vai lhe causar problema, faz de conta que não nos conhecemos. Uma noite ou outra, se você quiser, posso vir por aqui, quando o Major não estiver, é claro...

ANTONIETA   Ele viaja muito...

CABO JORGE   (*Abraça-a.*) Podemos então recordar os velhos tempos da pensão.

ANTONIETA   Sinto tanta falta de carinho.

CABO JORGE   O velho não dá mais conta do recado? (*Puxa-a para o sofá.*)

ANTONIETA   Você sabe que eu sempre fui muito exigente.

CABO JORGE   Em amor, quem muito exige é que muito tem a dar...

Eles se beijam, demorada e libidinosamente. Muda a luz. O sofá fica na penumbra. Na tela, num flashback, surge a cena do comício inicial, com o MAJOR *discursando.*

MAJOR   Não fiz mais do que me mostrar digno de Cabo Jorge — símbolo da coragem, da virilidade e do espírito de sacrifício dos homens desta terra, do mesmo modo que aquela a quem deixou viúva é o símbolo da pureza e da honestidade de nossas mulheres.

QUINTO QUADRO

A cena está vazia.

MAJOR   (*Fora de cena.*) Não acredito. Não acredito.

ANTONIETA	(*Idem.*) Juro, homem de Deus. Pelo que há de mais sagrado! (*Entra, em trajes íntimos, procurando conter o* MAJOR.)
MAJOR	Você está com um homem no quarto e inventou essa história. Não sou nenhum corno manso pra ir nessa conversa. (*Saca o revólver.*) Arreda da minha frente. Vou pregar duas balas nesse gigolô, e depois nós acertamos as nossas contas.
ANTONIETA	E se for ele? Se for Cabo Jorge?
MAJOR	Só se morre uma vez na vida.
ANTONIETA	Pois então olhe daqui. Ele está dormindo.
MAJOR	(*Olha na direção que ela aponta.*) Lá está o patife, esparramado...
ANTONIETA	Não atire!
MAJOR	Nunca matei um homem pelas costas, muito menos dormindo.
ANTONIETA	Olhe bem, veja se não é ele.
MAJOR	(*Apura a vista.*) É... parece... Se não é ele, é o Cão disfarçado nele.
ANTONIETA	Já que você não acredita em mim, acredite ao menos nos seus olhos.
MAJOR	(*Muito abalado.*) É mesmo muito parecido.
ANTONIETA	Não é parecido, é ele, homem. Será que ainda não se convenceu?
MAJOR	Espere, isso não é assim. Um homem vira estátua, vira fita de cinema, de repente aparece em cuecas, de bunda pra cima, na cama de minha amante...
ANTONIETA	Eu estou dormindo aqui no sofá, é claro.
MAJOR	Não acho nada claro. Principalmente ele estar dormindo em sua cama.

ANTONIETA — E o que era que você queria que eu fizesse? Que botasse ele pela porta afora?

MAJOR — A cidade tem hotel.

ANTONIETA — E garanto que a cidade inteira já estava sabendo que ele está vivo. Antes da gente dar um jeito nesta situação.

MAJOR — Que situação?

ANTONIETA — A minha, oxente! Sou viúva de um homem que não morreu e nunca foi meu marido. Agora o homem está aí. Quero ver como vamos explicar isso a ele. A ele e a todo mundo, porque amanhã a notícia vai correr de boca em boca.

MAJOR — (*Compreendendo por fim a gravidade da situação.*) Vai não. Ninguém deve saber! É preciso que ele não saia daqui, que não apareça a ninguém. Até eu decidir o que vamos fazer. Não é só o seu caso, não, a volta desse rapaz vai criar muitos casos.

ANTONIETA — Foi o que eu percebi logo. Por isso não deixei que ele saísse à sua procura, como ele queria.

MAJOR — (*Agora cada vez mais preocupado.*) Fez bem. Bastava que alguém reconhecesse ele na rua pra que a notícia se espalhasse.

ANTONIETA — Se bem que, mais cedo ou mais tarde, vão ter de saber.

MAJOR — Mas não antes de tomarmo certas providências.

ANTONIETA — Quais?

MAJOR — Sei lá. É uma situação tão absurda, que estou incapaz até de raciocinar. Ele não explicou onde esteve esse tempo todo, não disse por que não morreu, como devia?

ANTONIETA — Não houve tempo.

MAJOR — Como?

ANTONIETA — Ele chegou muito cansado. Caiu na cama e dormiu.

MAJOR	Não era bom acordá-lo agora e saber logo tudo?
ANTONIETA	Era não, coitado. Ele está exausto. Deixe que durma até de manhã. Assim também ganhamos tempo pra pensar.
MAJOR	Nesse caso, vou dormir aqui, e amanhã cedo...
ANTONIETA	Dormir aonde? Estou ocupando o sofá. E você quer que ele saiba logo da nossa ligação?
MAJOR	Não, ele não deve saber disso.
ANTONIETA	Complicava ainda mais as coisas. O melhor é você vir amanhã cedo.
MAJOR	Mas não deixe ele sair, nem falar com ninguém, antes de eu chegar.
ANTONIETA	Pode ficar sossegado.
MAJOR	(*Olha na direção do quarto.*) Mas o certo era ele estar no sofá e você na cama.
ANTONIETA	Ele está com o corpo moído da viagem...
MAJOR	Como engordou, o safado. Está com uma bunda enorme. (*Sai, um tanto desconfiado.* ANTONIETA *arruma-se um pouco e sai na direção do quarto.*)

SEXTO QUADRO

Amanhece. CABO JORGE *entra. A* SURDA-MUDA *observa-o, a distância, com certa estranheza.* CABO JORGE *mergulha no jato de sol, cerra os olhos, e seu rosto revela um prazer físico. Súbito, percebe que a* SURDA-MUDA *o observa, procura justificar-se.*

CABO JORGE	Sol! Gosto de sol! (*Sai e aparece na praça. Dá uma volta em torno do monumento, aspirando fundo o ar da manhã. Ele é todo disposição, vontade de viver.*)
	O VIGÁRIO *entra e atravessa a praça, muito apressado.*
CABO JORGE	(*Ao vê-lo.*) Mas é o Padre Lopes... (*Chama-o.*) Padre!

O VIGÁRIO *se detém.*

CABO JORGE — Padre, sou eu! Não me reconhece não?

VIGÁRIO — Perdão, mas...

CABO JORGE — Não se lembra mais de mim? Fui seu aluno de catecismo...

VIGÁRIO — (*Não o reconhece.*) Oh, sim, sim, Deus o abençoe. (*Sai.*)

CABO JORGE *fica um tanto chocado. Muda a luz.* ANTONIETA *surge na sala.*

ANTONIETA — Onde está ele? (*Faz gestos para a* SURDA-MUDA.) O rapaz? Você viu?

A SURDA-MUDA *indica, com gestos, que* CABO JORGE *saiu.*

ANTONIETA — Saiu? Meu Deus, ele não pode sair. (*Corre para a porta, no momento em que* CABO JORGE *volta.*) Aonde você foi?

CABO JORGE — Dar um giro na praça.

ANTONIETA — Você é louco...

CABO JORGE — Quem parece que está louco é o Vigário: me viu e nem parou pra falar comigo.

ANTONIETA — Pronto. Agora a cidade inteira vai saber...

CABO JORGE — Que eu voltei?

ANTONIETA — Sim.

CABO JORGE — E que tem isso?

ANTONIETA — O Major não quer. Precisa antes conversar com você.

CABO JORGE — Ele já sabe que eu cheguei?

ANTONIETA — Esteve aqui. Você estava dormindo, ele ficou de voltar agora de manhã. Pra lhe dar conta de umas coisas que aconteceram aqui, na sua ausência.

CABO JORGE	Já sei: fui dado como desertor. Mas fui anistiado, não fui? Me disseram, na Itália, que havia saído um decreto de anistia.
ANTONIETA	Sei não. Disso eu não sei. O que o Major acha é que é preciso preparar o espírito do povo para a volta de Cabo Jorge.
CABO JORGE	Cabo Jorge... Por que me chama de *Cabo* Jorge?
ANTONIETA	Você não foi Cabo?
CABO JORGE	Fui, mas... você me conheceu antes... Por que todos me chamam agora de Cabo Jorge? Quando o trem parou na Estação, alguém gritou "Cabo Jorge"! Julguei que fosse algum antigo companheiro de batalhão, durante a guerra. Procurei, cheguei a gritar: "Quem me chamou?" Mas ninguém respondeu. Saltei e o trem partiu. Achei estranho.
ANTONIETA	Pois é bom que vá se habituando porque é assim que você é conhecido aqui, em Cabo Jorge.
CABO JORGE	Aqui, em Cabo Jorge?
ANTONIETA	Oxente, gente. Será que você não sabe, ao menos, que é este agora o nome da cidade?
CABO JORGE	Sabia não. Como é que podia saber? Estive na Europa todos esses anos. Mudaram o nome da cidade?
ANTONIETA	Pra Cabo Jorge.
CABO JORGE	Mas por quê?
ANTONIETA	Você esteve na praça?
CABO JORGE	Estive...
ANTONIETA	Viu lá um monumento?
CABO JORGE	Vi... Um soldado ferido.
ANTONIETA	O soldado é Cabo Jorge.
CABO JORGE	Estou começando a entender... Pensam que eu...

ANTONIETA Você deu a vida pela Pátria, homem. (*Como quem repete um discurso.*) Atirou-se de peito aberto contra as balas nazistas e tombou como um herói. Foi o primeiro soldado brasileiro a morrer em defesa da liberdade e da democracia.

CABO JORGE Estou achando que há um mal-entendido em tudo isso.

ANTONIETA É o que eu também acho.

CABO JORGE Pensam que eu morri. E que morri desse modo!

ANTONIETA Uma beleza. Se você visse a fita.

CABO JORGE Fita?

ANTONIETA Então, menino. Fizeram uma fita de sua vida. Passou aqui, e eu fui homenageada. O Major fez um discurso tão bonito, que todo mundo chorou. O artista que fez o seu papel veio na estreia. Que decepção. Um pedaço de homem daquele... desperdício da natureza.

CABO JORGE (*Ele está atônito.*) É espantoso! Espantoso!

ANTONIETA Mas na fita ele não parecia nada...

CABO JORGE Estou zonzo... não sei como puderam inventar toda essa história. (*Subitamente, começa a rir.*) Herói... virei herói... imagino a cara dessa gente agora, quando me vir. Vão passar sebo nas canelas, pensando que é assombração.

ANTONIETA (*Ri também.*) Pensando bem, vai ser engraçado. Mudaram o nome da cidade, levantaram estátua, escreveram livro, reportagem, fizeram fita de cinema... e você está vivo. Tanto discurso, tanta festa, tanta coisa...

CABO JORGE *solta uma enorme gargalhada e é acompanhado por* ANTONIETA.

CABO JORGE (*Salta para cima duma cadeira.*) Senhoras e senhores, aqui está o batuta, de corpo inteiro. Não morreu, como julgam, porque não há nada de heroico na morte. Está vivo! Vivo, graças à sua inteligência e a uma qualidade fundamental de todo ser humano, o cagaço! Teve medo. Mas não um medinho bocó, como qualquer babaquara é capaz de ter. Teve um medo enorme, um medo danado, um medo pai-d'égua, como só um herói era capaz de sentir. Nisso está o seu grande mérito, e sua valentia, pois é preciso coragem, muita coragem, pra sentir um medo tão grande. Ah!, se todos os homens fossem capazes de um medão assim, não haveria no mundo lugar pros covardes, e a guerra seria enxotada da face da terra. Ele merece uma estátua, sim, dezenas, centenas de estátuas, pois no mundo de hoje, somente os encagaçados podem salvar a humanidade!

Ele e ANTONIETA *soltam enormes gargalhadas, quando surge o* MAJOR.

CABO JORGE — Tio Chico!

O MAJOR *está estatelado, surpreso com o que vê.*

CABO JORGE — (*Salta de cima da cadeira e vai ao encontro do* MAJOR.) Sou eu mesmo, tio, morri não.

MAJOR — E pelas gaitadas parece que vocês acham isso muito engraçado.

CABO JORGE — (*Um tanto chocado.*) Talvez não seja, mas pensei que o senhor se alegrasse, ao menos.

MAJOR — (*Humaniza-se.*) Claro. Claro que me alegro. Sua tia também.

CABO JORGE — Tia Candinha, como vai?

MAJOR — Sempre de cama, cheia de complicações. Um dia é a enxaqueca, no outro, o beribéri. Mas chorou de alegria quando lhe disse, esta noite, que você não tinha morrido e estava na cidade. Queria por força que levasse você pra lá agora.

CABO JORGE — Podemos ir. Estou louco para rever tia Candinha, a fazenda, o pessoal. O negro Feliciano ainda é vivo?

MAJOR   É. Mas está muito velho, coitado.

CABO JORGE   Vai morrer de alegria quando souber que estou de volta. E "Nero"?

MAJOR   Morreu, há dois anos. Tive de matar.

CABO JORGE   Raiva?

MAJOR   É.

CABO JORGE   Tive um cachorro parecido com ele, na Itália. No navio, de volta pro Brasil, às vezes acordava de noite, ouvindo ele latir. Não há nada mais triste no mundo do que a gente se separar de um cão. Mas vamos...

MAJOR   (*Corta.*) Não, não. Por enquanto, é melhor você não sair daqui.

CABO JORGE   Por quê?... Que mal há?...

MAJOR   (*Para* ANTONIETA:) Você contou tudo a ele?

ANTONIETA   Metade só.

CABO JORGE   Já sei que fizeram de mim um herói, com estátua e tudo. (*Ri.*)

MAJOR   Não acho que seja caso pra rir.

CABO JORGE   Então não é engraçado? Se há vocação que eu nunca tive, é essa, pra valente. Na guerra, não sabe, no primeiro pega pra capar, tive tanto medo, que numa hora lá abandonei a trincheira e saí correndo feito louco.

MAJOR   (*Estarrecido.*) Foi assim, então...

CABO JORGE   Vocês não sabem o que é um bombardeio. Nem de longe. Eu tive um aluamento passageiro, mas sei de muitos que endoidaram de vez.

MAJOR   Que é que você chama de "aluamento passageiro"?

CABO JORGE   Aquilo que eu tive. Fiquei zoró de repente e... não sei o que aconteceu. Quando voltei a mim estava deitado de barriga pra baixo num campo deserto. Tinha uma bala cravada no ombro e uma sede de matar. Saí me arrastando, mas só no dia seguinte pude alcançar uma vila italiana perdida nas montanhas. Foi aí que consegui socorro e me acoitei até o fim da guerra.

ANTONIETA Foi preso não?

CABO JORGE No caminho, não sabe, encontrei um camponês morto e troquei com ele a minha farda. Quando me perguntavam, depois, dizia que era português. (*Ri.*)

MAJOR Não procurou voltar pro seu batalhão?

CABO JORGE E era fácil? Eu não fazia nem ideia do caminho. E depois, se eu tinha fugido do Inferno, por que ia voltar pra ele?

MAJOR Você era um soldado.

CABO JORGE E eu nasci soldado?

MAJOR Ninguém nasceu. Mas muitos souberam morrer como soldados.

CABO JORGE Não vai querer me passar sermão agora, vai? Sei que, na sua opinião, o que fiz foi indigno. Talvez tenha feito coisas ainda piores pra não morrer. E o que fizeram comigo, em nome da democracia, da liberdade, da civilização cristã e de tantas outras palavras, palavras, nada mais que palavras? Ora, não me venham com acusações porque, eu sim, se quisesse, tinha muito que acusar.

ANTONIETA Mas por que não voltou ao Brasil logo que terminou a guerra?

CABO JORGE Pensei que tivesse sido dado como desertor. Tive medo de ser preso.

MAJOR Medo, medo. Medo de morrer, medo de ser preso.

CABO JORGE Todo homem tem medo.

MAJOR Vai ser muito difícil fazer o povo daqui acreditar que Cabo Jorge teve medo algum dia.

CABO JORGE	Esse Cabo Jorge que vocês inventaram é ridículo.
MAJOR	O que não é ridículo é fugir, desertar?
CABO JORGE	Pelo menos tem uma razão, um cabimento. Enquanto eu fugia, sabia por que estava fugindo. Ao passo que antes... nunca consegui entender por que estava ali.
ANTONIETA	(*Imbecilmente.*) É claro, quem é que entende?
	A SURDA-MUDA *surge na porta e faz sinais de que há alguém lá fora.*
ANTONIETA	Tem gente aí.
MAJOR	Ninguém deve ver você, por enquanto.
CABO JORGE	Mas por quê? Eu não voltei pra ficar escondido.
ANTONIETA	(*Interpretando os sinais da* SURDA-MUDA.) É mulher.
MAJOR	Pior ainda. Esconda-se, depressa.
	CABO JORGE *sai. O* VIGÁRIO *entra, muito excitado.*
ANTONIETA	Ah, é o Vigário. Bênção, Padre.
VIGÁRIO	Deus o abençoe. Bom dia!
MAJOR	Bom dia, Padre. Vexado?
VIGÁRIO	É bom que o Major esteja presente, assim mato dois coelhos de uma paulada. O primeiro é o que anda correndo aí pela cidade sobre a abertura de uma nova casa de tolerância. Então não basta uma pra cobrir a gente de vergonha? Basta não?
MAJOR	Seu Vigário deve compreender...
ANTONIETA	É o progresso.
MAJOR	A cidade cresce.
ANTONIETA	Tudo cresce.
VIGÁRIO	Será possível que a senhora também esteja de acordo?!

ANTONIETA — Estou não. Duas casas de tolerância: acho tolerância demais.

VIGÁRIO — Tolerância demais das autoridades que vão permitir essa imoralidade.

MAJOR — Ninguém vai permitir, dou minha palavra de honra. Já falei com o Prefeito, a pretensão das Raparigas não vai ser atendida, já que o Vigário se opõe.

VIGÁRIO — Muito obrigado. Não esperava outra coisa do senhor.

MAJOR — Se bem que o Prefeito também tenha lá os seus poréns. Precisamos incentivar o turismo. E turista nenhum vem a uma cidade sem divertimentos.

VIGÁRIO — Creio que podemos arranjar divertimentos mais sadios para os turistas.

MAJOR — Seja lá como for, o caso está resolvido. A abertura do novo castelo fica, pelo menos, adiada. Só peço ao Vigário que não fique fazendo sermões todos os dias contra as pobres Raparigas. Que diabo, elas estão cumprindo religiosamente o combinado.

ANTONIETA — Ontem mesmo Matilde, a casteleira, esteve aqui e deixou a cota do mês. (*Entrega o dinheiro ao* VIGÁRIO.) Olhe aqui.

VIGÁRIO — Não tenho o direito de recusar donativos para a Igreja, venham de onde vierem. Mas isso não quer dizer que concorde com esse comércio em minha paróquia, nem que isso me obrigue a calar a boca. Vou continuar fazendo sermões contra essas mulheres, e se o Prefeito der permissão para abrirem um novo bordel — que Deus me perdoe — reúno todas as Beatas da cidade e vou arrebentar com ele à porrada.

ANTONIETA — Oxente, padre!

VIGÁRIO — Chega de safadeza!

MAJOR — Não há razão pro senhor se exaltar. Já disse que o caso está encerrado.

VIGÁRIO	Está bem, confio na sua palavra. Vamos ao segundo assunto. Esse é com D. Antonieta e diz respeito ao seu falecido esposo. Aconteceu hoje uma coisa que me deixou meio abilolado. Certeza, certeza eu não tenho, mas, de qualquer maneira, embora pareça absurdo...
ANTONIETA	Já sei, o senhor viu Cabo Jorge na praça.
VIGÁRIO	(*Perplexo.*) Então era ele mesmo?!
MAJOR	Você deixou ele sair?
ANTONIETA	Que é que você quer que eu faça? Não posso amarrar o homem na minha saia.
VIGÁRIO	Mas como foi isso? Ele não morreu?
ANTONIETA	Desde quando os mortos andam passeando na praça?
VIGÁRIO	E eu, que à primeira vista, não o reconheci. Também, como é que podia imaginar? Só quando já ia longe caí em mim e disse cá comigo: "Virgem Santíssima, aquele rapaz era Cabo Jorge escarrado e cuspido." Voltei à praça e não vi mais ninguém. Aí foi que eu fiquei desnorteado. Resolvi então vir aqui conversar com D. Antonieta.
MAJOR	O senhor não falou com mais ninguém?
VIGÁRIO	Só com o Prefeito.
MAJOR	Logo ele, que fala mais que o negro do leite.
VIGÁRIO	Imaginem que ele achou que eu estava ficando gira. Frisei que a pessoa tinha dito: "Não se lembra mais de mim? Fui seu aluno de catecismo..." Não podia ser uma assombração.
MAJOR	Agora aquele idiota já botou a boca no mundo.
VIGÁRIO	Ele ficou muito vexado e disse que ia procurar o senhor.
MAJOR	Tomara que procure antes de falar com alguém.

VIGÁRIO   Por quê?

MAJOR   O senhor ainda pergunta por quê? Imaginou ainda não o que vai acontecer?

VIGÁRIO   Ah, sim, com a volta dele. Vai ser um deus nos acuda, ninguém vai acreditar. Mas quando se convencerem, vai ser uma festa.

MAJOR   Tenho cá as minhas dúvidas.

VIGÁRIO   Quem sabe? Podíamos até emendar as festas da primeira comunhão com as da...

ANTONIETA   Da ressurreição.

VIGÁRIO   Na verdade, é quase uma ressurreição, quase um milagre. Depois de tanto tempo... É coisa mesmo pra se comemorar, com missa em ação de graças, quermesse e tudo.

ANTONIETA   Se o Vigário andar depressa, pode até impedir que desarmem as barraquinhas.

VIGÁRIO   Isso mesmo. Aproveitamos as quermesses, a decoração da Igreja.

ANTONIETA   A Matilde também enfeitou a rua dela com bandeirinhas; dizer a ela pra não tirar.

MAJOR   (*Irônico, irritado.*) Não querem também dar um show?

ANTONIETA   Boa ideia: um show.

VIGÁRIO   No cinema, em benefício da paróquia.

ANTONIETA   Ou na praça, junto da estátua.

VIGÁRIO   Talvez o próprio Cabo Jorge pudesse participar. Me lembro que quando era menino cantava no coro da Igreja. E tinha boa voz.

ANTONIETA   Ele viveu na Itália, deve saber canções napolitanas.

O PREFEITO *entra, muito espantado.*

VIGÁRIO	Vai ser um 2 de julho, seu Major! (*Ao ver o* PREFEITO.) Não lhe disse? Cabo Jorge está vivo.
PREFEITO	Menino! Verdade mesmo?!
ANTONIETA	E vamos fazer um forrobodó pra comemorar.
MAJOR	E depois?
ANTONIETA	Depois?...

Ninguém entende o sentido da pergunta do MAJOR.

MAJOR	(*Repete, mais forte:*) E depois? Depois, seu Prefeito?
PREFEITO	Eu... Sei de nada não, estou chegando agora...
MAJOR	Atentem nisso: há dez anos que esta cidade vive de uma lenda. Uma lenda que cresceu e ficou maior que ela. Hoje, a lenda e a cidade são a mesma coisa.
ANTONIETA	Que tem isso? Você acha que...
MAJOR	Na hora em que o povo descobrir que Cabo Jorge está vivo, a lenda está morta. E com a lenda, a cidade também vai morrer.
VIGÁRIO	É possível que haja um certo choque, uma desilusão. Mas que serão compensados pela alegria de se saber que ele voltou.
MAJOR	Alegria? O Vigário acha mesmo que alguém vai se alegrar com isso?
VIGÁRIO	Oxente, ele deve ter deixado aqui alguns amigos, foi quase noivo de D. Lilinha... (*Para* ANTONIETA:) Desculpe...
MAJOR	Casos isolados. E mesmo assim, duvi-dê-ó-dó. A verdade é que ninguém pode se alegrar com a volta de um homem que vai fazer todo mundo passar por um vexame.
VIGÁRIO	Vexame?

MAJOR — O vexame de ter cultuado, durante dez anos, o nome de um desertor — com perdão da palavra — de um cagão.

ANTONIETA — Mas que culpa tem ele, coitado?

MAJOR — Não se trata agora de saber quem é ou não é culpado. O que importa é que ele vem destruir tudo, tudo o que se fez nesses dez anos.

PREFEITO — É o que eu acho também.

VIGÁRIO — Sim, muita coisa tem de ser mudada...

MAJOR — Começando pelo nome da cidade.

ANTONIETA — E por que não pode continuar sendo Cabo Jorge? Só porque ele não é mais herói? Nem toda cidade tem nome de herói.

MAJOR — Porque quando a verdade for contada, o mundo inteiro vai mangar de nós. A lenda vai virar anedota. E toda vez que se falar em Cabo Jorge vai haver uma gargalhada. Vamos ser gozados por todo o mundo!

PREFEITO — (*Muito preocupado.*) Vamos ter também que tirar da praça o monumento.

MAJOR — Claro, vai virar piada.

PREFEITO — Mas o que é que vamos fazer com ele?

ANTONIETA — Se não fosse o fuzil, talvez se pudesse aproveitar na Igreja, como imagem de S. Jorge...

VIGÁRIO — Que blasfêmia!

ANTONIETA — S. Jorge também foi guerreiro, oxente!

VIGÁRIO — Mas, que eu saiba, nunca sentou praça no exército.

ANTONIETA — Porque é uma pena jogar no lixo uma estátua tão bonitinha, que, além do mais, foi feita com o dinheiro do povo, em coleta pública.

MAJOR   Isso é que é o pior.

PREFEITO   Em que situação vamos ficar, nós que lançamos a campanha...

ANTONIETA   Aliás, dizem que essa campanha pelo monumento ajudou muito a eleição do Prefeito...

PREFEITO   Calúnia. Ainda tive de botar dinheiro do meu bolso. Está aí o Major que não me deixa mentir.

MAJOR   Não deixo mesmo não. Se dinheiro saiu do seu bolso, voltou em dobro.

PREFEITO   Juro pela Virgem Santíssima...

MAJOR   Não meta a Virgem nessa história, seu Silveirinha, que vão acabar duvidando da virgindade dela. Desculpe, seu Vigário...

VIGÁRIO   A verdade é que em nome de Cabo Jorge muita pouca-vergonha tem sido praticada.

MAJOR   Bem. Eu acho que vocês já entenderam: temos de tomar uma decisão.

PREFEITO   Sobre o quê?

MAJOR   Sobre ele.

VIGÁRIO   Entendo não.

MAJOR   Vocês acham que ele pode voltar?

ANTONIETA   Já voltou.

MAJOR   Só nós sabemos disso. Só nós sabemos que ele está vivo.

PREFEITO   Isso é verdade...

MAJOR   E se deixarmos que ele volte, que todo mundo saiba de sua galinhagem, seremos também responsáveis pelo que possa acontecer.

PREFEITO   É uma responsabilidade muito grande.

MAJOR	Do tamanho da bomba que vai explodir sobre a cidade.
PREFEITO	O povo pode se enraivecer. E é capaz de haver um pega pra capar.
MAJOR	Duvido não.
ANTONIETA	Mas por quê?... Ele não tem culpa de nada.
PREFEITO	Como não? Basta estar aqui, vivo, quando todos pensam que morreu pela pátria.
ANTONIETA	O senhor também está aqui, vivo, sem morrer pela pátria. Também o Vigário e o Major.
PREFEITO	Mas nenhum de nós é herói, nenhum ganhou estátua.
MAJOR	Nenhum fez a cidade festejar, com foguetes e banda de música, seu nascimento, sua morte, sua primeira comunhão. Nenhum acendeu no peito de cada cidadão um falso orgulho, que agora vai ser substituído pelo ridículo e pela vergonha.
ANTONIETA	Também, não fosse isso, e ninguém tinha tomado conhecimento deste cafundó de Judas.
VIGÁRIO	Isso é verdade: seja lá como for, foi graças a ele que a cidade cresceu, ficou famosa, adiantou-se. Se bem que o pecado também tenha se adiantado muito.
ANTONIETA	Sem ele, não se tinha a estrada.
VIGÁRIO	O castelo de Matilde.
ANTONIETA	Os três hotéis que temos hoje.
VIGÁRIO	Com os três cassinos.
ANTONIETA	Sem ele, a gente não estava hoje vendendo azeite de dendê pro Brasil inteiro.
VIGÁRIO	Sem ele, os gringos não tinham comprado o xarope de crista de galo que seu Dodó inventou.
ANTONIETA	E não tinham montado essa indústria farmacêutica que é um orgulho.

MAJOR	Muito bem. E agora, ele volta. A estrada, que ainda está no meio...
PREFEITO	Vai ficar no meio...
MAJOR	A fábrica de xarope...
PREFEITO	"Enfrente a vida com disposição, coragem e energia, tome Fortificante Cabo Jorge e dê cabo da anemia."
MAJOR	Vai à falência.
PREFEITO	Os cassinos vão ficar às moscas.
MAJOR	E os hotéis vão ter que fechar.
PREFEITO	E o turismo. Pensem no turismo. Já estava dando uma boa renda ao município. Vai tudo por água abaixo.
ANTONIETA	Só resta o azeite de dendê.
MAJOR	Talvez sirva pra azeitar a nossa vergonha.
ANTONIETA	Só se ele fosse pra outra cidade. Salvador, Rio de Janeiro...
MAJOR	Muito perigoso. Mais cedo ou mais tarde era descoberto. Dava no mesmo.
ANTONIETA	Voltar pra Itália?
MAJOR	Era o mais seguro.
VIGÁRIO	E se ele não estiver de acordo?
MAJOR	Vai ter que estar.
PREFEITO	Explicamos a situação, apelamos pro seu bom senso, pro seu patriotismo.
ANTONIETA	E, em último caso, oferecemos algumas vantagens.
VIGÁRIO	Dinheiro?
MAJOR	É justo.
ANTONIETA	Se ele voltar, vamos perder muito mais.
MAJOR	(*Para* ANTONIETA:) Vá dizer a ele que pode vir.

ANTONIETA *sai*.

PREFEITO Só que, se ele voltar pra Itália, ela vai ter que ir também.

MAJOR Por quê?

PREFEITO Porque é mulher dele, oxente! A não ser que...

MAJOR Que o quê?

PREFEITO Que ela não queira.

MAJOR (*Um pouco irritado.*) Bem, esse é um caso a estudar.

Entram CABO JORGE *e* ANTONIETA.

CABO JORGE Padre Lopes! Seu Silveira! Como vai Lilinha?

PREFEITO Bem... vai ficar contente com a sua volta.

CABO JORGE Deve estar zangada comigo. Eu nunca escrevi. Mas quando eu explicar a situação ela vai compreender.

PREFEITO Claro, claro, todo mundo compreende.

Há uma pausa. MAJOR, VIGÁRIO *e* PREFEITO *se entreolham, um esperando que o outro tome a iniciativa de falar.*

MAJOR Era melhor que o Vigário falasse.

VIGÁRIO Não, acho que o Prefeito, como autoridade máxima...

PREFEITO Mas o Major é tio dele...

MAJOR Não é um caso de família.

ANTONIETA Bem, se ninguém tem coragem de falar, falo eu. Eles querem que você volte pra Itália.

CABO JORGE Como é?! Pois se ainda nem cheguei!

VIGÁRIO Acham que você vem atrapalhar a vida de muita gente.

MAJOR Não só de muita gente, de uma cidade inteira.

PREFEITO Ia ser uma calamidade.

ANTONIETA	Assim como um terremoto.
VIGÁRIO	Ou um castigo.
CABO JORGE	Entendo não. Como é que eu sozinho posso fazer tudo isso? Só porque vão ver que não sou o super-homem de história em quadrinhos que vocês inventaram?
MAJOR	Ninguém inventou.
PREFEITO	Não é que a gente tenha, pessoalmente, qualquer coisa contra você.
MAJOR	Claro, ficamos até muito contentes com sua volta, em saber que está vivo, com saúde...
PREFEITO	Mas a cidade, pense na cidade; esse povo, pense nele...
CABO JORGE	Em mim, ninguém pensa?
MAJOR	Você não tem nada a perder. Pagamos sua passagem de volta e talvez até se consiga algum dinheiro pra você recomeçar a vida lá na Itália.
CABO JORGE	E todos continuavam aqui cultuando a memória do herói.
PREFEITO	Como se nada tivesse acontecido.
CABO JORGE	E vivendo à sombra de uma mentira.
MAJOR	Ninguém tem culpa se é mentira.
CABO JORGE	Eu muito menos. E não estou disposto a me sacrificar pra não perturbar o sono de vocês. Já disse que nunca tive vocação pra mártir.
MAJOR	Quer dizer que não concorda?
CABO JORGE	Não. Vim pra ficar e vou ficar... E estou decidido a passar aqui o resto da minha vida. Foi uma decisão que tomei, depois de conhecer um bom pedaço de mundo.
PREFEITO	Explique, Major, explique que isso vai ser a ruína de todos nós.

CABO JORGE — Pelo contrário, acho que vocês vão lucrar com a minha volta. Não sou mais aquele babaquara que saiu daqui. Esse mundão de Deus me ensinou muita coisa. Tenho a cabeça cheia de ideias, posso fazer muito pela cidade.

PREFEITO — (*Em desespero:*) Ele não entende, Major. Seu Vigário, explique... (*Para* ANTONIETA:) Quem sabe se ele acredita mais na senhora?

MAJOR — Pare com isto, Silveirinha.

PREFEITO — Desculpe, Major, mas é preciso que alguém faça ele entender.

MAJOR — Ouça, rapaz: ninguém tem nada a lucrar com a sua volta. Todos só têm a perder. Os que perderem menos vão perder o amor a esta terra e a vontade de viver aqui.

CABO JORGE — Você acha que isto vai acontecer, Antonieta? Você vai fugir daqui, se eu vier pra cá?

PREFEITO — Mas ela não serve de exemplo...

CABO JORGE — Não acredito nisso. Não posso acreditar que um homem seja mais útil morto do que vivo. Do contrário ia ter de acreditar também que todos aqueles infelizes que morreram na guerra foram muito úteis. E que a guerra é uma utilidade, porque fabrica heróis em série.

PREFEITO — Mas ninguém está dizendo isso. Aqui se trata de um caso particular, uma situação criada...

MAJOR — Seu menino, assunte o que vou dizer e entenda de uma vez; sua volta é uma ameaça para a cidade. E a cidade tem o direito de se defender.

CABO JORGE — Que quer dizer?

MAJOR — Que nenhum de nós se responsabiliza pelo que possa acontecer, se você teimar em não arredar pé daqui.

CABO JORGE — Mas o que é que pode acontecer?

MAJOR   Quem é que sabe? Conselho de amigo: pense até amanhã. Conselho de amigo. (*Sai, abruptamente. O* PREFEITO *o segue.*)

VIGÁRIO   (*Reflete.*) Ele diz que ninguém tem nada a lucrar com a sua volta; sei não... Acho que Deus lucraria muito.

ANTONIETA   Deus?

VIGÁRIO   (*Parece subitamente iluminado.*) É verdade que isso ia cair sobre essa gente como uma praga. Mas há momentos em que nada é tão útil como uma praga, pra varrer a terra de todo o pecado. Deus ajuda e perdoa, mas também castiga. (*Fita* CABO JORGE, *como se o visse agora sob nova luz.*) Quem sabe se não foi Ele quem mandou você, pra isto? Como um castigo?

Muda a luz. Na praça, diante do monumento, MAJOR *e* PREFEITO *param.*

MAJOR   Vou mandar um jagunço pra vigiar a casa; ele não deve sair.

PREFEITO   Ainda tem esperança de convencer o homem?

MAJOR   Tenho ainda um recurso. Não queria, mas vou ter de usar. Embarco pro Rio hoje mesmo. Ele não sabe que está perdido. (*Sai.*)

PREFEITO   (*Contempla o monumento, balança a cabeça.*) E agora, que é que eu vou fazer com esta pinoia?

PANO

segundo ato

SÉTIMO QUADRO

CORO (*Junto à estátua, sob um jato de luz.*)
À sombra desta estátua
uma cidade cresceu,
cresceu, cresceu, cresceu,
à sombra dela cresceu.
Barriga também cresceu
de muita gente cresceu.

Surgem MAJOR, PREFEITO *e* VIGÁRIO *com enormes barrigas. Cantam e dançam.*

MAJOR Tenho a consciência tranquila,
tudo o que dizem é intriga;
quem é que após os cinquenta
e que regime não siga,
pode evitar de criar
u'a respeitável barriga?

PREFEITO Se alguma coisa comemos
— viver não há quem consiga
sem qualquer coisa ingerir —
verdade é bom que se diga:
nem um tostão desse povo
entrou em nossa barriga.

VIGÁRIO Não há quem a Deus sirva
e que a Satanás persiga
que trace um caminho reto
e sem desviar-se o siga,
se Deus lhe enche a alma
e o Cão lhe enche a barriga.

Surge ANTONIETA, *também com enorme barriga.*

ANTONIETA
Desgraça pior é a minha
em toda essa cantiga;
não vou lançar na cegonha
a culpa desta barriga;
pra não implicar o Major,
melhor dizer que é lombriga.

CORO
À sombra desta estátua
uma cidade cresceu,
cresceu, cresceu, cresceu,
à sombra dela cresceu.
Barriga também cresceu,
de muita gente cresceu.
E agora, que fazer?
que a estátua virou,
virou, virou, virou,
de novo gente virou...

A estátua se anima: é o próprio CABO JORGE. *Todos fogem, gritando apavorados.*

TODOS
Nossa cidade morreu!

CABO JORGE
Antes ela do que eu!

OITAVO QUADRO

A estátua está de novo no seu pedestal. Homens, comandados pelo PREFEITO, *enfeitam a praça com bandeirinhas e penduram faixas que dizem: Seja Bem-vindo* CABO JORGE — *Salve* CABO JORGE — *A Cidade Recebe com Orgulho seu Heroico Filho etc. Os meninos também ajudam, ruidosamente. A música, que não cessou durante a mutação, continua ainda um tempo, descritiva.*

MULHER GRÁVIDA
Mas ele não tinha morrido?

VENDEDOR
Morreu não. Ficou todo picotado de bala, mas não morreu. Cabra danado. Devia ter o corpo fechado.

MULHER GRÁVIDA   Ou então foi o Senhor do Bonfim que tirou o efeito das balas. Não foi o Senhor do Bonfim que mandou ele avançar contra os alemães?

VENDEDOR   Tinha de fazer alguma coisa por ele.

MULHER GRÁVIDA   Mas por que é que só agora descobriram que ele estava vivo?

VENDEDOR   Dizem que ficou deslembrado. Andou vagando lá pelas Oropa, sem saber quem era. Por isso é que eu não acredito muito que tenha sido do Senhor do Bonfim a voz que ele ouviu.

MULHER GRÁVIDA   Por quê, oxente?

VENDEDOR   Senhor do Bonfim é santo da terra. Então não ia ensinar logo pra ele o caminho de casa?

MULHER GRÁVIDA   Lá isso é. Deve ter sido santo estrangeiro.

LILINHA   (*Entra, muito excitada, mas não muito satisfeita.*) Quando ele chega?

PREFEITO   Deve chegar no trem de amanhã. Não tenho ainda certeza. Mas é preciso ir preparando tudo, enfeitando a cidade, quero uma recepção de arromba.

LILINHA   Falei com Zé Fogueteiro. Botou a mulher e os nove filhos pra trabalhar sem descanso até a hora da chegada.

PREFEITO   Quero um foguetório como nunca se viu. Nem em noite de S. João.

LILINHA   Mestre Fafá já está ensaiando a Lira. Só que ele teima em tocar aquele dobrado da autoria dele mesmo.

PREFEITO   Que toque. Com tanto foguete, ninguém vai ouvir nada. O meu improviso, você escreveu?

LILINHA   Vou escrever agora.

PREFEITO	Depressa, que eu preciso decorar.
LILINHA	Que é que o senhor quer que eu diga?
PREFEITO	Fale no orgulho da cidade, na glória da cidade, essa coisa toda. Não se esqueça de mencionar a campanha do monumento e de dizer que isso se deve a mim. Fale também no Major, na viúva, na estrada. E veja se dá pra encaixar o nome de Deus em qualquer lugar.
LILINHA	Encaixo tudo, menos o nome da viúva. Esse, se o senhor quiser que encaixe.
PREFEITO	Vamos deixar de nove horas. Ela é casada com ele, se lembre disso. Você não tem direito nenhum.
LILINHA	E eu estou dizendo que tenho? Ele vivo ou morto, pra mim tanto faz como tanto fez. O senhor bem sabe que renunciei a tudo, que estou casada com Deus Nosso Senhor.
PREFEITO	Pois então...
LILINHA	Mas botar o nome dela no discurso eu não boto. (*Inicia a saída e para.*) E não pense que o senhor me engabela com essa história de que ele só chega amanhã; eu sei que ele já chegou há muito tempo e está na casa dela.

VIGÁRIO *entra.*

PREFEITO	Quem lhe disse?! (LILINHA *sai, volta-se para o* VIGÁRIO:) Foi o senhor?
VIGÁRIO	Não dei uma palavra a ninguém. Mas a ideia também não me agrada muito. Quem teve?
PREFEITO	A viúva mesmo. Uma ideia besta, que resolve tudo. Não sei por que ninguém pensou nisso logo de início.
VIGÁRIO	O Major já sabe?
PREFEITO	Não, ele está no Rio, chega hoje. Estamos esperando por ele pra fazer a chegada triunfal. Prepare os sinos. Vai ser uma aleluia!

VIGÁRIO   Estou vendo.

PREFEITO   Me admira que o senhor não esteja animado.

VIGÁRIO   Vamos ter então que esconder a verdade.

PREFEITO   Só eu, o senhor, o Major e a viúva. Fazemos um juramento...

VIGÁRIO   Eu não faço juramento nenhum.

PREFEITO   Está bem, o senhor não precisa jurar. Como padre, o senhor tem obrigação de guardar o segredo de uma confissão.

VIGÁRIO   Não foi em confissão que vim a saber.

PREFEITO   Bem, faz de conta. Isso é um detalhe.

VIGÁRIO   Um detalhe muito importante, seu Silveirinha. Muito importante. (*Sai.*)

ANTONIETA   (*Entrando.*) Ah, estou cansada de esperar lá na Estação.

PREFEITO   O Major não veio?

ANTONIETA   O Maria-fumaça, como sempre, está atrasado.

PREFEITO   A falta que faz a estrada de rodagem.

ANTONIETA   Também, agora ela sai. Se em nome de um defunto o Major conseguiu tanta coisa, o que não vai conseguir com o defunto vivo.

     Entram MAJOR *e* GENERAL. *Este veste uma capa, mas está à paisana. Ambos se mostram surpresos com o movimento e a decoração da praça. Principalmente o* MAJOR.

MAJOR   Não estou entendendo... Não estou entendendo nada. (*Vê o grupo formado por* ANTONIETA, VIGÁRIO *e* PREFEITO.) O senhor podia esperar aqui um minutinho, eu vou saber que doideira é essa.

PREFEITO   Olhe o Major...

ANTONIETA   Oxente, eu saí da Estação agora mesmo...

MAJOR   Que maluquice é essa?

ANTONIETA   Maluquice nada, está tudo resolvido.

PREFEITO   Encontramos a solução.

ANTONIETA   Agradeça a mim.

PREFEITO   Ele volta, mas volta como herói mesmo.

MAJOR   E esse tempo todo, como vamos explicar?

ANTONIETA   Hospital, campo de concentração, perda de memória.

PREFEITO   Assim, não muda nada.

MAJOR   E ele está de acordo?

ANTONIETA   Cabo Jorge? Qual é a dele? Vai ser recebido com foguete e banda de música, viver adorado pelo povo, com certeza vai ganhar medalha e pensão do Estado. Só tem de contar umas mentirinhas de vez em quando e engolir discurso. Mas que diabo, eu faço isso há dez anos e não me queixo.

MAJOR   É, é uma boa ideia. Por que não pensamos nisso antes? Eu não tinha ido ao Rio de Janeiro. Agora vamos ter de falar com ele.

PREFEITO   Ele quem?

MAJOR   Sabe quem é aquele? Um General.

PREFEITO E ANTONIETA   Um General?!

    GENERAL *desce até eles.*

MAJOR   O General me desculpe toda essa maçada. Fazer o senhor vir até aqui... Mas eu achei que era meu dever comunicar... (*Apresenta.*) O Prefeito da cidade, a esposa de Cabo Jorge.

Cumprimentos de cabeça.

MAJOR   Afinal de contas, ele é um herói militar. E o Exército é o Exército.

PREFEITO   A farda é sagrada.

MAJOR   Pra nós, a situação era muito desagradável. Mas quem ia ficar em posição ainda mais incômoda eram os senhores. Há um batalhão com o nome dele.

PREFEITO   Um batalhão.

MAJOR   Felizmente, nem havia necessidade do senhor vir aqui. Encontrou-se uma solução, ao que parece. Ele volta, mas nada se conta de sua deserção.

ANTONIETA   E continua tudo como dantes: a honra do Exército, o prestígio do Major, o progresso e a glória da cidade.

GENERAL   E nós todos nas mãos de um vigarista. (*Há uma surpresa geral com a reação violenta do* GENERAL.) A senhora acha então que o Exército pode ser cúmplice de uma impostura?

ANTONIETA   Mas não há outro jeito.

PREFEITO   Já quebramos a cabeça.

GENERAL   E escolheram a solução mais cômoda.

PREFEITO   Foi a única que encontramos.

GENERAL   Pois temos de encontrar outra, essa não serve. É incompatível com a dignidade militar.

MAJOR   Sim, claro, claro. Pensando bem, é até uma ofensa propor semelhante solução. O senhor me desculpe. (*Com intenção, encarando* ANTONIETA.) É que há pessoas ansiosas pela volta do Cabo, a qualquer preço...

GENERAL   Ele é seu sobrinho, não é, Deputado?

MAJOR   Meu sobrinho... sobrinho de minha mulher. Meu sobrinho por afinidade. Mas vamos esquecer esse

	parentesco, General. Em toda a minha vida de deputado, nunca fiz política de família.
PREFEITO	Lá isso é verdade.
MAJOR	Sou um homem público. E neste caso só vejo o interesse do meu povo e da minha pátria. Esse rapaz é um desertor. Acho que o senhor deve levá-lo preso para o Rio.
GENERAL	Talvez.
MAJOR	Ou então embarcá-lo de volta pra Itália.
GENERAL	Tenho de estudar o caso.
PREFEITO	A gente não pode se conformar é com...
MAJOR	Com o ridículo!
PREFEITO	A vergonha!
GENERAL	Não, isso não. Voltar, de modo algum ele pode voltar.
ANTONIETA	Mas agora todo mundo já sabe que ele está vivo. Pensam que vai chegar amanhã!
MAJOR	Digam que foi um rebate falso. Não era Cabo Jorge. Um maluco qualquer que se dizia Cabo Jorge. Vocês, que inventaram essa história, que deem o jeito. (*Aponta as faixas.*) E mandem arrancar essa palhaçada. (*Para o* GENERAL:) O General quer interrogar o rapaz?
GENERAL	Não, primeiro um banho. Estou louco por um banho. Me arranjem um hotel.
MAJOR	Nada disso. O senhor vai pra minha casa. Faço questão.
PREFEITO	A minha também está às ordens. É casa de pobre, mas...
MAJOR	Tenho um quarto à sua disposição, General. Vamos.
GENERAL	Um ponto importante: ninguém deve saber de minha presença na cidade. Estou em missão reservada. Absolutamente reservada.

MAJOR	Entendido.
GENERAL	Com licença, madame.
	Saem MAJOR *e* GENERAL, *deixando* ANTONIETA *e o* PREFEITO *um tanto perplexos.*

NONO QUADRO

Em casa de ANTONIETA. LILINHA *entra na sala, conduzida pela* SURDA-MUDA. CABO JORGE *está de quatro, com a cabeça enfiada embaixo do sofá, procurando algo.* LILINHA, *presa de grande emoção, ao dar com ele nessa posição, fica indecisa.*

LILINHA	É ele?... (*Examina de vários ângulos o traseiro de* CABO JORGE.)
	A SURDA-MUDA *balança afirmativamente a cabeça e sai.*
LILINHA	Nunca pensei que depois de tanto tempo viesse dar com ele nesta posição!
CABO JORGE	(*Levanta-se.*) Desculpe, eu estava... (*Reconhece-a.*) Lilinha!
LILINHA	Não. Me toque não.
CABO JORGE	(*Chocado.*) Lilinha!...
LILINHA	Fique onde está. Quero só olhar bem pra você.
CABO JORGE	(*Incomodado com o olhar estranho de* LILINHA.) Que é? Mudei muito? Quinze anos.
LILINHA	Se mudou!
CABO JORGE	Engordei um pouco. Sabe, Itália, macarrão...
LILINHA	Quinze anos. E não morreu. E até engordou.
CABO JORGE	Preferia que eu tivesse morrido?
LILINHA	Mil vezes. Que Deus me perdoe.

CABO JORGE (*Ele fica um tanto desarmado.*) Então era assim que você gostava de mim? Que jurou uma vez não olhar pra outro homem até que eu voltasse?

LILINHA Avalie você que papelão, se eu cumpro o juramento. E a verdade é que cumpri.

CABO JORGE Não se casou?

LILINHA Fui, durante quinze anos, "a namorada de Cabo Jorge, o primeiro amor de Cabo Jorge". No princípio, pensei até em entrar pra um convento.

CABO JORGE Mas eu não tenho culpa.

LILINHA E de quem é a culpa? Minha? Mereço isso?... Depois de quinze anos, tudo se acaba assim, de uma hora pra outra...

CABO JORGE (*Sem entender.*) Como se acaba, se eu voltei, estou aqui!

LILINHA É isso mesmo, você voltou, está aqui e está tudo acabado.

CABO JORGE Compreendo, seu pai lhe contou a verdade, e você sente vergonha de mim. Claro que não vou ao ponto de achar que meu procedimento mereça uma estátua. Mas será que sou tão repulsivo assim? Só porque num momento lá da minha vida achei que era um homem livre e podia usar a minha liberdade como bem entendesse. Então, pra que o homem é livre, senão pra isso, pra escolher o seu caminho?

LILINHA Não estou reclamando nada. Sei que não tenho direito nenhum. Você seguiu o seu caminho e eu, burra, devia ter seguido o meu. Você não tem culpa de nada. A culpa é toda minha.

CABO JORGE Não, diga o que pensa. Pode dizer. Eu sei que você veio aqui pra me chamar de poltrão, de covarde.

LILINHA Foi então por covardia?

CABO JORGE	Covardia, instinto de conservação, medo, loucura, sei lá... Mas o que importa é que estou vivo. Vivo.
LILINHA	(*Estarrecida.*) E ela sabe?
CABO JORGE	Ela, quem?
LILINHA	D. Antonieta. Ela sabe que foram esses os motivos que levaram você a se casar com ela?

ANTONIETA *entra.*

CABO JORGE	Que história é essa?!
LILINHA	Oh, eu nunca imaginei!... Um homem que enfrentou o exército alemão de peito aberto, um herói nacional!... (*Sai.*)
CABO JORGE	Ei, espere!

Ele faz menção de correr atrás de LILINHA, *mas* ANTONIETA *o detém.*

ANTONIETA	Deixe ela ir. Precisamos ter uma conversa.
CABO JORGE	Também acho. (*Olha-a fixamente.*) Então o falecido era eu!
ANTONIETA	A ideia não foi minha não.
CABO JORGE	De quem foi?
ANTONIETA	Do Major. Ele queria que eu viesse pra cá, e foi esse o pretexto que arrumou.
CABO JORGE	Inventou que você havia casado comigo...
ANTONIETA	Secretamente, antes de você partir pra guerra. Estava deixando ele chegar hoje, pra lhe contar tudo.
CABO JORGE	E os papéis?
ANTONIETA	Oxente, gente, terra onde defunto vota, por que é que não casa?
CABO JORGE	Falsificou.

ANTONIETA — Tão bem-falsificado que até pensão eu recebo do Estado.

CABO JORGE — Agora estou compreendendo a razão de sua influência. Além de amiga do Major, viúva do Cabo...

ANTONIETA — E cabo eleitoral do Major.

CABO JORGE — O velho é danado. Mas não sei como ele descobriu você.

ANTONIETA — Fui eu quem fui levar no escritório dele a carta que chegou do Exército comunicando a sua "morte em ação".

CABO JORGE — Mas e agora? Eu voltando, você deixa de ser viúva...

ANTONIETA — Passo a ser a esposa de Cabo Jorge.

CABO JORGE — E o Major?

ANTONIETA — Ora, ele tem que se conformar.

CABO JORGE — Mas eu é que não me conformo. Antes, o corno era ele, agora o corno sou eu.

ANTONIETA — Eu podia ser fiel. Foi uma experiência que nunca tentei.

CABO JORGE — Não se deve exigir demais da natureza.

ANTONIETA — Queira ou não queira, você está casado comigo, de papel passado e tudo.

CABO JORGE — Uma ova. Se quiser, meto vocês todos na cadeia.

ANTONIETA — E casa com Lilinha.

CABO JORGE — Caso com quem quiser. Quem decide a minha vida sou eu.

ANTONIETA — (*Sorri.*) Você que pensa. Sua vida vai ser decidida hoje, e não por você.

CABO JORGE — Não estou entendendo.

ANTONIETA — Não vai haver mais desfile, chegada triunfal, nada.

CABO JORGE — Mas não estava tudo combinado, não estavam todos de acordo?

ANTONIETA   Todos, menos o General.

CABO JORGE   Que General?

ANTONIETA   O Major chegou do Rio e trouxe um general. Ele é quem vai decidir.

CABO JORGE   Mas por que era preciso um general?

ANTONIETA   Sei lá. A coisa está ficando cada vez pior. E, se eu fosse uma criatura sensata, estava agora era convencendo você a desistir.

CABO JORGE   E abandonar a cidade?

ANTONIETA   Se isso ainda fosse possível.

CABO JORGE   Não é mais?

ANTONIETA   Até ontem, era. Agora, não sei. Os jagunços do Major estão tocaiando a Estação e a estrada. Até mesmo nossa casa está sendo vigiada. Eles agora não vão deixar você sair da cidade.

CABO JORGE   Mas quando cheguei não queriam que eu voltasse no mesmo pé?

ANTONIETA   Já lhe disse, a coisa mudou com a chegada do General. Quer um conselho? Faça o mesmo que fez na guerra: sebo nas canelas. Se você ficar aqui, vai ser pior. Fuja e se esconda em qualquer lugar. Faça isso enquanto é tempo.

CABO JORGE   Esconder onde?

ANTONIETA   Numa hora dessas, acho que só dois lugares oferecem segurança: a Igreja ou o castelo de Matilde.

CABO JORGE   (*Ainda indeciso.*) Mas por que tenho de fugir?

ANTONIETA   Porque cada minuto que passa fica mais difícil você escapar.

CABO JORGE   Escapar de quê? Da cadeia? Não podem me prender, fui anistiado.

ANTONIETA	Não sei o que eles estão pensando em fazer, mas é bom que espere pelo pior.
CABO JORGE	O pior...
ANTONIETA	No princípio, não entendi bem, mas agora compreendo o que significa pra eles a sua volta.
CABO JORGE	Não é possível!
ANTONIETA	Conheço eles e conheço a situação. É besta, mas é como é. Se fosse você, ganhava o mundo agora mesmo.
CABO JORGE	(*Perplexo.*) Estão loucos! Estão todos loucos!
ANTONIETA	Estão não. Estão com a cabeça no lugar. Louco é você de querer bancar o cabeçudo.
CABO JORGE	Eu não vim pra fazer mal a ninguém. Pelo contrário. Tudo isso não tem pé nem cabeça.
ANTONIETA	Se eu pudesse, juro, ia com você.
CABO JORGE	Adiantava não. Você só ia atrapalhar. (*Inicia a saída.*) Tem um jagunço rondando a casa.
ANTONIETA	Deixe o jagunço por minha conta. Fuja pelos fundos, enquanto eu distraio ele.
CABO JORGE	Está bem. Se a gente não se encontrar mais...
ANTONIETA	Perca tempo com isso não.
	CABO JORGE *sai.*
ANTONIETA	(*Dirigindo-se ao jagunço, coquete:*) Moço? Está cansado de ficar aí nessa soleira não? Venha tomar um pouco de sombra.

DÉCIMO QUADRO

MAJOR *e* ANTONIETA *estão em cena.*

MAJOR	Como é possível? Então o homem evaporou-se!
ANTONIETA	Quando cheguei da rua tinha dado o sumiço.

MAJOR	E agora, o que é que eu vou dizer ao general? Fiz o homem vir do Rio de Janeiro só pra isso, pra resolver o que vamos fazer com essa bomba. E agora tenho de chegar a ele e dizer: "Vosmicê me desculpe, mas a bomba já estourou."
ANTONIETA	Você não tinha mandado vigiar a casa?
MAJOR	Botei um jagunço em cada esquina.
ANTONIETA	E o Cabo passou por todos eles?
MAJOR	Como a figura do Cão.
ANTONIETA	E será que não era não?
MAJOR	O quê?
ANTONIETA	O Cão em figura de gente. Vindo só pra atentar.
MAJOR	Só sendo mesmo. Porque isso vai ser o fim de todos nós.
ANTONIETA	Também você não tinha nada de chamar um general. Nós aqui podíamos resolver a coisa.
MAJOR	Não chamei ninguém. Só comuniquei o caso ao Ministério da Guerra. Se mandaram um general é porque compreenderam a gravidade da situação. E foi bom, ainda mais porque livra a nossa responsabilidade. O que ele resolver, está resolvido. E ele não vai admitir que esse borra-botas desmoralize a farda que vestiu. Vai ter que dar um sumiço nele.
ANTONIETA	Que espécie de sumiço?
MAJOR	É o que vamos ver. De uma coisa você fique certa: nesta casa ele não dorme mais.
ANTONIETA	E de uma coisa você precisa saber: ele já está sabendo de tudo a nosso respeito.
MAJOR	Tudo o quê?
ANTONIETA	O casamento que você me arranjou e tudo mais.

MAJOR	Você quem disse?
ANTONIETA	Não. Marília, a filha do seu Silveirinha.
MAJOR	Esteve aqui?
ANTONIETA	Esteve. E agora eu acho que nós estamos mais perto do xilindró do que ele.
MAJOR	Mais uma razão.
ANTONIETA	Pra quê?
MAJOR	Pra caçar esse cabra e dar um jeito nele. (*Volta-se para ela, desconfiado:*) Você não sabe mesmo onde ele se meteu?
ANTONIETA	Sei não, homem, já disse. Se soubesse, não era de meu interesse dizer? Ele pode me meter na cadeia.
MAJOR	Inda bem que você entendeu. Pensei que estivesse com ilusão de que ele quisesse legalizar esse casamento.
ANTONIETA	Foi coisa que nunca me passou pela cabeça.
MAJOR	E é só isso não. A pensão do Estado, sua situação aqui, tudo você ia perder. Já pensou?
ANTONIETA	Já. E mesmo assim, eu queria lhe pedir um favor. Deixe ele fugir.
MAJOR	Deixar?... Você está louca?
ANTONIETA	É um pedido que eu lhe faço. Ele está apavorado, vai ganhar o mundo e nunca mais bota os pés aqui. Eu garanto.
MAJOR	Você garante. Então foi você quem ajudou ele a escapar.
ANTONIETA	Ele não merece...
MAJOR	Tu é a mulher mais burra que eu já conheci. Que é que tu tem dentro dessa cabeça? Merda?
ANTONIETA	Eu sabia, sabia o que vocês iam fazer com ele... E não podia, não podia deixar!

MAJOR O que eu não sei agora é o que fazer com você. A vontade que tenho é de te arrebentar de pancada. (*Ameaça agredi-la.*) Tua sorte é que eu não tenho tempo. Mas tu não perde por esperar. Pra onde ele foi?

ANTONIETA Sei não. Juro que não sei.

MAJOR (*Sacode-a brutalmente.*) Diga, sua égua! Diga, que de nós todos tu é quem mais tem a perder! Será que ainda não entendeu isso? Ele vai te desgraçar a vida. Vai te meter na cadeia e casar com Lilinha! Não entende que foi por causa dela que ele voltou, sua idiota?

ANTONIETA Mas eu não sei. Não sei pra onde ele foi.

DÉCIMO PRIMEIRO QUADRO

(*No bordel,* CABO JORGE, *sentado sobre uma mesa, já meio "alegre", cercado pelas prostitutas, canta.*)

CABO JORGE Vivemos tempos que não são os nossos,
aprendemos línguas
que jamais seremos capazes de falar;
caminhamos para um mundo
onde sucumbiremos de tédio,
embora tenhamos por ele lutado.

Os que vieram antes de nós
nos roubaram todas as causas,
todas as bandeiras
e somente uma opção nos deixaram
os que vieram antes de nós:
o Sexo ou a Revolução.

O tempo do homem é chegado!
Matemos então um bocado deles.
Aqui está a grande verdade:
vivemos a hora das posições absolutas.
Direita, volver! Esquerda, volver!
Ou vamos à guerra, ou vamos às putas.

As mulheres riem e aplaudem.

MATILDE	Onde você aprendeu tanta coisa, Cara de Anjo?
CABO JORGE	Por aí, correndo mundo.
RAPARIGA 1	E o que foi que você fez pra correr mundo?
CABO JORGE	Prometi matar muita gente, ou deixar que me matassem.
RAPARIGA 2	E não fez nem uma coisa nem outra, garanto.
MATILDE	Você não é de matar ninguém, Cara de Anjo.
CABO JORGE	É, parece que não consegui ser nem tão mau, nem tão burro pra merecer uma estátua. Por isso estão me cobrando.
MATILDE	Quem?
CABO JORGE	Seus fregueses.
RAPARIGA 2	É gira.
RAPARIGA 1	Eu só queria viajar pra conhecer Pigalle. Um marinheiro francês me falou. Uma rua inteira só de mulheres.
CABO JORGE	O mundo tem muitas ruas assim. É tudo igual.
MATILDE	Mas dizem que lá em Paris a profissão é muito bem-organizada.
CABO JORGE	Não só a profissão, o amadorismo também.
RAPARIGA 2	A concorrência deve ser muito grande.
MATILDE	Minha filha, sem concorrência não pode haver progresso. Não há estímulo, ninguém se esforça, ninguém pode se aperfeiçoar. É ou não é?
CABO JORGE	Claro! Está provado que o monopólio estatal da prostituição é um erro.
RAPARIGA 1	Assim como aqui.
CABO JORGE	Viva a livre empresa! (*Bebe.*)
RAPARIGA 1	Por isso as francesas chegaram ao ponto que chegaram.

RAPARIGA 2	Ah, detesto as francesas: não têm moral nenhuma.
RAPARIGA 1	Tu tem é despeito.
	Ouve-se uma sineta de porta.
MATILDE	Oxente, gente, será que a freguesia mudou de horário? É cedo ainda... (*Sai.*)
RAPARIGA 1	Cidade boa é que tem marinheiro. Aqui, esses tabaréus são uns porcos.
CABO JORGE	Viva a Marinha! (*Bebe.*)
RAPARIGA 2	E você o que é?
CABO JORGE	Profissão? Herói.
RAPARIGA 1	(*Ri.*) E onde foi que você arrumou essa profissão?
CABO JORGE	Na guerra. Lutei sozinho contra Hitler, contra Mussolini, contra a "Wehrmacht" e a "Luftwaffe"! Contra os campos de concentração e as câmaras de gás! Sozinho contra os alemães, contra os italianos, contra os ingleses e os americanos. Contra os russos!
RAPARIGA 1	Lutou contra todos?!
CABO JORGE	Contra a guerra.
RAPARIGA 2	Garganta pura.
CABO JORGE	Ah, mas é muito dura a profissão de herói. Se eu tivesse morrido, era fácil. Ou se tivesse sido herói por acaso, sem querer, como muitos. Mas sou um herói por convicção. Um herói de carreira. Por isso tenho de ser herói vinte e quatro horas por dia. É cansativo.
RAPARIGA 2	Nunca ouvi tanta garganta em minha vida.
	Entram de súbito MAJOR *e* PREFEITO. MATILDE *surge logo depois, assustada.*
MAJOR	(*Aponta para* CABO JORGE.) Aí está ele.
PREFEITO	Pode vir, General.

GENERAL *entra.* CABO JORGE, *um tanto surpreso, desce de cima da mesa.*

MATILDE   (*Apressadamente.*) Nós não temos nada com ele não. Entrou aqui... Sabe, isto é uma casa pública...

MAJOR   (*Faz sinal para que se cale.*) Vá lá pra dentro. E leve as outras.

MATILDE   Meninas...

RAPARIGA 1   (*Saindo.*) Ele chamou o velho de General.

RAPARIGA 2   Deve ser apelido.

As mulheres saem.

MAJOR   Sente-se, General.

PREFEITO   Mas vamos fazer isso aqui?...

MAJOR   Que jeito?

PREFEITO   Não acho que seja um lugar muito apropriado. Principalmente pro General.

MAJOR   Sua Excelência deve compreender a situação.

PREFEITO   Se alguém viu a gente entrar, amanhã toda a cidade vai saber. E como vamos justificar?

MAJOR   Acho que ninguém vai imaginar que viemos aqui pra...

PREFEITO   E vão imaginar que viemos fazer o quê?

MAJOR   Bem, é um risco que temos de correr. Mais perigoso era sair com ele daqui agora.

GENERAL   E eu não tenho tempo a perder. Preciso voltar e deixar este caso resolvido. (*Volta-se para* CABO JORGE:) Você é Cabo Jorge?

CABO JORGE   (*Perfila-se.*) Cabo Jorge Medeiros, Força Expedicionária Brasileira, 6º Regimento de Infantaria.

GENERAL   O boletim do seu Regimento o dá como morto em ação no dia 18 de setembro de 1944. "Morte heroica",

	segundo o elogio do comandante do seu batalhão. Que é que o senhor tem a dizer a isso?
CABO JORGE	Eu? Sinto muito...
GENERAL	O senhor sabe quem era esse comandante? Era eu.
CABO JORGE	Eu bem que estava reconhecendo...
GENERAL	O senhor sabe que há um batalhão no Exército com o seu nome?
CABO JORGE	Não, sabia não.
GENERAL	Sabe que na História da Campanha da Itália, que eu escrevi, há um capítulo inteiro dedicado ao senhor?
CABO JORGE	Que vexame, General.
GENERAL	Vexame para mim.
MAJOR	Pra todos nós.
CABO JORGE	Mas o que é que os senhores querem que eu faça? Que volte pra Itália?
PREFEITO	É a solução.
CABO JORGE	Não é solução. Se voltar, serei preso.
MAJOR	Preso?
CABO JORGE	Já contei que pra fugir tirei a roupa de um camponês.
MAJOR	Um camponês que estava morto na estrada.
CABO JORGE	Não estava morto, eu matei o homem. Julguei que tivesse matado a mulher também, mas ela ficou só desacordada. Agora, dez anos depois, a miserável me descobriu e reconheceu. Me denunciou, e eu tive de fugir.
PREFEITO	(*Julgando haver descoberto o meio de livrar-se dele.*) Então temos de entregar ele à justiça italiana. É um assassino.
CABO JORGE	Se me entregarem, vou ter de dizer quem sou. A notícia, com toda a certeza, vai chegar até aqui.

MAJOR — E dá tudo no mesmo.

GENERAL — Não, não serve. A honra do Exército não pode ficar dependendo da sorte de um homem.

MAJOR — Mas se ele não pode voltar pra Itália...

PREFEITO — Nem pr'aqui.

GENERAL — A verdade é que não tem nenhum sentido ele estar vivo. É uma vergonha para o Exército e um contrassenso. A morte dele consta da Ordem do Dia de 18 de setembro de 1944 do 6º Regimento. Foi uma morte heroica, apontada como exemplo da bravura do nosso soldado. Atentem bem os senhores no que isso significa: há um batalhão com o nome dele. Isto é definitivo. Para o Exército, ele está morto e deve continuar morto.

RAPARIGA 1 *passa com uma pequena bacia cheia de água e uma toalha de rosto ao ombro.* GENERAL *a detém. Lava as mãos na bacia, enxuga-as na toalha.*

RAPARIGA 1 — Essa água era pra mim. (*Sai.*)

GENERAL — Resolvam os senhores como entenderem. (*Dá as costas.*)

MAJOR *e* PREFEITO *se entreolham.*

PREFEITO — Resolver como?

MAJOR — Fiquem aqui com ele, tenho um negócio a tratar com Matilde. (*Sai.*)

CABO JORGE — Como é que vão resolver?

GENERAL *continua de costas.* PREFEITO *tem o olhar frio, impenetrável.*

CABO JORGE — (*Sorri amarelo.*) Parece que a única maneira de não desmentir o Boletim do meu Regimento era eu dar um tiro na cabeça ou beber formicida. Só que me falta coragem pra isso. Sempre tive um medo danado de morrer. É tão bom a gente estar vivo. E melhor ainda é estar vivo na terra da gente. Não estou dizendo isso pra comover ninguém, não. Palavra que vim cheio de planos, de vontade de trabalhar. Com a experiência que tenho agora, acho que podia ser útil. Vi muita coisa, aprendi muita coisa, por esse mundo afora. Fui covarde, quando era preciso, fui cruel, quando não havia outro jeito; mas fui bom também, muitas vezes. Um homem é isso, afinal. É ou não é?

PREFEITO *e* GENERAL *continuam impassíveis.*

CABO JORGE Sabem o que eu acho? Que o tempo dos heróis já passou. Hoje o mundo é outro. Tudo está suspenso por um botão. O botão que vai disparar o primeiro foguete atômico. Este é que é o verdadeiro herói. O verdadeiro Deus. O deus-botão. Pensem bem: o fim do mundo depende do fígado de um homem. (*Ri.*) E vocês ficam aqui cultuando a memória de um herói absurdo. Absurdo sim, porque imaginam ele com qualidades que não pode ter. Coragem, caráter, dignidade humana... não veem que tudo isso é absurdo? Quando o mundo pode acabar neste minuto. E isso não depende de mim, nem dos senhores, nem de nenhum herói. (*Pausa. Sonda os rostos impassíveis do* GENERAL *e do* PREFEITO.) Adianta não. Vocês querem porque querem um herói. A glória da cidade precisa ser mantida. A honra do Exército precisa ser mantida.

Entra MAJOR, *seguido de* MATILDE.

MAJOR Acho que podemos ir, General. O senhor não tem de pegar o trem desta noite?

GENERAL Tenho.

MAJOR Então, vamos. Está tudo resolvido. (*Inicia a saída, deixando que o* GENERAL *passe à frente.*)

CABO JORGE E eu?

MAJOR Você? Divirta-se. Vamos levar o General e voltamos mais tarde. (*Sai com* GENERAL *e* PREFEITO.)

CABO JORGE	Ele me parece de repente muito tranquilo. Isso não é bom sinal.
	Entram RAPARIGA 1 *e* RAPARIGA 2, *que cercam* CABO JORGE.
MATILDE	Que é isso, Cara de Anjo? Com medo?
RAPARIGA 1	Um herói não tem medo, não.
CABO JORGE	Que foi que ele conversou com vocês?
MATILDE	Negócios. Falamos de negócios. E por falar nisso, bebida, tragam mais bebida. Precisamos comemorar.
RAPARIGA 1	Cerveja?
MATILDE	Não, coisa mais forte. Aqueles cocos com pinga dentro. O acontecimento merece.
CABO JORGE	Que acontecimento?
MATILDE	Vamos abrir um novo *rendez-vous*.
RAPARIGA 1	(*Ri.*) Só quero ver a cara do Vigário. (*Traz vários cocos, que coloca sobre a mesa.*)
RAPARIGA 2	Vocês vão ver: vai fazer um sermão por dia contra nós e mandar a beataria jogar pedras na gente.
MATILDE	Se preocupe não. O Major disse que deixe o Vigário por conta dele. Sabe, quando eles querem se entendem.
RAPARIGA 2	O Vigário tem razão, uma casa basta.
RAPARIGA 1	Fresca!
MATILDE	Não vê que aumentando o mercado todo mundo lucra?
RAPARIGA 2	Aumenta o mercado, diminui a freguesia.
RAPARIGA 1	Egoísta, só pensa nela.
MATILDE	Diminui nada. Quanto mais mulheres, mais fregueses. Os homens gostam de variar. É ou não é, Cara de Anjo? Pode beber, é de graça.

CABO JORGE	(*Ergue um brinde ainda um tanto desconfiado.*) À filial. Que seja digna das tradições da matriz.
MATILDE	Ah, isso vai ser, ora se vai, uma casa de categoria como nem no Rio de Janeiro se vê igual.
CABO JORGE	(*Reflete.*) Mas a parada com o Vigário vai ser dura. Me admira que o Major queira topar uma parada dessas em vésperas de eleição. Enfim, se já há um bordel, por que não haver outro?
	Ouve-se um toque de campainha.
MATILDE	Não, não abram.
CABO JORGE	(*Intranquilo.*) São eles de volta. Vieram me buscar.
MATILDE	São não. Fique sossegado, eles não vão voltar.
RAPARIGA 2	Deve ser já a freguesia.
MATILDE	A casa hoje está fechada pra comemorar. Nada de trabalho. Nada de homens, a não ser Cara de Anjo.
CABO JORGE	É um privilégio que não mereço.
MATILDE	E pra Cara de Anjo é tudo de graça. Mulher, pode escolher. Bebida, pode beber até cair de porre.
RAPARIGA 1	Vamos ver se ele dá conta do recado.
RAPARIGA 2	Tem cara de ser bom de cama.
	As prostitutas sentam-se nos joelhos de Cabo Jorge.
CABO JORGE	Isso é coisa que a gente imagina quando é menino, mas que nunca acontece.
RAPARIGA 1	Qual de nós você prefere, Cara de Anjo?
CABO JORGE	Todas.
MATILDE	Então vai com todas pra cama.
CABO JORGE	Ao mesmo tempo?
MATILDE	Mas antes vai ter de beber toda a cachaça que está dentro deste coco. De uma vez só, sem respirar.

CABO JORGE   Querem ver?

RAPARIGA 1   Mostra que é macho.

CABO JORGE   (*Levanta-se, apanha o coco.*) Pois lá vai.

CABO JORGE *esvazia o coco, cambaleia e cai de bruços sobre a mesa.* RAPARIGA 2 *tem um acesso de choro. A campainha volta a tocar, insistente.*

MATILDE   Que é isso, idiota! Quer estragar tudo?!

RAPARIGA 2   Não quero passar o resto da vida na cadeia.

MATILDE   Que cadeia, sua burra. Se foi o Major que mandou. Ele garante.

RAPARIGA 2   Me deixe! Não quero saber dessa história! (*Sai correndo.*)

CABO JORGE   (*Tenta erguer-se, completamente embriagado.*) Já que não vamos à guerra... (*Cai novamente.*)

MATILDE   É sempre uma fresca. Nunca se pode contar com ela.

RAPARIGA 1   Eu topo. Mas quero sociedade na nova casa.

MATILDE   Dou, já disse, dou sociedade às duas.

RAPARIGA 1   E depois... que é que nós vamos fazer com ele?

MATILDE   Isso é com o Major. Vamos levar ele pro quarto. Assim ele dorme, e a coisa fica mais fácil.

Ouve-se o ruído de uma janela estilhaçada.

RAPARIGA 1   Que é isso?

RAPARIGA 2   (*Entra correndo.*) São elas! As Beatas!

Novos ruídos, como se a casa estivesse sendo apedrejada.

MATILDE   De novo!

RAPARIGA 2   Desta vez são mais de vinte, e o Vigário vem com elas!

MATILDE   É um Vigário do Cão!

RAPARIGA 1   Oh, Padre excomungado!

MATILDE   (*Vai à janela e xinga.*) Chupadoras de hóstia! Beatas duma figa!

RAPARIGA 1   (*Grita também.*) Estão é com falta de homem! Venham pra cá que eu arranjo um pra cada uma!

MATILDE   Vão jogar pedra na mãe!

Uma pedra arrebenta uma vidraça e vem cair dentro da sala, junto de Cabo Jorge.

RAPARIGA 2   Quase caiu na cabeça dele.

RAPARIGA 1   (*Arma-se com uma garrafa.*) Que entre uma dessas Beatas aqui pra ver o que lhe acontece!

MATILDE   Espera... tenho uma ideia! (*Apanha o estilhaço de vidro. Ri. Volta à janela.*) Isso! Atirem mais pedras! Quebrem tudo, que eu tenho quem pague! (*Volta para junto de* CABO JORGE *com o vidro na mão.* RAPARIGA 2 *cobre o rosto com as mãos.*)

DÉCIMO SEGUNDO QUADRO

ANTONIETA, MARÍLIA, MATILDE, MAJOR, PREFEITO, RAPARIGA 1, RAPARIGA 2 *e* VIGÁRIO. *Este último afastado do grupo. Sobre a mesa, coberto por um lençol, o corpo de* CABO JORGE, *entre quatro velas acesas.*

MATILDE   Ele estava sentado ali, bebendo, coitado. Estava tão alegre, contando casos... A pedra quebrou a vidraça, um estilhaço de vidro pegou bem aqui (*Mostra a carótida.*), lá nele. Nunca vi tanto sangue. Parecia uma cachoeira.

ANTONIETA   Quem jogou a pedra?

MATILDE   E quem é que vai saber? Eram mais de vinte, todas com o Diabo no corpo.

VIGÁRIO   Com o Diabo, não. Com o Diabo sempre estiveram vocês! Tinham acabado de ouvir missa e receber o Santíssimo.

LILINHA	(*Numa explosão histérica:*) Fui eu! Eu estava com elas! Eu atirei a pedra!
PREFEITO	(*Contendo-a.*) Não diga tolice. Tantas pedras, por que logo a sua?...
LILINHA	Porque eu estava com ódio, estava possuída pelo Demônio mesmo! Queria me vingar em alguém!
MAJOR	(*Para o* PREFEITO:) É melhor que ela vá pra casa. Você não devia ter deixado ela vir.
PREFEITO	Vamos, filhinha, vamos pra casa. Isto não é lugar pra moça de família.
LILINHA	Eu não sabia que ele estava aqui. Juro que não sabia... (*Sai arrastada pelo* PREFEITO.)
MAJOR	Eu não estou dizendo? O senhor exagera nos seus sermões.
ANTONIETA	Está aí o resultado.
VIGÁRIO	Por que não chamaram logo um médico?
MATILDE	De que jeito? Suas Beatas não deixavam ninguém botar a cara na janela. Logo que elas foram embora, fui chamar o Delegado. Não encontrei, chamei o Major.
MAJOR	Era tarde. Ele já estava morto. Uma coisa horrível.
ANTONIETA	Não morreu numa guerra de verdade, pra vir morrer numa guerrinha besta de mulheres.
MATILDE	Eu não sabia quem era ele. Depois foi que o Major me disse. Meu medo é que o povo venha a saber e se volte contra nós.
ANTONIETA	Contra quem? Só se for contra as Beatas ou contra o Vigário.
VIGÁRIO	Foi um acidente, uma fatalidade.
MATILDE	Fatalidade ou não, o homem está aí, morto. E morto por uma pedrada, lançada por uma beata, por instigação do Vigário.

MAJOR	Padre, o senhor é o autor intelectual do crime.
VIGÁRIO	Seja. Não me arrependo dos meus sermões. E estou disposto a assumir a responsabilidade de tudo.
MAJOR	Não, isso também não é justo. Cada um de nós contribuiu um pouco pro acontecido. A cidade inteira. E ao mesmo tempo que cada um de nós é culpado, ninguém tem culpa de nada. Se ele não tivesse voltado, se tivesse morrido há dez anos, como consta da ordem do dia do seu Batalhão...
ANTONIETA	"Morto em ação." É triste que tenha voltado pra morrer num bordel. E nem ao menos em ação... não foi?
MATILDE	Não, não chegou a isso, coitado.
ANTONIETA	Muito triste.
MATILDE	Mais triste ainda pra senhora, que volta a ser viúva.
ANTONIETA	É minha sina. Ser sobejo de defunto.
MAJOR	Acho melhor abafar o caso.
VIGÁRIO	Abafar, como? Se há um homem morto. Se houve um assassinato.
MAJOR	A vítima já havia morrido há dez anos. E entre as duas mortes, se ele pudesse escolher, com certeza tinha escolhido a primeira. Portanto, seria uma vingança covarde a nossa, dando a conhecer a verdade.
ANTONIETA	Também acho.
MAJOR	Além do mais, não sabe, acho que nisso tudo andou a mão de Deus.
VIGÁRIO	Como?
MAJOR	Quem sabe se não foi Deus quem atirou aquela pedra?
VIGÁRIO	Não blasfeme!
MAJOR	Deus, que vê tudo, deve ter visto que essa era a única maneira de salvar esta cidade da ruína.

VIGÁRIO Apesar dos defeitos de Cabo Jorge, não creio que Deus tenha decidido sacrificá-lo pra que esta cidade continue tal como é.

MAJOR E por que não? Não é uma cidade muito mais importante do que um indivíduo?

VIGÁRIO Cabo Jorge era um homem bom.

MAJOR Cristo também era. E o Pai o sacrificou pela humanidade.

VIGÁRIO *põe a estola em volta do pescoço, aproxima-se do corpo, benze-se e murmura uma oração.*

ANTONIETA E nem ao menos um enterro decente. Vai-se embora, assim, sem quarto e sem sentinela.

MAJOR As Raparigas fazem sentinela.

VIGÁRIO *acaba de encomendar o corpo e inicia a saída.*

MAJOR Padre? (VIGÁRIO *detém-se.*) As cinzas de Cabo Jorge vão chegar da Itália. Conto com o senhor pra cerimônia do benzimento.

VIGÁRIO *sai sem dar resposta.* RAPARIGA 1 *e* RAPARIGA 2 *saem em seguida.*

ANTONIETA Você acha que ele vai guardar segredo?

MAJOR O problema é dele.

MATILDE E eu, que faço agora com o corpo?

MAJOR Vamos dar um jeito de fazer o enterro antes de amanhecer, pra não dar na vista.

MATILDE A minha parte está feita.

MAJOR Deixe o resto por minha conta.

MATILDE Vou lá dentro aquietar as meninas, que estão muito nervosas... (*Sai.*)

ANTONIETA Vamos pra casa, que eu também estou morrendo de medo.

MAJOR: Não seja boba.

ANTONIETA: Parece que ele vai levantar dali e acusar a gente.

MAJOR: Acusar de quê?

ANTONIETA: Pode ser que você engane ao Vigário com essa história da pedrada; a mim, não.

MAJOR: Por que não, se é verdade? Então não houve o ataque das Beatas ao castelo? Não apedrejaram, não quebraram todas as vidraças?

ANTONIETA: Eu sei que tudo isso aconteceu.

MAJOR: Pois então? É absurdo que um estilhaço de vidro tenha matado um bêbado?

ANTONIETA: Não seria absurdo se eu não soubesse que a morte desse bêbado era a única solução.

MAJOR: Pra você também.

ANTONIETA: Pra todos.

MAJOR: Então agradeça a Deus, que botou o Diabo no corpo daquelas Beatas.

ANTONIETA: É, e desde que ele chegou que eu senti que alguma coisa ruim ia mesmo acontecer. A ele ou a mim.

MAJOR: A ele ou a todos nós. É nisso que a gente deve pensar. A ele ou a todos nós, a uma cidade inteira. Não seria esse um crime muito maior? Matar uma cidade? Não pense que eu não sinto também. Não era de meu sangue, mas era sobrinho de minha mulher. E não era um mau rapaz, apesar dos defeitos.

ANTONIETA: Era não. Dizia coisas bonitas. Gostava de viver. Tão alegre, parecia uma criança.

MAJOR: Mas pense nas verdadeiras crianças. Vão poder crescer felizes, orgulhosas de terem nascido aqui. Vão poder crescer vendo a cidade progredir, ganhar importância. O Vigário diz que ganhamos também muita coisa má. Tem razão. Mas ninguém cresce sem ter sarampo, catapora. É da vida. Da natureza humana. Em compensação, teremos também uma estrada. Iremos daqui à Capital, diretamente, de automóvel.

ANTONIETA   Que bom. Irei a Salvador toda semana.

MAJOR   E ninguém constrói uma estrada sem sacrificar muitas vidas. É a paga do progresso.

DÉCIMO TERCEIRO QUADRO

No novo bordel. MATILDE, RAPARIGA 2, MAJOR, JUIZ DE DIREITO *entre outros, aglomerados, diante de uma porta, disputam a primazia de olhar pelo buraco da fechadura.*

VOZES   Espera! Não empurra! Quero ver também!

JUIZ   Como juiz de direito, reivindico o direito de testemunhar o ato.

Todos se afastam, resmungando. JUIZ *cola o olho ao buraco da fechadura. Os outros voltam a acotovelar-se em volta dele.*

MATILDE   Eu acho que esta inauguração devia ter um tom mais solene. O senhor não acha?

MAJOR   É o Brasil, D. Matilde. Ninguém leva nada a sério.

JUIZ   Psiu!... Aí vem ele! Aí vem ele!

Todos se afastam da porta, assumem atitudes corretas. Abre-se a porta, surgem o PREFEITO, *ajeitando a gravata, e logo depois a* RAPARIGA 1. *Todos batem palmas.* PREFEITO *agradece com um sorriso.*

VOZES   O discurso! O discurso!

PREFEITO   (*Pede silêncio com um gesto.*) Minhas senhoras e meus senhores. Diante do Poder Legislativo, aqui representado pelo Deputado Chico Manga...

Palmas.

... do Poder Judiciário, aqui representado pelo nosso Juiz de Direito...

Palmas, JUIZ *agradece.*

... e do Poder Executivo, que sou eu mesmo, declaro inaugurada esta casa, que é, em seu gênero, uma das melhores do país ou talvez mesmo da América do Sul. E quem diz isso não sou eu, é o Major Chico Manga, homem culto, viajado, que conhece o mundo e está sempre em dia com o progresso.

MAJOR — É isso mesmo. É isso mesmo.

VOZES — Não tem, nem em Paris tem coisa assim.

PREFEITO — Quero declarar também que isto não seria possível sem o espírito empreendedor de D. Matilde, que tanto tem colaborado com o nosso plano de turismo e diversões. Plano que, se Deus quiser, há de fazer esta cidade digna do nome de Cabo Jorge — aquele que morreu lutando pela democracia e pela civilização cristã.

Palmas.

MAJOR — (*Adianta-se, canta para a plateia:*)
Assim, senhoras e senhores,
foi salva a nossa cidade.
Com pequenos sacrifícios
de nossa dignidade,
com ligeiros arranhões
em nossa castidade,
e algumas hesitações
entre Deus e o Demônio,
conseguimos preservar
todo o nosso patrimônio.

TODOS — Assim, senhoras e senhores, foi salva a nossa cidade.

FIM

o santo
inquérito

PERSONAGENS

Branca Dias
Padre Bernardo
Augusto Coutinho
Simão Dias
Visitador do Santo Ofício
Notário
Guarda

AÇÃO: *Estado da Paraíba*
ÉPOCA: *1750*

primeiro
ato

O palco contém vários praticáveis, em diferentes planos. Não constituem propriamente um cenário, mas um dispositivo para a representação, que é completado por uma rotunda. É total a escuridão no palco e na plateia. Ouve-se o ruído de soldados marchando. A princípio, dois ou três, depois quatro, cinco, um pelotão. Soa uma sirene de viatura policial, cujo volume vai aumentando, juntamente com a marcha, até chegar ao máximo. Ouvem-se vozes de comando confusas, que também crescem com os outros ruídos até chegarem a um ponto máximo de saturação, quando cessa tudo, de súbito, e acendem-se as luzes. Os personagens estão todas em cena: BRANCA, O PADRE BERNARDO, AUGUSTO COUTINHO, SIMÃO DIAS, O VISITADOR, O NOTÁRIO *e os* GUARDAS.

PADRE BERNARDO — Aqui estamos, senhores, para dar início ao processo. Os que invocam os direitos do homem acabam por negar os direitos da fé e os direitos de Deus, esquecendo-se de que aqueles que trazem em si a verdade têm o dever sagrado de estendê-la a todos, eliminando os que querem subvertê-la, pois quem tem o direito de mandar tem também o direito de punir. É muito fácil apresentar esta moça como um anjo de candura e a nós como bestas sanguinárias. Nós que tudo fizemos para salvá-la, para arrancar o Demônio de seu corpo. E se não conseguimos, se ela não quis separar-se dele, de Satanás, temos ou não o direito de castigá-la? Devemos deixar que continue a propagar heresias, perturbando a ordem pública e semeando os germes da anarquia, minando os alicerces da civilização que construímos, a civilização cristã? Não vamos esquecer que, se as heresias triunfassem, seríamos todos varridos! Todos! Eles não teriam conosco a piedade que reclamam de nós! E é a piedade que nos move a abrir este inquérito contra ela e a indiciá-la.

Apresentaremos inúmeras provas que temos contra a acusada. Mas uma é evidente, está à vista de todos: ela está nua!

BRANCA — (*Desce até o primeiro plano.*) Não é verdade!

PADRE BERNARDO — Desavergonhadamente nua!

BRANCA — Vejam, senhores, vejam que não é verdade! Trago as minhas roupas, como todo mundo. Ele é que não as enxerga!

PADRE *sai, horrorizado.*

BRANCA — Meu Deus, que hei de fazer para que vejam que estou vestida? É verdade que uma vez — numa noite de muito calor — eu fui banhar-me no rio... e estava nua. Mas foi uma vez. Uma vez somente e ninguém viu, nem mesmo as gurinhatãs que dormiam no alto dos jeribás! Será por isso que eles dizem que eu ofendi gravemente a Deus? Ora, o Senhor Deus e os senhores santos têm mais o que fazer que espiar moças tomando banho altas horas da noite. Não, não é só por isso que eles me perseguem e me torturam. Eu não entendo... Eles não dizem... só acusam, acusam! E fazem perguntas, tantas perguntas!

VISITADOR — Come carne em dias de preceito?

BRANCA — Não...

VISITADOR — Mata galinhas com o cutelo?

BRANCA — Não, torcendo o pescoço.

VISITADOR — Come toicinho, lebre, coelho, polvo, arraia, aves afogadas?

BRANCA — Como...

VISITADOR — Toma banho às sextas-feiras?

BRANCA — Todos os dias...

VISITADOR	E se enfeita?
BRANCA	Também...
VISITADOR	Quanto tempo leva enfeitando-se?
NOTÁRIO	Quanto tempo?
TODOS	Quanto tempo? Quanto tempo?

Saem todos, exceto BRANCA.

BRANCA   Não sei, não sei, não sei... Oh, a minha cabeça... Por que me fazem todas essas perguntas, por que me torturam? Eu sou uma boa moça, cristã, temente a Deus. Meu pai me ensinou a doutrina e eu procuro segui-la. Mas acho que isso não é o mais importante. O mais importante é que eu sinto a presença de Deus em todas as coisas que me dão prazer. No vento que me fustiga os cabelos, quando ando a cavalo. Na água do rio, que me acaricia o corpo, quando vou me banhar. No corpo de Augusto, quando roça no meu, como sem querer. Ou num bom prato de carne-seca, bem apimentada, com muita farofa, desses que fazem a gente chorar de gosto. Pois Deus está em tudo isso. E amar a Deus é amar as coisas que Ele fez para o nosso prazer. É verdade que Deus também fez coisas para o nosso sofrimento. Mas foi para que também o temêssemos e aprendêssemos a dar valor às coisas boas. Deus deve passar muito mais tempo na minha roça, entre as minhas cabras e o canavial batido pelo sol e pelo vento, do que nos corredores sombrios do Colégio dos Jesuítas. Deus deve estar onde há mais claridade, penso eu. E deve gostar de ver as criaturas livres como Ele as fez, usando e gozando essa liberdade, porque foi assim que nasceram e assim devem viver. Tudo isso que estou lhes dizendo é na esperança de que vocês entendam... Porque eles, eles não entendem... Vão dizer que sou uma herege e que estou possuída pelo Demônio. E isso não é verdade! Não acreditem! Se o Demônio estivesse em meu corpo, não teria deixado que eu me atirasse ao rio

	para salvar Padre Bernardo, quando a canoa virou com ele!...
PADRE BERNARDO	(*Fora de cena, gritando.*) Socorro! Aqui del rei!
	BRANCA *sai correndo. Volta, amparando* PADRE BERNARDO, *que caminha com dificuldade, quase desfalecido. Ela o traz até o primeiro plano e aí o deita, de costas. Debruça-se sobre ele e põe-se a fazer exercícios, movimentando seus braços e pernas, como se costuma fazer com os afogados. Vendo que ele não se reanima, cola os lábios na sua boca, aspirando e expirando, para levar o ar aos seus pulmões.*
PADRE BERNARDO	(*De olhos ainda cerrados, balbucia:*) Jesus... Jesus, Maria, José...
	Ele vai se reanimando aos poucos. Abre os olhos e vê BRANCA, *de joelhos, a seu lado.*
PADRE BERNARDO	Obrigado, Senhor, obrigado por terdes atendido ao meu apelo desesperado... Não sou merecedor de tanta misericórdia. (*Ele beija repetidas vezes um crucifixo que traz na mão.*) Alma de Cristo, santificai-me; Corpo de Cristo, salvai-me; Sangue de Cristo, inebriai-me...
BRANCA	Achava melhor o senhor deixar pra rezar depois. Agora era bom que virasse de bruços e baixasse a cabeça pra deixar sair toda essa água que engoliu.
	Ajudado por ela, ele vira de bruços e baixa a cabeça. Ela pressiona sua nuca, para fazer sair a água.
BRANCA	Se eu não chego a tempo, o senhor bebia todo o rio Paraíba...
PADRE BERNARDO	(*Senta-se, meio atordoado ainda.*) A minha canoa?...
BRANCA	A canoa? Seguiu emborcada, rio abaixo. Tinha alguma coisa de valor?

PADRE BERNARDO — Tinha, o cofre com as esmolas...

BRANCA — Muito dinheiro?

PADRE BERNARDO — Bastante.

BRANCA — Agora deve estar no fundo do rio.

PADRE BERNARDO — Só consegui agarrar o crucifixo; tinha de escolher, uma coisa ou outra...

BRANCA — Foi uma pena. Com o dinheiro, o senhor talvez comprasse dois crucifixos. E quem sabe ainda sobrava.

PADRE BERNARDO — Não diga isso, filha!

BRANCA — Por quê?

PADRE BERNARDO — Porque é o Cristo... Não é coisa que se compre. Tivesse eu escolhido o cofre e certamente a esta hora estaria no fundo do rio com ele. Foi Jesus quem me salvou.

BRANCA — (*Timidamente.*) Eu ajudei um pouco...

PADRE BERNARDO — Eu sei. Você foi o instrumento. Não estou sendo ingrato. Sei que arriscou a vida para me salvar.

BRANCA — Não foi tanto assim. O rio aqui não é muito fundo e a correnteza não é lá tão forte. Quando a gente está acostumada...

PADRE BERNARDO — Acostumada?...

BRANCA — Venho banhar-me aqui todos os dias. Sei nadar e salvar alguém que está se afogando. E só puxar pelos cabelos. Com o senhor foi um pouco difícil por causa da tonsura. Tive de puxar pela batina. Me cansei um pouco, mas estou contente comigo mesma. Hoje vai ser um dia muito feliz para mim.

PADRE BERNARDO — Deus lhe conserve essa alegria e lhe faça todos os dias praticar uma boa ação, como a de hoje.

BRANCA — Não é fácil. Acho que as boas ações só valem quando não são calculadas. E Deus não deve levar em conta aqueles que praticam o bem só com a intenção de agradar-Lhe. Estou ou não estou certa?

PADRE BERNARDO — Bem...

BRANCA — Não foi querendo agradar a Deus que eu me atirei ao rio para salvá-lo. Foi porque isso me deixaria satisfeita comigo mesma. Porque era um gesto de amor ao meu semelhante. E é no amor que a gente se encontra com Deus. No amor, no prazer e na alegria de viver. (*Ela nota que o* PADRE *se mostra um pouco perturbado com as suas palavras.*) Estou dizendo alguma tolice?

PADRE — No fundo, talvez não. Mas a sua maneira de falar... Quem é o seu confessor?

BRANCA — Não tenho confessor. Vivo aqui, no Engenho Velho, que é de meu pai, Simão Dias, que o senhor deve conhecer de nome. Custo ir à cidade.

PADRE — Não vai à missa, aos domingos, ao menos?

BRANCA — Nem todos os domingos. Mas não pense que porque não vou diariamente à Igreja não estou com Deus todos os dias. Faço sozinha as minhas orações, rezo todas as noites antes de dormir e nunca me esqueço de agradecer a Deus tudo o que recebo Dele.

PADRE — Gostaria de discutir com você esses assuntos. Não hoje, porque estamos ambos molhados, precisamos trocar de roupa.

BRANCA — Vamos lá em casa, o senhor tira a batina e eu ponho pra secar. Posso lhe arranjar uma roupa de meu pai enquanto o senhor espera.

PADRE — (*A proposta parece assumir para ele uns aspectos de tentação.*) Não... isso não é direito...

BRANCA   Por que não?

PADRE   Já lhe dei muito trabalho por hoje. E preciso voltar o quanto antes ao colégio.

BRANCA   Que colégio?

PADRE   O Colégio dos Jesuítas. Sou o Padre Bernardo.

BRANCA   Lá aceitam moças?

PADRE   Não... só meninos, rapazes.

BRANCA   Por que nunca aceitam moças nos colégios?

PADRE   Porque moças não precisam estudar.

BRANCA   Nem mesmo ler e escrever?

PADRE   Isso se aprende em casa, quando se quer e os pais consentem.

BRANCA   (*Com certo orgulho.*) Eu aprendi. Sei ler e escrever. E Augusto diz que faço ambas as coisas melhor do que qualquer escrivão de ofício.

PADRE   Quem é Augusto?

BRANCA   Meu noivo. Foi ele quem me ensinou. Mas foi preciso que eu insistisse muito e quase brigasse com meu pai. É tão bom.

PADRE   Ler?

BRANCA   Sim. Sabe as coisas que mais me divertem? Ler estórias e acompanhar procissão de formigas. (*O* PADRE *ri.*) Sério. Tanto nos livros como nas formigas a gente descobre o mundo. (*Ri.*) Quando eu era menina, conhecia todos os formigueiros do engenho. O capataz botava veneno na boca dos buracos e eu saía de noite, de panela em panela, limpando tudo. Depois ia dormir satisfeita por ter salvado milhares de vidas.

    O PADRE *espirra.*

BRANCA   Oh, mas o senhor com essa roupa molhada no corpo, e eu aqui contando estórias. O senhor me desculpe...

PADRE | Não tenho de que desculpá-la, tenho que lhe agradecer, isto sim. Gostaria muito de continuar a ouvir as suas estórias. Todas, todas as estórias que você tiver para me contar.

BRANCA | Pois venha, venha nos visitar lá no engenho. Eu me chamo Branca.

Ela beija a mão que ele lhe estende.

PADRE | Branca... você é um dos tesouros do Senhor. Preciso cuidar de você. (*Sai.*)

BRANCA | (*Acompanha a saída do* PADRE, *envaidecida com as últimas palavras dele. Depois desce até a boca de cena, dirigindo-se à plateia.*) Ele disse isso, sim. Disse que eu era um dos tesouros do Senhor e precisava cuidar de mim. Não que eu fosse vaidosa a ponto de acreditar. Mas ele viu que eu era uma boa moça e o Demônio não era pessoa das minhas relações. Muito menos podia estar em meu corpo, pois é coisa provada que Satanás, quando vê uma cruz, corre mais do que o não-sei-do-que-diga. Ele tinha um crucifixo e devia saber disso. Tanto que voltou, alguns dias depois.

Muda a luz.

AUGUSTO | (*Entra.*) Voltou?

BRANCA | Esta tarde. Pedi a ele que ficasse mais um pouco pra conhecer você. Mas ele tinha hora de chegar no colégio. Os jesuítas se submetem a uma disciplina muito rigorosa. Parecem militares.

AUGUSTO | E ninguém menos militar do que Cristo. Se Ele voltasse à Terra e entrasse para a Companhia de Jesus, ia estranhar muito.

Sentam-se a boa distância um do outro, como no noivado antigo.

BRANCA | Foi pena, queria que você o conhecesse. É um bom padre. (*Ri.*) Se você o visse engolindo água e gritando:

"Aqui del rei!" Que Deus me perdoe, mas depois me deu uma vontade de rir.

AUGUSTO — Padre Bernardo... acho que já ouvi falar dele.

BRANCA — Já?

AUGUSTO — Era Padre adjunto do Visitador do Santo Ofício, em Pernambuco, quando Pero da Rocha foi condenado.

BRANCA — Condenado, por quê?

AUGUSTO — Por trabalhar aos domingos e negar a virgindade de Nossa Senhora. Degredo por dois anos foi a pena; tendo antes que andar por todo o Recife, com grilhão e baraço, apontado à execração pública.

BRANCA — Agora me lembro. Foi no ano passado. Mas era um herege perigoso. Atirou de arcabuz no familiar do Santo Ofício, quando o foram prender.

AUGUSTO — Concordo com o degredo, não concordo com a humilhação. Pero da Rocha é um herege, mas é um homem. Merecia ser punido, morto, mas com respeito. Eu estava no Recife e o vi passar, com o baraço no pescoço, tangido como um cão, entre insultos e pedradas de uma multidão, que ria e incentivava a violência. E nunca esquecerei o seu olhar. Parecia dizer: "Isto que aqui vai é um homem. Um ser feito à semelhança de Deus."

BRANCA — Mas ele devia ter culpa. Muita culpa. Se Padre Bernardo o julgou. Se o Santo Ofício o condenou. Padre Bernardo tem o olhar transparente das pessoas de alma limpa. E o Santo Ofício é misericordioso e justo.

AUGUSTO — Não é o Santo Ofício. É que em nome dele, em nome da Igreja, do próprio Deus, às vezes cometem-se atos que Ele jamais aprovaria. Em nome de um Deus-misericórdia, praticam-se vinganças torpes, em nome de um Deus-amor, pregam-se o ódio e a violência. Os rosários são usados para encobrir toda sorte de interesses que não são os de Deus, nem da religião.

BRANCA	(*Fita-o com admiração e amor.*) Você é o mais justo e o melhor de todos os homens.
AUGUSTO	Eu?
BRANCA	Sim, e é por isso que se revolta. Porque é justo e bom.
AUGUSTO	Sou apenas cristão. E no momento talvez possa dizer, sem blasfêmia, que sou mais cristão do que Sua Santidade, o Papa, porque tenho o coração repleto de amor.

Ele toma a mão dela e beija, calorosamente. BRANCA *cerra os olhos, seu corpo parece invadido por um gozo infinito. Súbito, estremece, numa convulsão, puxa a mão, rapidamente. Levanta-se.*

AUGUSTO	Que foi?
BRANCA	Um calafrio... a morte passou por aqui.
AUGUSTO	Não diga tolices.
BRANCA	Sinto isso toda vez que você me beija. Um calafrio de morte... Por que será que o amor dá essa tristeza imensa, essa vontade de morrer? Deve haver um ponto onde o amor e a morte se confundem, como as águas do rio e do mar.

Ele roça os lábios nos cabelos dela.

BRANCA	Que está fazendo?
AUGUSTO	Gosto de aspirar o perfume dos seus cabelos.
BRANCA	Eles cheiram a quê?
AUGUSTO	A capim molhado.

Muda a luz. BRANCA *desce até o primeiro plano, enquanto* AUGUSTO *sai.*

BRANCA	Capim molhado... vocês não acham que se eu estivesse possuída do Demônio meus cabelos deviam cheirar a enxofre? Não é uma coisa lógica, uma prova evidente

da minha inocência? Mas eles não aceitam as coisas lógicas, as coisas simples e naturais. Eles só aceitam o mistério.

Muda a luz. PADRE BERNARDO *entra e estende a mão a* BRANCA.

PADRE   Venha...

Toma-a pela mão e a leva a percorrer todos os planos do cenário. BRANCA *passeia os olhos em torno, como se contemplasse as altas paredes de um templo.*

PADRE   Então?

BRANCA   Não me sinto bem.

PADRE   Não se sente bem na Companhia de Jesus?

BRANCA   Falta sol. Claridade. Deus é luz. Não é?

PADRE   É também recolhimento. Você precisa habituar-se à sombra, ao silêncio e à solidão. A solidão é necessária para se ouvir a voz de Deus. Foi na solidão do Sinai que Deus entregou a Moisés as Tábuas da Lei. Foi na solidão da Palestina que João Batista recebeu a plenitude do Espírito Santo.

BRANCA   Foi para isso que me trouxe aqui?

PADRE   Não. Queria que você conhecesse o colégio. Mas queria, principalmente, conhecê-la mais a fundo.

BRANCA   Já lhe fiz a minha confissão, já me conhece tanto quanto eu mesma. Mais até, porque lhe disse coisas que a mim mesma não teria coragem de dizer.

PADRE   Sei e estou tranquilo agora, porque poderei protegê-la e salvá-la.

BRANCA   Salvar-me?

PADRE   Você me estendeu a mão uma vez e me salvou a vida; agora é a minha vez de retribuir com o mesmo gesto.

BRANCA   Mas eu não estou em perigo, Padre.

PADRE Toda criatura humana está em permanente perigo, Branca. Lembre-se de que Deus nos fez de matéria frágil e deformável. Ele nos moldou em argila, a mesma argila de que são feitos os cântaros, que sempre um dia se partem.

BRANCA (*Ri.*) Tenho um cântaro que meus avós trouxeram de Portugal. Durou três gerações e até hoje não se partiu.

PADRE Naturalmente porque sempre teve mãos cuidadosas a lidar com ele e a protegê-lo. Queria que você me permitisse protegê-la também, defendê-la também, porque é uma criatura tão frágil e tão preciosa como esse cântaro.

BRANCA Eu lhe agradeço. Mas não acho que mereça tantos cuidados de sua parte. Sou uma criatura pequenina e fraca, sim, mas não me sinto cercada de perigos e tentações.

PADRE A segurança com que você diz isso já é, em si, um perigo. Prova que você ignora as tentações que a cercam.

BRANCA Talvez eu não ignore, mas aceite como uma coisa natural.

PADRE Pior ainda. Ninguém pode aceitar o Demônio como companheiro de mesa.

BRANCA Eu não disse isso.

PADRE Se aceitamos a sua existência como coisa natural, acabamos por admiti-lo como parceiro. Porque, não tenho dúvidas, o Diabo está a todo momento a nos rondar os passos, a se insinuar e a se infiltrar. E são principalmente os ingênuos, os sem-maldade, como você, que ele escolhe para seus agentes. É um erro imaginar que Satanás prefere os maus, os corruptos, os ateus. Engano. Satanás escolhe os bons, os inocentes, os puros, porque são eles muito úteis e insuspeitos na propagação de suas ideias. Repare que as grandes heresias surgem sempre de pessoas que pretendem salvar a humanidade. Por isso, quando encontro alguém que se julga tão próximo de Deus que pode até senti-Lo em sua própria carne, no ar que respira, ou na água que bebe, temo por essa criatura. Porque ela deve estar na mira do Diabo.

BRANCA — Se for o meu caso, o Diabo vai perder tempo e munição. E vai acabar cansando. Garanto.

PADRE — O Diabo não se cansa nunca. E não devemos correr dele, devemos enfrentá-lo e obrigá-lo a fugir de nós. Para o cristão, Branca, toda prova, toda tentação é um meio de santificação e a vida na Terra só vale como preço para ganhar o céu.

BRANCA — Mas eu não quero ser santa. Minhas pretensões são bem mais modestas. Não é pela ambição que o Capeta há de me pegar. Quero viver uma vida comum, como a de todas as mulheres. Casar com o homem que amo e dar a ele todos os filhos que puder.

PADRE — (*Não como uma acusação, como notação apenas.*) Durante a sua confissão, você pronunciou sete vezes o nome desse homem.

BRANCA — (*Surpresa.*) O senhor contou?

PADRE — Contei.

BRANCA — Bem... eu o amo.

PADRE — Enquanto que o nome de Deus você pronunciou apenas três vezes.

BRANCA — Isso tem importância?

PADRE — Não, não tem importância.

BRANCA — Não se deve invocar o nome de Deus em vão.

PADRE — Claro. São apenas números. Mas nem tudo são números em sua confissão. Os tormentos da carne, por exemplo.

BRANCA — Eu não falei em tormentos da carne.

PADRE — Mas confessou que certa noite rolava na cama sem poder dormir...

BRANCA — Por causa do calor. Meu corpo queimava.

PADRE — E não podendo mais, levantou-se e foi mergulhar o corpo no rio, para acalmá-lo. Tirou a roupa e banhou-se nua.

BRANCA — Era noite de lua nova. Nenhum perigo havia de ser vista. Nem mesmo podia haver alguém acordado, àquela hora.

PADRE — Agora responda, Branca, lembrando-se de que está ainda diante de seu confessor: que sentiu ao mergulhar o corpo no rio?

BRANCA — Que senti? Bem, senti-me bem melhor, refrescada.

PADRE — Sentiu prazer?

BRANCA — (*Hesita um instante.*) Senti, senti prazer.

PADRE — E depois, quando voltou para o leito?

BRANCA — Pude, enfim, dormir.

PADRE — Algum pensamento pecaminoso lhe atravessou a mente nessa noite?

BRANCA — Eu... não me lembro.

PADRE — Não pensou em seu noivo nessa noite?

BRANCA — É possível. Eu penso nele todas as noites, todos os dias. Tudo que me acontece de bom, eu penso em compartilhar com ele, tudo que me acontece de mau, eu acho que não seria tão mau se estivesse a meu lado.

PADRE — E ele nunca a viu tomar banho no rio? Responda.

BRANCA — Uma vez... sim. (*Adivinha os pensamentos do* PADRE, *reage prontamente.*) Mas não foi naquela noite! Juro por Deus, não foi!

PADRE   (*Cerra os olhos, como se procurasse fugir a todas aquelas visões e mergulhar em si mesmo.*) Branca... pode ir. Eu preciso fazer minhas orações.

Ela vem descendo, de costas, os olhos fixos nele, que parece em êxtase.

PADRE   (*Murmura.*) Senhor, ajudai-me. Ela precisa de mim e eu devo protegê-la. Ela tem tão pouca noção das tentações que a cercam, que será uma presa fácil para o Demônio, se não a guiarmos pelo caminho que a levará até Vós. Dai-me forças, Senhor, para cumprir essa tarefa. Dai-me forças e defendei-me também de toda e qualquer tentação. Amém.

Muda a luz. PADRE *sai.* BRANCA *está em primeiro plano, onde surge* SIMÃO.

SIMÃO   (*Muito preocupado.*) Que é que ele quer, afinal?

BRANCA   Quer proteger-me, pai.

SIMÃO   E não sai daqui, e faz tantas perguntas.

BRANCA   Ele acredita que eu esteja em perigo. E como o salvei de morrer afogado, quer também salvar-me. O curioso é que eu antigamente me sentia tão segura e agora... Mas ele deve ter razão, talvez eu não veja os perigos que me cercam. Se ele vê, é porque de fato existem, pois ninguém pode saber das artimanhas do Cão melhor do que um padre, que tem isso por ofício.

SIMÃO   Mas nós nunca precisamos dessa proteção. Eu disse isso a ele, na última vez. Quem nos protege é Deus, ninguém mais.

Muda a luz. PADRE BERNARDO *surge.* BRANCA *permanece na sombra, durante o diálogo.*

PADRE   Isso não é verdade. A Virgem também nos protege e também os santos da Igreja. Também o Papa e os sacerdotes. É preciso cuidado com essas afirmações, Simão, porque frequentemente as ouvimos da boca

	dos hereges. Que só Deus protege, que só Deus é justo, que só a Ele devemos prestar conta dos nossos atos.
SIMÃO	Eu não disse isso, Padre.
PADRE	Acabará dizendo, se prossegue nesse caminho.
SIMÃO	Meu caminho é o da fé cristã, caminho abraçado por meus antepassados.
PADRE	Não por todos os seus antepassados. Seus avós não eram cristãos, seguiam a lei mosaica.
SIMÃO	Sim, mas os meus pais se converteram.
PADRE	Sei disso. Vieram para o Brasil em fins do século passado.
SIMÃO	Já eram cristãos quando aqui chegaram.
PADRE	Cristãos-novos. Chegaram pobres e logo enriqueceram.
SIMÃO	Honestamente.
PADRE	E aqui geraram um filho a quem chamaram Simão.
SIMÃO	A quem batizaram e crismaram.
PADRE	E Simão gerou Branca, a quem também batizou e crismou. E Branca espera gerar quantos filhos puder.
SIMÃO	Está noiva. Augusto Coutinho, seu noivo, é também católico. De boa família. Estudou na Europa.
PADRE	Em Lisboa.
SIMÃO	É muito inteligente e muito preparado. Conhece leis a fundo.
PADRE	Conhece as leis dos homens, que não se podem sobrepor às leis de Deus. Mas ele pensa que sim.
SIMÃO	Ele pensa?
PADRE	Soube de certas atitudes de rebeldia desse rapaz.

SIMÃO   Coisas da juventude. Quem nunca foi rebelde nunca foi jovem.

PADRE   Preocupa-me a influência que ele exerce sobre Branca.

SIMÃO   É natural. Ela o adora.

PADRE   O senhor disse a frase exata: ela o adora.

SIMÃO   Cresceram juntos, brincando de esconder no canavial. O velho Coutinho era também senhor de engenho. Bom homem, muito respeitador. Depois, Augusto foi estudar na Europa. Voltou já homem feito e disposto a casar. Era do meu gosto e eu só tinha que aprovar.

PADRE   Quando será?

SIMÃO   Em setembro. Faltam três meses somente e já encomendei o enxoval; virá tudo de Paris. Custou-me os olhos da cara. (*Sorri.*) É filha única, o senhor compreende. Alegria que só terei uma vez na vida. Quem sabe se o senhor mesmo não poderia casá-los?

PADRE   (*Estranha a ideia.*) Eu?

SIMÃO   Sim, Branca ia ficar muito contente, tendo pelo senhor o respeito e a amizade que tem.

PADRE   (*Constrangido.*) Será para mim também uma satisfação, se Branca me der essa honra.

Muda a luz. O PADRE *sai.*

SIMÃO   Não fiz bem em convidá-lo?

BRANCA   Fez. Eu já havia pensado nisso. Ele deve ter ficado satisfeito.

SIMÃO   Penso que sim. Não demonstrou muito.

BRANCA   Porque é tímido. Mas pode ficar certo de que o senhor lhe deu uma grande alegria.

SIMÃO   Você acha?

BRANCA   Ele é muito sensível a qualquer gesto de simpatia.

SIMÃO	Ainda bem.
BRANCA	Por quê? O senhor parece preocupado. Teme alguma coisa?
SIMÃO	O temor é um legado de nossa raça.
BRANCA	Somos cristãos.
SIMÃO	Cristãos-novos, ele frisou bem.
BRANCA	Que tem isso? Jesus nunca fez distinção entre os velhos e os novos discípulos.
SIMÃO	Eles não confiam em nós, em nossa sinceridade. Estamos sempre sob suspeita.
BRANCA	Não é suspeita, pai, é que eles têm o dever de ser vigilantes. É essa vigilância que nos defende e nos protege.
SIMÃO	Essa proteção custou a vida de dois mil dos nossos, em Lisboa, numa chacina que durou três dias.
BRANCA	Dois mil?
SIMÃO	Sim, dois mil cristãos-novos. Poucos conseguiram escapar, como seu avô, convertido à força e despojado de todos os seus bens.
BRANCA	Meu avô não era um cristão convicto?
SIMÃO	O ódio não converte ninguém. Uma coisa é um Deus que se teme, outra coisa é um Deus que se ama. E não há nada mais próximo do ódio que o amor dos humildes pelos poderosos, o culto dos oprimidos pelos opressores.
	Muda a luz, SIMÃO *sai.* BRANCA *senta-se, pensativa. As palavras do pai a perturbaram um pouco. A insegurança, cujos germes* PADRE BERNARDO *conseguira incutir em seu espírito, acentua-se.* AUGUSTO *entra.*
AUGUSTO	Por que me mandou chamar com tanta urgência?
BRANCA	Não sei... De fato, não é urgente.

AUGUSTO
: Aconteceu alguma coisa?

BRANCA
: Não... realmente, não aconteceu nada. Não sei explicar. Mas de um momento para outro eu me senti tão só, tão desamparada. Só me aconteceu isso uma vez, quando eu era menina e alguém me disse que a Terra se movia no espaço. Não sei que sábio havia descoberto. Até então, a Terra me parecia tão sólida, tão firme... de repente, comecei a pensar em mim mesma, uma pobre criança, montada num planeta louco, que corria pelo céu girando em volta de si mesmo, como um pião. E tive medo, pela primeira vez na vida. Uma sensação de insegurança me fez passar noites sem dormir, imaginando que durante o sono podia rolar no espaço, como uma estrela cadente.

AUGUSTO
: (*Sorri.*) E que quer você que eu faça? Que pare a Terra, como Josué parou o Sol?

BRANCA
: E se Josué parou o Sol, é porque é o Sol que se move e não a Terra.

AUGUSTO
: É o que dizem as Sagradas Escrituras.

BRANCA
: E pode um texto sagrado mentir?

AUGUSTO
: Talvez seja uma questão de interpretação. Josué não parou o Sol, mas a Terra. Estando na Terra, teve a impressão de que foi o Sol que parou. O sentido é figurado. Do mesmo modo que quando nos afastamos do porto, num navio, temos a impressão de que é a terra que foge de nós.

BRANCA
: Tudo é então uma questão de interpretação. Depende da posição em que a gente se encontra. Isto me deixa ainda mais intranquila.

AUGUSTO
: Por quê?

BRANCA
: Se um texto da Sagrada Escritura pode ter duas interpretações opostas, então o que não estará neste mundo sujeito a interpretações diferentes?

AUGUSTO
: Por que você se preocupa com isso?

BRANCA	Porque ninguém pode viver assim. (*Repentinamente, como para pô-lo à prova.*) Você sabe que eu já colei minha boca na boca de um homem?
AUGUSTO	Que homem?
BRANCA	Padre Bernardo. Ele estava sufocado, depois do afogamento, e eu tive de colar a minha boca na dele, para fazer chegar um pouco de ar aos seus pulmões. (*Fita o noivo corajosamente.*) Nós nunca nos beijamos na boca e eu fui obrigada a beijar um estranho.
AUGUSTO	(*Evidentemente chocado com a revelação.*) Por que você não me contou isso antes?
BRANCA	Porque até hoje ainda não havia pensado que o meu gesto podia ser interpretado de outro modo.
AUGUSTO	Você acha que era absolutamente necessário fazer o que fez?
BRANCA	Acho.
AUGUSTO	Ele morreria, se não o fizesse?
BRANCA	Quem sabe? Talvez, não. Mas foi com o intuito de salvá-lo que o fiz. Só com esse intuito. Estou lhe dizendo isto agora para saber se você acredita em mim.
	Ele não responde. Sua perturbação é evidente.
BRANCA	Em sua opinião, eu continuo pura como antes?
AUGUSTO	(*Pausa.*) Eu preferia que isso não tivesse acontecido.
BRANCA	Então é porque você não acredita na pureza do meu gesto.
AUGUSTO	(*Rápido.*) Não, não...
BRANCA	Ou porque tem dúvidas.
AUGUSTO	Não tenho dúvidas. Mas ninguém gostaria que a mulher que ama beijasse outro homem, mesmo sendo esse homem um padre e o beijo apenas um gesto de

	humanidade. Aceito e compreendo a nobreza de seu gesto, mas ele me choca.
BRANCA	Você o aceita, mas não o compreende — esta é que é a verdade. Porém, não é isto o que mais me preocupa. É verificar que hoje eu não seria capaz de um gesto desses. Se visse um homem morrendo, com falta de ar, eu o deixaria morrer. Não colaria a minha boca na dele, não lhe daria o ar dos meus pulmões, porque isso poderia ter outra interpretação. Porque tanto Josué pode ter parado o Sol, como pode ter parado a Terra. Tudo depende de saber se estamos do lado do Sol ou do lado da Terra.
AUGUSTO	Branca, eu sei que você continua tão pura quanto antes...
BRANCA	E você sabe que o Diabo prefere os puros?
AUGUSTO	Eu confio em você, Branca.
BRANCA	Mas não deve. Meu pai me disse que estamos sempre sob suspeita. Eu mesma lhe confessei há pouco que já me sentia capaz de recusar a um moribundo o ar dos meus pulmões. Alguém que se sente capaz disso deve estar mesmo sob vigilância constante, porque não é pessoa em quem se possa confiar.
AUGUSTO	(*Segura-a pelos braços, como para chamá-la a si.*) Branca, não fale assim. Você está sendo injusta consigo mesma.
BRANCA	Não, não estou. É que começo a me conhecer. E estou descobrindo coisas... Coisas que não descobri nem mesmo nos livros que você me deu. Padre Bernardo talvez tenha razão...
AUGUSTO	(*Com desagrado.*) Padre Bernardo!
BRANCA	Sim, Padre Bernardo deve ter razão, toda criatura humana está em perigo!
AUGUSTO	Não você, Branca!

BRANCA	Sim, eu, eu sim! (*Atira-se nos braços dele e faz-se pequenina, pedindo proteção.*) Augusto, não podemos esperar até setembro!
AUGUSTO	Por quê?
BRANCA	Não me pergunte, eu não saberia responder. Só sei que o mundo, que me parecia tão simples, começa a ficar muito complicado para mim. Eu mesma já não me entendo... nos seus braços eu me sinto segura.
AUGUSTO	Em setembro, você virá de vez para os meus braços, virá de vez...
BRANCA	Não, não me deixe desamparada até lá! Eu não posso esperar tanto!
AUGUSTO	Você acha que seu pai concordaria? Ele mandou buscar o seu enxoval na Europa...
BRANCA	O enxoval chegaria depois, isso não tem importância.
AUGUSTO	Ele vai ficar sentido.
BRANCA	Eu falo com ele, explico... o que eu não posso é ficar por mais tempo na mira do Diabo!
AUGUSTO	(*Num gesto brusco, puxa-a para si e beija-a na boca. Um beijo violento, desesperado, que é interrompido também bruscamente.*) Foi assim que você o beijou?
BRANCA	(*Com horror.*) Não!
	AUGUSTO *sai.* BRANCA *fica só. Pensativa, agacha-se e põe-se a seguir com os olhos um caminho de formigas.*
PADRE	(*Entra.*) Branca...
BRANCA	(*Já não revela a mesma espontaneidade diante dele.*) Padre...
PADRE	(*Mais como uma queixa do que como uma censura.*) Nunca mais foi à missa, nunca mais confessou-se, nunca mais me procurou, por quê?
BRANCA	(*Evasiva.*) Por nada. Tenho estado muito ocupada.

PADRE	Com suas formigas?
BRANCA	Não são também criaturas de Deus?
PADRE	São seres daninhos, que somente destroem, que somente trabalham em seu próprio benefício e cuja existência nenhum bem, nenhuma utilidade representa.
BRANCA	Se Deus deu às formigas o benefício da vida, elas têm o direito de conservá-lo, não acha? Da maneira que Deus ensinou.
PADRE	Elas não sabem distinguir entre o bem e o mal. Ao passo que nós temos a obrigação de sabê-lo.
BRANCA	Não é tão fácil como eu julgava.
PADRE	Já percebi que você tem certa dificuldade. Por isso estou aqui novamente.
BRANCA	Nunca mais fui procurá-lo porque, como já lhe disse, tenho andado muito atarefada. Com o meu casamento.
PADRE	Não é em setembro?
BRANCA	Não, resolvemos apressá-lo.
PADRE	Não sabia de nada.
BRANCA	É verdade, devíamos ter falado com o senhor, que é quem vai oficiar a cerimônia.
PADRE	(*Há uma pausa um tanto longa, que traduz a atual dificuldade de comunicação entre eles.*) Há alguma razão especial que justifique a pressa?
BRANCA	O senhor disse: ninguém pode aceitar o Demônio como companheiro de mesa. Casada, terei o meu marido à cabeceira e o Demônio não ousará sentar-se ao nosso lado.
PADRE	Seu marido talvez o convide...

BRANCA	Não creio. Conheço Augusto e confio nele como confio em Deus.
	O PADRE se choca com a frase. Ela percebe.
BRANCA	Disse alguma coisa errada?
PADRE	Lamentavelmente.
BRANCA	Perdoe-me...
PADRE	Não é a mim que você deve pedir perdão, é a Ele, de quem você se afasta cada vez mais.
BRANCA	(*Protesta com veemência.*) Não! Isso não é verdade!
PADRE	A ponto de colocá-Lo em pé de igualdade com um simples mortal. Amanhã O colocará em situação inferior; e, por fim, O substituirá inteiramente.
BRANCA	O senhor não pode falar assim só porque eu disse uma tolice.
PADRE	Não me esqueci de sua frase, na beira do rio, quando nos conhecemos: "É no amor que a gente se encontra com Deus." Sim, mas não nesse tipo de amor que você tem por Augusto. Isto é que eu quero que você entenda, Branca. Seu espírito está cheio de confusões.
BRANCA	É possível. Para mim, tudo é amor. E todo amor é uma prova da existência de Deus.
PADRE	Neste caso, está em comunhão com Deus quem ama um cão, ou adora uma vaca. E tanto é justo adorar um Deus verdadeiro como um deus falso.
BRANCA	Se somos sinceros em nossos sentimentos — isto é que Deus deve considerar em primeiro lugar.
PADRE	Mas os judeus e os mouros também são sinceros em sua lei e em sua religião. Acha você que eles podem se salvar, como os cristãos?
	Ela, atônita, sentindo que caiu numa armadilha, não sabe o que responder.

PADRE — Responda, Branca. Os judeus e mouros podem salvar-se?

BRANCA — Não sei... Confesso que não sei...

PADRE — (*Olha-a com imensa ternura e piedade.*) Pobre Branca. Como precisa de quem a ajude.

BRANCA — (*Numa queixa.*) Mas o senhor não tem ajudado em nada, Padre. O senhor só tem lançado a dúvida em meu espírito.

PADRE — Essa dúvida é a luta entre a luz e as trevas. Eu lhe trago a luz, mas você resiste. Abandone-se, Branca, abandone-se a mim e eu dissiparei todas as dúvidas que a atormentam.

BRANCA — Não, Padre, não.

PADRE — (*Choca-se com a recusa.*) Por que recusa?

BRANCA — Preferia que me deixasse com as minhas dúvidas, as minhas tolices, e os meus perigos e tentações. Sei que o senhor quer salvar-me, mas eu me salvarei por mim mesma.

PADRE — E se não se salvar? Eu terei a culpa.

BRANCA — Não.

PADRE — Sim, porque a abandonei. Porque não cumpri o meu dever de sacerdote, nem mesmo o mais elementar dever de gratidão. Não é só você quem está em causa, Branca. Eu, seu confessor, sou a um tempo seu guia, seu mestre, seu conselheiro, seu amigo, seu irmão. Queria que você visse em mim todas essas pessoas e se confiasse a elas, como a gente se confia a uma sólida ponte sobre o abismo. Eu sou essa ponte, Branca, que pode transportá-la de um lado para o outro, com segurança.

BRANCA — (*As palavras do* PADRE *a abalam um pouco.*) Eu sei... eu confio também no senhor.

PADRE — Confia mesmo?

BRANCA	Confio. (*Consegue reagir.*) Mas não vejo necessidade de atravessar nenhuma ponte, de mudar de lado. Eu estou bem onde estou e acho que estamos do mesmo lado.
PADRE	(*Começa a experimentar o sabor do próprio fracasso.*) Não sei, Branca, não sei... Às vezes temo que você não esteja apenas confusa, não esteja apenas inconsciente dos perigos que corre. Que não seja por pura inocência que se deixa tentar...
BRANCA	Como? Não entendo!
PADRE	Temo, sinceramente, que o Diabo tenha avançado demais...
BRANCA	Padre!
PADRE	Temo por você, como temo por mim, Branca. Acredite! (*Ela sente que ele arrancou essas palavras da própria carne, rompendo barreiras que até então haviam resistido.*)
BRANCA	(*Timidamente.*) O senhor também se julga em perigo?
	Ele não responde. Cerra os olhos, como se procurasse recompor-se intimamente. Por fim, avança para ela e põe-lhe a mão sobre a cabeça, escorregando-a depois, lentamente, pelo rosto, como fazem os judeus para abençoar as crianças. BRANCA *ri.*
PADRE	Por que se riu?
BRANCA	O senhor agora me fez lembrar o meu avô. Quando eu era pequena, ele costumava pôr a mão na minha cabeça e escorregá-la pelo meu rosto, como o senhor fez agora.
PADRE	Seu avô, fale-me dele.
BRANCA	Oh, era um bom homem. Me levava para chupar cajus na roça, depois fazia um enorme colar com as castanhas, pendurava no meu pescoço e dizia: "Branca, és mais rica do que a rainha de Sabá!" (*Ri.*) Eu não sabia quem era essa rainha de Sabá, e só a imaginava

então cheia de colares de castanhas-de-caju em volta do pescoço.

PADRE (*Olha-a com tristeza e preocupação.*) Que mais?

BRANCA Não me lembro de muitas coisas mais. Eu tinha seis anos quando ele morreu.

PADRE Lembra-se desse dia?

BRANCA Não gosto de me lembrar. Foi o meu primeiro encontro com a morte. Toda vez que me recordo, sinto a mesma coisa...

PADRE Quê?

BRANCA Um cheiro ativo de azeitonas e um frio aqui acima do estômago. Mas nunca vou poder esquecer... era um velho cheio de manias. Pediu que botassem uma moeda na sua boca, quando morresse.

PADRE E cumpriram a sua vontade?

BRANCA Sim, meu pai me deu uma pataca e eu coloquei sobre seus lábios.

PADRE (*Murmura.*) Virgem Santíssima!

BRANCA (*Estremece e treme.*) Fiz mal?

PADRE BERNARDO, *ereto, cabeça levantada, leva as mãos em garras ao rosto, escorrega-as pelo pescoço, até o peito, como se dilacerasse a própria carne, num gesto de suprema angústia.*

PADRE Branca, o Visitador da Santa Inquisição acaba de decretar um tempo de graça. Durante quinze dias os pecadores que espontaneamente confessarem as suas faltas e convencerem o Inquisidor da sinceridade de seu arrependimento receberão somente penitências leves.

BRANCA Por que está me dizendo isso?

PADRE Para que você medite e se aproveite da misericórdia do Tribunal do Santo Ofício.

Muda a luz. O PADRE *sai. O* VISITADOR *surge no plano mais elevado, desenrola um edital e lê.* BRANCA, SIMÃO *e* AUGUSTO, *em planos inferiores, escutam atentamente. Também o* NOTÁRIO *e dois* GUARDAS.

VISITADOR — (*Lendo.*) "Por mercê de Deus e por delegação do Inquisidor-mor em estes reinos e senhorios de Portugal, eu, Visitador do Santo Ofício, a todos faço saber que, num prazo de quinze dias, devem os culpados de heresia ou que souberem que outrem o está vir declarar a verdade. Os que assim procederem ficarão isentos das penas de morte, cárcere perpétuo, desterro e confisco. E para que as sobreditas cousas venham à notícia de todos e delas não possam alegar ignorância, mando passar a presente carta para ser lida e publicada neste lugar e em todas as Igrejas desta cidade e uma légua em roda. Dada na cidade da Paraíba, aos dezoito do mês de julho, do ano do nascimento de Nosso Senhor Jesus Cristo de 1750."

Muda a luz. Sai AUGUSTO. *O* VISITADOR *desce ao plano inferior. É um bispo. O* NOTÁRIO *vem reunir-se a ele. Os dois percorrem toda a cena com os olhos perscrutadores, detalhadamente, como se estivessem fazendo uma vistoria.* SIMÃO *e* BRANCA *assistem, um tanto intimidados.*

VISITADOR — Desculpem, é uma tarefa bastante desagradável, mas somos obrigados a cumpri-la.

NOTÁRIO — É o nosso dever.

SIMÃO — (*Mais intimidado do que* BRANCA.) Estejam à vontade... Nós entendemos perfeitamente.

BRANCA — Quem ainda não entendeu nada fui eu. Afinal, que é que os senhores procuram? Somos católicos, nada temos em nossa casa que possa ofender a Deus ou à Santa Madre Igreja.

VISITADOR — (*Enigmático.*) Recebemos uma denúncia. Temos de apurar.

SIMÃO — Denúncia contra nós? Absurdo.

BRANCA   Quem nos denunciou?

VISITADOR   O Tribunal do Santo Ofício não permite revelar o nome dos denunciantes.

SIMÃO   Deve ter havido um equívoco.

VISITADOR   A única maneira de saber se há equívoco ou se há fundamento é investigar.

SIMÃO   Sim, isto parece lógico...

NOTÁRIO *sai, com os* GUARDAS.

BRANCA   Não acho. É lógico que se procure entre os cristãos os inimigos do cristianismo?

VISITADOR   Houve uma denúncia.

BRANCA   De que nos acusam?

VISITADOR   De alguma coisa.

O NOTÁRIO *e os* GUARDAS *entram com uma enorme bacia.*

NOTÁRIO   Senhor Visitador!

VISITADOR   Que é isso?

NOTÁRIO   Uma bacia.

BRANCA   É pecado ter em casa uma bacia?

NOTÁRIO   A bacia contém um líquido.

SIMÃO   É água!

NOTÁRIO   Estou vendo que é água... Mas a cor da água...

O VISITADOR *examina detidamente a água, molha as pontas dos dedos.*

NOTÁRIO   Vossa Reverendíssima se arrisca... Ninguém sabe o que há nessa água!

VISITADOR   (*Enxuga a mão.*) Sim, a cor indica que a água levou algum preparado...

NOTÁRIO — Algum pó mirífico para invocação do Diabo!

SIMÃO — Vossas Excelências me perdoem, mas o único pó que há aí é o pó das estradas, de vinte léguas no lombo dum burro.

VISITADOR — Como?

SIMÃO — Acabei de tomar banho nessa bacia...

VISITADOR — Acabou de tomar banho... hoje, sexta-feira?

SIMÃO — Cheguei de viagem, empoeirado...

VISITADOR — Também trocou de roupa?

SIMÃO — Também; a outra estava imunda.

VISITADOR — Hoje, sexta-feira.

NOTÁRIO — Hoje, sexta-feira.

VISITADOR — (*Para o* NOTÁRIO:) Leve daqui esta bacia.

O NOTÁRIO *e os* GUARDAS *saem com a bacia.*

SIMÃO — Foi uma coincidência!

VISITADOR — Estranha.

SIMÃO — Cheguei suado, cheio de poeira...

BRANCA — Há alguma lei que proíba alguém de tomar banho?

NOTÁRIO *entra com um candeeiro.*

VISITADOR — Mudaram a mecha?

NOTÁRIO — Não, parece que não mudaram.

VISITADOR — (*Examina a mecha do candeeiro.*) Também ainda não acenderam. Que horas são?

NOTÁRIO — Quase seis.

VISITADOR — (*Para* SIMÃO:) Isto será anotado em favor de vocês. Sexta-feira, quase seis da tarde. Candeeiro apagado. Mecha velha.

NOTÁRIO *sai com o candeeiro.*

BRANCA — Se querem, podemos pôr mecha nova...

SIMÃO — (*Apressadamente.*) Não, não! Nunca mudamos a mecha do candeeiro às sextas-feiras. Vossa Reverendíssima viu, a mecha está velha, estragada, há um mês que não mudamos. Também não jejuamos aos sábados, nem trabalhamos aos domingos. Somos conhecidos em toda essa região e todos podem dizer quem somos. Tudo não deve passar de um mal-entendido, ou maldade de alguém que quer nos prejudicar.

VISITADOR — Se for, nada têm a temer. A visitação do Santo Ofício lhes garante misericórdia e justiça. Não desejamos servir a vinganças mesquinhas, mas precisamos ser rigorosos com os inimigos da fé cristã. Temos de destruí-los, pois do contrário eles nos destruirão.

NOTÁRIO — (*Entra com a pilha de livros. Como se encontrasse uma bomba.*) Livros!

BRANCA — Meus livros! São meus! Que vai fazer com eles?

VISITADOR — Sabe ler?

BRANCA — Sei.

VISITADOR — Por quê?

BRANCA — Porque aprendi.

VISITADOR — Para quê?

BRANCA — Para poder ler.

VISITADOR — Mau.

BRANCA — Não são livros de religião, são romances, poesias...

NOTÁRIO — *Amadis de Gaula!* (*Passa o livro ao* VISITADOR.)

VISITADOR — Amadis!

BRANCA — Estórias de cavalaria. Me emocionam muito.

NOTÁRIO — *As Metamorfoses.* (*Passa o livro ao* VISITADOR.)

VISITADOR	Ovídio. Mitologia. Paganismo.
NOTÁRIO	*Eufrósina. (Repete o jogo.)*
VISITADOR	Também!
NOTÁRIO	E uma Bíblia — em português!
VISITADOR	Em português!?
BRANCA	Foi meu noivo quem me trouxe de Lisboa. Vejam que tem uma dedicatória dele para mim.
VISITADOR	Estou vendo...
BRANCA	Fiquei muito contente porque, como não sei ler latim, pude ler a Bíblia toda e já o fiz várias vezes.
VISITADOR	(*Entrega os livros ao* NOTÁRIO.) Todos esses livros são reprovados pela Igreja; vamos levá-los.
BRANCA	Também a Bíblia?!
NOTÁRIO	Em linguagem vernácula!
BRANCA	Mas é a Bíblia!
VISITADOR	Em linguagem vernácula.
	Saem o VISITADOR, *o* NOTÁRIO *e os* GUARDAS. *Há uma grande pausa, como se eles tivessem cavado um enorme precipício diante de* BRANCA *e* SIMÃO, *que se olham perplexos.*
BRANCA	Por quê?...
SIMÃO	Como?...
BRANCA	Quem?...
SIMÃO	Em linguagem vernácula. (*Depois de uma pausa, volta-se contra ela.*) Eu bem lhe disse... eu bem que me opus sempre... Esses livros — para quê? Uma moça aprender a ler — para quê? Que ganhamos com isso? Estamos agora marcados. (*Sai.*)
	Muda a luz. PADRE BERNARDO *surge no plano superior.*

BRANCA	Foi o senhor!
PADRE	Não, Branca, não fui eu. Deus poupou-me esse penoso dever.
BRANCA	Quem foi, então?
PADRE	O Tribunal não revela o nome dos denunciantes.
BRANCA	O Tribunal?...
PADRE	Você agora vai ter de comparecer ante ele. Melhor seria que tivesse ido espontaneamente, aproveitando os dias de graça.
BRANCA	Mas por que iria? Que fiz eu?!
PADRE	Talvez eles lhe digam.
BRANCA	Eles, quem?!
PADRE	Os seus inquisidores. Pobre de você, que terá de comparecer ante eles, sem reconhecer os próprios erros; pobre de mim, que estarei entre eles e terei de julgá-la.
BRANCA	Mas não... eu não irei... não irei... (*Corre para a direita, mas aí surge um* GUARDA, *que lhe barra a fuga; corre para a esquerda, e aparece outro* GUARDA, *que a obriga a retroceder.*)
PADRE	É inútil, Branca. Perdeu sua liberdade, pelo mau uso que fez dela. Melhor para você que não tente fugir e se entregue à misericórdia dos seus juízes. Eles tudo farão para salvá-la.
BRANCA	(*Encolhe-se, no centro da cena, pequenina, esmagada, perplexa.*) Meu Deus! Eu não entendo!... Eu não entendo!...

Uma enorme grade, tomando toda a boca da cena, desce lentamente.

As luzes se apagam em resistência.

segundo ato

BRANCA (*Deitada de bruços, atrás da grade. Sua atitude revela abandono e perplexidade. Há um longo silêncio, antes que ela comece a falar.*) Se ao menos eu pudesse ver o sol... (*Pausa.*) Será que é essa a melhor maneira de salvar uma criatura que está na mira do Diabo? Tirar-lhe o sol, o ar, o espaço e cerceá-la de trevas, trevas onde o Diabo é rei? (*Dirige-se à plateia:*) Veem vocês o que eles estão fazendo comigo? Estão me encurralando entre o Cão e a parede. Será que foi para isso que me prenderam aqui e me tiraram o sol, o ar, o espaço? Para que eu não pudesse fugir e tivesse de enfrentar o Diabo cara a cara. É justo, senhores, que para me livrar dele me entreguem a ele, noites e noites a sós com ele, sem saber por quê, nem até quando, sem uma explicação, uma palavra, uma palavra, ao menos. Não sei... não sei o que eles pretendem. Já não entendo mesmo o que eles falam. Deve ter havido um equívoco. Não sou eu a pessoa... Há alguém em perigo e que precisa ser salvo, mas não sou eu! É preciso que eles saibam disso! Houve um equívoco! (*Grita.*) Senhores! Guardas! Senhores Padres! Venham aqui!

GUARDA (*Entra.*) Que algazarra é essa? Estamos num convento.

BRANCA Houve um equívoco! Não sou eu a pessoa!

GUARDA Que pessoa?

BRANCA A que procuram.

GUARDA Procuram alguém?

BRANCA Claro.

GUARDA Claro por quê?

BRANCA	Tanto que me prenderam.
GUARDA	E por que prenderam você?
BRANCA	Não sei.
GUARDA	Devia saber. Isso piora a sua situação.
BRANCA	Piora? O senhor sabe por que estou aqui?
GUARDA	Não.
BRANCA	Então é uma prova! O senhor é quem devia saber!
GUARDA	Por que eu devia saber?
BRANCA	Porque é Guarda.
GUARDA	Não diga tolices. Os denunciantes denunciam, os juízes julgam, os Guardas prendem, somente. O mundo é feito assim. E deve ser assim, para que haja ordem.
BRANCA	E os inocentes?
GUARDA	Devem provar a sua inocência, de acordo com a lei.
BRANCA	Mas não está certo.
GUARDA	Se não está certo, não me cabe a culpa. Sou Guarda. E não foram os Guardas que fizeram o mundo. (*Sai.*)
BRANCA	Está errado... Cada pessoa conhece apenas uma parte da verdade. Juntando todas as pessoas, teríamos a verdade inteira. E a verdade inteira é Deus. Por isso as pessoas não se entendem, por isso há tantos equívocos.
PADRE	(*Entra.*) Infelizmente, não há equívoco nenhum de nossa parte, Branca. É você mesma quem está em perigo. Mas poderá salvar-se.
BRANCA	Como? Se me deixam aqui, sozinha, abandonada... O senhor mesmo, Padre, o senhor me abandonou!
PADRE	(*Ele sente profundamente a acusação.*) Não diga isso! Eu tenho rezado muito... E não tenho me afastado daqui, das proximidades de sua cela. À noite, tenho

	passado horas e horas andando no corredor, até sentir-me exausto e poder dormir.
BRANCA	Por que precisa fazer isso? Por que precisa se martirizar desse modo?
PADRE	(*Exterioriza o seu conflito interior.*) Sou tão responsável quanto você pelos seus erros.
BRANCA	Oh, não, o senhor não tem culpa de nada. Se pequei, devo pagar sozinha pelos meus pecados.
PADRE	Agora já é impossível. Tudo o que lhe acontecer, me acontecerá também. Sua punição será a minha punição, embora a sua salvação não importe na minha salvação.
BRANCA	Não entendo. Se o senhor não pode ajudar-me, quem poderá? Para quem devo apelar, além de Deus? Meu pai? Meu noivo?
PADRE	Também eles nada poderão fazer por você; ambos foram presos.
BRANCA	Presos? Por quê?
PADRE	O Visitador do Santo Ofício promulgou um tempo de graça. Aqueles que não se aproveitaram desse gesto misericordioso não só para confessar-se, mas também para denunciar as heresias de que tinham conhecimento, deverão comparecer perante o Tribunal.
BRANCA	Mas eles...
PADRE	Além de culpados de pequenas heresias, são testemunhas importantes do seu processo.
BRANCA	Testemunhas de quê?
PADRE	Deviam saber que você estava sendo tentada pelo Diabo.
BRANCA	Não, eles não sabiam! Se nem eu sabia!
PADRE	Deviam ter denunciado você ao Santo Ofício.

BRANCA — Denunciado? Meu pai? Meu noivo?

PADRE — Os laços familiares ou sentimentais não podem ser colocados acima dos deveres que assumimos com a religião, no momento do batismo. Por mais que isso nos custe, às vezes.

BRANCA — Presos... Meu pai e também Augusto. Estou só, então!

PADRE — Não, Branca, você não está só, porque está entregue à misericórdia da Igreja.

BRANCA — Que vai a Igreja fazer comigo?

PADRE — Inicialmente, protegê-la; depois, tentar recuperá-la; finalmente, julgá-la.

BRANCA — Quando será isso? Já que tenho de ir, por que não me vêm logo buscar?

PADRE — Eu vim buscá-la.

BRANCA — O senhor? (*Ante a perspectiva, ela treme um pouco.*) Agora?

PADRE — É preciso que você entenda... Sou um simples soldado da Companhia de Jesus. Estou sujeito a uma disciplina e devo cumprir ordens. Muitas vezes, do lado do inimigo há um irmão nosso; mas do nosso lado está o Cristo, que é nosso capitão. Devemos obedecer-Lhe, porque Ele tem o comando supremo.

BRANCA — Compreendo.

PADRE — Podemos ir?

BRANCA — Podemos.

PADRE — Não quer preparar-se espiritualmente?

BRANCA — Estou preparada.

PADRE — Reze um ato de esperança. Repita comigo: eu espero, meu Deus, com firme confiança...

BRANCA — (*Mãos entrelaçadas sobre o peito.*) Eu espero, meu Deus, com firme confiança...

PADRE	... que pelos merecimentos de meu Senhor Jesus Cristo...
BRANCA	... que pelos merecimentos de meu Senhor Jesus Cristo...

Sobe a grade.

PADRE	(*Começam a movimentar-se, como a caminho do Tribunal.*) ... me dareis a salvação eterna...
BRANCA	... me dareis a salvação eterna...
PADRE	... e as graças necessárias para consegui-la...
BRANCA	... e as graças necessárias para consegui-la...
PADRE	... porque Vós, sumamente bom e poderoso...
BRANCA	... porque Vós, sumamente bom e poderoso...
PADRE	... o haveis prometido a quem observar fielmente os Vossos mandamentos...
BRANCA	... o haveis prometido a quem observar fielmente os Vossos mandamentos...
PADRE	... como eu proponho fazer com Vosso auxílio.
BRANCA	... como eu proponho fazer com Vosso auxílio.

Muda a luz. Surge o VISITADOR *no plano superior. O* PADRE *e* BRANCA *ficam no plano inferior. Entram também o* NOTÁRIO *e quatro* PADRES, *que se colocam nas laterais, enquanto o* GUARDA *surge e permanece ao fundo.*

VISITADOR	Ajoelhe-se.
BRANCA	Ajoelhar-me diante de vós? Com ambos os joelhos?
VISITADOR	Sim, com ambos os joelhos.
BRANCA	Perdão, mas não posso fazer isso.
VISITADOR	Por que não?

BRANCA	Porque ninguém deve ajoelhar-se diante de uma criatura humana.
NOTÁRIO	E essa agora! Perdeu a cabeça? Não vê que está diante do Visitador do Santo Ofício, representante do Inquisidor-mor?
PADRE	Um momento, senhores. Ela talvez tenha motivos que devamos considerar. (*Dirige-se a* BRANCA *com brandura.*) Por que diz isso?
BRANCA	Foi o que aprendi na doutrina cristã: somente diante de Deus devemos nos ajoelhar com ambos os joelhos.
PADRE	Na verdade, ela tem razão. Dos três cultos — a latria, hiperdulia e dulia —, deve-se dar somente a Deus o culto da latria, no que se compreende ajoelhar com ambos os joelhos.
BRANCA	Sempre soube que era pecado!
VISITADOR	Aqui se trata de um costume do Tribunal. O réu deve estar de joelhos quando é examinado sobre a doutrina e também quando é lida a sentença.
BRANCA	Mas se foi nessa mesma doutrina que aprendi que não devo ajoelhar-me...
VISITADOR	(*Impacienta-se.*) Bem, vamos abrir uma exceção. Pode ficar de pé.
NOTÁRIO	(*Apresenta-lhe os Evangelhos.*) Jura sobre os Evangelhos dizer toda a verdade?
BRANCA	(*Hesita.*) Toda a verdade? Como posso prometer dizer toda a verdade, se nem sequer sei sobre o que vão interrogar-me? Não tenho a sabedoria dos Padres jesuítas, sou uma pobre criatura ignorante.
NOTÁRIO	(*Tem um gesto de contrariedade.*) Mas tem de jurar. É praxe.
BRANCA	Jurar o que não sei se vou poder cumprir?
NOTÁRIO	Se não jura, não tem valor o depoimento.

PADRE — Branca, só se exige que você diga a verdade que for de seu conhecimento.

BRANCA — Bem, se é assim... (*Coloca a mão sobre o livro.*)

NOTÁRIO — Jura?

BRANCA — Juro.

VISITADOR — Não se justifica, Branca, sua prevenção contra este Tribunal. Nenhum de nós deseja a sua condenação, acredite. Ao contrário, o que queremos é tentar ainda salvá-la, recuperá-la para a Igreja. Tudo faremos para isso. E será sempre nesse sentido que orientaremos este inquérito, no sentido da misericórdia.

BRANCA — Misericórdia. Mas é um ato de misericórdia deixar uma pessoa dias e dias encerrada numa cela sem luz e sem ar, sem ao menos lhe dizer por quê, de que a acusam?

O NOTÁRIO *tem um gesto de contrariedade, enquanto o* PADRE BERNARDO *acompanha as reações de* BRANCA *em crescente angústia.*

VISITADOR — Você conhece as obras de misericórdia?

BRANCA — Conheço.

VISITADOR — Recite em voz alta.

BRANCA — Dar de comer a quem tem fome; dar de beber a quem tem sede; vestir os nus; dar pousada aos peregrinos; visitar os enfermos e os encarcerados; remir os cativos; enterrar os mortos; dar bom conselho; ensinar os ignorantes; consolar os aflitos; perdoar as injúrias; sofrer com paciência as fraquezas do próximo; rogar a Deus pelos vivos e defuntos.

VISITADOR — Você saltou uma: castigar os que erram.

BRANCA — É verdade. Desculpe-me.

VISITADOR — Sim, Branca, castigar os que erram é uma obra de misericórdia.

BRANCA	E começam logo a castigar-me; isto quer dizer que já me consideram culpada antes de ouvir-me.
PADRE	Você ainda não sofreu nenhum castigo, Branca; a prisão é uma medida exigida pelo processo.
NOTÁRIO	Essa medida foi tomada com base nas denúncias e provas que temos contra ela.
BRANCA	Denúncias e provas? De quê?
VISITADOR	De heresia e prática de atos contra a moralidade.
BRANCA	(*Mostra-se perturbada com a acusação.*) Heresia... Atos contra a moralidade... Talvez essas palavras tenham outra significação para os senhores. Pelo que eu entendo que querem dizer, não posso, de modo algum, aceitar a acusação.

O NOTÁRIO *tem um gesto de reprovação.*

PADRE	Branca, pense bem no que está fazendo, meça com cuidado suas palavras e atitudes. Como disse o senhor Bispo, estamos aqui para tentar reconciliá-la com a fé. Mas isso depende muito de você.
BRANCA	Mas, que querem? Que eu me considere uma herege, sem ser?
PADRE	De nada lhe adiantará negar-se a reconhecer os próprios pecados. Essa atitude só poderá perdê-la.
NOTÁRIO	Parece que é isso que ela está querendo.
VISITADOR	Um momento, senhores. Sejamos pacientes. Creio que ela não estava suficientemente preparada para esta inquirição. O Padre Bernardo não a visitou no cárcere durante esses dias?
PADRE	(*Sente-se que o sangue lhe sobe ao rosto.*) Não... visitei-a hoje.
VISITADOR	Hoje, somente?
PADRE	Julguei que não fosse necessário.

VISITADOR	Necessário ou não, é a maneira de proceder do Santo Ofício.
	O PADRE sente profundamente a reprimenda. E, ao perceber que BRANCA tem os olhos nele, baixa o rosto, envergonhado.
VISITADOR	Branca, estamos aqui para ajudá-la. Mas é preciso também que você nos ajude, a nós que temos por ofício defender a fé.
BRANCA	Não creio, senhor, que esteja no momento em condições de ajudar a quem quer que seja, mas no que depender de mim...
VISITADOR	A Igreja, Branca, a sua Igreja, está diante de um perigo crescente e ameaçador. Toda a sociedade humana, a ordem civil e religiosa, construída com imensos esforços, toda a civilização e cultura do Ocidente estão ameaçadas de dissolução.
BRANCA	E sou eu, senhor, sou eu a causa de tanta desgraça?!
VISITADOR	Não é você, isoladamente; são milhares que, como você, consciente ou inconscientemente, propagam doutrinas revolucionárias e práticas subversivas. Está aí o protestantismo, minando os alicerces da religião de Cristo. Estão aí os cristãos-novos, judeus falsamente convertidos, mas secretamente seguindo os cultos e a lei de Moisés.
BRANCA	Se alguém converteu-se, sem estar de fato convicto, é que foi obrigado a isso pela força. (*Repete as palavras do pai.*) O ódio não converte ninguém.
PADRE	(*Agora fala com mais rigor para com ela.*) É uma acusação injusta e falsa. Nunca empregamos a força para converter ninguém.
BRANCA	Meu avô foi convertido à força.
PADRE	E isso não isenta ninguém de culpa. Se o ódio não converte, também o medo, a covardia ou a hipocrisia não absolvem.

VISITADOR — É verdade, Branca. Não devemos usar a força para converter, mas devemos ser rigorosos com os convertidos. Quem assumiu, no batismo, o compromisso de conservar a fé, de ser membro da Igreja e da cristandade até a morte, contraiu obrigações inalienáveis. E as autoridades eclesiásticas têm o direito e o dever de exigir o cumprimento dessas obrigações.

BRANCA — Estou de acordo.

NOTÁRIO — (*Com ar zombeteiro.*) Ora viva! Enfim ela está de acordo com alguma coisa!

VISITADOR — Alegro-me por ver que entendeu os motivos da instituição do Tribunal do Santo Ofício e das visitações que o Inquisidor-mor ordenou para o Brasil.

BRANCA — Isto eu entendi; o que não entendo é por que estou aqui. Não fui convertida, nasci cristã e como cristã tenho vivido até hoje. Cristãos de nascimento são também meu pai e meu noivo, que também estão presos, afastados de mim. Na verdade, senhores, não entendo coisa alguma.

O VISITADOR *faz um sinal ao* PADRE BERNARDO, *cedendo-lhe a palavra.*

PADRE — (*É para ele uma ingrata tarefa. Sua autossuspeição o leva, às vezes, durante o interrogatório, a exceder-se em rigor e no tom da acusação, para cair, em seguida, numa ternura e num calor humano que o redimem e o traem.*) Branca, há um gesto que seu avô costumava fazer quando você era criança. Você me disse, lembra-se?

BRANCA — Lembro-me.

PADRE — Pode repetir aqui esse gesto?

BRANCA — Posso, mas... precisaria fazê-lo em alguém. Posso fazê-lo no senhor?

PADRE — (*Fica um pouco constrangido, mas concorda.*) Pode.

BRANCA *faz a bênção judaica. O* VISITADOR *e o* NOTÁRIO *trocam olhares significativos.*

BRANCA — Era assim. Mas o que tem isso?

PADRE — Você me disse também que não gostava de lembrar o dia da morte de seu avô. E toda vez que o fazia tinha a impressão de sentir aquele mesmo cheiro marcante e peculiar. Quer repetir que cheiro era esse?

BRANCA — Cheiro de azeitonas.

Novamente o VISITADOR *e o* NOTÁRIO *trocam olhares significativos.*

PADRE — Nesse dia, seu pai lhe deu uma pataca e mandou que você a pusesse sobre os lábios de seu avô.

BRANCA — Ele mesmo havia pedido, antes de morrer.

PADRE — (*Mais severo.*) E você fez o que seu pai mandou.

O VISITADOR *e o* NOTÁRIO *deixam escapar um "Oh!" de horror. Os* PADRES *também se escandalizam.*

BRANCA — (*Atônita, sem entender o significado e muito menos a gravidade de tudo aquilo.*) Eu era uma criança... faria tudo que me mandassem... agora mesmo eu o faria, se alguém me pedisse!

NOTÁRIO — (*Horrorizado.*) Agora mesmo?!

PADRE — (*Temendo por ela.*) Branca!

BRANCA — Acho que é uma coisa idiota alguém querer que lhe ponham uma moeda sobre os lábios quando morrer, mas todo desejo de um moribundo é um desejo sagrado!

VISITADOR — Acho que ela não sabe, realmente, o que está dizendo.

BRANCA — O que eu não sei é aonde os senhores querem chegar com essa estória de meu avô, patacas e azeitonas.

VISITADOR — Aquele gesto que você fez há pouco, é como os judeus abençoam as crianças.

NOTÁRIO — Quando morre alguém, eles passam a noite comendo azeitonas!

PADRE — A pataca que você pôs na boca de seu avô era para ele pagar a primeira pousada, segundo a crença judaica.

VISITADOR — Tudo isto quer dizer, Branca, que seu avô, cristão-novo, continuava fiel aos ritos judaicos. E que os praticava em sua própria casa.

BRANCA — É possível. Se o batizaram à força, era justo...

NOTÁRIO — Era justo?!

Reação dos PADRES.

VISITADOR — Cuidado com as palavras, Branca!

BRANCA — Uma pessoa deve ser fiel a si mesma, antes que tudo. Fiel à sua crença.

PADRE — Isso basta para alguém se salvar?

BRANCA — Devia bastar, penso eu...

PADRE — (*Triunfante.*) Então seu avô, que continuou intimamente fiel à sua crença, conseguiu salvar-se! E todos os judeus e todos os mouros, fiéis à sua religião e aos seus deuses, estão salvos!

BRANCA — Como posso saber?!

PADRE — Você tem que saber! Porque o cristão sabe que só existe um Deus verdadeiro e não pode haver mais de um.

BRANCA — Eu sei, eu creio nisso firmemente. Não estava falando por mim, mas por meu avô.

VISITADOR — O que você acaba de insinuar, Branca, é uma grande heresia. Não deve repetir.

BRANCA — Sim, senhor.

PADRE — (*Volta a um tom mais brando, mais humano.*) Branca, seu pai costuma banhar-se às sextas-feiras?

BRANCA — Ora, senhores, sou uma moça e não fica bem estar observando quais os dias em que meu pai toma ou não toma banho.

PADRE — E você? Costuma banhar-se às sextas-feiras?

BRANCA — Costumo banhar-me todos os dias; acho que é assim que deve fazer uma pessoa asseada.

PADRE — Também às sextas-feiras?

BRANCA — E por que não?

PADRE — E tem por costume vestir roupa nova nesse dia, ou enfeitar-se com joias?

BRANCA — Não uso joias. A única que tenho é este anel que meu noivo me deu no dia em que me pediu em casamento. E nunca o tiro do dedo, nem mesmo quando tomo banho.

PADRE — Nem mesmo quando vai banhar-se no rio?

BRANCA — Nem assim.

PADRE — Que traje costuma usar quando vai banhar-se no rio?

BRANCA — O traje comum...

PADRE — (*Interrompe.*) Mas naquela noite você não estava com o traje comum. Estava nua.

NOTÁRIO — Nua!?

Reação dos PADRES.

BRANCA — Eu já expliquei, Padre, foi uma noite somente e ninguém viu...

VISITADOR — Que foi que a levou a proceder assim, Branca?

BRANCA — O calor...

PADRE — Seu corpo queimava...

VISITADOR — Não ouviu alguma voz?

BRANCA — Como?...

VISITADOR	Uma voz incentivando-a a despir-se...
BRANCA	Não, senhor, não ouvi voz nenhuma. Em minha casa todos dormiam.
PADRE	O fato de não ter ouvido não quer dizer que não estivesse possuída pelo Demônio.
BRANCA	Pelo Demônio!
PADRE	Sim, o Demônio pode não falar, mas é ele quem a empurra para o rio e a obriga a despir-se!
NOTÁRIO	(*Gravemente.*) Há casos...
BRANCA	Padre, lembre-se de que eu mergulhei uma vez no rio para salvá-lo. Foi também o Diabo quem me empurrou?
PADRE	Já não sei se foi realmente para salvar-me...
BRANCA	Como, Padre?!
PADRE	Naquele dia também você estava quase nua!
BRANCA	Eu?!
PADRE	E me disse que devia ter salvado o cofre, em vez do crucifixo. Isso prova que era Satanás quem falava por você.
BRANCA	Não, Padre, não!
PADRE	(*Chegando ao máximo da exacerbação.*) Se não estava possuída pelo Demônio, por que aproveitou-se do meu desmaio para beijar-me na boca?!
VISITADOR	Jesus!
NOTÁRIO	Na boca! E seminua!
BRANCA	Fiz isso para que não sufocasse, para que não morresse!
PADRE	(*Grita.*) Cínica! Foi esse o pretexto que Satanás arranjou para o seu pecado!

Há um grande silêncio. BRANCA *sente-se perdida e arrasada.* PADRE BERNARDO, *por sua vez, cai numa espécie de exaustão, como depois de um autoflagelo.*

PADRE — (*Sua voz desce a um tom de oração.*) Branca, você está diante do Visitador do Santo Ofício. Ele tem autoridade para puni-la. Leve ou duramente — depende de você. Aproveite a misericórdia deste Tribunal, misericórdia que você não encontraria num tribunal civil.

BRANCA — Aproveitar, como?

PADRE — Da única maneira possível: declarando-se arrependida de todos os pecados que cometeu. Dos pecados mortais e veniais e dos pecados que bradam aos céus.

VISITADOR — Veja, Branca, que este é um Tribunal de clemência divina. Seu simples arrependimento, se sincero, poderá salvá-la. Qual o tribunal civil que absolve um criminoso por ele estar arrependido?

PADRE — (*Vendo que ela está indecisa, quase numa súplica.*) Branca...

BRANCA — (*Sem muita firmeza.*) Sim, eu estou arrependida. Mas o meu arrependimento terá valor, se não estou convencida de ter praticado esses pecados?

VISITADOR — E por não estar convencida disso seria capaz de praticá-los novamente?

BRANCA — Acho que sim.

PADRE — (*Tem um gesto de desânimo.*) Seria bom chamar Augusto Coutinho.

VISITADOR — (*Alto, para fora.*) Tragam Augusto Coutinho!

O GUARDA *sai e volta com* AUGUSTO. *Está algemado e seu aspeto é deplorável. Foi torturado.*

BRANCA — (*Precipita-se para ele.*) Augusto!

VISITADOR — (*Enérgico.*) Não, Branca! Afaste-se.

Ela obedece, afasta-se para um canto, enquanto o GUARDA *traz* AUGUSTO *até o meio da cena, deixa-o diante dos inquisidores e volta ao seu posto.*

NOTÁRIO — (*Coloca as mãos algemadas de* AUGUSTO *sobre os Evangelhos.*) Jura sobre os Evangelhos dizer a verdade?

AUGUSTO — Juro.

O NOTÁRIO *volta ao seu lugar.*

VISITADOR — Augusto Coutinho, sabe que está ameaçado de excomunhão?

AUGUSTO — Sei.

VISITADOR — Como cristão, isso não o apavora?

AUGUSTO — Apavora mais não ter a fibra dos primeiros cristãos.

VISITADOR — Para que desejaria ter a fibra dos primeiros cristãos?

AUGUSTO — Para resistir às torturas.

VISITADOR — Ordenei a tortura pela sua obstinação em esconder a verdade.

AUGUSTO — E vão acabar obtendo de mim a mentira. Isto é o que me apavora, mais do que a excomunhão.

VISITADOR — (*Ao* GUARDA:) Durante quanto tempo o torturaram?

GUARDA — (*Adianta um passo.*) Quinze minutos.

VISITADOR — Lembre-se de que o limite máximo permitido pelas normas do processo é uma hora.

GUARDA — Paramos porque ele desmaiou.

VISITADOR — (*Severo.*) Não deviam ter chegado a tanto. A finalidade da tortura é apenas obter a verdade. Tenho recomendações muito enérgicas do Inquisidor-mor para evitar os excessos.

GUARDA — Mas a culpa foi dele, senhor. Ele assinou a declaração.

NOTÁRIO	É verdade, antes de ter início a tortura, ele assinou a declaração de praxe. Tenho-a aqui. (*Mostra um papel, que lê, depois de engrolar algumas palavras.*) "(...) e declaro que se nestes tormentos morrer, quebrar algum membro, perder algum sentido, a culpa será toda minha e não dos senhores inquisidores. Assinado: Augusto Coutinho."
GUARDA	Já veem os senhores que a culpa é toda dele. (*Volta ao seu posto.*)
VISITADOR	Aquilo que não foi obtido por meio de torturas, talvez o simples bom senso obtenha.
PADRE	É a minha esperança. (*Para* AUGUSTO:) Conhece essa moça, Augusto?
AUGUSTO	O senhor sabe que sim. É minha noiva e já seria minha esposa se... se tudo isso não tivesse acontecido.
PADRE	Pois ela ainda poderá ser sua esposa, se você nos ajudar a salvá-la.
AUGUSTO	Eu faria tudo para isso.
PADRE	Então, salve-a. Diga a verdade. Ainda que possa parecer o contrário, a única maneira de ajudá-la é fazê-la reconhecer os próprios erros e arrepender-se.
AUGUSTO	Mas que espécie de verdade querem que eu diga? Que a vi nua, banhando-se no rio? Que a vi invocando os diabos na boca dos formigueiros? Para salvá-la é então preciso lançar calúnias e infâmias contra ela? E quem me garante que não se aproveitarão disso justamente para condená-la? Não, podem arrancar-me um braço, uma perna, mas não me arrancarão uma palavra que não seja verdadeira.
BRANCA	(*Grita.*) Não, Augusto, não! Se o torturarem muito, pode dizer o que eles quiserem! Não quero que sofra por minha causa!
VISITADOR	(*Num gesto enérgico para que ela se cale.*) Chiiii!

PADRE	(*Mostra a Bíblia apreendida.*) E este livro é também calúnia?
AUGUSTO	Este livro é uma Bíblia e fui eu quem lhe deu de presente.
PADRE	Uma Bíblia em português. Não sabia que estava lhe dando um livro proibido pela Igreja?
AUGUSTO	Para mim a Bíblia é a Bíblia, em qualquer língua.
VISITADOR	O que está afirmando é uma grave heresia.
PADRE	Não se arrepende de tê-la arrastado a essa heresia?
AUGUSTO	Não. Não me arrependo porque assim a fiz conhecer a sabedoria e a beleza dos Evangelhos.
PADRE	Rebela-se então contra uma determinação da Igreja?
AUGUSTO	Não me parece que seja uma determinação da Igreja, mas de alguns prelados, que não são infalíveis.
PADRE	É uma determinação do Papa.
VISITADOR	(*Incisivo.*) Nega, por acaso, a autoridade do Papa?
AUGUSTO	Não, não nego.
VISITADOR	Nega a autoridade da Igreja?
AUGUSTO	Não, não nego.
VISITADOR	Acredita na justiça e na misericórdia do Tribunal do Santo Ofício?
AUGUSTO	(*Tem uma leve hesitação.*) Acredito na justiça e na misericórdia de Deus.
VISITADOR	(*Já um pouco irritado.*) Nega que o Santo Ofício seja justo e misericordioso?
AUGUSTO	Afirmo que Deus é justo e misericordioso.
VISITADOR	(*Não pode conter um gesto de irritação.*) Acho que devemos encerrar aqui esta parte do interrogatório.

O PADRE BERNARDO *assente com a cabeça.*

VISITADOR	Podem levá-lo.
	O GUARDA *avança para levar* AUGUSTO.
BRANCA	Senhores, eu queria fazer um pedido, confiando na misericórdia do Tribunal.
VISITADOR	Faça.
BRANCA	Antes que nos separem novamente, podíamos conversar durante alguns minutos?
PADRE	Os regulamentos não permitem. As normas do processo...
VISITADOR	(*Interrompe, conciliador.*) Não acho que devamos ser assim tão rigorosos. Não vejo inconveniente em que eles fiquem juntos por alguns momentos e conversem.
PADRE	(*Evidentemente contrariado.*) Perdoe-me a interferência; é Vossa Reverendíssima quem decide.
VISITADOR	(*Ao* GUARDA:) Pode deixá-los um instante. (*Levanta-se e sai, seguido do* PADRE BERNARDO, *do* NOTÁRIO, *do* GUARDA *e dos outros* PADRES.)
	AUGUSTO *senta-se no chão, esgotado.* BRANCA *senta-se a seu lado.*
BRANCA	(*Após alguns segundos de hesitação, ela se lança nos braços dele, que a beija nos cabelos.*) Meus cabelos ainda cheiram a capim molhado?
AUGUSTO	(*Aspira.*) Não.
BRANCA	Que perfume têm agora?
AUGUSTO	Nenhum. Parecem um manto. Cheiram a pano.
BRANCA	(*Muito triste.*) Pano... E você gostava de beijá-los e aspirar o seu perfume.
AUGUSTO	Talvez a culpa seja minha, que já estou incapaz de sentir.

BRANCA Que fizeram com você?

AUGUSTO Deitaram-me numa cama de ripas e me amarraram com cordas, pelos pulsos e pelas pernas. Apertavam as cordas, pouco a pouco, parando a circulação e cortando a carne. (*Ele lhe mostra os punhos, ela os sopra e beija.*) E faziam perguntas, perguntas, e mais perguntas. As mais absurdas. As mais idiotas.

BRANCA Como você deve ter sofrido!

AUGUSTO A dor física não é tanta; dói mais o aviltamento. Vamos nos sentindo cada vez menores, num mundo cada vez menor.

BRANCA É mesmo, o mundo se fecha cada vez mais sobre nós. E por quê? Que fizemos? Que é que eles querem de você? Que me acuse?

AUGUSTO Querem fazer de mim o que fizeram de seu pai.

BRANCA Meu pai, que fizeram com ele?

AUGUSTO Um trapo.

BRANCA Onde ele está?

AUGUSTO Na minha cela.

BRANCA Também o torturaram?

AUGUSTO Não foi preciso. O que fizeram comigo foi suficiente.

BRANCA E tudo isso... é por minha causa. Vocês estão pagando pelos meus erros.

AUGUSTO Quais são os seus erros, Branca?

BRANCA (*Angustiada.*) Não sei... Devo ter cometido alguns, sim. Mas eles me acusam de tanta coisa. E parecem tão certos da minha culpa. Talvez o meu erro maior seja não entender. Ou quem sabe *se não quero entender*?

AUGUSTO A mim eles não conseguiram e não conseguirão jamais convencer de que você não é a criatura mais pura que já nasceu. Ainda que tenha cometido erros, ainda que tenha feito confusões, ainda que tenha pecado.

BRANCA — Você diz isso porque me ama. Nós não podemos ver as nossas imperfeições, porque estamos um dentro do outro. Mas eles, eles nos olham de fora e de cima. Eles sabem que eu não sou assim. E é egoísmo da minha parte permitir que você e papai sofram o que estão sofrendo, quando bastaria concordar com tudo, reconhecer todos os pecados, mesmo aqueles que fogem ao meu entendimento, e cumprir a pena que me for imposta.

AUGUSTO — Não, Branca, não.

BRANCA — (*Está de pé, muito excitada.*) Era o que eu já devia ter feito. Assino em branco que reconheço todas as culpas de que me acusam ou venham a acusar-me e pronto. Assim, talvez devolvam a vocês a liberdade, e a mim, a luz do sol! (*Sobe ao plano superior e grita.*) Guarda! Guarda!

AUGUSTO — Branca, por Deus, não faça isso! Por que terei então resistido a todas as torturas? Para quê?

BRANCA — Mas eu não quero que você sofra!

AUGUSTO — Mas alguém tem de sofrer!

BRANCA — Não por minha causa.

AUGUSTO — Por uma causa qualquer, grande ou pequena, alguém tem que sofrer. Porque nem de tudo se pode abrir mão. Há um mínimo de dignidade que o homem não pode negociar, nem mesmo em troca da liberdade. Nem mesmo em troca do sol.

BRANCA — Nem mesmo em troca do sol.

GUARDA — (*Entra.*) Que foi? Alguém chamou?

BRANCA — (*Hesita ainda um instante.*) Não, ninguém chamou.

GUARDA — É, mas o tempo já está esgotado. Era só um instante.

BRANCA	(*Toma as mãos de* AUGUSTO *e beija-as. Há nesse gesto gratidão, amor e admiração.*) Será que isto vai durar eternamente?
AUGUSTO	Não creio. É demasiado cruel e demasiado idiota para durar.

AUGUSTO *e o* GUARDA *iniciam a saída. O* GUARDA *para e volta-se para* BRANCA.

GUARDA	Não fui eu que botei ele no potro.
BRANCA	Potro?
GUARDA	Na cama com ripas. Só levei ele até lá e fiquei olhando. Sou obrigado. (*Sai com* AUGUSTO.)
BRANCA	Todos são obrigados. Obrigados a denunciar, a prender, a torturar, a punir, a matar. Mas obrigados por quem?

Muda a luz.

PADRE	(*Entra.*) É você, Branca, você quem nos obriga a proceder assim.
BRANCA	Eu?
PADRE	A tentação que está em você, o pecado que está em você, a obstinação demoníaca que está em você.
BRANCA	Que será de mim, então, Padre, se sou portadora de tanto veneno?
PADRE	É nosso dever exterminar todas as venenosas plantas da vinha do Senhor, até as últimas raízes.
BRANCA	Exterminar?!
PADRE	É um penoso dever que nos foi imposto. A ele não podemos fugir. Sob a pena de deitar a perder toda a vinha.
BRANCA	Como? Além do mais, temem os senhores que eu contamine outras pessoas?

PADRE	Você já contaminou outras pessoas.
BRANCA	Eu, Padre? Quem? Augusto?
PADRE	E continuará contaminando muitas outras, porque basta aproximar-se de você para cair em pecado.
BRANCA	Padre, muitas pessoas se aproximam de mim sem que eu tenha sobre elas a menor influência. O senhor mesmo já foi várias vezes à minha casa, fez-se meu confessor e meu amigo...
PADRE	Eu sei o quanto isso me custou!
BRANCA	(*Surpresa.*) Padre!
PADRE	(*Arrepende-se.*) Não devemos falar nesse assunto.
BRANCA	Que assunto, Padre? Eu lhe fiz algum mal? É preciso que me diga, pois assim talvez eu compreenda alguma coisa.
PADRE	Veja... (*Mostra os lábios descarnados.*)
BRANCA	Que foi isso? Seus lábios descarnados...
PADRE	Queimei-os com água fervendo. Os lábios, a língua, o céu da boca, para destruir o sentido do gosto.
BRANCA	E por que fez isso?!
PADRE	Para eliminar o gosto impuro dos seus lábios. Mas o gosto persiste. Persiste. (*Cai de joelhos, com o rosto entre as mãos.*)
BRANCA	Eu... sinto muito. Acho que não devia mesmo ter feito o que fiz.
PADRE	(*Ainda com o rosto entre as mãos, dobrado sobre si mesmo.*) Chego a ter alucinações.
BRANCA	Se soubesse que ia lhe fazer tanto mal...
PADRE	Antes de você aparecer, eu vivia em paz com Jesus.
BRANCA	Eu também, antes de conhecê-lo, vivia na mais absoluta paz com Deus.

PADRE	É possível que eu esteja sendo submetido a uma prova. E faz parte dessa prova o ter que julgá-la e puni-la.
BRANCA	Agora já não sei de mais nada. Os senhores lançaram a dúvida e a confusão no meu espírito, e eu já nem tenho coragem de pedir a Deus que me esclareça. Cada gesto meu, mesmo o mais ingênuo, parece carregado de maldade e destruição.
PADRE	Se é uma provação, que seja bem rigorosa, para demonstrar a minha fidelidade e o meu amor ao Cristo. Que todos os suplícios me sejam impostos, à minha alma e à minha carne.
BRANCA	E o pior é que já não conto com mais ninguém. (*Sente, pela primeira vez, em toda a sua terrível realidade, que está só e perdida. E que nada modificará o seu destino.*)
PADRE	(*Mãos postas e vergado sobre si mesmo com os lábios quase tocando o solo, reza um ato de contrição.*) Senhor meu Jesus Cristo, Deus e homem verdadeiro, Criador e Redentor meu, por serdes Vós quem sois sumamente bom e digno de ser amado sobre todas as coisas; e porque Vos amo e estimo, pesa-me, Senhor, de todo o meu coração, de Vos ter ofendido; pesa-me também por ter perdido o céu e merecido o inferno; e proponho firmemente, ajudado com os auxílios de Vossa divina graça, emendar-me e nunca mais Vos tornar a ofender. Espero alcançar o perdão de minhas culpas pela Vossa infinita misericórdia. Amém. (*Sente-se mais aliviado, levanta-se e, pela primeira vez, nesta cena, pousa os olhos em* BRANCA. *Um olhar já tranquilo e de imensa piedade.*) Mandaram-me visitá-la pela última vez.
BRANCA	Pela última vez?
PADRE	Sim, para lhe oferecer a última oportunidade de arrependimento e perdão.
BRANCA	E se eu recusar?
PADRE	Só nos restará o relaxamento ao braço secular.

BRANCA	O que é isso?
PADRE	Isso quer dizer que você será entregue à justiça secular, que a julgará por crime comum. E certamente a condenará.
BRANCA	À prisão?
PADRE	Não, o braço secular é sempre mais severo.
BRANCA	(*Apavora-se.*) À fogueira?!
PADRE	É bom que você saiba o perigo que corre.
BRANCA	(*Cai em pânico.*) Não! Não podem fazer isso comigo! Eu não mereço! É uma maldade! E o senhor, que tudo prometeu fazer para salvar-me.
PADRE	Já nada mais posso fazer por você, Branca. E desde o princípio seu destino dependeu sempre de você mesma. Você escolherá.
BRANCA	Mas que posso escolher? É claro que não quero ser queimada viva!
PADRE	Está disposta a arrepender-se?
BRANCA	Estou disposta a tudo. Entrego-me em suas mãos e nas mãos do Santo Ofício.
PADRE	Entrega-se sinceramente arrependida, Branca?
BRANCA	Que importa? Os senhores venceram. Vá, diga ao Visitador que reconheço os meus pecados e que estou disposta a arrepender-me e cumprir a penitência que me for imposta.
PADRE	Você não está sendo levada somente pelo desespero e pelo medo?
BRANCA	E desde o princípio, não foi ao desespero e ao medo que tentaram levar-me?
PADRE	Não, Branca. Tentamos levá-la a um reencontro com a verdadeira fé cristã. Não usamos a força contra você; tentamos convencê-la pela persuasão.

BRANCA   Sim, uma bonita persuasão! Prendem-me entre quatro paredes, sem luz e sem ar, e ameaçam-me com a fogueira! Prendem meu pai e torturam meu noivo — são bonitos métodos de persuasão.

PADRE   Sua arrogância mostra que o Demônio ainda não a abandonou. (*Inicia a saída.*)

BRANCA   Padre! Espere! (*Corre até ele e arroja-se aos seus pés.*) Perdoe-me! Não sei o que estou dizendo. A verdade é que preciso de sua piedade. Aqui me tem, Padre, humilde e humilhada, sinceramente arrependida de tudo, de tudo que decidirem que devo arrepender-me.

PADRE   (*Pousa a mão sobre a cabeça dela, num gesto de piedade e amor, depois a retira rapidamente.*) Vou transmitir sua decisão ao Visitador. (*Sai.*)

BRANCA fica ainda um tempo estendida no chão. Muda a luz. Entra SIMÃO.

SIMÃO   Branca! (*Ele traz, pregada à roupa, no peito e nas costas, uma grande cruz de pano amarelo.*)

BRANCA   Pai!

SIMÃO   (*Corre a abraçá-la.*) Filhinha! Eles a maltrataram?

BRANCA   Não muito. E o senhor, está bem?

SIMÃO   Estou vivo, pelo menos. E é isso que importa, não acha?

BRANCA   Sim, é o principal.

SIMÃO   É uma loucura pensar que, num momento desses, se possa salvar alguma coisa além da vida. Desde o primeiro momento compreendi que devia aceitar tudo, confessar tudo, declarar-me arrependido de tudo. Vamos nós discutir com eles, lutar contra eles? Tolice. Têm a força, a lei, Deus e a milícia — tudo do lado deles. Que podemos nós fazer? De que adianta alegar inocência, protestar contra uma injustiça? Eles provam o que quiserem contra nós e nós não conseguiremos

	provar nada em nossa defesa. Bravatas? Também não adiantam. Eu vi o que aconteceu com Augusto.
BRANCA	O senhor o viu ser torturado?
SIMÃO	Vi. As duas vezes.
BRANCA	Duas vezes? Então o torturaram novamente!
SIMÃO	Ele fez mal em não falar.
BRANCA	Mas queriam que ele me denunciasse. Que me acusasse de coisas terríveis e absolutamente falsas!
SIMÃO	Que importa que sejam falsas? Se você e ele confessassem, salvariam a pele!
BRANCA	Augusto acha que é preciso defender um mínimo de dignidade.
SIMÃO	Em primeiro lugar, o homem tem a obrigação de sobreviver, a qualquer preço; depois é que vem a dignidade. De que vale agora para nós, para os pais dele, para você, para ele mesmo, essa dignidade?
BRANCA	Como? (*Ela percebe.*) Que fizeram com Augusto?
SIMÃO	(*Faz uma pausa. As palavras custam a sair.*) Ele não resistiu...
BRANCA	(*Num sussurro.*) Morreu! (*Mais forte.*) Eles o mataram! (*Seus joelhos vergam, repete baixinho.*) Eles o mataram... Eles o mataram...
SIMÃO	Eu sabia que ele não ia resistir. Estava vendo!... Depois de tudo, ainda o penduraram no teto com pesos nos pés e o deixaram lá... Quando os Guardas voltaram, ainda tentaram reanimá-lo, mas...
BRANCA	(*Sua dor se traduz por um imenso silêncio. Subitamente:*) E o senhor não podia ter feito nada?!
SIMÃO	Eu?...
BRANCA	Sim, por que não gritou, não chamou alguém?
SIMÃO	Pensei em baixar a corda. Mas...

BRANCA   Pois então...

SIMÃO   Eles têm leis muito severas para aqueles que ajudam os hereges. Eu já estava com a minha situação resolvida, ia ser posto em liberdade...

BRANCA   Bastava um gesto...

SIMÃO   E o que me custaria esse gesto? Um homem deve pesar bem suas atitudes, e não agir ao primeiro impulso. Eu podia ter tido o mesmo destino que ele. Era ou não muito pior?

BRANCA   Não sei se seria pior...

SIMÃO   Você preferiria que eu morresse também, que tivéssemos todos os nossos bens confiscados ou que fôssemos punidos com uma declaração de injúria até a terceira geração? Se nada disso aconteceu, foi porque eu agi com inteligência e bom senso.

BRANCA   E agora, como é que o senhor vai conseguir viver, depois disso?

SIMÃO   Não entendo o que você quer dizer...

BRANCA   Augusto morreu porque o senhor não foi capaz de levantar um dedo em sua defesa.

SIMÃO   Não foi bem assim...

BRANCA   Porque o senhor não quis se comprometer.

SIMÃO   Não foi por isso que ele morreu.

BRANCA   Teria resistido, se a tortura tivesse sido abreviada.

SIMÃO   Sim, mas...

BRANCA   Para isso teria bastado que o senhor baixasse a corda.

SIMÃO   Eu já lhe expliquei...

BRANCA   (*Grita.*) E o senhor não foi capaz! O senhor não foi capaz!

SIMÃO	Minha filha, eu compreendo o seu sofrimento. Eu também sinto muito. Mas não é justo que você se volte agora contra mim. Não fui eu quem matou Augusto. Foram eles. Os carrascos, a Inquisição.
BRANCA	O senhor também o matou. E o que mais me horroriza é que o senhor é um homem decente.
SIMÃO	Branca, você não sabe o que está dizendo!
BRANCA	O senhor é tão culpado quanto eles.
SIMÃO	Não, ninguém pode ser culpado de um ato para o qual não contribuiu de forma alguma.
BRANCA	O senhor contribuiu.
SIMÃO	Não matei, não executei, não participei de nada!
BRANCA	Silenciou.
SIMÃO	Também por sua causa. Por nossa causa. Era um preço que teríamos de pagar.
BRANCA	Preço de quê?
SIMÃO	É uma ilusão imaginar que poderíamos sair daqui, todos, sem que nada nos tivesse acontecido. Alguém teria de ser atingido mais duramente.
BRANCA	E o senhor acha que só ele o foi.
SIMÃO	Digo diretamente.
BRANCA	E imagina que com isso matou a sede de violência, resgatou a nossa quota.
SIMÃO	De certo modo, acho que sim. Devo apenas levar esta cruz na roupa durante um ano. É humilhante, mas ainda é uma sorte. Se você abjurar, pode ser que lhe deem pena semelhante e estaremos livres.
BRANCA	Se eu abjurar... o senhor quer que eu também seja cúmplice.
SIMÃO	Cúmplice de quê?

BRANCA	Da morte de Augusto.
SIMÃO	Absurdo! Você não tem nada com isso!
BRANCA	Tenho. Todos nós temos. Quem cala colabora.
SIMÃO	Não tem sentido o que você está dizendo! Não é possível que você não entenda que está perdida se não ceder ao que eles querem, se não confessar e abjurar tudo.
BRANCA	Há um mínimo de dignidade que o homem não pode negociar, nem mesmo em troca de liberdade. Nem mesmo em troca do sol.
SIMÃO	(*Olha a filha, horrorizado.*) Que Deus se compadeça de você!
	O GUARDA *entra e arrasta* SIMÃO.
	Muda a luz. O VISITADOR, *o* NOTÁRIO *e o* PADRE BERNARDO *entram com os* PADRES.
VISITADOR	Branca, vamos, mais uma vez, dar provas de nossa tolerância. Vamos permitir que permaneça de pé enquanto o Sr. Notário lê o ato de abjuração que você deverá assinar.
	O NOTÁRIO *toma posição, desenrola um papel.*
BRANCA	É inútil, senhores. Não vou abjurar coisa alguma. O que quero, o que espero dos senhores, é minha absolvição.
	Reação dos PADRES.
VISITADOR	(*Indignado.*) Como?! Ela não ia abjurar?
PADRE	Ia, prometeu...
NOTÁRIO	Essa agora!
VISITADOR	Branca, você não se disse disposta a abjurar?
BRANCA	Disse, num momento de fraqueza. Mas não posso reconhecer uma culpa que sinceramente não julgo ter.

Se sou inocente, se nada podem provar contra mim, o que devo suplicar a este Tribunal é que reconheça a minha inocência.

PADRE Pela última vez, Branca...

VISITADOR (*Interrompe.*) Não adianta, Padre, o senhor nada conseguirá dela.

PADRE Eu lhe suplico, Sr. Visitador, apelo para sua imensa misericórdia, dê-lhe uma última oportunidade.

VISITADOR Já lhe demos todas. Acho que nos iludimos com ela desde o princípio. Sua obstinação e sua arrogância provam que tem absoluta consciência de seus atos. Não se trata de uma provinciana ingênua e desorientada; tem instrução, sabe ler e suas leituras mostram que seu espírito está minado por ideias exóticas. Declara-se ainda inocente porque quer impor-nos a sua heresia, como todos os de sua raça. Como todos os que pretendem enfraquecer a religião e a sociedade pela subversão e pela anarquia.

BRANCA Mas, senhores, eu não pretendi nada disso! Nunca pensei senão em viver conforme minha natureza e o meu entendimento, amando a Deus à minha maneira; nunca quis destruir nada, nem fazer mal algum a ninguém!

VISITADOR (*Corta-lhe a palavra com um gesto.*) Seu caso já não é conosco, Branca. O Tribunal eclesiástico termina aqui a sua tarefa. O braço secular se encarregará do resto.

BRANCA (*Receosa.*) Que resto, senhor?

VISITADOR O poder civil, a quem cabe defender a sociedade e o Estado, vai julgá-la segundo as leis civis. Nós lamentamos ter de declará-la separada da Igreja e relaxada ao braço secular. Deus e todos vós sois testemunhas de que tudo fizemos para que isto não acontecesse. Procedemos a um longo e minucioso inquérito, em que todas as acusações foram examinadas à luz da verdade, da justiça e do direito canônico. À acusada foram oferecidas todas as oportunidades de defesa e de arrependimento. Dia após dia, noite após noite, estivemos aqui lutando para arrancar essa pobre alma às garras do Demônio. Mas fomos derrotados. Desgraçadamente. (*Sai, seguido do* NOTÁRIO *e dos* PADRES.)

BRANCA   Os senhores foram derrotados... E eu?

PADRE   Você, Branca, vai amargar a sua vitória.

BRANCA   Eu sei. E sei também que não sou a primeira. E nem serei a última.

Os GUARDAS *entram e amarram-na pelos pulsos e pelo pescoço com cordas e baraço, e a arrastam assim por uma rampa para o plano superior, onde surgem os reflexos avermelhados da fogueira.*

PADRE BERNARDO, *no plano inferior, a vê, angustiado, contorcer-se entre as chamas. Contorce-se também, como se sentisse na própria carne.*

Um clamor uníssono, a princípio de uma ou duas vozes, às quais vão se juntando, uma a uma, as vozes de todos os atores, em crescendo, até atingirem o limite máximo, quando cessam de súbito.

PADRE   (*Caindo de joelhos.*) Finalmente, Senhor, finalmente posso aspirar ao Vosso perdão!

amor em
campo minado

PERSONAGENS

Sérgio Penafiel
Nara Penafiel
Dr. Moura
Vera
e 4 policiais

AÇÃO: *Rio de Janeiro,
no primeiro sábado de abril de 1964*

Apagam-se as luzes da plateia.

Ouve-se a característica musical do Repórter Esso.

LOCUTOR   Atenção, atenção. É a seguinte a situação em todo o território nacional:
    O ex-Presidente João Goulart, deposto pelas forças revolucionárias, pediu asilo ao governo uruguaio. O deputado João Calmon pediu a cassação de mandatos dos parlamentares comunistas. Desencadeia-se em todo o país uma onda de prisões de líderes políticos, sindicais e estudantis. Mas, segundo porta-voz do Alto Comando Revolucionário, o país se encontra na mais perfeita paz.

Com a plateia ainda às escuras, ouvem-se soldados marchando em acelerado.

VOZ   Luz! Luz na plateia!

Acendem-se as luzes da plateia. Quatro policiais armados de metralhadoras apontam suas armas para os espectadores, olhando fixamente para eles, como se procurassem alguém. Percorrem a plateia e sobem ao palco, saindo pelas coxias.

Apagam-se as luzes da plateia. Acende-se o palco.

O cenário, que em sua arquitetura deve fugir ao realismo, contém elementos realistas necessários à ação tais como uma cama redonda, uma poltrona, uma televisão, um grande abajur com lâmpada vermelha e uma geladeira. A um canto, um pequeno projetor cinematográfico. As paredes são constituídas de reproduções de nus famosos e enormes gravuras eróticas. Espelhos em vários cantos, inclusive no teto em ângulo agudo com o leito. Percebe-se um ambiente cuidadosamente preparado para encontros de amor. Respira-se sexo. Mas no momento há uma certa desordem. Sobre a cama estão espalhados vários jornais, que caem também pelo chão. Algumas garrafas vazias de coca-cola e uísque a um canto. O cinzeiro está cheio de pontas de cigarro. Há uma grande janela com as cortinas corridas.

A cena está quase às escuras, embora ainda não seja noite. Ouve-se uma chave girar na fechadura e logo a porta se abre. Um casal entra rapidamente. Ele é um homem maduro e gordo, DR. MOURA, *conceituado chefe de seção do funcionalismo público. Ela é jovem e bonita,* VERA, *sua secretária. Está um pouco assustada, percebendo-se que nunca esteve antes naquele apartamento. Embora não seja a primeira vez que enfrenta situações semelhantes. Logo que torna a fechar a porta, ele a beija furiosamente. Ela não opõe a menor resistência, mas logo se separam e ela gira o olhar em volta, curiosa. Ele vai acender o abajur, tira o paletó, enquanto ela para diante de uma das gravuras, cujo erotismo lhe toca menos do que a ele, que vem por trás e começa a beijá-la no pescoço. Com uma excitação quase cômica, apressadamente começa a despi-la, enquanto a beija nos ombros, na boca, nos seios. Ela esboça uma pequena resistência. Ele estranha.*

MOURA   Que foi?

VERA   Assim, muito depressa, eu não gosto.

MOURA   É que não temos muito tempo... (*Vai até a radiovitrola, coloca um disco e volta para ela, com mais fogo ainda, arrasta-a para a cama, derruba-a e deita-se sobre ela.*).

VERA   Você acha que vão mesmo me dar o aumento?

MOURA   Claro, meu anjo. O presidente é meu do peito. Sua promoção está garantida

Neste instante, a cabeça de um homem surge por trás da poltrona e se ergue lentamente. É SÉRGIO PENAFIEL. *Quarenta anos, aproximadamente. Tem no rosto um traço de marcante ironia, quando fala parece estar sempre debochando do interlocutor, e isto o faz parecer, à primeira vista, pretensioso, autossuficiente e antipá-*

tico. Conhecendo-o melhor, vê-se que é apenas uma defesa. No fundo, é o oposto, tímido, inseguro, sujeito a profundas depressões que se seguem, no espaço de um segundo, às maiores euforias. Seu espírito é um verdadeiro caos de perguntas sem respostas, embora, exteriormente, ele aparente ser o dono da verdade. Veste uma batina negra. VERA *é quem primeiro o vê. Dá um grito, apontando em sua direção.*

VERA   Um padre!

MOURA *volta-se, assustado, e vendo* SÉRGIO, *salta da cama. Ela faz o mesmo, procurando recompor-se.*

SÉRGIO   Desculpem, eu... eu sinto muito...

MOURA   Como foi que o senhor entrou?

SÉRGIO   Como os senhores, pela porta. Só que eu já estava.

VERA   Ele estava escondido ali, atrás daquela cadeira! Olhando!

SÉRGIO   Garanto que o que vi não foi bastante para me excitar.

VERA   E ainda faz piada! (*Investe contra* MOURA.) Que história é essa? Aonde você me trouxe? Não disse que era seu o apartamento? E agora esse padre! Que é isso aqui?!

MOURA   Espere, meu bem, tenha calma... Eu não ia imaginar Não sei mesmo como... (*Volta-se para* SÉRGIO:) Padre, eu não estou entendendo...

SÉRGIO   Eu sou amigo do Paulo. Ele me deu a chave...

MOURA   Ah, o senhor também tem a chave...

VERA   (*Vestindo-se nervosamente.*) Puxa vida, um padre!

MOURA   Meu dia é quinta-feira. Mas esta semana eu troquei pelo sábado. Avisei o Paulo.

SÉRGIO   É que eu cheguei ontem. Precisei ficar.

MOURA   Mas o Paulo devia ter-me avisado.

SÉRGIO   Talvez não tenha tido tempo. Com tudo que está acontecendo no país.

MOURA   É verdade... a Revolução.

SÉRGIO   Revolução o cacete! Um golpe militar, uma quartelada. (MOURA *escuta com estranheza.* SÉRGIO *percebe.*) Bem, mas o Paulo deve ter tido algum problema...

MOURA   Será que foi preso? Ele é comunista. Isto é, não sei... nunca se sabe o que uma pessoa tem dentro da cabeça.

SÉRGIO   Uma coisa eu sei que ele tem. Os testículos.

MOURA   É, é um louco. Dar a chave a um padre... sem avisar a gente. Sem consultar os outros sócios. Porque, sabe, eu não faço nenhuma objeção, sou católico praticante, mas compreendo essas coisas. Acho que a Igreja precisa se modernizar. Mas os outros podem não concordar. Se um dia houver complicação com o senhor, vamos supor que descubram. Haverá um escândalo e nós vamos ser envolvidos. E o senhor sabe, somos todos pessoas de responsabilidade, casados, com filhos, alguns como eu ocupando cargos públicos...

VERA   (*Já na porta, impaciente, pronta para ir embora.*) Vai aproveitar para fazer a primeira comunhão, vai?

MOURA   Um momentinho só, meu anjo... (*Para* SÉRGIO, *discretamente:*) Escute, reverendo, o senhor não podia sair um pouco, durante uma hora? São quase seis horas, o senhor podia ir rezar as ave-marias. Está sendo realizada uma marcha da família com Deus pela liberdade. Foi por isso que eu troquei o meu dia, minha mulher está lá.

SÉRGIO   Infelizmente, não posso sair daqui. Espero que o senhor me perdoe, compreendo a sua situação. Mas a minha também é difícil.

MOURA   (*Julga que há outra mulher no apartamento.*) Sim, sim, entendo... (*Olha em direção às dependências do apartamento.*) O senhor não está sozinho, é claro.

SÉRGIO   (*Acha melhor aproveitar a suspeita.*) Evidente...

MOURA — Ela se escondeu...

SÉRGIO — No banheiro.

VERA — Olhe, eu já vou. (*Sai.*)

MOURA — Espere, meu bem... (*Para* SÉRGIO:) Por favor... (*Faz um gesto de quem pede discrição.*) É minha secretária na Repartição. Casou no mês passado e eu fui padrinho, entende?

SÉRGIO — Espero que o senhor também não vá falar nada sobre... Quero dizer, ninguém precisa ficar sabendo que eu estou aqui.

MOURA — Fique tranquilo. Já lhe disse que tenho ideias arejadas, não sou quadrado. Mesmo assim, não acha arriscado? Este prédio é muito manjado. Há um matadouro em cada andar. O senhor devia ter vindo sem batina.

SÉRGIO — (*Sem achar outra explicação.*) Ela gosta que eu venha assim...

MOURA — Ah, entendo!... Deve achar mais excitante...

SÉRGIO — É...

MOURA — Tarada!

SÉRGIO — Mais ou menos.

MOURA — (*Olha* SÉRGIO *com atenção.*) Já não nos conhecemos de outro lugar?

SÉRGIO — (*A pergunta e o olhar de* MOURA *o deixam muito intranquilo.*) Não. Acho que não.

MOURA — Engraçado, agora tive a impressão...

SÉRGIO — (*Faz um gesto com a mão, despedindo-se.*) Boa tarde.

MOURA — Boa tarde, padre. (*Pisca o olho.*) E... felicidades... (*Pensa em* VERA, *angustiado.*) E agora, aonde eu vou com ela?

SÉRGIO — Não tem automóvel?

MOURA — Volkswagen...

SÉRGIO   Um pouco incômodo...

MOURA sai. SÉRGIO passa a chave na porta e respira aliviado. Fica um instante parado junto à porta, muito preocupado, sem saber o que fazer. Vai ao pequeno bar, tira uma garrafa de uísque, serve-se de uma dose. Em seguida vai à geladeira à procura de gelo, não encontra.

SÉRGIO   Merda! (*Fecha a porta da geladeira com raiva e bebe um gole. Tem uma expressão de desagrado.*) É nacional.

Larga o copo sobre a radiovitrola. Anda pelo quarto, nervosamente, como uma fera enjaulada. Olha as horas no relógio de pulso. Vai até a janela, afasta um pouco a cortina e olha. Vai ao telefone, tira o fone do gancho e leva-o ao ouvido. Fica um tempo escutando, é tentado a discar, mas resiste e volta a colocá-lo no gancho. Levanta-se, vê o casaco que VERA esqueceu sobre a cadeira. Apanha-o e faz um movimento em direção à porta, como se fosse entregá-lo, mas logo interrompe o gesto. Não adianta, já devem ir longe. Dá de ombros, atira o casaco sobre a cadeira de novo. Liga a televisão, surge no vídeo a Marcha da Família. É quando soa a campainha. SÉRGIO se assusta, desliga a TV e fica de pé, parado, olhando para a porta. Há uma pausa, a campainha volta a tocar. Ele vai até a janela, abre-a de par em par, como a preparar uma possível fuga. Em seguida, aproxima-se da porta. Tira um lenço do bolso e coloca sobre a boca para disfarçar a voz.

SÉRGIO   Quem é?

NARA   (*Voz fora.*) Sou eu, Sérgio. Nara.

SÉRGIO abre a porta, NARA entra. Trinta e cinco anos, aproximadamente, veste-se com muito gosto. Quinze anos de vida em comum com SÉRGIO a tornaram também irônica. Mas em agressividade ela o supera. Parece estar sempre esperando um ataque dele, para revidar. O ponto-chave em suas relações com SÉRGIO é a consciência que tem de sua própria inferioridade intelectual. Na realidade, ela detesta o intelectualismo do marido porque acredita que isto o leva a considerá-la inferior.

NARA	(*Surpresa, contendo o riso.*) Que é isso?
SÉRGIO	Foi como eu fugi. Quando cercaram a redação eu tive uma ideia: telefonei a meu irmão, que me mandou esta batina. Vesti e saí tranquilamente. (*Ri.*) Tranquilamente é maneira de dizer. Passei pelos milicos apavorado.
NARA	(*Ri com ele.*) Ah, se eu pudesse bater uma foto e mandar pro *Globo*! Até que vale a pena ter um irmão padre.
SÉRGIO	(*Tirando a batina.*) E eu que ultimamente vinha fazendo tudo para convencê-lo a largar a batina. Foi a minha salvação. (*Ele a beija na boca sensualmente.*) Puxa, como eu estava desejando que você chegasse. Por que demorou tanto?
NARA	Vim logo que Paulo me disse onde você estava.
SÉRGIO	Estou aqui desde ontem.
NARA	Só recebi o recado agora à tarde.
SÉRGIO	É, ontem à noite não foi possível lhe avisar. Mas pensei que Paulo de manhã...
NARA	(*Vê o telefone.*) Mas aqui tem telefone. Por que não ligou pra mim?
SÉRGIO	Não sou louco. O telefone deve estar censurado. Se não este, pelo menos o de lá de casa. Ei, escute, será que ninguém seguiu você?
NARA	Acho que não.
SÉRGIO	Você acha ou tem certeza?
NARA	Bem, se você quer saber, perto daqui um rapaz encostou o fusca na calçada e perguntou se eu queria entrar.
SÉRGIO	Que aspecto tinha esse rapaz?
NARA	Era um rapaz... Tipo playboy.
SÉRGIO	Não creio que fosse da polícia.
NARA	Claro que não era da polícia. E, como não era da polícia, não tem a menor importância para você.

SÉRGIO — (*Grita.*) Tem importância, sim. Mas o que lhe perguntei foi se algum tira havia seguido você.

NARA — Por que haveria de me seguir?

SÉRGIO — Porque você é minha mulher. Cherchez la femme...

NARA — Mas ninguém, além de Paulo, sabia que eu vinha aqui.

SÉRGIO — Mas muita gente sabe que você é minha mulher. Inclusive o Dops. E o normal é a mulher ir à procura do marido.

NARA — O normal é o marido procurar a mulher; embora entre nós tenha sido sempre ao contrário.

SÉRGIO — (*Irritado.*) Nara, acho que este não é o momento para discutirmos esse assunto. Respeite ao menos a minha situação.

NARA — Que situação? (*Vê a garrafa de uísque sobre a radio-vitrola, vai apanhar um copo na quitinete.*)

SÉRGIO — Posso ser preso a qualquer momento. Preso, torturado, fuzilado. Será que você não pode levar isso em conta? Estiveram lá em casa?

NARA — (*Volta com o copo.*) Quem?

SÉRGIO — A polícia, o exército (*Referindo-se ao uísque.*) É nacional.

NARA — Não tenho um paladar tão requintado quanto o seu. (*Serve-se de uma dose.*)

SÉRGIO — Você não respondeu: eles foram lá em casa?

NARA — Não tem gelo?

SÉRGIO — Não.

NARA — Só quem esteve à sua procura foi o cobrador da *Enciclopédia Britânica*. Parece que você está com três meses de atraso.

SÉRGIO — Eu quero que a Enciclopédia e até mesmo o Império Britânico vão pra puta que pariu. Por falar nisso,

|||||||talvez fosse bom esconder alguns livros... Sabe, estão fazendo uma caça às bruxas.

NARA — Pode ficar descansado, já providenciei.

SÉRGIO — O quê?

NARA — Toquei fogo em todos os livros que podiam comprometê-lo.

SÉRGIO — (*Ele se choca um pouco.*) Tocou fogo?

NARA — *O Capital,* todos os livros sobre marxismo, tudo que cheirasse a comunismo, fiz um monte no quintal e toquei fogo.

SÉRGIO — Bastava escondê-los em algum lugar, na casa de um amigo. Queimar livros é um ato medieval!

NARA — É que, naturalmente, eu não tenho pela cultura o respeito que você tem. É isso que você quer dizer.

SÉRGIO — Eu não disse isso.

NARA — Mas pensou. Você sempre me considerou uma ignorante.

SÉRGIO — Nem só os ignorantes queimam livros. Também os fanáticos.

NARA — Quer dizer que eu devo escolher entre a ignorância e o fanatismo.

SÉRGIO — (*Perdendo a paciência.*) Nara, eu não quero que você escolha nada. Mas, é claro que eu não posso deixar de sentir quando você me diz que fez uma fogueira com os meus melhores livros. Livros que comprei com muito sacrifício e não sei se vou poder comprar de novo. É como se você tivesse tocado fogo num pedaço de mim mesmo, entende? Num braço, numa perna.

NARA — Vamos, não dramatize, eu achei que era mais seguro. Pensei só na sua segurança.

SÉRGIO — Acredito, mas... Bem, não falemos mais nisso. (*Muda o tom.*) E as crianças?

NARA	Estão bem.
SÉRGIO	Quero dizer, como reagiram?
NARA	Luciano ficou colado no rádio, nos dois primeiros dias, esperando uma reação de nosso lado. Quando viu que ninguém reagia, teve uma enorme decepção, foi ensaiar um show de iê-iê-iê. Regina continua com as aulas de pintura. O professor está entusiasmado com os progressos que ela tem feito.
SÉRGIO	Mas a minha situação... Isso de eu ter de fugir, me esconder. Eles não ficaram traumatizados?
NARA	Luciano me perguntou no primeiro dia por que queriam prender você. Eu disse que era por causa de suas ideias, que você era um escritor da esquerda etc. etc. Ele não me respondeu. Se trancou no quarto e não perguntou mais nada. Quanto a Regina, você sabe, ela é muito introvertida. A gente nunca sabe o que ela está pensando. E agora passa os dias misturando tintas em busca do azul Pancetti.
SÉRGIO	Eu devia ter politizado meus filhos. Essa história da gente não querer incutir ideias, deixar que eles mesmos descubram a verdade. Num momento desses é que a gente vê como está errado.
NARA	Espera lá, Sérgio, Luciano tem 15 anos, e Regina, 14. São duas crianças.
SÉRGIO	Têm idade suficiente para compreender a situação.
NARA	Mas o que você queria que eles fizessem? Se até os líderes, aqueles que tinham responsabilidade e meios de resistir deram no pé?
SÉRGIO	Não é isso, você não entende. É que num momento desses eu sinto entre mim e eles um vazio. Regina mistura tintas em busca do azul Pancetti e Luciano toca iê-iê-iê. É isso, nenhum deles está comigo. Se eu for preso, não vão sentir coisa alguma.
NARA	E de quem é a culpa?
SÉRGIO	É minha?

NARA   Você se dedica muito pouco a eles. Esta é a verdade.

SÉRGIO   Faço o que qualquer pai faz.

NARA   Não, você está sempre ocupado, sempre escrevendo, sempre trabalhando.

SÉRGIO   Bem, eu preciso escrever, preciso trabalhar.

NARA   Sei disso. Mas eles se queixam. Quando não está trabalhando, está pensando.

SÉRGIO   Um homem pensa. É isso que o distingue dos outros animais.

NARA   Em você a distinção é excessiva e egoísta.

SÉRGIO   Egoísta?

NARA   Você só pensa nos seus problemas.

SÉRGIO   Muito obrigado. Você veio aqui para me dizer isso.

NARA   Não, não vim para lhe dizer isso, mas sempre tive vontade. Você tem o seu mundozinho particular, de onde só sai quando o vê desmoronar, como agora. Fica então muito chocado porque a sua fossa é só sua e de mais ninguém.

SÉRGIO   (*As palavras de* **NARA** *o ferem e quebram um pouco.*) Não sei quando você vai me compreender. Acho que nunca. Não sei quando você vai entender que as pessoas têm maneiras de ser diferentes umas das outras. Eu... (*Explica como quem explica para uma criança pela vigésima vez.*) Eu sou Sérgio Penafiel. Você é Nara Penafiel. Embora nós dois sejamos Penafiel, eu sou Sérgio e você é Nara, entende? E não adianta querer que Sérgio se comporte como Nara porque ele é Sérgio e não Nara, Maria ou Joaquim. Percebe?

NARA   Percebo que você me considera uma retardada mental. Aliás, não estou percebendo isso agora.

SÉRGIO   (*Irônico ao extremo.*) Très intelligent! Que perspicácia! Surpreendente!

NARA   Sei disso desde que nos casamos.

SÉRGIO	Há dezesseis anos...
NARA	(*Corrige.*) Quinze. Para mim você não aumenta um ano; eu sei que estava no sexto mês de gravidez quando nos casamos.
SÉRGIO	(*Perdendo um pouco o aprumo.*) Eu nunca liguei pra isso. Seria idiotice.
NARA	Pois é idiotice. O grande homem tem suas fraquezas. Lembro-me daquele prefácio que você escreveu para um livro não sei de quem sobre sexo. Você dizia: o perfeito conhecimento sexual entre os cônjuges antes do casamento é não só admissível como até mesmo social e moralmente necessário, a fim de evitar um futuro e trágico desajuste.
SÉRGIO	Mas a que vem isso agora? Não tem nenhum sentido. O país convulsionado, eu aqui escondido, ridiculamente vestido de padre, ameaçado de prisão ou coisa pior, e você a relembrar prefácios, o que eu escrevi não sei onde sobre a cópula pré-conjugal. É puro surrealismo.
NARA	Não estou propondo que discutamos o assunto neste momento. Quis apenas mostrar que suas palavras estão frequentemente em contradição com os seus atos. (*Ela observa o pequeno apartamento com os olhos curiosos e nota os quadros eróticos.*) A propósito, o dono da casa deve estar necessitando de estimulantes sexuais.
SÉRGIO	(*Um pouco sem jeito.*) É...
NARA	Mas você ainda não me disse como veio parar aqui, neste "templo de luxúria".
SÉRGIO	Ah, foi o Paulo.
NARA	Paulo?
SÉRGIO	Ele me escondeu durante dois dias e depois me deu a chave deste apartamento.
NARA	Então este apartamento é dele?
SÉRGIO	É alugado.
NARA	Mas ele não é casado?

SÉRGIO — Claro. Mas isso não impede que tenha um outro apartamento, não é?

NARA — (*Entendendo.*) Compreendo... Uma *garçonnière*. Vejam só. E eu que achava ele um sujeito tão sisudo.

SÉRGIO — Os homens sisudos também fazem amor fora de casa.

NARA — Isto é uma confissão?

SÉRGIO — Não, é apenas uma constatação.

NARA — Mas o fato é que você sabia que o Paulo tinha esta *garçonnière*.

SÉRGIO — Eu não sabia, ele que me ofereceu. E eu não tinha nenhuma razão para recusar. Afinal, que diferença faz que eu esteja escondido numa *garçonnière* ou num convento? Num bordel, ou no palácio episcopal?

NARA — (*Voltando a olhar os quadros.*) Está então explicada a "decoração". Muito apropriada.

SÉRGIO — Você não queria que eu tirasse os quadros da parede e jogasse no lixo. O apartamento não é meu.

NARA — Claro que você não podia fazer isso.

SÉRGIO — Mesmo porque alguns são reproduções de obras de arte. Este, por exemplo, é um Goya, *La Maya desnuda*.

NARA — Você me disse uma vez que não apreciava Goya.

SÉRGIO — Mas o apartamento não é meu, já disse. O gosto é do dono da casa. Um mau gosto, por sinal, misturando Goya, Modigliani, com aplicações da *Playboy* e gravuras obscenas.

NARA — (*Extremamente irônica.*) Imagino como isso deve ferir a sua sensibilidade...

SÉRGIO — Só mesmo um grosso como o Paulo. Também quem é capaz de beber um uísque desses. Você notou que ele usa meias brancas?

NARA — Não havia reparado. Mas acho que você está sendo ingrato. Afinal de contas, ele escondeu você aqui. Está se arriscando.

SÉRGIO — Não, não. Eu acho ele um bom sujeito. Grande coração, intelectual honesto, é uma das poucas pessoas em quem eu confiaria num momento desses.

NARA — (*Vendo o projetor.*) Um projetor... imagino os filmes... (*Ela encontrou o casaco da moça em cima da poltrona, levanta-o à altura dos olhos.*) Você não vai me dizer que este casaquinho é do Paulo.

SÉRGIO — (*Procura mostrar excessiva naturalidade.*) Não, é da moça.

NARA — Que moça?

SÉRGIO — A moça que esteve aqui.

NARA — Ah, então já esteve uma moça aqui...

SÉRGIO — Esteve, Nara, mas acompanhada. E pare de me olhar como se eu fosse um farsante. Eu já lhe disse que este apartamento é usado para encontros amorosos. Não somente eu, outras pessoas têm chave daqui. Paulo ficou de avisar aos outros "sócios", mas parece que se esqueceu, ou não teve tempo... O fato é que um casal bateu aqui ainda há pouco. E ela esqueceu esse casaco.

NARA — (*Olha-o com incredulidade e repugnância.*) E você assistiu, se é que se limitou só a isso?

SÉRGIO — (*Grita veemente.*) Eu não assisti coisa nenhuma. Toquei os dois daqui. Foi muito constrangedor.

NARA — (*Irônica.*) Imagino.

SÉRGIO — Você parece que não está acreditando.

NARA — Oh, não, acredito piamente. Só não sei por que você tinha de se esconder justamente numa *garçonnière*.

SÉRGIO — Eu não tinha para onde ir.

NARA — Ah, não tinha para onde ir... (*Ri.*)

SÉRGIO — Claro, quem é que podia prever o que aconteceu? Eu mesmo, até agora, ainda não consegui acreditar. Por mais que queira me convencer, é inteiramente ilógico, irracional, estúpido. Esta noite não consegui dormir um segundo, pensando, tentando estabelecer uma relação lógica de causa e efeito entre o que aconteceu antes e o que aconteceu depois. Sabe que é impossível? É como juntar dois pedaços de um quebra-cabeça que não se ajustam.

NARA É que você continua fora da realidade. Você e todos os seus amigos. Isso de não ter para onde ir, de não ter admitido antes como uma possibilidade o que aconteceu depois, mostra que vocês não passam de uns brincalhões.

SÉRGIO Brincalhões, não, imprevidentes, talvez.

NARA A imprevidência era o resultado da falta de seriedade.

SÉRGIO Não, não. Nara, é injusto o que você está dizendo. Seriedade havia até demais.

NARA Eu não estou querendo admitir que tenha sido simplesmente por burrice.

SÉRGIO Eu não sei. Não sei. Alguma coisa falhou. Ou fomos enganados. Elaboramos uma tática sobre dados falsos. Informações falsas. Sei lá. No dia 13 de março, depois daquele comício na Central do Brasil, um amigo me disse: "Atravessamos o Rubicon." Jango tinha anunciado as Reformas de base — eu estava ao lado dele, no palanque, dele e de Maria Tereza. Íamos inaugurar um novo Brasil, e tínhamos um esquema militar para esmagar qualquer resistência da direita. Nada podia deter o nosso ímpeto revolucionário. De repente tudo desmoronou como um castelo de cartas.

NARA Você não se sente ridículo?

SÉRGIO Absolutamente ridículo. Como um marido enganado quando descobre que foi o último a saber.

NARA Ótimo. Assim, você já vai se habituando a essa sensação. (*Tira a blusa e os sapatos.*)

SÉRGIO Piada grosseira e fora de hora.

NARA   Bem, você nunca será um marido enganado. Eu direi antes, ou logo depois, segundo o nosso trato. Como você já fez, aliás, por duas ou três vezes. Está lembrado?

SÉRGIO   Isso já foi há muito tempo.

NARA   Lembra-se daquela professora gaúcha que veio lhe trazer um livro de versos? Uma getulista, tinha vindo para a posse de Getúlio, em 1950. Luciano havia acabado de nascer.

A recordação irrita SÉRGIO.

Você trepou com ela no sofá da sala. Ou foi no tapete?

SÉRGIO   Que importa agora se foi no sofá ou no tapete?

NARA   Claro, esse é um detalhe sem a mínima importância. Antes você foi ao quarto e me disse, lealmente, que ia trepar com ela. Explicou que era um impulso irresistível, mas elevado. Que essa união carnal era algo de muito belo e que eu não devia sentir-me diminuída com isso. Pelo contrário, eu só me engrandeceria a seus olhos se recebesse aquilo com superioridade e até com satisfação, pois entre as pernas da professora você ia buscar alguma coisa além do sexo. Alguma coisa indefinível e rara, que faria com que você saísse de lá e voltasse para mim enriquecido em sua humanidade.

SÉRGIO   Claro, eu nunca admiti copular com outra mulher pelo simples prazer sexual, como um animal. Isso, sim, seria um desrespeito a você.

NARA   Obrigada. A outra vez foi com a Cibele, a minha amiga Cibele. Dessa vez você me disse no dia seguinte. Nós fizemos amor embaixo do chuveiro — naquele tempo nós sempre fazíamos amor embaixo do chuveiro, antes do almoço — e depois você me contou. Tinha sido um instante raro no aprimoramento do humano. Ela também, como boa amiga, teve a lealdade de me escrever uma carta em que me dizia esperar que eu encarasse o caso com a mesma elevação de espírito com que vocês dois tinham ido para a cama. Aliás, eu nunca entendi como você podia trepar com ela. Uma

	lésbica. Está vivendo agora com a Lourdes Moreira, que largou o marido banqueiro por causa dela.
SÉRGIO	Isso foi depois. Naquele tempo ela era normal, muito normal até.
NARA	Que quer dizer esse "até"?
SÉRGIO	(*Irritado.*) Quero dizer que na conjunção carnal ela se portava como normalmente se portam as fêmeas ao serem possuídas pelos machos. Chegava ao orgasmo com facilidade, pelas vias normais, sentia prazer etc. etc.
NARA	E "aquele instante indefinível e raro", "aquele enriquecimento do humano"? Então era tudo igual? Como um cão e uma cadela, um touro e uma vaca?
SÉRGIO	(*Contendo a sua irritação.*) Meu bem, o mecanismo do prazer é igual, evidentemente. O que difere é a motivação. Quando a troca do prazer no plano do sexo não é precedida e acompanhada da troca de emoções no plano do espírito, então não passamos de animais, realmente. O sexo é um meio de comunicação entre dois seres humanos. O mais antigo e o mais eficaz. Importante é o que se comunica.
NARA	Não gosto quando você assume esse ar professoral. Se bem que deva reconhecer a sua competência no assunto.
SÉRGIO	Obrigado.
NARA	Tanto na teoria quanto na prática.
SÉRGIO	O homem é a sua práxis.
NARA	Não me venha com chavões marxistas. Em questões de sexo, vocês que odeiam Freud têm ainda muito que aprender com ele.
	SÉRGIO *solta uma gargalhada forçada.*
NARA	(*A gargalhada toca o seu amor-próprio.*) Quer traduzir esse riso animal em palavras?

SÉRGIO — (*Mordaz.*) Em primeiro lugar, os animais não riem justamente porque o riso é prova de inteligência. Em segundo lugar, meu bem, embora deva ser de valor inestimável a sua contribuição ao marxismo nesse ponto, acho melhor mudarmos de assunto.

NARA — (*Imitando-lhe o tom.*) Porque eu sou uma cretina e não estou à altura de discutir com o mestre.

SÉRGIO — Eu não disse isso.

NARA — Porque é um covarde, nunca ataca de frente.

SÉRGIO — Nara! Você veio aqui para me irritar?

Ouve-se a campainha do telefone. SÉRGIO *fica olhando o aparelho, preocupado, mas sem fazer qualquer movimento para atender.* NARA *tem um gesto para tirar o fone do gancho,* SÉRGIO *a detém.*

SÉRGIO — Não!

NARA — Não vai atender?

SÉRGIO — Este telefone pode estar censurado.

NARA — Por que haveriam de censurar o telefone de uma *garçonnière*?

SÉRGIO — De qualquer maneira, é melhor não atender. Ninguém deve saber que eu estou aqui. Pode parecer ridículo, mas é medida de segurança.

NARA — Acho tolice. Se você não atende, pensam que não há ninguém. Você disse que são vários sócios. Um deles pode bater aqui pensando que está vazio.

SÉRGIO — Não há perigo, o sócio dos sábados já esteve aqui.

NARA — Mas pode voltar.

SÉRGIO — Isso é verdade.

NARA — (*Antes que ele possa impedir, tira o fone do gancho.*) Deixe comigo. (*Faz uma voz mole, sensual, cansada.*) Alô? (*Pausa.*) Espere, benzinho, deixe ver... (*Procura ver o número do telefone.*) É, meu anjo, é esse número

	mesmo. Desculpe, eu estou aqui meio grogue. Meu broto não me deu folga até agora. Está me castigando (*Pausa.*) Ah, sim o padreco, ele é bárbaro.
SÉRGIO	(*Estarrecido com a atitude de NARA e preocupado, faz sinais.*) Eu não estou! Eu não estou!
NARA	Ah, sim, está aqui. Pode vir.
	SÉRGIO *tem um gesto de contrariedade.*
NARA	Mas não agora. Vai atrapalhar a nossa missa. Está bem. Tchau, meu anjo. (*Desliga o telefone.*)
SÉRGIO	Teoricamente, é muito fácil admitir que as mulheres são intelectualmente iguais aos homens; mas na prática...
NARA	Na prática, fica provado que elas são muito mais inteligentes. Não acha que vão acabar desconfiando de você, se descobrem que você não está aqui fazendo o que todos fazem?
SÉRGIO	Quem era?
NARA	O fulano da fulana do casaquinho.
SÉRGIO	Que era que ele queria?
NARA	O casaquinho. Vem buscá-lo.
SÉRGIO	Agora?
NARA	Devem demorar. Estão num hotel aqui perto.
SÉRGIO	É incrível que numa hora dessas ainda haja pessoas que vão para os hotéis fazer amor. O Presidente deposto, o país à beira da guerra civil e os hotéis suspeitos continuam cheios de casais que se entregam às delícias da fornicação. É um país de alienados.
NARA	Numa sociedade cheia de preconceitos contra o sexo, o ato sexual é também uma forma de contestação. Não foi você que disse isso?
SÉRGIO	Mas esta não é hora de ir para a cama, é hora de ir levantar barricadas.

NARA   E você, por que está aqui?

SÉRGIO   (*A pergunta o desmonta. Ele procura desesperadamente justificar-se.*) Que poderia eu fazer sozinho?

NARA   Porque todos pensam assim é que ninguém faz nada.

SÉRGIO   Além do mais, eu sou um intelectual, um escritor. Minhas armas são outras. Escrevendo, eu posso causar muito dano ao inimigo, como já causei. Com um fuzil, era capaz de fazer baixas no meu próprio lado.

NARA   De pleno acordo. Mas isso não é tudo. (*Fita-o nos olhos, um olhar duro e frio.*) Não é só porque suas armas são outras, que você está aqui escondido.

SÉRGIO   (*O olhar de* NARA *o perturba, mas ele reage.*) Você me conhece, não nasci para ser preso. Amo o espaço, o ar, a liberdade, sofro de claustrofobia e a dor física me apavora. Acho que é uma coisa que vem da infância. Quando tinha de me castigar, meu pai me prendia num quarto escuro, onde eu gritava, gritava, até desmaiar.

NARA   Os leitores de sua coluna ficariam decepcionados se ouvissem essa confissão. O jornalista panfletário, sem papas na língua, violento, corajoso...

SÉRGIO   E eu sei que se eles me pegarem me arrebentam. O que eu disse deles... Não vão me perdoar. Esses milicos estão preparando esse golpe desde 54, quando levaram Getúlio ao suicídio. Falharam várias vezes. Agora não vão sair daí tão cedo. A sede de mando e o ódio que trazem acumulado vão liquidar este país. Pessoas como eu não têm a menor chance.

NARA   Ah, ia me esquecendo. Telefonaram da redação.

SÉRGIO   Quem telefonou?

NARA   Reinaldo. Diga ao nosso Dom Quixote que é tempo de Sancho Pança.

SÉRGIO   Que mais?

NARA   Não falou muito claro, todo mundo agora só fala por metáforas ou meias palavras, mas eu entendi que estão esperando que você vá ao jornal para prendê-lo.

SÉRGIO — (*A perspectiva da prisão o deixa nervoso.*) Eu não disse? Eles estão loucos pra me pegar. Pegaram tanta gente já, justamente a mim iam deixar de fora? Garanto que meu nome está em todas as listas de prisões. Eles me odeiam. E se me pegarem... Palavra, eu não penso em mim, penso em Luciano e Regininha. Eles ainda precisam de mim. Se bem que nem um nem outro esteja ligando para o que possa me acontecer. Mas disso a culpa é minha, você tem razão. Acho que fracassei como pai. Engraçado, a gente lê tanto, estuda tanto, fica com a cabeça cheia de teorias sobre educação e quando vai aplicar... Nara, você acha que meus filhos gostam de mim? Seja sincera.

NARA — Gostam. Acho que admiram. Mas não são seus amigos.

SÉRGIO — E por quê?

NARA — Quer mesmo que eu diga?

SÉRGIO — Quero.

NARA — Porque você só é amigo de si mesmo.

SÉRGIO — Você quer dizer que eu não amo meus filhos?

NARA — Ama só porque são seus. Porque são obra sua. Ama como ama seus livros. O que você faz. Só por isso.

SÉRGIO — (*A dureza da acusação o fere fundo.*) Você não pode dizer isso de mim, Nara. É profundamente injusto. Eu não sou esse monstro de egoísmo. Eu sei me dar. Eu me dei a uma causa, eu me dei a você, eu amo você.

NARA — Porque você me considera coisa sua. Você acha que me fez, me modelou. E em parte é verdade. Embora eu me revolte contra mim mesma quando reconheço isto.

SÉRGIO — Eu não modelei você, Nara. Nós nos ajustamos um ao outro.

NARA — Como o copo e o uísque. Só que o uísque toma o formato do copo, mas o copo continua com o formato de sempre.

SÉRGIO — Por que será então que estou foragido, ameaçado de prisão? Por que acha que durante toda a minha vida tenho sido um homem visado, perseguido? Será porque só me preocupo comigo mesmo? Com a minha vida? Com as minhas coisas? Ou porque sempre defendi ideias que estão em contradição com tudo o que você está dizendo? E ainda que essas ideias sejam um dia vitoriosas, eu, pessoalmente, nada vou lucrar. Porque para mim, pessoalmente, como intelectual pequeno-burguês bem-sucedido, bem remunerado, o regime capitalista é excelente. Do ponto de vista material, com o socialismo ou o comunismo eu só teria a perder. Por que será então que eu, um monstro de egoísmo, luto e me prejudico, por ideias que só vão beneficiar a outros? Será que sou um imbecil?

NARA — (*A defesa de* SÉRGIO *a deixa momentaneamente sem argumento.*) É isso que eu não entendo. Há muita coisa em você que os dezesseis anos de vida em comum não foram suficientes para me fazer entender. Acho que nem que vivamos juntos a vida toda.

SÉRGIO — Esta é que é a verdade. Nem que vivamos juntos a vida toda.

NARA — Meia verdade, apenas. Como todas as nossas verdades. Nunca ousamos chegar ao fundo do poço.

SÉRGIO — E por que não? Podemos ir ao fundo do poço, se você quiser. (*Olha-a bem nos olhos, num desafio.*)

NARA — (*Sorri ao desafio.*) Acho melhor não nos arriscarmos.

SÉRGIO — (*Triunfante, voltando à euforia que de vez em quando o domina.*) Você, você que não tem coragem. As minhas verdades não estão no fundo do poço, mas na superfície. Por isso é que eu nada temo. Por isso é que sou invulnerável. Minha vida é de peito aberto, escancarado. Minhas verdades são claras, cristalinas.

NARA — Há verdades que podem destruir num segundo mentiras construídas pacientemente, durante anos.

SÉRGIO — Eu sou indestrutível. A mim, Sérgio de Albuquerque Penafiel, nem mesmo uma revolução pode destruir.

NARA *sorri irônica. Vai à quitinete e volta com uma garrafa de conhaque.*

SÉRGIO — Que é isso?

NARA — Conhaque. O uísque acabou.

SÉRGIO — Não é possível (*Vira a garrafa de uísque de cabeça para baixo a fim de verificar que não há mais uma gota.*) Nara, somos dois patriotas! Conseguimos beber uma garrafa inteira desse uísque infame fabricado no Brasil para desmoralizar o nacionalismo. (*Sobe na cama.*) Nara, ajoelhe-se!

NARA, *sem entender, ajoelha-se diante dele.*

SÉRGIO — (*Empunha a garrafa como se fosse uma espada e toca com ela nos ombros de* NARA.) Nara, pelos serviços prestados à pátria, eu vos faço cavalheiro da ordem do Cruzeiro do Sul! E a mim também.

NARA — (*Passa a ele a garrafa de conhaque depois de servir-se.*) O conhaque também é nacional.

SÉRGIO — Decididamente esse Paulo é um chauvinista fanático. Começo a ter por ele a admiração que se tem pelos seres que estão acima de nossa compreensão. (*Bebe.*) Estou pensando numa coisa. Aquele funcionário público.

NARA — Que funcionário público?

SÉRGIO — O que esteve aqui com a secretária. Ele disse que era católico praticante. A mulher está na Marcha da Família. E, como ele está pensando que eu sou padre, é capaz de me denunciar.

NARA — Nesse caso, teria que se denunciar a si mesmo.

SÉRGIO — Isso é verdade. Mas pode ser uma denúncia anônima. Um telefonema para a cúria.

NARA — E você é padre para temer a cúria?

SÉRGIO — Não, mas se a cúria mandar aqui averiguar vai haver um escândalo e vão ver que não há padre nenhum, mas Sérgio Penafiel disfarçado de padre. Eu vou preso e além dos outros processos vou ter que responder a mais um por uso de falsa identidade. E ele telefonou dizendo que vem apanhar o casaquinho. Não será um truque para eu ficar esperando?

NARA — Não me pareceu. Mas se for, que é que se pode fazer? Você tem algum outro lugar para onde ir?

SÉRGIO — (*Preocupado.*) Não, assim de pronto, não. Mas preciso pensar nisso. Mesmo porque eu acho que não aguento mais dois dias nesta jaula. Quase que não há diferença entre ser preso e ficar aqui neste cubículo, sem poder botar a cabeça na janela. É de enlouquecer. A única vantagem é que aqui eu posso ter você. (*Abraça-a pela cintura e pende a cabeça em seu colo, num gesto quase infantil.*) Se você pudesse vir para cá com as crianças por uns meses, até passar a tempestade. Eu podia escrever, ganhar para o nosso sustento, e assim nós sobreviveríamos.

NARA — (*Ela se espanta.*) Mas aqui, Sérgio?

SÉRGIO — Não, aqui não. Eu estava conjecturando. Vendo a possibilidade de reduzirmos o nosso mundo, as nossas exigências, diante da situação. Eu me contentaria com muito pouco, contanto que não me tirassem você e as crianças, os meus livros e me deixassem trabalhar. Acho que na vida da gente pode ter um tempo assim que não conta. A gente levanta a gola do paletó, encosta na parede e deixa a ventania passar.

NARA — (*Em seu tom de voz há uma certa perplexidade.*) É isso que você pretende fazer?

SÉRGIO — Não há outro jeito, Nara! Não há. Fomos destroçados. Esses milicos fizeram a coisa bem-feita desta vez. É bem verdade que foi um blefe. Eles não tinham a força que pareciam ter. É que ninguém quis pagar pra ver. Bastava jogar uma bombinha na tropa que vinha de Minas sob o comando da Vaca Fardada e

	eles estariam correndo até hoje. Nossa história está sempre a um passo da anedota. (NARA *sorri*.)
SÉRGIO	De que está rindo?
NARA	Estou me lembrando. Há uma semana tinha-se como certa a sua nomeação para Secretário de Imprensa da Presidência.
SÉRGIO	Ainda bem que isso não aconteceu.
NARA	Por quê?
SÉRGIO	Como Secretário de Imprensa eu só teria duas saídas: o asilo ou a prisão. O Presidente hesitou, teve medo de me nomear, e esse medo me salvou. (*Faz um brinde.*) Ao cagaço do Presidente!
NARA	E sabe quem foi escolhido para o seu lugar? Donato Moreira.
SÉRGIO	Muito bem escolhido. Um fascista.
NARA	Não acho que ele seja fascista. É um homem de bem, honesto. Não partilha de suas ideias, mas é um amigo.
SÉRGIO	Amigo, amigo, no Brasil todo mundo é amigo. Pessoas que deviam bater-se em duelo a faca, quando se encontram na rua dão-se tapinhas nas costas e vão tomar chope. É a falta de vergonha nacional.
NARA	Ele esteve lá em casa ontem à noite.
SÉRGIO	(*Surpreso.*) Donato? Foi fazer o quê?
NARA	Está preocupado com você e quer ajudar.
SÉRGIO	E você, não mandou ele à merda?
NARA	Sou mais educada.
SÉRGIO	Acha que eu vou aceitar ajuda de um homem do lado deles? De um gorila civil, que é o pior dos gorilas!
NARA	E por que não?
SÉRGIO	Que tipo de ajuda?

NARA   Ele garante que não lhe acontecerá nada se você tiver juízo.

SÉRGIO   Que é que ele entende por ter juízo?

NARA   Ficar quieto. Não se meter em nada, não dar declarações, calar a boca, afastar-se de seus antigos companheiros, enfim, dar a ele a possibilidade de mostrar aos homens que estão no poder que você não é esse terror das instituições que eles imaginam.

SÉRGIO   (*Indignado.*) Esse filho da puta teve a coragem de ir à minha casa fazer essa proposta.

NARA   Mas não foi a atitude que você decidiu tomar? Levantar a gola do paletó, encostar na parede e deixar a ventania passar?

SÉRGIO   Mas não de comum acordo com o inimigo. Não transacionando dessa maneira sórdida. Isso é o mesmo que comprar a minha liberdade ao preço da minha conivência. Isso nunca. Ao inimigo não se faz concessão, com o inimigo não se concilia.

NARA   (*Com sarcasmo.*) Como se você não vivesse conciliando diariamente.

SÉRGIO   Eu?

NARA   Sim, você. O jornal onde você trabalha está a serviço de quem? Defende os interesses de quem? De tudo aquilo que você quer destruir.

SÉRGIO   O jornal, sim, não eu.

NARA   Você é apenas editorialista do jornal. Traduz em palavras a opinião do jornal.

SÉRGIO   É um problema profissional. Sou pago para isso.

NARA   Pago para trair suas ideias.

SÉRGIO   Não é uma traição.

NARA   Que nome você prefere? Prostituição? É muito forte. E também injusto. Devo reconhecer que fora do

|||editorial você defende suas ideias e luta por elas de uma maneira muito coerente. É talvez uma semiprostituição, como dessas moças que vêm aqui fazer amor. Fora daqui são honestíssimas.

SÉRGIO — (*Descontrola-se, grita.*) Nara! Chega! (*Pausa.*) É preciso separar o homem do profissional. O editorialista é pago para escrever o que foi decidido. Não importa o que ele pense. Seu trabalho é impessoal, entende?

NARA — Entendo. É como *la belle de jour,* aquela mulher que pela manhã e à noite vivia uma vida irrepreensível com o marido, mas passava as tardes num bordel atendendo à clientela. Você, Sérgio, é uma *belle de jour* intelectual...

Ele perde a cabeça e a esbofeteia. Depois a segura violentamente pelos braços.

SÉRGIO — E você? Esqueceu de que antes de nos casarmos você foi comigo a um randevu da Lapa?

NARA — Por amor.

SÉRGIO — E não uma, fomos lá muitas vezes!

NARA — Por amor! Sempre por amor.

SÉRGIO — E eu sei que antes de mim você foi com outros. Foi também por amor?

NARA — Também.

Excitado, ele a agarra e a beija violentamente! Ela corresponde ao arroubo sexual. Os dois caem abraçados sobre o leito.

SÉRGIO — Tenho vontade de acabar com você.

NARA — Não perca a chance. Pode não haver outra.

Novamente se beijam e iniciam os preparativos para o ato sexual.

NARA — Vista a batina.

SÉRGIO — Para quê?

NARA — Vista.

SÉRGIO — Você desejou ser possuída por um padre alguma vez?

NARA — E você, nunca pensou em ser padre, só para ouvir confissões escabrosas e passar na cara todas as mulheres da freguesia?

SÉRGIO — Já, sim, quando eu era garoto.

NARA — (*Assume um ar pudico.*) Padre, eu pequei e não sei se há perdão para mim. Oh, eu não devia ter permitido.

SÉRGIO — O padre e a paroquiana ardem de amor um pelo outro! Vêm se encontrar aqui, neste templo de luxúria. (*Atira-lhe a blusa.*) Tome, vista e saia.

NARA — É preciso?

SÉRGIO — É. Para que possamos nos compenetrar bem dos nossos papéis.

NARA veste o casaco, calça os sapatos e sai. SÉRGIO veste a batina. Espera. Toca a campainha. Ele procura "entrar" no personagem e abre a porta. NARA entra, um pouco assustada, como convém à situação. SÉRGIO também demonstra emoção.

SÉRGIO — Pensei que não viesse.

NARA — Eu não devia ter vindo.

SÉRGIO — Por quê?

NARA — Porque não vai haver salvação para nós depois. (*Subitamente.*) Acho que vou embora.

Ela tenta sair, mas ele a detém.

SÉRGIO — Não! Não faça isso! Eu lhe peço! Por Santa Madalena!

NARA — Santa Madalena. Você acha que ela aprovaria?

SÉRGIO — Por certo. Ela também pecou e acabou santa.

NARA — Isso me dá uma esperança...

SÉRGIO — De vir a ser canonizada?

NARA De escapar ao inferno, ao menos.

SÉRGIO Se formos para o inferno, iremos juntos.

NARA Não, não, não diga isso! Não quero me encontrar com meu marido... (*Ela se agarra a ele como que pedindo proteção.*)

SÉRGIO Mas não há o que temer, meu anjo. (*Ele começa a despi-la.*)

NARA Padre, posso lhe fazer uma pergunta?

SÉRGIO Todas que quiser.

NARA Você acredita no Demônio?

SÉRGIO Pergunta tola para se fazer a um padre.

NARA Acredita?

SÉRGIO Claro.

NARA Posso lhe fazer uma confissão?

SÉRGIO O local não é muito apropriado, mas pode.

NARA Eu acredito mais no Demônio do que em Deus. Sério. Deus é uma ideia vaga, abstrata. O Demônio, não. É concreto. A gente sente. Está dentro de nós. Enquanto Deus é um só, os demônios são muitos. Por isso Deus leva sempre desvantagem. Porque, por mais poderoso que seja, nunca vai poder acabar com todos os demônios que cada um de nós traz dentro de si. Quando a gente faz amor, liberta um bando deles. Mas é só nessa hora que a gente tem coragem de soltar nossos demônios. Normalmente, guardamos todos muito bem guardados e sujeitos à mais severa vigilância.

SÉRGIO Isso faz mal. Uma criatura não deve andar carregada de demônios. Pode trazer uma complicação intestinal.

NARA Mas é que os demônios se escondem todos eles no fundo daquele poço de que falamos há pouco... oh, perdão, não foi com você, foi com meu marido que falei. Pois para libertar os demônios é preciso descer

|||até o fundo do poço. Meu marido me desafiou a fazer isso.

SÉRGIO — E você?

NARA — Eu recusei.

SÉRGIO — Por quê?

NARA — Não sei... Falta de coragem... ou pena...

SÉRGIO — De quem?

NARA — Dele.

SÉRGIO — Só se tem pena dos infelizes. E seu marido...

NARA — É um homem muito fraco!

SÉRGIO — (*Ferido em sua vaidade, mas levando avante o seu papel.*) Ele não me dá essa impressão. Ao contrário, parece um homem de grande força moral e mental.

NARA — E é justamente isso que o torna vulnerável. Ou melhor, a consciência que ele tem dessa força. Isso o torna autossuficiente, egocêntrico, vaidoso, cruel e covarde, às vezes.

SÉRGIO — Um monstro!

NARA — Não, um intelectual, apenas. Capaz de gestos maiores, mas também das maiores fraquezas. Frequentemente indeciso entre morrer por uma nobre causa e viver pelos pequeninos e muitos prazeres de uma existência acomodada. Enfim, um ser admirável e desprezível ao mesmo tempo.

SÉRGIO — É esta então a opinião que tem de seu marido.

NARA — Eu só diria isso a um padre, evidentemente, a mais ninguém. Não quero que ele saiba.

SÉRGIO — Pode ficar tranquila, o segredo da confissão é inviolável. Mas fale mais de seu marido.

NARA — Você vai ficar espantado, mas eu juro por Deus, casei com ele por amor.

SÉRGIO — (*Irônico.*) Estou espantadíssimo! E ele, vaidoso como é, haveria de estourar de convencimento se a ouvisse dizer isso.

NARA — Não creio. Nem sequer lhe pode passar pela cabeça que eu tenha deixado de amá-lo por um minuto, durante esses dezesseis anos de vida em comum.

SÉRGIO — É um idiota, então.

NARA — Não. Não faça julgamentos apressados. Seria injusto para com ele. Eu, sim, era uma tola quando nos casamos. Uma garota que tinha acabado de descobrir Simone de Beauvoir e começava a beber desordenadamente uma porção de ideias sobre sexo, existencialismo etc. etc. Ele chegava de Paris, onde fora fazer um curso na Sorbonne. Havia publicado seu primeiro romance com muito sucesso e sua superioridade intelectual era tão grande que eu me curvei logo às suas ideias. Foi fácil para ele incutir em mim o desejo de ser aquilo que ele entendia que uma mulher deve ser para o homem. Como um cão amestrado que se esforça por executar à risca as acrobacias que o amestrador exige dele, assim eu me esforcei por corresponder ao que ele exigia de mim. Docilmente.

SÉRGIO — Tudo que o amestrador consegue dos cães é à custa de chicote. Será que foi esse o método usado por seu marido?

NARA — Oh, não, ele nunca me bateu. Minto, hoje tivemos uma discussão violenta e ele me esbofeteou. Mas isso nunca aconteceu antes.

SÉRGIO — Imagino o que você deve ter feito para levá-lo a esse descontrole. Ele é um homem tão fino, tão controlado...

NARA — Você está se colocando ao lado dele, padre. Isso não é justo. Seja ao menos imparcial.

SÉRGIO — Estou apenas analisando o comportamento de ambos. Com isenção.

NARA — Mas eu reconheço. Hoje eu queria mesmo irritá-lo.

SÉRGIO — Queria levar um bofetão.

NARA | Não, isso não, mas queria que ele praticasse uma indignidade.

SÉRGIO | Sem querer tomar partido, não acha que agiu cruel e covardemente? Afinal, ele hoje é um homem perseguido, acuado, ameaçado de prisão, tortura, ou coisa pior.

NARA | É possível. Julgando assim o fato isoladamente, é possível.

SÉRGIO | Não acha que ele, mais do que nunca, está precisando de seu apoio, sua solidariedade?

NARA | Oh, sim, isto é o que faria aquele modelo medieval da esposa perfeita. Mas embora não tenhamos evoluído muito em matéria de relações e deveres conjugais, creio que já não estamos na Idade Média. E eu não sei se isto seria o melhor para ele. Sim, não vamos fazer a injustiça de enquadrá-lo dentro de um esquema, se ele nunca procedeu esquematicamente. Na nossa noite de núpcias, lá por volta das duas horas da madrugada, ele se levantou, vestiu-se e disse que ia comprar cigarros. Voltou dois dias depois e suas primeiras palavras foram: "Desculpe, querida, mas o botequim da esquina não tinha cigarros americanos."

SÉRGIO | E era mentira?

NARA | Não, era verdade. Meia verdade.

SÉRGIO | E o resto da verdade, ele não contou?

NARA | Contou, sim. Ele nunca me ocultou nada. A busca aos cigarros americanos o levou a encontrar casualmente uma amiga francesa. Ex-colega da Sorbonne, conhecedora profunda da filosofia alemã, que o levou para o seu apartamento. E passaram os dois o resto da noite e todo o dia seguinte discutindo Kant e a *Crítica da Razão Pura*. Dormiram juntos, evidentemente, mas esse é um detalhe sem a menor importância.

SÉRGIO | Sem dúvida. Eles devem ter sido levados a essa conjunção carnal pela necessidade de se darem, um ao outro, toda a riqueza do universo kantiano.

NARA — Curioso, foi exatamente o que ele me disse antes de me elogiar por ter sabido portar-me com a grandeza que ele esperava de mim.

SÉRGIO — Muito justa a admiração de seu marido. Garanto que ele passou a amá-la ainda mais.

NARA — Foi também o que ele me disse.

SÉRGIO — E não deu provas?

NARA — Acho que sim. Durante o resto da lua de mel cumpriu seus deveres matrimoniais de maneira impecável. Até com algum excesso.

SÉRGIO — Não lhe agradavam os excessos?

NARA — Ao contrário. Eu nunca fui uma mulher fria. O senhor sabe.

SÉRGIO — Sim, sei. Até um pouco exigente.

NARA — E ele sempre excedeu à minha expectativa. Não só no que diz respeito ao vigor, como à imaginação.

SÉRGIO — Oh!...

NARA — Acho até que não é normal.

SÉRGIO — Tolice.

NARA — É um assunto que devia ser tratado com um psiquiatra e não com um padre. E já pensei várias vezes em consultar um analista.

SÉRGIO — Está louca! Pense na reputação do seu marido.

NARA — Foi pensando nisso que me contive. Mas o senhor acha que é normal alguém ler a Bíblia em voz alta, antes do ato? O senhor, como padre, não acha que isso é uma heresia?

SÉRGIO — Quem sabe, talvez ele queira dar ao ato do amor uma significação transcendental. Talvez busque a essência de sua significação.

NARA — Ainda se fosse o Cântico dos Cânticos. Mas o Apocalipse!

SÉRGIO   Apocalipse é uma palavra grega, quer dizer revelação. O ato do amor deve ser um momento de revelação entre dois seres humanos. Dele depende a criação da vida, e através dele alcançamos o prazer carnal, aquele estado de bem-aventurança que nos reconcilia com Deus e é a derrota das bestas do apocalipse. Os poucos minutos de sua duração, do início ao gozo final, são uma síntese da luta milenar entre o Bem e o Mal, com a vitória final do Bem, como profetizou São João Apóstolo. "E subiram sobre o âmbito da terra, e cercaram os arraiais dos santos, e a cidade querida. Mas desceu do céu, por mandado de Deus, um fogo que os tragou; e o diabo que os enganava, foi metido no tanque de fogo e de enxofre, onde assim a Besta, como o falso profeta serão atormentados de dia e de noite pelos séculos dos séculos."

NARA   (*À proporção que ele recita o trecho do Apocalipse, sente-se cada vez mais excitada.*) "Depois disto ouvi como uma voz de muitas gentes no céu, que diziam: Aleluia! A salvação, e a glória, e o poder é ao nosso Deus." (*Entrega-se a ele, que recita junto ao seu ouvido.*)

SÉRGIO   "Porque verdadeiros e justos são os juízes, porque ele condenou a grande Prostituta que corrompeu a terra com a sua prostituição, e porque vingou o sangue de seus servos, das mãos dela."

NARA   (*Rola com ele sobre o leito.*) "E outra vez disseram: Aleluia!"

SÉRGIO   "E o fumo dela sobe por séculos de séculos."

NARA   (*Repete em êxtase.*) "Por séculos de séculos."

Separam-se, como se tivessem chegado ao fim do orgasmo.

SÉRGIO   (*Murmura.*) "E ele me mostrou um rio da água da vida, resplandecente como cristal."

Há um longo silêncio, que é quebrado pelo toque da campainha. SÉRGIO *salta da cama.* NARA *levanta-se também, menos prontamente, porém.*

SÉRGIO — Não abra!

NARA — Pode ser o Paulo.

SÉRGIO — Não, temos uma combinação. Três toques. (*A campainha toca pela terceira vez.*)

NARA — Já tocou três vezes.

SÉRGIO — Não é assim. Três toques curtos, seguidos.

A campainha continua tocando, insistente. Eles permanecem imóveis, olhando para a porta. Depois de algum tempo, ouve-se o ruído de uma chave introduzida na fechadura.

NARA — Vão abrir.

SÉRGIO corre para o banheiro, enquanto NARA procura compor-se mas a porta se abre sem que ela o consiga completamente. Surge o MOURA.

MOURA — Oh, perdão eu toquei a campainha várias vezes.

NARA — Eu ouvi.

MOURA — Por que não abriu?

NARA — Estava... dormindo.

MOURA — Oh, entendo... Perdoe-me se interrompi... (*Tem um sorriso malicioso.*) Onde está ele?

NARA — Ele, quem? Estou sozinha.

MOURA — Ora, pra cima de mim? Sei que está aí com um padre.

NARA — O senhor é da polícia?

MOURA — Não, sou do IAPETEC. Por quê?

NARA — Pensei.

MOURA — Fique tranquila. A polícia nunca vai bater aqui. O sócio dos domingos é um comissário. Estamos garantidos.

SÉRGIO entra.

MOURA	Olá, reverendo. Voltei para buscar o casaquinho da moça. Ela está aí me esperando.
NARA	Ah, foi com o senhor que eu falei no telefone.
MOURA	Foi. (*Apanha o casaquinho.*) Com licença e desculpem tornar a interrompê-los.
SÉRGIO	Absolutamente, nós é que temos de pedir desculpas. Somos os intrusos. O dia hoje é seu.
MOURA	Sim, hoje é o meu dia, sábado. Mas não tem importância. O senhor é amigo do Paulo e o Paulo é meu do peito. Se tivesse me avisado antes, eu nem tinha aparecido aqui. Podem ficar à vontade, é até uma satisfação para mim... (*Vai saindo.*)
NARA	Mas espere, por que essa pressa?
MOURA	A garota está me esperando...
NARA	Faça ela entrar, vamos tomar alguma coisa.
MOURA	(*Indeciso.*) Eu não sei ela está um pouco acanhada por causa do padre.
NARA	Ora, que bobagem.
SÉRGIO	(*Não consegue dissimular a sua contrariedade.*) Nara, não vamos constranger a moça.
NARA	Mas constranger por que, meu amor? Se ela não ficou constrangida em ver este senhor aqui nu em pelo (*Para o* MOURA:) Chame a moça.
MOURA	(*Chama da porta.*) Verinha!
VERA	(*Surge na porta.*) Apanhou o casaco?
MOURA	Eles estão nos convidando a entrar.
VERA	Entrar? Com eles aí? Que indecência!
NARA	Não é o que você está imaginando, meu bem, nessa cabecinha suja. Uma suruba. É só para tomar um gole de conhaque. Faz bem, retempera as energias gastas no amor. (*Serve um cálice ao* MOURA *e a* VERA.)

MOURA	Obrigado. É que também já está um pouco tarde e tanto ela como eu...
SÉRGIO	Ele é casado, e ela, também.
NARA	Ah, sim? Vamos então comemorar esse duplo adultério! Aliás, triplo. (*Serve* SÉRGIO *e se serve também de conhaque.*) Que vivam as mulheres e os maridos corneados.
SÉRGIO	Viva!

MOURA *e* VERA *brindam muito constrangidos.*

NARA	Sentem-se, fiquem à vontade. Quer tirar o paletó?
MOURA	Não, obrigado, não vamos demorar.
NARA	Estou servindo conhaque porque não tem outra coisa. Bebemos todo o uísque.
SÉRGIO	O senhor me desculpe, afinal o senhor é um dos sócios deste lupanar, mas o uísque era péssimo.
NARA	Meu marido detesta uísque nacional.
MOURA	Seu marido?
SÉRGIO	É, o marido dela. E eu também.
NARA	O reverendo e meu marido têm gostos parecidos; gostam da mesma mulher e da mesma marca de uísque.
MOURA	Perdão, reverendo, mas no Brasil já estamos fabricando uísque de muito boa qualidade. Nossa indústria vinícola tem evoluído bastante. Estamos até exportando, poupando divisas preciosas. (*Apanha a garrafa de uísque vazia.*) Este uísque por exemplo.
SÉRGIO	(*Corta.*) É uma merda! Rigorosamente uma merda!

VERA *se choca com a linguagem agressiva de* SÉRGIO.

MOURA	Bem, o senhor deve estar habituado a beber bons vinhos nos conventos. Não pense também que sou desses nacionalistas estreitos.
SÉRGIO	Pois eu sou. Nacionalista em tudo, menos no uísque.

MOURA	(*Como que pedindo desculpas.*) A pessoa encarregada de comprar as bebidas é o Paulo.
SÉRGIO	Logo vi. É de um mau gosto a toda prova. Já reparou que ele usa meias brancas?
MOURA	Não, nunca reparei.
SÉRGIO	Pois é, meias brancas.
MOURA	Mas que mal há nisso?
SÉRGIO	Meias brancas, meu caro. Entendeu bem? Meias brancas!
MOURA	(*Sem alcançar a gravidade do jato.*) Oh, sim, meias brancas... (*Olha disfarçadamente para os próprios pés.*)
SÉRGIO	Mas é um ótimo sujeito.
MOURA	Excelente. Somos amigos de infância. Fizemos juntos o primário e o ginásio. Depois ele, com essa mania de escrever peças. Mas nunca deixamos de ser amigos. Somos compadres. Ele batizou minha filha mais velha, a Lucinha...
	NARA *solta uma gargalhada.*
MOURA	Que houve?
NARA	Estou imaginando o Paulo, comuna até os ossos, na Igreja, de vela na mão e cara de beato.
SÉRGIO	E o senhor sabe que, neste caso, o batismo não tem valor?
MOURA	(*Muito preocupado.*) Não tem?
SÉRGIO	O batismo é o sacramento que nos introduz na graça divina, aquele que apaga o pecado original que o homem herdou de Adão e Eva.
MOURA	E o senhor acha que um comunista não pode?
SÉRGIO	É evidente que não. Seria um contrassenso.
MOURA	Mas, na ocasião eu me informei, disseram que isso não tinha importância. Que até mesmo a cerimônia,

na falta de um padre, podia ser realizada por um ateu, ou pagão.

SÉRGIO — (*Gozando, sadicamente, a perturbação do* MOURA.) Um ateu ou um pagão, sim. Mas um comunista... Um inimigo declarado da religião, um Anticristo... (*Põe a mão no ombro de* MOURA.) Meu caro amigo, temo pela alma de sua filha.

MOURA — Mas ela não tem culpa! Não foi ela quem escolheu o padrinho, fui eu.

SÉRGIO — Não sei se isso pode ser levado em conta.

MOURA — Tem que ser! A senhora não acha?

NARA — Ele é padre, deve estar por dentro dessas coisas, não é?

VERA — (*Que se sente profundamente deslocada, inibida.*) Eu acho que já é tarde, precisamos ir.

MOURA — Espere, meu bem. Agora eu tenho que esclarecer esse ponto. (*Para* SÉRGIO:) O senhor é então de opinião...

SÉRGIO — Não é questão de opinião, meu caro. É uma questão de dogma e de fé. Sua filha continua pagã. Pior ainda, não tendo sido apagado de seu corpo o pecado original, o pecado da carne, ela, se morrer hoje, irá diretamente para o círculo do inferno destinado às mulheres dissolutas.

MOURA — (*Reage.*) Espera lá, padre. Minha filha tem apenas dezesseis anos.

NARA — Aos dezesseis anos, eu já havia conhecido vários homens e meu pai botava a mão no fogo pela minha virgindade.

SÉRGIO — Há mulheres dissolutas e até prostitutas com dezesseis anos.

MOURA — Mas não na minha família.

NARA — Ah, não! O senhor tem certeza? Tem certeza de que sua filha, a Lucinha, ainda é virgem?

MOURA	(*Sentindo-se profundamente chocado e ofendido.*) Olhe, minha senhora, esse tipo de conversa...
NARA	Claro, os pais sempre acham que tudo pode acontecer com a filha dos outros, menos com a deles.
MOURA	Minha família é uma coisa sagrada.
NARA	A sua, a dos outros, não.
MOURA	Não estou ofendendo ninguém.
NARA	(*Referindo-se a* VERA.) Que idade ela tem?
VERA	Dezoito.
NARA	Dois anos mais que sua filha. E não vai me enganar que hoje foi a primeira vez.
MOURA	Ela é casada.
SÉRGIO	E ele é o padrinho.
NARA	Que patife! Usando o direito de pernada.
SÉRGIO	Mas espera lá, não vamos fazer um juízo apressado Talvez o marido dela e a mulher dele saibam desse encontro e estejam de acordo.
MOURA	(*Rebatendo, indignado.*) O senhor está louco? Como pode caluniar desse modo uma senhora honesta, que o senhor, aliás, nem conhece?
VERA	(*Nervosa, indignada.*) Que é que ele está imaginando? Que meu marido é corno manso?
SÉRGIO	Um momento, eu acho que há um equívoco.
MOURA	Claro, o senhor está completamente equivocado, padre. Nós somos pessoas decentes. Eu sou um homem respeitável, chefe de repartição, tenho quatro filhos e muito respeito por minha esposa. A moral lá em casa é a mais severa. Meus filhos acham que sou um quadrado, mas nessa questão de família eu penso à antiga. A família é a célula da sociedade.

SÉRGIO	Permanece o equívoco. Meu caro, eu estava apenas procurando uma justificativa moral para a fornicação de vocês.
MOURA	Justificativa moral? E a justificativa moral era minha mulher e o marido dela saberem?...
VERA	Ele acha isso moral? É imoralíssimo.
SÉRGIO	Bem, imoralíssimo seria eles participarem também do ato.
VERA	Jesus! Nunca vi um padre falar assim.
MOURA	Por acaso o marido dela sabe que ela está aqui com o senhor?
SÉRGIO	Claro que sabe. Ela é casada com um homem inteligente, que sabe diferenciar entre libertinagem, desejo animal e necessidade de comunicação.
MOURA	Necessidade de comunicação.
NARA	Por outro lado, sempre que ele sente essa necessidade em relação a outra mulher, eu sou a primeira a saber.
SÉRGIO	Claro! Direitos iguais.
NARA	Se bem que essa igualdade seja apenas teórica. Na prática a sociedade demonstra a maior incompreensão para com os meus direitos, enquanto se mostra ultracompreensiva para com os dele. Simplificando, para todos ele é um extravagante e eu sou uma puta.
SÉRGIO	Completamente injusto.
MOURA	Não sei se é injusto. A sociedade tem que se defender. A mulher não pode ter a mesma liberdade sexual do homem. É ela quem gera os filhos. E os filhos precisam ter pais legítimos. Senão é o caos.
NARA	Sim, a mulher precisa ter filhos legítimos, mas o homem pode fazer filhos ilegítimos em qualquer outra mulher. O senhor, por exemplo, pode ter acabado de fazer um filho nela.

VERA	Impossível.
NARA	Impossível por quê?
VERA	(*Com algum pudor.*) Nós tomamos precauções.
SÉRGIO	Mas, se é assim, não haverá consequências biológicas, nem sociais. Os alicerces da sociedade burguesa não serão abalados. Então por que diabo vocês fazem isso às escondidas? Por que o senhor não chega para sua mulher e diz: querida, aconteceu um fato maravilhoso e imprevisto. Eu e minha secretária sentimos necessidade imperiosa de uma comunicação mais profunda, além das ordens de serviço, dos memorandums e dos interfones. Nós descobrimos que temos a dar, um ao outro, alguma coisa de nós mesmos que somente em estado de graça ou de amor a criatura humana consegue dar ao seu semelhante. Por isso eu vou foder com ela.
MOURA	(*Contendo a sua indignação.*) O senhor quer que eu diga isso a minha mulher!
SÉRGIO	E por que não?
MOURA	À D. Maria Emerenciana Soares de Moura!
SÉRGIO	D. Maria Emerenciana Soares de Moura vai compreender que isso é importante para você. Que essa experiência vai enriquecê-lo em sua humanidade. E vai sentir-se até feliz porque você vai voltar para ela um homem mais rico interiormente.
MOURA	Sabe o que eu acho, padre? Não me leve a mal, mas eu acho que o senhor está doido varrido.
SÉRGIO	Curioso. Eu estou lhe propondo um procedimento sensato, coerente, honesto, e o senhor me chama de louco. Então está tudo errado no mundo, tudo errado.
MOURA	Deve estar mesmo. Porque eu nunca imaginei que um padre me aconselhasse o adultério e ainda mais a tapear minha esposa com uma literatura cínica.

SÉRGIO   Isso não é tapear, é ser leal com ela.

MOURA   Para mim isso é apenas falta de respeito. E também uma crueldade. Por que é que eu vou feri-la desse modo? Pois é claro que ela vai se sentir diminuída, humilhada. E ela é boa para mim. Me deu quatro filhos e só vive para eles. É um anjo de criatura. Nunca haveria de compreender. Nem mesmo que eu me justificasse da maneira como o senhor disse...

NARA   Ou será porque essa justificativa não passaria de uma deslavada mentira? Porque a verdade é que toda essa história de enriquecimento interior etc. não se aplica ao seu caso. Deixando de parte as justificações filosóficas, você está apenas papando a secretária. É ou não é? Talvez até nem sinta essa atração irresistível por ela. Mas é um dever de virilidade de todo homem papar a sua secretária. Claro, isso você não pode dizer a sua mulher. Embora diga aos amigos.

VERA   (*Em tom ameaçador.*) Você não vai contar nada a ninguém!

MOURA   Claro que não!

NARA   Claro que sim! Pois se essa é a melhor parte do prazer que você lhe proporcionou. E na idade dele isso é importante. É como um general ameaçado pela compulsória que ganha a última batalha. Vai passar o resto da vida se vangloriando.

MOURA   Não dê importância ao que ela diz. Você me conhece e sabe que eu sou incapaz de uma sujeira dessas.

NARA   Se você acredita, minha filha, é uma idiota. Não conhece os homens. Vai contar até particularidades, os menores detalhes. Vai até inventar algumas aberrações, para tornar mais excitante.

VERA   (*Grita, numa crise de choro.*) Pare, pare com isso!

SÉRGIO   Que foi que você fez à moça, Nara?

NARA   (*Afastando-se à procura de bebida.*) Eu, nada. Acho que ela está histérica.

SÉRGIO	(*Aproxima-se de* VERA, *abraça-a carinhosamente.*) Que foi, meu anjo?
MOURA	É uma moça de família. Muito sensível. Não está acostumada a essas brincadeiras.
NARA	Eu não fiz brincadeira nenhuma.
MOURA	E eu não sou esse mau-caráter que a senhora está imaginando.
NARA	(*Coquete.*) Mais um conhaque, bom-caráter?
MOURA	Não, obrigado, ou melhor, um pouquinho só.
	NARA *serve uma dose de conhaque ao* MOURA.
VERA	Se o senhor fosse um padre mesmo, seria tão bom.
SÉRGIO	(*Julga que ela descobriu seu disfarce.*) E eu não sou um padre mesmo?
VERA	Quero dizer, um padre como os outros, sério, em que a gente pode confiar.
SÉRGIO	Ah, os quadrados!...
VERA	(*Ainda chorando.*) Eu não queria sair com ele. Sabia que isso ia acabar mal. Só vim mesmo porque...
SÉRGIO	Porque ele prometeu lhe arranjar um bom aumento de ordenado. Uma promoçãozinha.
VERA	(*Espantada.*) Como é que o senhor sabe?
SÉRGIO	Adivinhei.
VERA	Isso foi ele que lhe disse.
MOURA	Não é verdade, eu não disse nada. Disse?
VERA	(*Fita o* MOURA *com rancor.*) Começo a ter ódio de você.
MOURA	Mas, meu anjo, eu juro...
VERA	Não é por isso não. É por tudo. Você me obrigou a fazer o que eu não queria.

MOURA	Ora, não venha agora se fazer de vítima. Há seis meses, desde que foi trabalhar comigo, que você vive me provocando diariamente. Com suas minissaias, suas pernas cruzadas, suas confidências... (*Para* SÉRGIO:) O senhor pode imaginar como se sente um homem quando sua secretária, recém-casada, vem lhe dizer que o marido sofre de inibição. Ouvindo isso, um homem, por mais controlado que seja, perde a cabeça. É ou não é?
NARA	Mesmo quando a secretária é também afilhada.
MOURA	Foi ela quem inventou essa história de eu ser padrinho do casamento.
VERA	Eu só queria a sua proteção. Só isso.
MOURA	Mas eu não precisei insistir muito para você sair comigo hoje. E você sabia das minhas intenções. Não venha tirar onda de santa diante do padre.
VERA	Porque você disse que sua mulher tinha engordado trinta quilos e eu fiquei com pena de você (*Leva a mão ao estômago, passando mal.*) Ai...
SÉRGIO	Que está sentindo?
VERA	Não posso me aborrecer fico com o estômago todo embrulhado... (*Correndo para o banheiro.*) Acho que vou ao banheiro. (*Sai.*)
SÉRGIO	Ela não bebeu quase nada.
MOURA	Não, ela é assim. Sempre que tem um aborrecimento dá isso nela. É uma moça toda complicada. Gasta todo o dinheiro que ganha no analista.
	Ouve-se VERA *vomitando.*
SÉRGIO	Coitada, vou lá ver se ela está precisando de ajuda.
NARA	(*Num tom de advertência, quase imperioso.*) Sérgio, acho melhor você ficar aqui.
SÉRGIO	Por quê? A moça está passando mal.

NARA — Eu acho que ela pode se arranjar sozinha. Não é caso de extrema-unção.

SÉRGIO — Nara, você nunca me decepcionou, não me decepcione agora. (*Sai.*)

MOURA — Que foi que ele quis dizer?

NARA — Há dezesseis anos que eu procuro coragem para decepcioná-lo.

MOURA — Dezesseis anos?

NARA — Um pouco mais.

MOURA — Acho uma pena. Quero dizer, você é uma mulher bonita, qualquer homem... Claro, um padre é também um homem. Mas tenho a impressão de que não é a mesma coisa.

NARA — Posso lhe garantir que não há diferenças essenciais.

MOURA — Tem que haver. Os padres fazem votos de castidade. São pessoas que se colocam acima do homem comum, fora da luta pela vida, mais próximos de Deus. Amar um padre não pode ser a mesma coisa. Deve ser assim como...

NARA — Como praticar uma aberração sexual.

MOURA — Um pouco.

NARA — E por isso você acha que eu não posso praticar o adultério com a consciência tranquila como você pratica. É isso?

MOURA — O que eu acho é que você merece um homem que se possa dar por inteiro a você. Um padre não pode.

NARA — Um homem como você, por exemplo?

MOURA — (*Muito excitado.*) Se eu tivesse essa sorte...

Entram SÉRGIO *e* VERA. *Esta não está bem ainda.*

SÉRGIO — Sente-aqui. (*Leva-a até a cama.*)

VERA	(*Senta-se na cama, pende a cabeça para trás e cerra os olhos.*) Obrigada, não se preocupe.
NARA	Que pena. Vocês chegaram no momento em que eu estava recebendo uma senhora cantada.
SÉRGIO	Oh, mas um minuto só que eu me ausentei! Nosso amigo não perdeu tempo.
MOURA	(*Muito constrangido.*) Eu... a senhora entendeu mal... eu estava apenas...
NARA	Ora, não se acanhe. Nem faça ao padre a injustiça de imaginar que ele vai se aborrecer. Ele, como o meu marido, é um homem inteligente, que sabe diferençar entre libertinagem e necessidade de comunicação entre dois seres humanos.
SÉRGIO	(*Reage com espírito esportivo à provocação.*) Claro, se você a deseja desse modo e se ela está de acordo, nem eu nem o marido dela temos nada a opor. Fazemos até votos para que vocês encontrem um no outro o que procuram.

VERA *abre os olhos e assiste à cena, perplexa.*

MOURA	(*Terrivelmente constrangido.*) Eu não cheguei a tanto.
NARA	(*Ofendida.*) Como não chegou? Você não disse que eu precisava de um homem que se desse todo e que um padre não podia?
MOURA	Disse, mas...
SÉRGIO	Um homem que se desse todo. Minha querida, acho que não deve deixar escapar esse momento. Dificilmente um homem se dá todo a uma mulher. Nem mesmo no auge da maior paixão. Nem Werther se deu assim a Carlota. Nem Romeu a Julieta! Há sempre um recanto de si mesmo que ninguém dá a ninguém.

NARA *tem um ar de provocante sensualidade, mas o* MOURA *não consegue vencer suas inibições.*

SÉRGIO	Vamos, que espera? Ou você é desses que ficam inibidos na frente dos outros? Infelizmente, não posso

sair para deixá-los a sós. Mas que diabo, um homem que quer se dar todo a uma mulher deve ter chegado a um estado de abstração que o resto do mundo passa a não existir. Não é assim que você se sente quando olha para ela? Esqueça, portanto, que estamos aqui (*Grita, empurrando-o para ela violentamente.*) Vamos. Seja homem.

MOURA — (*Mais perturbado do que tentado.*) Não é direito. Não é direito o que o senhor está fazendo!

SÉRGIO — Não é direito por quê? O direito seria você trazê-la aqui no próximo sábado sem que eu soubesse. Seu sujo! É essa a sua ética!

MOURA — Eu não pensei em fazer isso. Na verdade, não pensei em nada assim, concretamente. O que eu disse foi sincero, mas foi apenas uma frase.

SÉRGIO — Você ouviu, Nara?

NARA — (*Olha-o com ódio.*) Você é o mesmo de sempre, Sérgio.

SÉRGIO — Acha que não me portei como deve ser?

NARA — Não sou tão idiota que não perceba suas manobras.

SÉRGIO — Que manobras?

NARA — Eu sei! Há dezesseis anos que você vem repetindo o mesmo truque.

SÉRGIO — Estou estranhando você hoje.

NARA — É possível que venha a estranhar ainda mais.

SÉRGIO — Não entendo. Sinceramente, não entendo.

MOURA — Nem eu. Não entendo nada desde que cheguei aqui. Acho que vocês são dois loucos. Estão brincando com coisas que não se deve brincar. E eu quase me deixei contagiar. (*Para* VERA:) Vamos, vamos embora.

SÉRGIO — Espere, ela não está passando bem. Você não vai levá-la daqui assim. Espere a moça melhorar.

VERA	Não adianta, eu só melhoro com o tranquilizante que o médico me receitou.
SÉRGIO	Sabe o nome?
VERA	Tenho a receita na bolsa.
SÉRGIO	(*Pega a bolsa de* VERA *e entrega a ela, que tira a receita.* SÉRGIO *toma o papel de sua mão e passa-o ao* MOURA). Há uma farmácia aí na esquina. Traga-me também um analgésico.

MOURA *sai com a receita, docilmente.*

SÉRGIO	(*Segura a mão de* VERA.) Está gelada. E suando frio. Tudo isso por causa daquela discussão?
VERA	Eu não suporto que alguém grite comigo. Fico logo tonta, me dá ânsia de vômito e alergia. (*Mostra o braço.*) Veja, estou cheia de urticária.
NARA	Quem sabe a menina está esperando neném?
VERA	(*Veemente.*) Não, não. O médico disse que é muito difícil acontecer. Eu fiquei com retroversão depois... Bem, eu estou falando demais, devo estar sendo muito chata. Sei que as pessoas me acham chata quando falo de mim...
SÉRGIO	Por enquanto, não. Quando ficar chata eu digo.
VERA	(*Anima-se um pouco.*) Eu gostava de um rapaz. Ele fazia cinema, quer dizer, queria fazer cinema. Vivia à espera de uma chance. E eu andava com ele pelas ruas, pelos bares do Catete e de Copacabana. Era uma vida maluca a nossa e por isso eu tive que sair de casa. Mas eu gostava. Até que um dia ele me deixou por uma negra. Não é que eu seja racista, quer dizer, a gente sempre diz que não é. Mas a verdade é que eu não estava preparada para aquilo. Para que ele me trocasse por aquela coisa. Vi que não passava também de uma coisa. Coisa branca que ele trocava por uma coisa preta. Tomei vinte comprimidos de veronal e acordei no pronto-socorro. Meu pai estava do lado me olhando com raiva. Dias depois ele me levou num "fazedor de anjos", que arrancou de

	dentro de mim um feto de quatro meses. Acho que foi aí que fiquei com retroversão.
NARA	(*Mordaz.*) O que é uma vantagem para quem se dedica ao arriscado esporte do adultério. Não há perigo de consequências.
VERA	(*Simplória.*) Não senhora, perigo sempre há, mas muito menor.
NARA	Mesmo assim, é uma vantagem. Acho que você devia fazer propaganda disso.
VERA	(*Sente a ironia de* NARA.) Por quê? Eu não estou querendo me vender.
SÉRGIO	Claro, a moça se dá por amor, não necessita de nenhum lançamento publicitário.
NARA	(*Irônica.*) Foi por amor que ela e esse senhor?...
SÉRGIO	E também solidariedade humana: a mulher dele engordou trinta quilos, lembre-se disso.
VERA	Ele é bom para mim. Tem paciência comigo. São poucas as pessoas que têm paciência comigo.
NARA	E a promoção?
VERA	Sim, ele vai arranjar. Mesmo que eu não saísse com ele hoje, eu tenho certeza de que ele vai arranjar.
NARA	Mas você quis garantir. E garantiu. Agora, ou ele lhe consegue essa promoção ou está perdido. A mocinha vai fazer valer a sua "solidariedade humana".
VERA	Por que a senhora fala assim comigo?
NARA	Porque detesto as pessoas que pensam que basta pintar a merda de cor-de-rosa para que ela vire sorvete de morango.
SÉRGIO	Nara! Você está sendo desumana! Veja que é uma pobre menina, doente, traumatizada.
NARA	Pobrezinha, o namorado cineasta a trocou por uma crioula. E desde então resolveu dar assistência sexual

gratuita aos homens casados com mulheres gordas. (*Sobe na cadeira e discursa.*) Atenção, maridos! Se as coxas de sua mulher engrossaram demais, procurem as desta moça e obterão ampla compensação, em nome da justiça, do amor e da fraternidade universal.

SÉRGIO   (*Grita revoltado.*) Nara, pare com isso.

VERA sai correndo para o banheiro, numa crise de choro e de vômito. Toca a campainha do telefone, ao mesmo tempo que se abre a porta e MOURA entra.

MOURA   (*Surpreso por ver NARA de pé sobre a cadeira.*) Eu trouxe o remédio. O analgésico. (*Procura VERA.*)

SÉRGIO   Ela está lá dentro.

Ouve-se VERA em ânsias de vômitos.

MOURA   De novo?...

SÉRGIO   É. Acho bom que tome logo o remédio.

MOURA   (*Vai saindo em direção ao banheiro, para, lembrando-se de uma coisa.*) Engraçado, sabem que há um choque da polícia aí embaixo?

SÉRGIO   (*Estremece, embora procure disfarçar o abalo que a notícia lhe causa.*) Um choque?

MOURA   (*Sem dar demasiada importância.*) Armado de metralhadoras, o diabo. Parece que estão procurando um subversivo que se refugiou neste prédio. (*Vendo que o telefone continua a tocar.*) Não vai atender? (*NARA tira o fone do gancho, mas SÉRGIO salta sobre o aparelho e desliga.*)

SÉRGIO   Está louca?

MOURA   É, é melhor não atender. Esse telefone é um perigo. Já disse ao Paulo que era melhor retirá-lo. *Garçonnière* não deve ter telefone. Toda vez que ele toca quando eu estou aqui sinto um calafrio na espinha, penso logo que é minha mulher.

SÉRGIO   Foi o que eu pensei, que podia ser o marido dela.

MOURA   Mas vocês não disseram que ele sabia e estava de acordo? Ah, peguei... Toda aquela filosofia... Grandes patifes. (*Sai.*) Verinha! Eu trouxe o remédio.

SÉRGIO   Eu não disse? Você foi seguida.

NARA   Como é que você sabe?

SÉRGIO   Não há outra explicação. Ninguém sabe que eu estou aqui, além do Paulo.

NARA   Se tivessem me seguido, já estariam aqui e não lá embaixo.

SÉRGIO   Talvez tenham visto você entrar no prédio, mas não tenham identificado o apartamento. (*Subitamente.*) O rapaz do fusca!

NARA   Que rapaz?

SÉRGIO   Você disse que foi seguida por um rapaz que lhe ofereceu carona.

NARA   Um playboy.

SÉRGIO   Podia ser um agente do Dops. Não pense que todos eles têm cara de bandido mexicano. Com certeza ele teve que estacionar o carro e não viu em que apartamento você entrou. Ainda foi uma sorte. Quer dizer, sorte. Sorte uma porra, agora eles vão de apartamento em apartamento e acabam dando aqui. (*Corre até a janela e afasta um pouco a cortina, tomando cuidado para não ser visto de fora.*) É, estão lá. (*Sua tensão nervosa aumenta cada vez mais.*) Só daqui eu posso ver quatro, cinco, sete, nove. E estão mesmo armados de metralhadoras! Uma dúzia de homens armados até os dentes para prender um mísero intelectual que está aqui se cagando de medo. Não é ridículo?

Durante a "fala" anterior, NARA abre a geladeira à procura de gelo, torna a fechar. Lembra-se de algo, torna a abrir.

SÉRGIO   Você está ouvindo?

NARA fecha a geladeira.

SÉRGIO — (*Grita, irritado.*) Pare de abrir e fechar essa geladeira.

NARA — Estava vendo se já tinha feito gelo.

SÉRGIO — Gelo. Eles cercaram o prédio, está entendendo? Vão agora subir de andar em andar. Estamos perdidos!

NARA — (*Tranquila.*) Acho que você está. Eu não.

SÉRGIO — (*Chocado.*) Claro, eles não vão prender você. E eu não vou cair no pieguismo de lhe lembrar que somos duas pessoas numa só.

NARA — Você sempre me disse que eu preciso ser forte, se alguma coisa lhe acontecer.

SÉRGIO — Forte, sim, mas não insensível.

NARA — É uma maneira de ser forte. Eu hoje tomei algumas decisões, Sérgio, inclusive esta.

SÉRGIO — Mas não precisava exagerar. Chego a ter a impressão de que você quer que eu seja preso.

NARA — Se quisesse, eu mesma teria denunciado você. (*Sorri.*) Quem sabe se não fui eu?

SÉRGIO — Suas brincadeiras hoje estão de péssimo gosto.

NARA — Não estou brincando. Se somente eu e Paulo sabíamos de seu esconderijo e como a história do rapaz do Volkswagen é um tanto inverossímil...

SÉRGIO — Não creio que você tenha me denunciado, mas acredito que tenha vindo aqui com o único propósito de me irritar.

NARA — Não vai me bater novamente. Olhe que agora temos visitas. Eles pensam que você é um padre libertino. Poderão acrescentar libertino e sádico.

SÉRGIO — (*Lembra-se do disfarce.*) Espere, talvez eu possa sair sem que me reconheçam! Já fiz isso uma vez, quando escapei do jornal.

NARA — Só que naquela ocasião eles não estavam procurando você especificamente. E agora, ao que parece...

SÉRGIO — Eles devem estar pedindo identidade de todas as pessoas que saem do prédio.

NARA — É provável também que já saibam que você fugiu vestido de padre.

SÉRGIO — Como saberiam?

NARA — Ora, meu caro, há pessoas que têm o feio costume de falar. E você acha que todos os seus colegas do jornal, sem distinção, são dignos de confiança?

SÉRGIO — Não, por certo. Há alguns que até ficariam muito felizes se eu fosse preso. Mas tudo isso são conjecturas. O que há de concreto é que eles estão aí embaixo. Não tardarão a chegar aqui. E eu preciso decidir rapidamente o que fazer. (*Irritado com a tranquilidade de* NARA.) Ajude-me, ao menos nisso!

NARA — Que é que você quer? Uma opinião? Você nunca necessitou da minha opinião nas decisões importantes.

SÉRGIO — Nara, este não é o momento de discutirmos essas coisas.

NARA — Bem, eu acho que numa situação como esta só há dois caminhos: entregar-se ou resistir. Você vai resistir?

SÉRGIO — Tenho uma arma... (*Saca do revólver.*)

NARA — (*Sorri.*) E com este espanta-ladrão você vai enfrentar uma dúzia de homens armados de metralhadoras?

SÉRGIO — Não estou pensando nisso.

NARA — E, se não há condição para luta armada, acho que você deve procurar uma saída política.

SÉRGIO — Qual?

NARA — Telefonar para o Donato, por exemplo.

SÉRGIO — E aceitar as condições que ele impôs? Conchavar. Conciliar.

NARA — Mesmo que você não concilie, creio que ele não se negaria a interceder. Pelo menos para que você não seja torturado.

SÉRGIO Sim, isso eu acho que ele pode. Está com força suficiente. E afinal ele é um intelectual honesto, apesar de estar do lado deles. É um equivocado. Mas não safado, penso eu.

NARA Não sei se será ele o equivocado ou você. Provavelmente, os dois. Mas isso não vem ao caso.

SÉRGIO Você não está comparando a minha conduta com a do Donato Moreira. Eu fiz uma opção. Podia ser hoje um romancista acomodado como ele, entrar para a Academia, recebendo os aplausos e as recompensas que a burguesia não nega aos homens de talento que desistem de lutar pela transformação da sociedade. Preferi, em respeito a mim mesmo, continuar sendo o que sou. E é por isso que eles vêm me prender. Porque eu não me corrompi.

NARA Sim, é fato, você não se corrompeu. Mas a eficácia de sua atitude é que me parece nula.

SÉRGIO Não vamos discutir isso agora.

NARA Você contesta um regime sem se aperceber de que essa sua contestação faz parte do jogo consentido. Em resumo, você julga estar minando os alicerces de uma sociedade à qual você serve e serve melhor quando está contestando, justamente porque seu inconformismo, sendo inofensivo, é usado e consumido pelo sistema que necessita dele para se intitular de democrático. É isto que você não percebe. Você e os bobos sonhadores que pensam e agem como você.

SÉRGIO Você está me chamando de bobo?

NARA Isso mesmo, eu chamei você de bobo.

É como se ela o tivesse esbofeteado, e a reação dele é mais de perplexo que de ofendido. De repente acontece o que jamais aconteceu em dezesseis anos de vida em comum: ela mostra quem é o mais forte.

SÉRGIO Que é que há com você hoje?

NARA (*Tranquila, tira o fone do gancho e começa a discar.*) Nada. Sou a mesma mulher que dorme em sua cama há mais de dezesseis anos.

SÉRGIO Que está fazendo?

NARA Ligando para Donato.

SÉRGIO (*Ainda tem um impulso para impedir, mas contém-se.*) Está bem. Mas faça isso como uma coisa sua. Para todos os efeitos, eu não sei e nunca saberei. (*Despe a batina.*) Acho melhor tirar isto. Você tem razão, é possível que eles já saibam que eu fugi disfarçado. E, de qualquer maneira, ser preso vestido de padre é ridículo.

NARA Não atende.

SÉRGIO (*Vê-se a decepção em seu rosto.*) Está chamando?

NARA Está, mas ninguém atende.

SÉRGIO Você ligou pra casa dele?

NARA Não, para o escritório.

SÉRGIO Ligue para a residência. Aqui tem um catálogo.

NARA (*Interrompe.*) Não adianta. Ele não está em casa.

SÉRGIO Como é que você sabe?

NARA Que horas são?

SÉRGIO Sete horas.

NARA Ele está à minha espera.

SÉRGIO Você marcou encontro com ele?

NARA Marquei.

SÉRGIO Para quê?

NARA Para dizer o que decidimos.

SÉRGIO A respeito de quê?

NARA De nós.

SÉRGIO   Não estou entendendo.

NARA   Já não é preciso que você entenda. A situação mudou. Eu vim aqui com uma decisão tomada. Mas não contava com esse cerco... sua prisão, talvez...

SÉRGIO   E que decisão foi essa que você tomou?

NARA   A de deixá-lo. Vim aqui só para lhe comunicar.

SÉRGIO   Muito obrigado. É uma gentileza de sua parte. Nara, você não acha que este não é o momento indicado para brincadeiras de mau gosto?

NARA   Não estou brincando, Sérgio. Eu vou deixá-lo, isto está decidido. Talvez não o faça neste momento. Mas vou deixá-lo amanhã ou depois.

SÉRGIO   (*Ainda se recusa a acreditar.*) Você bebeu demais.

NARA   Bebi, sim. Bebi principalmente para ter coragem de lhe dizer. De qualquer maneira, nossa aventura de dezesseis anos termina aqui. Sei que vou magoar você. Principalmente a sua vaidade. Mas não pode ser de outro modo.

SÉRGIO   Nem que você repita mil vezes, eu não vou acreditar.

NARA   Que é preciso que eu faça para que você acredite? Que pegue a minha bolsa e vá embora? (*Apanha a bolsa, como se fosse sair.*)

SÉRGIO   (*Barra-lhe o caminho.*) Está falando sério mesmo?

NARA   Para facilitar, levei as crianças e as minhas coisas para a casa de meus pais. (*Tira uma chave da bolsa e entrega a* SÉRGIO.) E aqui está a chave do nosso apartamento.

SÉRGIO   (*Agora ele se convence e isso o deixa atordoado.*) E você, para onde vai?

NARA   Vou decidir agora. Donato está me esperando para isso.

SÉRGIO   Donato! É então esse filho da puta!

NARA	Sérgio, espero que você se porte neste momento como um homem inteligente.
SÉRGIO	Você disse que ele esteve lá em casa ontem. Com certeza você dormiu com ele!
NARA	Dormi.
SÉRGIO	Patife! Aproveitou-se da minha situação. Claro, sabia que eu estava fugido, minha mulher sozinha em casa, dando sopa. Pôs a máscara de amigo, protetor, prometendo me defender da ira dos milicos e... Quer ver até que foi esse o preço que exigiu para interceder a meu favor. E você foi na conversa.
NARA	Não, ele não exigiu preço nenhum. E é inútil você ficar procurando uma justificativa para a minha infidelidade. Sei que a sua vaidade não suporta que eu tenha dormido com outro homem por prazer. Mas foi por prazer que eu dormi com ele. E isso já aconteceu outras vezes.
SÉRGIO	Com ele?
NARA	Sim, com ele.
SÉRGIO	(*Avança para ela, tentando agredi-la.*) Sua vaca! (NARA *esquiva-se.*) E você me diz isso numa hora dessas! Quando estou prestes a ser preso!
NARA	Lamento, Sérgio. Eu não escolhi este momento. Aconteceu. E está claro que não vou deixá-lo assim, agora.
SÉRGIO	E por que não? Pensa, por acaso, que eu necessito de sua piedade?
NARA	Não é isso. É que eu não quero recuperar a minha liberdade no momento em que você perde a sua. O meu gosto pelas ironias não chega a tanto.
MOURA	(*Surge, angustiado.*) Ela desmaiou.
	Nem NARA *nem* SÉRGIO *lhe dão atenção.*
SÉRGIO	Donato Moreira. E logo com ele! Um fascista!
NARA	Faz alguma diferença?

SÉRGIO   Claro que faz! Escolhesse ao menos um homem decente. Decididamente a direita está por cima. Por cima até da minha mulher.

NARA   Piada grosseira.

MOURA   Escutem. Ela está desmaiada lá no banheiro! Que é que eu faço?

NARA   Um bom par de bofetões é o melhor remédio.

SÉRGIO   (*Vai até a janela, afasta um pouco a cortina e olha para baixo.*) Só vejo dois policiais. Os outros devem ter subido.

MOURA   Já tentei.

NARA   Tente de novo. Vire ela de cabeça para baixo.

MOURA   Será que não tem aí alguma coisa?

NARA   (*Apanha a garrafa de conhaque.*) Acho que ainda tem um gole. (MOURA *sai com a garrafa.*)

SÉRGIO   Eles devem estar vindo de andar em andar. São quatro apartamentos em cada pavimento. Que levem três minutos em cada, são doze minutos por andar. Estamos no 6º... Vão levar uma hora, mais ou menos, para chegar aqui. A menos que estejam divididos em dois grupos, e então o tempo será reduzido à metade.

NARA   Acho que a única saída é eu tentar furar o cerco.

SÉRGIO   E quando você sair do elevador eles a prenderão e obrigarão a dizer onde eu estou. O que você deve fazer de bom grado, pois comigo na cadeia essa coisa que você chama de "sua liberdade" será completa, não importa a ironia.

NARA   Então o jeito é esperar por eles.

SÉRGIO   Mas alguns minutos, apenas. Depois você estará livre. Não é um sacrifício muito grande para quem já esperou tantos anos. (*Olha-a fixamente.*) Tantos anos, e só hoje eu vim conhecer você. Vejam só, foi preciso que

	houvesse uma revolução para que eu descobrisse que a minha mulher, a mãe dos meus filhos é uma puta.
NARA	Sinceramente, Sérgio, eu esperava de você uma reação menos vulgar. Você está se portando como um marido tradicional, um clichê de anedota. Isto é indigno de sua superioridade intelectual. Uma superioridade que eu sempre reconheci e que me esmagou durante todos esses anos. Sabe que eu começo a perder o respeito que sempre tive por você? É decepcionante, Sérgio.
SÉRGIO	E é você quem fala em decepção.
NARA	Claro, eu não esperava que fosse assim. Tão previsível. Temia até que sua reação fosse tão estranha e inesperada que me fizesse recuar. E você reage como um pequeno-burguês, vulgar, ferido em seus brios de macho.
SÉRGIO	Você pode me apresentar uma razão, uma razão convincente para a decisão que tomou?
NARA	Sua eterna mania de racionalizar tudo. Ainda não fiz um autoexame, estou obedecendo a um impulso.
SÉRGIO	Mas tem que haver uma razão.
NARA	Por que uma e não várias?
SÉRGIO	Pois cite uma ao menos.
NARA	Você não é capaz de descobrir?
SÉRGIO	Claro que não!
NARA	Isto, sim, é surpreendente. Pois se durante dezesseis anos você me preparou para isto! Diariamente. Persistentemente. Talvez eu tenha sido uma aluna pouco brilhante, pois levei tanto tempo para aprender a odiá-lo. Mas aqui como me vê, sou mais uma obra do grande Sérgio Penafiel. Obra acabada e revista, pronta para ser consumida.
SÉRGIO	Não, não posso acreditar. Você nunca falou assim.

NARA Como? Será que não se reconhece em mim? Mas isso é grave. Segundo Marx, isto é que se chama alienação — quando o homem não se reconhece no fruto do seu trabalho.

SÉRGIO Vá à merda!

NARA Como posso ir à merda citando Marx?!

SÉRGIO Que sabe você de Marx, marxismo ou qualquer outra coisa? Você, uma mulher burra e ignorante, que só pegou um vernizinho de inteligência e de cultura pelo convívio comigo durante esses anos?

NARA Já reconheci: sou obra sua.

SÉRGIO Quando nos conhecemos, saiba que você me dava vergonha. As tolices que dizia. As gafes que cometia.

NARA Você até me escondia dos seus amigos.

SÉRGIO Claro, tinha que esconder.

NARA Mesmo assim, eles sempre me achavam. E não demonstravam lá essa repulsa à minha ignorância.

SÉRGIO Não vou deixar de reconhecer que você possuía outras qualidades. Tanto que me prendeu.

NARA Pelo sexo.

SÉRGIO Sim, pelo sexo. Quando eu a conheci, você era só sexo, mais nada. Uma bela fêmea no cio, à espera do macho. Eu lhe dei consciência. Eu lhe dei uma visão de mundo. Eu fiz de você um ser humano.

NARA (*Cai de joelhos aos pés dele.*) Graças, senhor, graças!

SÉRGIO E para quê? Para você hoje se voltar contra mim.

NARA Como Satanás.

MOURA (*Entra com a moça nos braços. Estranha a atitude de* NARA.) Posso deitá-la na cama?

SÉRGIO Claro que pode.

  MOURA *deita* VERA *na cama. Ela já voltou a si, mas está prostrada, "entregue às baratas".* MOURA *senta-se na borda da cama, toma suas mãos e tenta reanimá-la.*

MOURA   Benzinho... Está melhor?

SÉRGIO   Ainda mais esta!...

MOURA   (*Está tremendamente assustado.*) Ela está passando mal... suando frio. Acho que devia chamar um médico.

SÉRGIO   Não! Nada de médico.

MOURA   Mas pode dar uma complicação! Ela está com o pulso muito fraco. Já imaginou se acontece alguma coisa? O escândalo! Eu sou casado, funcionário público, ocupo um cargo importante.

SÉRGIO   (*Interrompe incisivo.*) Não sai nem entra ninguém aqui agora!

MOURA   (*Estranha o tom decidido de* SÉRGIO.) Por quê?

SÉRGIO   Porque eu não quero.

MOURA   Tenho um médico muito meu amigo, como irmão... ele não vai contar nada. O senhor pode se esconder ou até sair.

SÉRGIO   (*Perde a paciência.*) Seu imbecil! Será que ainda não entendeu?!

MOURA   (*Levanta-se ofendido.*) Não admito que me fale assim! Não sou nenhum moleque! E o fato de o senhor ser amigo do Paulo não lhe dá o direito de dar ordens aqui neste apartamento, do qual o senhor nem ao menos é sócio. Vou chamar o médico e se o senhor não quer ser visto que vá embora. (*Tira o fone do gancho.*)

SÉRGIO   (*Saca do revólver.*) Largue essa merda!

  VERA *abre os olhos, vê* SÉRGIO *com o revólver e abafa um grito de medo.*

MOURA   (*Larga o fone, intimidado.*) Padre, eu acho que o senhor está se excedendo. Aliás, toda sua conduta é bastante estranha para um religioso.

NARA *solta uma gargalhada. Ouve-se a sirene de um novo choque da polícia que chega.* SÉRGIO *corre para a janela.*

SÉRGIO — Um novo choque!

MOURA — (*Começa a desconfiar.*) Ele não é padre! Está disfarçado e fugindo da polícia.

NARA — Prodígio de perspicácia!

MOURA — Um subversivo! É ele que estão procurando!

SÉRGIO — (*Volta-se para ele:*) Vai me denunciar?

MOURA — Não... Por que eu havia de fazer isso? Não sou dedo-duro. Nunca me meti em política. Não sou a favor nem contra ninguém. Só que isso pode trazer aborrecimento para todos nós.

SÉRGIO — Isso o quê?

MOURA — Se vierem aqui prender o senhor... Iremos todos presos. E para provar que não tenho nada com o senhor eu vou ter de dizer que estava aqui com a garota!

NARA — É, nosso amigo vai ter de escolher entre a corrupção e a subversão.

MOURA — Não acho graça nenhuma nisso. Vocês vão desgraçar a minha vida. Sou um homem de bem, tenho minha vida organizada, minha casa, minha mulher, meus filhos, minha posição, agora mesmo estou para ser promovido.

SÉRGIO — (*Explode.*) Ora, vá à merda com sua mulher, seus filhos, seu emprego público! Que me importa que vocês todos se fodam!

MOURA — O senhor é um egoísta! Só pensa em si!

SÉRGIO — Porque eu tenho alguma coisa que dá pena perder! O senhor, não. Sua vida me dá nojo, com seus falsos conceitos de honra e respeitabilidade, sua mulher obesa, suas trepadinhas na secretária, às escondidas, seu mundo vesgo e anão. Se eu for o causador

	da destruição de tudo isso, juro que não vou ter um pingo de remorso.
MOURA	O senhor... o senhor é um anarquista!
SÉRGIO	Eu? Sei lá... já nem sei o que eu sou. O meu mundo também está desmoronando. Não sei bem por quê, mas está vindo tudo abaixo. É o apocalipse.
NARA	Sérgio, você só tem uma chance: eu sair daqui e ir ao encontro de Donato.
SÉRGIO	Nara, se você sair daqui agora, estará saindo também da minha vida.
NARA	Sérgio, Donato pode salvá-lo. Pense bem. Aja com a cabeça. Você é um homem inteligente!
SÉRGIO	Será que dezesseis anos de vida em comum não foram suficientes pra você saber que eu posso ter todos os defeitos do mundo, mas não sou um canalha?
NARA	Mesmo assim, eu vou ao encontro dele.
SÉRGIO	Pois vá! Vá e não volte!
MOURA	Aonde ela vai?
NARA	Vou ver se consigo varar o cerco.
MOURA	Eu vou também.
SÉRGIO	Não, você fica.
NARA	Espere, talvez seja bom. Saindo de braço com ele não vão desconfiar.
SÉRGIO	E a moça?
MOURA	Logo que ela melhore, mande ela pra casa.
NARA	Ela pode também lhe servir de álibi, se eles chegarem antes... (*Saem* NARA *e* MOURA. SÉRGIO *fecha a porta. Vai até a janela. Fica olhando.*)
VERA	(*Recupera-se um pouco.*) Cadê o Dr. Moura?
SÉRGIO	Quem? O velho?

VERA	Sim.
SÉRGIO	Foi embora... (*Volta a olhar a janela.*) Eles não vão passar. Com toda certeza estão exigindo carteira de identidade... e vão descobrir que ela é minha mulher.
VERA	Ele não vai voltar?
SÉRGIO	Acho que não. Ele estava apavorado.
VERA	E me deixou sozinha com o senhor!?
SÉRGIO	Acho que não há tempo para eles terem chegado lá embaixo... ou há?
VERA	Não sei...
SÉRGIO	Se não aparecerem lá na calçada, é que foram presos. Então será uma questão de tempo. Ela talvez não fale, mas o velho vai se borrar todo e dar com a língua nos dentes na primeira imprensada. Ela é capaz de falar também. Agora já acho que ela é capaz de tudo. Vivi dezesseis anos enganado. Dezesseis! Sou mesmo um idiota. Botava a mão no fogo por ela!
VERA	Não estou entendendo, não entendo nada.
SÉRGIO	E com certeza não era só com Donato Moreira. Sim, não há razão para que tenha sido só com ele, que é um sujeito feio, gorducho, meio gago. Tenho amigos bem mais atraentes, que frequentam a nossa casa. Ela deve ter andado com todos eles. E avalie você que eu tenho dois filhos. Bem, a menina se parece muito comigo. O garoto é que não tem nada meu, nada mesmo. Mas isso acontece. Tenho um irmão que é completamente diferente de mim. De qualquer maneira, de hoje em diante, eu vou ficar sempre em dúvida. Essas coisas não deviam ter importância, não é? Afinal, o garoto vive comigo desde que nasceu. Aprendeu a andar, a entender as coisas, tudo pela minha mão. Está com quinze anos, e foram quinze anos de diálogo, de entendimento, de amor. Que diferença faz se o espermatozoide que fecundou o óvulo no útero de minha mulher era ou não era meu? Um espermatozoidinho, entre milhões e milhões que diariamente

	passavam por ali sem acertar no alvo. Será que tudo que me une ao meu filho é esperma? Só esperma?
VERA	Você está fugindo da polícia?
SÉRGIO	Estou.
VERA	Por quê? Que foi que você fez?
SÉRGIO	Esta é uma pergunta que exige um exame de consciência. Que foi que eu fiz? Até ontem, eu julgava que tinha feito alguma coisa. Hoje, começo a achar que não fiz nada, rigorosamente nada. E o fato de eles estarem vindo me prender, e poderem fazer isso a qualquer momento, é uma prova de que eu não fiz mesmo nada. (*Ele olha pela janela.*) Lá está ele! O velho!
VERA	Onde?
SÉRGIO	Atravessou a rua. Mas está sozinho! Nara não está com ele. Eu sabia! Eu disse a ela! Mulher é mesmo cabeça-dura!
VERA	Você acha que ela foi presa?
SÉRGIO	Com toda a certeza. (*Ele deixa a janela e olha para a porta.*) Agora é só esperar que eles cheguem. Não vão demorar.
VERA	Eu quero ir embora daqui! Já é tarde, meu marido já deve estar em casa há muito tempo. (*Corre para a porta.*) (*Ele corre atrás dela e impede que ela saia.*) Deixe-me ir embora! Por Deus!
SÉRGIO	Agora, não. Você vai esperar comigo.
VERA	Eu grito.
SÉRGIO	Se gritar, eu mato você!
	Ela começa a desmaiar.
SÉRGIO	Está bem, vá-se embora. (*Abre a porta.*) Vá de uma vez, sua putinha.
	VERA *sai correndo. Ele fecha a porta. Fica um momento perturbado. Procura refazer-se. Vai até a ja-*

nela, olha. *Tocam a campainha. Ele se volta, rápido e fixa o olhar na porta. A campainha volta a tocar. Ele continua a olhar, sem coragem de abrir. Olha para a janela aberta, pensando em saltar.*

NARA — (*Voz fora.*) Sérgio! Abra! Abra aí! Sou eu!

SÉRGIO *caminha para a porta, lentamente. Hesita. Abre.* NARA *entra.*

SÉRGIO — (*Olha para fora, procurando a polícia, fecha a porta.*) Você veio só?

NARA — Claro...

SÉRGIO — E a polícia?

NARA — Voltei do elevador. Me arrependi.

SÉRGIO — E Donato?

NARA — Foi um momento de náusea. Passou. (*Ela atira a bolsa sobre a cadeira, tira a blusa.*) Que houve com a garota? Saiu daqui correndo. Você quis agarrá-la?

SÉRGIO — Uma fresca.

NARA *vira todas as garrafas à procura de bebida.*

SÉRGIO — Por que você voltou, de fato?

NARA — Ih, lá vem você com o seu racionalismo. Sei lá. O único dado concreto que posso fornecer é este: cheguei diante do elevador e tive vontade de voltar. Por quê? Sei lá. Não tem explicação. Para mim, o mundo é perceptível mas não é explicável.

SÉRGIO — Ou você não quer enfrentar a explicação?

NARA — Talvez, talvez eu nunca tenha mesmo pensado em deixá-lo, apesar de tudo. Talvez eu tenha chegado à conclusão de que é preferível estar do seu lado do que do lado deles, apesar de tudo. Talvez eu até ainda te ame, apesar de tudo. (*Ela se despe enquanto fala.*)

SÉRGIO — Que está fazendo?

NARA   Quero que eles nos encontrem na cama. (*Deita-se.*) Claro, não vamos fazer amor. Nem que você tivesse a potência de um touro.

SÉRGIO   (*Despe-se e deita ao lado dela.*) Na verdade, é só o que nós temos para opor a eles neste momento, às suas metralhadoras e a tudo que representam: a pureza de nossos corpos nus.

Ela aciona o projetor e um filme erótico é projetado na parede: um casal fazendo amor.

NARA   Será que isso vai durar muito tempo?

SÉRGIO   Quem sabe? Isto é o fim de um processo que começa na década de 30, com o levante integralista. Agora que eles conseguiram chegar ao poder, não vão abandoná-lo tão cedo. Temos de nos preparar para uma longa noite. E só de uma coisa eu tenho certeza: pode-se atrasar a História de dez, vinte, trinta anos, mas não se pode atrasar a História indefinidamente. Porque eles não têm solução para nada. E acabarão derrotados. Como as bestas do apocalipse.

Ouve-se um toque de campainha.

NARA   Agora são eles.

SÉRGIO e NARA permanecem deitados, imóveis. Ouve-se uma rajada de metralhadora, a porta é arrombada e quatro policiais armados de metralhadoras invadem o apartamento, atirando. Cercam o leito, apontando suas armas para SÉRGIO e NARA perplexos. Estão mortos. Um deles vê o filme e chama a atenção dos outros. Os quatro esquecem o casal e sentam-se para ver o filme.

FIM

as primícias

PERSONAGENS

Proprietário
Mara
Lua
Donana
Vigário
Senhora
1ª donzela
2ª donzela
3ª donzela
1º noivo

FIGURANTES: *padrinho, madrinha, 2º noivo, 3º noivo, 4º noivo.*
AÇÃO: *Em uma aldeia da Europa ou da América Latina, entre os séculos VI e XX.*

A ação transcorre em três cenários: a) casa da noiva; b) capela; c) casa do Proprietário. Este último se divide em dois ambientes: a sala e o quarto. Os quatro ambientes podem ser resolvidos num mesmo cenário fixo ou em quatro cenários simplificados e de rápida mutação, o que é essencial à fluência do espetáculo.

PRIMEIRO QUADRO

Casa da noiva. O ambiente é pobre, rural, mas festivo. Ao centro, a mesa de doces. As janelas e portas são sugeridas com arcos de flores, que também formam guirlandas em volta e por sobre a mesa. Entram as TRÊS DONZELAS, *duas delas carregando um enorme bolo, que colocam no centro da mesa.*

1ª DONZELA	Depressa, meninas, depressa que os noivos não tardam a chegar; cuidado que o bolo foi feito de nuvens e fios de luar.
2ª DONZELA	Sua faca de prata,
3ª DONZELA	seu olhar de cetim,
2ª DONZELA	coroada de sol, a noiva é que vai o bolo partir, repartir sua sorte.
3ª DONZELA	seu leito de virgem,
1ª DONZELA	seu fogo de fêmea,
3ª DONZELA	no ventre o riacho ansiando apagar do noivo à espera seu fogo de macho.
1ª DONZELA	Riacho de rosas vermelhas contidas no monte de musgo, o noivo esperado que venha afogar seu falo guerreiro.
AS TRÊS	(*Cantam e dançam.*) Depressa, meninas, depressa que os noivos não tardam a chegar; cuidado que o bolo foi feito de nuvens e fios de luar.

Ouve-se o sino repicando distante e festivo.

1ª DONZELA	Escutem o sino!
2ª DONZELA	Destino da noiva em bronze selado!
3ª DONZELA	Será esta noite sua prova de fogo!
1ª DONZELA	sua sorte lançada!

AS TRÊS	(*Cantam e dançam.*) Depressa, meninas, depressa que os noivos não tardam a chegar; cuidado que o bolo foi feito de nuvens e fios de luar.
	Entra o PROPRIETÁRIO, *de botas e esporas, nas mãos o chicote, na cinta a faca e o revólver. Sua figura infunde respeito e temor, ainda que procure ser envolvente e paternal.*
PROPRIETÁRIO	Ô de casa!
	As TRÊS DONZELAS *param de cantar e dançar subitamente.*
1ª DONZELA	An? Quem é?
PROPRIETÁRIO	É de paz.
2ª DONZELA	(*Agora o reconhece.*) O Proprietário!
PROPRIETÁRIO	(*Anda pela cena, observando.*) Os noivos, onde estão?
1ª DONZELA	Na igreja. Também os padrinhos, convidados, todo o mundo.
3ª DONZELA	Não devem tardar. O sino acaba de anunciar o final da cerimônia.
2ª DONZELA	Se bem que são cinco, cinco casamentos num só dia!
PROPRIETÁRIO	(*Sorri e rouba um doce da mesa.*) Louvado seja o Senhor!
3ª DONZELA	Louvada seja Maria!
PROPRIETÁRIO	Casar, casar... isso é bom pra aumentar a população. Precisamos de mão de obra num país em construção. Por incrível que pareça, em toda essa região, não se chega a dois braços por légua de extensão. Muita terra sem proveito, sem render fruto ou tributo, sem a menor serventia. Até dói no coração. Por isso eu digo, vocês precisam casar e ter muitos, muitos filhos mesmo, que pra todos eles eu tenho o futuro assegurado: uma pá e uma enxada, um bom pedaço de terra. Quem sabe até um arado? Palavra, em minhas terras

|||ninguém fica sem trabalho ou sem minha proteção. Mas a daqui qual é mesmo?

1ª DONZELA — O quê?

PROPRIETÁRIO — A noiva?

1ª DONZELA — É Mara... Mara, filha de Donana, viúva de Malaquias...

PROPRIETÁRIO — Ah, sim, agora me lembro... É uma alta, esguia... olhos grandes... ancas redondas de quem vai dar boa cria... Taí uma que merece de mim a honra que vai ter. Porque nem sempre é um prazer... Às vezes é sacrifício a que só me submeto porque, como pai de todos, não devo ter preferência. Mas só Deus sabe o que passo... Deus e os lençóis do meu leito, que às vezes ficam tintos não do sangue das donzelas, mas do meu próprio, no esforço para cumprir o ritual.

1ª DONZELA — (*Chocada.*) Senhor!

2ª DONZELA — De que ritual ele fala?

3ª DONZELA — Não entendi nada, nada...

1ª DONZELA — (*Discretamente.*) O direito de primícias...

2ª DONZELA — Ah, sim, a primeira noite...

1ª DONZELA — O direito de pernada... A sua mãe nunca te disse?

3ª DONZELA — Por alto... sem detalhar...

PROPRIETÁRIO — Verdade, palavra de honra. Tivesse eu o direito de abrir mão desse direito e, em certas ocasiões, o faria de bom grado. Não em todas, certamente... Nem me refiro às meninas... é claro, qualquer das três terá o que bem merece, por lei e também por justiça, quando chegar sua vez. Com prazer e com respeito, cumprirei o ritual. Ainda que venham as três a casar no mesmo dia, cumprirei o meu dever, todas terão a honraria de partilhar do meu leito e nenhuma, isso eu garanto, sairá insatisfeita. Por exemplo, hoje são cinco. Será uma noite exaustiva! Mas o que hei de fazer? São os ossos do ofício. Minha posição exige todo esse sacrifício. Vou agora para casa me preparar com afinco. Minha mulher separou cinco lençóis, todos cinco de alvura imaculada. Quanto a mim, vou repousar. Quem sabe uma gemada talvez venha a tomar, que a empresa não é fácil, exige disposição... Um supremo mandatário nunca pode demonstrar qualquer irresolução no exercício do poder, sob pena de perder força, prestígio e até provocar contestação. Não sei se vocês entendem a minha situação...

1ª DONZELA   Entendemos...

2ª DONZELA   Sim, mas...

3ª DONZELA   Claro...

PROPRIETÁRIO   É um problema político... e também de tradição. O poder absoluto só se mantém pelo uso continuado da força. É um direito, não um abuso. Bem, mas este é um assunto que não pode interessar a três formosas donzelas... (*Inicia a saída.*)

1ª DONZELA   E os noivos? Não vai esperar?

PROPRIETÁRIO   Não... vou agora pra casa me lavar, me perfumar, depois aguardar a noiva em meu quarto de dormir... Adeus, meninas.

3ª DONZELA   Adeus...

O PROPRIETÁRIO *sai.*

1ª DONZELA   Senhor do castelo, guardião das virtudes, o Proprietário exige o tributo. É dono das rosas, da flor e do fruto que brotam em seus campos cobertos de pó.

2ª DONZELA   É justo que colha e que saboreie o fruto primeiro das virgens em flor.

1ª DONZELA   Da noite pioneira exige as primícias.

3ª DONZELA   Feliz é a noiva, vai ter as carícias do grande senhor. E vai partilhar seu leito de prata e nele deixar a sua inocência firmada no sangue de sua virgindade. O

	grande machado do grão-lenhador irá desbravar a densa floresta, matar o dragão que guarda a entrada da gruta do amor.
1ª DONZELA	O noivo fogoso, o falo a pulsar, o peito a ferver, vão ter que esperar.
2ª DONZELA	(*Na porta.*) Atenção! Eles vêm vindo! E Donana vem na frente! (*Corre para a mesa com as outras, dão os últimos retoques, apressadamente.*)
1ª DONZELA	Depressa... acertem a toalha... ajeitem os guardanapos...
DONANA	(*Entrando.*) Meninas, está tudo pronto? Ou ficaram tagarelando?
1ª DONZELA	Tudo pronto, Donana. Veja o bolo, veja os doces... as rosas como pediu...
DONANA	Vim na frente para ver se não faltava mais nada.
2ª DONZELA	Agora só faltam os noivos.
DONANA	Estão vindo com o Vigário e também com os padrinhos.
3ª DONZELA	O arroz! Falta o arroz!
	As TRÊS DONZELAS *correm, pegam punhados de arroz.* LUA *e* MARA *entram, seguidos do* VIGÁRIO, *do padrinho e da madrinha. As* DONZELAS *jogam arroz nos* NOIVOS *enquanto cantam.*
TODOS	(*Cantam:*) Viva o noivo viva a noiva viva a nossa freguesia, que os anjos digam amém, também a Virgem Maria.
1ª DONZELA	Viva a noiva com seu véu, sua flor de laranjeira.
2ª DONZELA	Viva o noivo e seu anel, seus sapatos de verniz.
3ª DONZELA	Toda árvore só cresce se tiver boa raiz.

1ª DONZELA	Viva a noiva com seu pássaro canto preso na garganta.
2ª DONZELA	Viva o noivo com seu mastro, sua bandeira desfraldada.
DONANA	Bom plantio, boa colheita, boa terra fecundada.
TODOS	(*Cantam:*) Viva o noivo viva a noiva viva a nossa freguesia, que os anjos digam amém, também a Virgem Maria.

As TRÊS DONZELAS *jogam mais arroz sobre os* NOIVOS, *entre risos, girando em volta deles.*

DONANA	Chega, meninas, chega. Não me gastem todo o arroz, que amanhã vai fazer falta à nossa mesa. Não estamos em tempos de fartura. Este ano a colheita não foi das melhores e vocês sabem, temos que dar metade ao Proprietário.
VIGÁRIO	Metade?
DONANA	É o trato. Por isso nos deixa trabalhar a terra, plantar a cana, o milho e o feijão.
VIGÁRIO	Quem tem a terra faz a condição. Não há por que reclamar.
DONANA	E quem está reclamando? Isso nem me passou pela ideia. Afinal, se a terra é dele, ainda nos faz favor.

As TRÊS DONZELAS *arrastam* MARA *para um canto.*

1ª DONZELA	Mara, vem cá...
2ª DONZELA	Você vai dizer?...
1ª DONZELA	Claro, ela precisa saber.
MARA	O quê? Que aconteceu?
1ª DONZELA	Enquanto vocês estavam na igreja, casando, sabe quem esteve aqui? Adivinhe...

MARA	Como posso adivinhar?
3ª DONZELA	Alguém que estará à sua espera...
2ª DONZELA	... esta noite...
1ª DONZELA	... para poupar a seu noivo certos trabalhos....
MARA	(*Preocupada.*) Quem? O Proprietário!? Ele... ele não vai abrir mão?!
1ª DONZELA	Por que abriria? Além do mais, seria uma ofensa a você...
2ª DONZELA	Você tem direito. É lei e é tradição.
MARA	O Vigário prometeu falar com ele, interceder...
1ª DONZELA	Pelo visto, ele não concordou ou o Vigário esqueceu, porque saiu daqui dizendo que ia esperar você. Esperar e se esmerar no ritual...
2ª DONZELA	Sabe, ouvi dizer que usa lençóis de puro linho, importados da Europa!
1ª DONZELA	Lençóis que só são usados uma única vez, depois guardados numa grande arca, como documentos, para quem quiser comprovar...
	MARA *vai a* LUA, *preocupada. Ele está com os padrinhos.*
MARA	Lua... Licença, padrinho? Licença, madrinha?
LUA	(*Afasta-se com* MARA.) Que houve?...
MARA	Você falou com o Vigário?...
LUA	Sobre o quê?
MARA	Sobre esta noite, Lua... Disseram as meninas que o Proprietário esteve aqui à minha procura.
LUA	O Vigário prometeu... Deve ter falado com ele pra abrir mão desse direito... que não me parece direito nenhum.
	O VIGÁRIO *se aproxima.*

MARA	Senhor Vigário...
VIGÁRIO	Lamento não poder ficar, mas tenho que ir à Casa Grande tratar daquele assunto, conforme prometi.

MARA e LUA *se mostram mais aliviados.*

MARA	Ah, pensei...
LUA	Mara está preocupada, o Proprietário esteve aqui...
MARA	Julguei que o senhor tivesse fracassado.
LUA	Como o senhor acha que ele vai reagir?
VIGÁRIO	Não faço a menor ideia. Creio que ele nunca enfrentou uma recusa. Isso deve ser novo para ele, sempre acostumado a usar dessa prerrogativa sem contestação, até mesmo com a alegria e a gratidão dos noivos.
MARA	Não vá ele se ofender...
VIGÁRIO	Tenho que ser hábil pra não parecer um ato de rebeldia. Isso poderia ser pior.
LUA	O Vigário sabe como falar. Mas vou dizer com franqueza, rasgando o coração: nem eu, nem Mara, nenhum de nós pode aceitar com alegria, muito menos gratidão, que alguém separe a gente, nem mesmo por uma noite, e logo a mais importante de nossa vida, e invocando não sei que direito roube o que guardamos para dar um ao outro e a mais ninguém, como acabamos de jurar diante de Deus.
MARA	Lua disse o que eu sinto, eu e ele sentimos igual. Eu até mais do que ele tenho motivo pra discordar, porque é meu corpo, é minha virgindade que vira tributo.
VIGÁRIO	Eu sei. Por isso é que vou defender a causa de vocês. Também não estou de acordo com esse costume, embora não possa me pronunciar publicamente. Não é matéria da competência da Igreja. Pelo menos assim eles entendem, os donos da terra e as autoridades de direito ou de fato. Eles fazem as leis e cobram os impostos. Nós só podemos cobrar missas e batiza-

dos. Eles fazem a justiça, e também a injustiça. Nós só podemos rezar e pedir a Deus pelos injustiçados. Nunca lutar por eles, ao lado deles, como o Cristo teria lutado. Sob pena de sermos acusados de agitadores, maus sacerdotes, desviados da doutrina. Mas vamos ver o que consigo. (*Inicia a saída.*)

MARA · Confiamos no senhor.

DONANA · Padre, não vai esperar partir o bolo? Mara, minha filha...

VIGÁRIO · Mais tarde, Donana, ainda volto. Se quiserem guardar um pedaço...

DONANA · Mas é uma pena...

MARA · Deixe, mãe, o Vigário tem que sair, é importante para nós.

VIGÁRIO · Até logo. Espero voltar com uma boa notícia.

LUA · A gente vai esperar... o senhor entende, como uma sentença de morte ou clemência.

VIGÁRIO · Entendo perfeitamente. (*Sai.*)

DONANA · De que estão falando?

MARA · De nada, mãe. Já está na hora, devo cortar o bolo? Como devo fazer?

DONANA · Calma, calma... chame os padrinhos... Meninas... vamos lá... Venham, venham todos!

Todos se acercam da mesa. MARA *empunha a faca.*

MARA · A quem devo dar a primeira fatia?

AS TRÊS DONZELAS · Ao noivo!

TODOS · (*Cantam, enquanto* MARA *parte o bolo, servindo a um por um:*) Sua faca de prata
seu olhar de cetim,
coroada de sol,

a noiva é que vai
o bolo partir,
repartir sua sorte.
Meu barco de sonhos
de velas morenas
lançadas ao mar...
Cuidado que o bolo
foi feito de nuvens
e fios de luar.
A rosa dos ventos
não vá nesses mares
se despetalar...
Cuidado que o bolo
foi feito de nuvens
e fios de luar.

SEGUNDO QUADRO

Mutação. Sala da Casa Grande. O PROPRIETÁRIO, *sentado à mesa, bebe vinho e alimenta-se. A* SENHORA, *de pé, observa-o.*

SENHORA — (*É uma figura fria e altiva, em que pese a sua atitude servil diante do* PROPRIETÁRIO. *Seu rosto parece jamais ter-se aberto num sorriso. Veste-se de negro e sua idade pode oscilar entre os 30 e os 45 anos.*) Não convém comer demais... Ir pra cama de barriga cheia, tendo que fazer tanto esforço, isso pode resultar em congestão.

PROPRIETÁRIO — Eu sei. Mas também não posso ficar sem me alimentar. Tenho que estar bem-disposto para executar o ato com arte, eficiência e gosto.

SENHORA — São cinco esta noite...

PROPRIETÁRIO — Cinco.

SENHORA — Isso deve então durar quase até o amanhecer. É melhor eu ir dormir nos aposentos dos hóspedes.

PROPRIETÁRIO — E quem vai trocar os lençóis?

SENHORA — É verdade...

PROPRIETÁRIO   É a parte que lhe cabe no ritual. A menos que não deseje mais seguir a tradição.

SENHORA   O que sempre fiz, farei. Cinco vezes... Você não acha que é muito pra sua idade?

PROPRIETÁRIO   Talvez. Mas que quer que eu faça? Que dê prova de fraqueza? Que recuse alguma delas? Além de ofensa grosseira à moça, isso seria desastroso para mim. Depois disso ninguém mais havia de me respeitar. É o princípio do poder: quem o detém precisa se mostrar capaz de usá-lo de maneira absoluta. Ninguém teme um homem armado com um pesado porrete, se ele não é capaz de levantá-lo do chão. Entendeu?

SENHORA   Que diferença faz se eu entendi ou não?

PROPRIETÁRIO   (*Estranha.*) Que há? Alguma objeção?

SENHORA   Nenhuma. Só estou pensando em sua saúde, só isso. Repetir numa só noite cinco vezes o ritual... não será exigir demais de sua virilidade? Já imaginou um fracasso?

PROPRIETÁRIO   Sou proibido de pensar. Isso significaria não estar mais apto a exercer as responsabilidades, os encargos do poder. Por favor, mais uma gemada.

A SENHORA *pega a xícara e o prato no momento em que se ouve o sino do portão.*

PROPRIETÁRIO   Será que já é a primeira?

SENHORA   Ainda nem anoiteceu... (*Sai com a xícara e o prato.*)

PROPRIETÁRIO   Também não seria mau comermos um pouco antes. São cinco virgens... e algumas são bastante complicadas... exigem esforço e perícia.

VIGÁRIO   (*Entrando.*) Deus esteja nesta casa.

PROPRIETÁRIO   Oh, padre, seja bem-vindo.

VIGÁRIO   Chego em má hora?

PROPRIETÁRIO — Oh, não. Estava forrando o estômago. O Vigário é servido?

VIGÁRIO — Sou muito agradecido, mas não posso demorar.

PROPRIETÁRIO — Mas Vossa Reverendíssima, pelo que ouvi dizer, hoje andou atarefado. Celebrou cinco casórios. Também algum batizado?

VIGÁRIO — Não. As bodas me tomaram quase que a tarde inteira, e até a derradeira acabei de celebrar. Foi a de Lua e Mara. Ela, filha de Donana e do finado Malaquias, que Deus o tenha.

PROPRIETÁRIO — Amém.

VIGÁRIO — Ele, órfão de pai e mãe, um excelente rapaz, bom cristão e bom vaqueiro, gente humilde e muito simples, mas de enormes virtudes.

PROPRIETÁRIO — Tantos elogios por quê? Algum pedido especial, talvez, em relação à noiva... Quem sabe se em vez da quinta quer ser logo a primeira?

VIGÁRIO — Não...

PROPRIETÁRIO — (*Interrompendo.*) Costumo, nesses casos, seguir a ordem das cerimônias religiosas. Não é justo?

VIGÁRIO — Justíssimo. Mas permita...

PROPRIETÁRIO — Entretanto, é claro, se Vossa Reverendíssima vê uma razão qualquer para alterar essa ordem, se a moça está aflita, posso começar por ela, isso pra mim tanto faz.

VIGÁRIO — Não, absolutamente, não é essa a questão. Ao contrário, creio mesmo que preferisse ficar no fim, se fosse o caso, se não houvesse alternativa... se o senhor não atendesse ao apelo dela e dele...

PROPRIETÁRIO — Apelo? Eu não entendo...

VIGÁRIO — Apelo que é, justamente, a razão desta visita.

Entra a SENHORA *com outra gemada, que coloca sobre a mesa.*

VIGÁRIO   Mara e Lua, os noivos, pedem por meu intermédio dispensa do ritual.

PROPRIETÁRIO   Continuo não entendendo.

VIGÁRIO   Embora reconhecendo que seria uma grande honra ter seu véu de castidade rompido por tão ilustre pessoa, Mara, humildemente, suplica que lhe seja permitido conceder o privilégio ao noivo.

PROPRIETÁRIO   Mas é um insulto!

VIGÁRIO   Não, por Deus, não julgue assim. Longe deles pretender de qualquer modo insultá-lo. Tanto ela como ele se sentiriam honrados...

PROPRIETÁRIO   Mas então, por que razão? Um ato de rebeldia?

VIGÁRIO   Não, nada disso, senhor. São pessoas muito humildes, que acatam inteiramente a vossa autoridade.

PROPRIETÁRIO   Não existe então um motivo.

VIGÁRIO   Existe, sim. Eles se amam.

PROPRIETÁRIO   E isso acaso é razão pra romper uma tradição? Eles se amam... grande coisa! Por isso então ficam isentos de taxas e de impostos e podem andar fora da lei, sem sofrer qualquer castigo. É isso o que eles pensam e o Vigário endossa! Basta se amarem então pra não deverem respeito, ou qualquer submissão, para não estarem sujeitos às normas e aos mais primários deveres de um cidadão. Nesse caso o amor lhes daria imunidades. E os outros? Também se amam, pois não? Tanta gente aí que se casa por amor... De todos os motivos por que duas pessoas se casam, esse é o mais banal e também o mais comum entre os desfavorecidos.

VIGÁRIO   Lógico, os que nada têm, não têm também porque casar-se por interesse.

PROPRIETÁRIO   E por eles não terem nada, quer Vossa Reverendíssima que eu renuncie publicamente ao direito de pernada.

VIGÁRIO	Perdão, não me referi aos outros casais. Pedi que abrisse uma exceção.
PROPRIETÁRIO	Por que uma e não duas? Por que duas e não três? O Vigário sabe bem que não posso transigir. Pois seria um precedente perigoso, há de convir.
VIGÁRIO	Mas eu vim advogar uma causa somente...
PROPRIETÁRIO	O que muito me espanta, pois é uma causa perdida, além de não ter que ver nada com religião. Peça-me um adjutório pra conservar sua igreja, esmola para seus pobres, tudo bem, mas isso, não.
VIGÁRIO	Mas esta noite, afinal, senhor, serão cinco vezes, serão cinco rituais, cinco virgens... Uma a menos...
SENHORA	É, que diferença faz?
PROPRIETÁRIO	Mas não é a diferença, o problema é o precedente, é abrir uma exceção que deverá certamente ser vista como fraqueza, um sinal de frouxidão.
VIGÁRIO	Mas a repetição do ato por quatro vezes seguidas não será demonstração de força suficiente?
PROPRIETÁRIO	Não se à força o povo já está acostumado. Nesse caso, o que ressalta é a simples exceção, que alguns vão pretender que se transforme em regra. Aí é que está o perigo! Vão tentar tirar proveito aqueles que estão querendo violar a lei e o direito, subverter a ordem e os costumes. E essa subversão pode até chegar ao cúmulo de querer abolir o direito de primícias.
VIGÁRIO	Considerando o direito das criaturas de dispor de seu corpo, esse tributo, que em latim se denomina *jus primae noctis*, perdoe, é por demais repulsivo, uma violentação da dignidade humana.
PROPRIETÁRIO	Um linguajar subversivo! Padre, isso me espanta!
VIGÁRIO	Nada quero subverter, juro, apenas tocar vossa sensibilidade. Talvez, quem sabe, acordar para a realidade, para a injustiça que existe...

PROPRIETÁRIO — E Vossa Reverendíssima, cabeça-dura, ainda insiste! É realmente espantoso. Ele quer que eu abra mão de um direito legítimo! Estaria por acaso o Reverendo disposto a abdicar dos seus? Do direito de casar, de batizar e crismar, ou ouvir em confissão?

VIGÁRIO — Aí se trata, perdão, de atos voluntários. É bastante diferente, não são impostos, tributos.

PROPRIETÁRIO — E não serão, por acaso, tributos a Deus ir à missa, confessar e comungar?

VIGÁRIO — Mas Deus, em troca, oferece a todos a salvação.

PROPRIETÁRIO — E eu, não ofereço nada? E a honra de partilhar meu leito e nele deixar a virgindade, ritual que se pode comparar até à sagrada missa?

VIGÁRIO — Blasfêmia, senhor, blasfêmia!

PROPRIETÁRIO — Se Deus oferece o Céu, eu lhes prometo, na Terra, toda a minha proteção. E passo a ser para elas, as jovens recém-casadas, como que um Sagrado Esposo, um Amante Honorário, um Superpai Amoroso.

VIGÁRIO — E acredita que todas passam então a amá-lo?

PROPRIETÁRIO — Claro! E aí estão os fundamentos políticos desse ato ou desse ritual: ele estabelece um vínculo entre o senhor e as famílias, fortalece a unidade. É, portanto, de interesse de toda a comunidade.

VIGÁRIO — Depois dessa, me parece que é melhor desistir.

PROPRIETÁRIO — É melhor. Chega a ser absurdo o que pleiteia. Absurdo, insensato e até insultuoso.

VIGÁRIO — Não foi minha intenção nem dos noivos... (*Cumprimenta a* SENHORA.) Senhora...

SENHORA — Apreciei vossa atitude e vossa argumentação.

VIGÁRIO — Permita ainda, senhor, antes de ir, não um conselho, mas uma observação. O excesso de poder enfraquece, é ilusão imaginar o contrário. E todo poder, não vindo do povo, é indevido, é um poder discricionário. (*Sai.*)

PROPRIETÁRIO — E deixou no ar uma ameaça! A audácia desse Vigário!

SENHORA — Convém talvez refletir, meditar sobre suas palavras...

PROPRIETÁRIO — Pro inferno! Eu não vou refletir coisa nenhuma. Vou é fazer valer meu direito esta noite com mais convicção ainda. E é pena que em vez de cinco não sejam dez as donzelas. Faria dez vezes o ato e satisfaria todas elas e dez vezes tu terias de ir trocar os lençóis manchados de sangue.

SENHORA — Sangue...

PROPRIETÁRIO — (*Procurando argumentar.*) Porque o sangue derramado ratifica uma aliança, sela um pacto político, um contrato social onde os que estão por cima e os que estão por baixo se unem espontaneamente no sublime amor carnal para declarar sua completa concordância com a ordem e com as posições aqui estabelecidas. Este o sentido do ato, o mais é asneira ou maldade de quem quer deturpar os fatos.

Ouve-se soar novamente o sino do portão.

SENHORA — Talvez seja...

PROPRIETÁRIO — A primeira.

SENHORA *sai. O* PROPRIETÁRIO *alimenta-se. Bebe vinho e toma gemada. A* SENHORA *volta com a 1ª* NOIVA *e o 1º* NOIVO. *Eles vêm de mãos dadas e estão visivelmente constrangidos.*

SENHORA — A primeira da noite.

PROPRIETÁRIO — Adiante! (*Levanta-se e vai a eles, sorrindo, envolvente.*) Linda noiva... (*Para o* NOIVO:) Parabéns... soube escolher...

NOIVO — O senhor aprova? Ótimo... alegro-me por saber que não será um sacrifício o que vai fazer por nós... a imerecida honra com que vai nos distinguir.

PROPRIETÁRIO — Mesmo sendo sacrifício, não iria me eximir. Porque a lei é a lei. Deve ser pra todos igual. Esse ato expressa meu imenso amor ao povo, sem o menor preconceito estético ou racial. Sinceramente, eu espero que vocês entendam isso.

NOIVO — Mas claro que entendemos e somos reconhecidos... eu e ela... não repare, está assim tão calada por timidez e emoção... passar uma noite assim em tão ilustre companhia... ela está emocionada. Não é pra menos, não acha? Até eu estou, palavra!

PROPRIETÁRIO — (*Para a* SENHORA:) Pode conduzir a moça até os meus aposentos.

A NOIVA *ergue os olhos para o* NOIVO, *um olhar assustado, de quem se sente perdida, e segue a* SENHORA.

NOIVO — E eu? Devo esperar... ou devo voltar mais tarde?

PROPRIETÁRIO — Como quiser... o ritual às vezes demora.

NOIVO — Quanto tempo?

PROPRIETÁRIO — Isso depende... às vezes, alguns minutos. Outras vezes, uma hora. Isso é como uma missa, tanto pode ser rezada a seco, simplesmente, como pode ser cantada, com coro e grande pompa. Difícil dizer *a priori*, por isso, o tempo que dura, se não depende de mim, depende da conjuntura...

NOIVO — Se o senhor permite, então, eu vou esperar aqui.

PROPRIETÁRIO — Fique à vontade, rapaz. E agora... vamos à luta!

NOIVO — Muito boa sorte, senhor...

PROPRIETÁRIO *sai.*

NOIVO — ... grande filho duma puta!

TERCEIRO QUADRO

Mutação. Casa da noiva, onde a festa continua. Durante a mutação, há um bailado de inspiração rural, do qual participam todos, destacando-se MARA *e* LUA. *Quando termina a dança, todos se dispersam.* DONANA *fala com os* PADRINHOS.

DONANA   Esta é a terceira, a terceira que eu caso. E a última, graças a Deus. Termina aqui a minha tarefa. Com todas as filhas casadas, já posso morrer em paz.

Os PADRINHOS *protestam.*

DONANA   Deus foi cruel comigo, dos nove filhos que pari, seis morreram antes de inteirar um ano de vida. E todos os seis eram machos. Só as fêmeas vingaram. Sei lá por quê. Mulher nasce com sina traçada. Quem sabe por isso?...

Durante a fala de DONANA, MARA *foi até a porta e ficou olhando para fora, preocupada.* LUA *percebeu e foi até ela.*

LUA   Nada?...

MARA   Nada. Nem sombra... E já escureceu.

LUA   Deve estar discutindo, explicando...

MARA   Esse tempo todo?

LUA   É...

MARA   Lua, tenho um mau pressentimento.

LUA   Calma. Também pode ser um bom sinal. O Vigário não ia demorar tanto, se o Proprietário não quisesse conversa. (*Abraça-a e procura tranquilizá-la.*) Fique tranquila, hoje é o nosso dia.

MARA   Custou tanto a chegar... agora ter que adiar... Morro por dentro quando penso.

LUA   Eu me recuso a pensar.

DONANA	(*Notando o nervosismo de* MARA.) Ela está nervosa... é natural. Qual é a noiva que não fica? Por mais preparada que esteja... E isso eu fiz, preparei bem o espírito dela, dei as necessárias instruções. Isto é, até onde se pode ir... Nem tudo se pode dizer a uma moça donzela, senão ela é capaz de nem querer casar. É ou não é? A primeira noite assusta, porque, sendo a primeira, nem ao menos é com o homem com quem se vai estar nas noites seguintes. Eu me lembro da minha... Quando me vi naquele quarto enorme, sozinha com aquele senhor que eu só tinha visto uma vez, de longe, no seu cavalo negro com arreios de prata, brandindo o chicote... eu morri! Juro que morri! O que ele tirou do meu corpo naquela noite, o sangue e o gozo, foi de um corpo gelado e sem vida, parado no espanto. Depois, toda vez que caso uma filha, tudo vem à lembrança... porque é ele... sempre ele! E é como se fosse eu de novo, novamente sacrificada. Parece que me queimam as entranhas com uma tocha acesa! Bem, o que não quer dizer que eu não considere uma honra, uma distinção da parte dele...

VIGÁRIO *entra*.

MARA	Lua, o senhor Vigário!
LUA	Enfim!
VIGÁRIO	Demorei muito? Desculpe, não foi possível resolver a questão em menos tempo.
MARA	(*Esperançosa.*) Resolver?!
VIGÁRIO	Quer dizer... desincumbir-me da missão.
LUA	Mas então?... Ele concordou? Abriu mão?
DONANA	Padre, o senhor não provou do bolo.
VIGÁRIO	Sim, Donana, quero provar. Voltei pra isso.
DONANA	Mara, Lua, os padrinhos querem se despedir.

Os padrinhos se despedem de MARA *e* LUA.

MARA	Já vão? É cedo...
DONANA	Fiquem mais um pouco...
PADRINHO	Não... já é noite...
MADRINHA	Sejam felizes...
LUA	Obrigado...
PADRINHO	Até amanhã...
DONANA	Até amanhã. Obrigada.

Os padrinhos saem.

MARA	(*Baixo, ansiosa.*) Padre, por Deus, não me deixe nessa angústia.
DONANA	Que tanto vocês cochicham com o senhor Vigário? Se têm algum pecado a confessar, por que não fazem isso depois, na igreja? Ou já deviam ter feito antes da cerimônia, pra se casarem de alma limpa.
VIGÁRIO	Donana não está a par?...
MARA	Não, não disse nada a minha mãe.
DONANA	Não disse o que, menina?
LUA	Pedimos ao Vigário que intercedesse junto ao Proprietário... pra ele abrir mão do direito da primeira noite.
DONANA	(*Surpresa.*) Vocês... pediram isso?! Tiveram coragem?!
MARA	O Vigário nos apoia e por isso foi nosso advogado.
VIGÁRIO	Um advogado fracassado.

LUA *e* MARA *se decepcionam.*

MARA	Como?!
LUA	Ele negou?!

VIGÁRIO	Categoricamente. Obstinadamente.
MARA	O senhor insistiu, explicou...?
VIGÁRIO	Gastei todos os meus argumentos. É um homem impenetrável a qualquer argumentação. Só raciocina em termos de autoridade, que procura manter a todo o custo. Não pode abrir mão de qualquer dos seus poderes porque teme com isso dar um sinal de fraqueza. De nada adianta mostrar-lhe que está violentando criaturas humanas que também têm seus direitos como seres feitos à semelhança divina. Ele acredita realmente que essa violência é necessária e que com ela está semeando amor, paz e prosperidade. E que em cada virgem que deflora deixa a marca de sua autoridade, planta em seu ventre o germe da submissão. E que isso é para o bem de todos.
LUA	Mas hoje são cinco, cinco noivas!
VIGÁRIO	De nenhuma ele abre mão. Em hipótese alguma.
MARA	Como se pode ser assim tão prepotente?!
VIGÁRIO	Não sei se é prepotência ou delírio de poder.
DONANA	Se vocês tivessem me consultado, eu teria dito que desistissem. Teriam evitado uma decepção. Conheço bem esse homem. Por ele passamos eu e suas irmãs e também as minhas. Todas nós dele guardamos boa lembrança de uma noite que nunca se apaga.
VIGÁRIO	Fiz o que pude. Mas acho que tudo que consegui foi irritá-lo. Lamento, gostaria muito de ter sido bem-sucedido. Vocês nem imaginam como eu gostaria... Porque seria um bom precedente... isso ele percebeu. Você ia abrir caminho para outras, ia ser a nossa bandeira.
MARA	Quem sabe se ainda não serei?
DONANA	(*Preocupa-se com o significado das palavras de* MARA.) Espera lá, nada de tolices.

VIGÁRIO	Também acho que, fora o que tentei, qualquer outra reação é perigosa.
LUA	Por quê?
VIGÁRIO	Pode ocasionar represálias.
LUA	Que tipo de represálias?
DONANA	Em vez de apenas uma noite, a primeira, ele pode exigir segundas e terceiras, sempre que lhe apetecer. Tem força pra isso. É o Proprietário. Quem não se sujeitar será expulso de suas terras. Não poderá viver aqui nem plantar.
LUA	(*Revoltado.*) Temos então que nos submeter sem qualquer apelação. Eu tenho que ceder minha mulher, esperar que ele dela se sirva e até faça nela um filho que levará o meu nome! Depois ainda agradecer a honraria!
DONANA	Como todos. Em que você é melhor?
LUA	Em nada, mas não me conformo.
DONANA	Terá de se conformar.
VIGÁRIO	Segundo o costume, você terá que levar a noiva até a Casa Grande. Mas não precisa se apressar, ela será a última das cinco.
DONANA	Agora venha, padre, venha provar uma fatia do bolo.
	DONANA *leva o* VIGÁRIO *até à mesa e serve-lhe uma fatia do bolo.*
DONANA	Que maluquice deu neles?
VIGÁRIO	Temo que estejam pensando em loucura ainda maior. Se bem que a humanidade só tenha caminhado pelos pés desses loucos.
	Luz em MARA *e* LUA *isolados.*
MARA	Lua, eu não quero ir. Antes prefiro morrer.

LUA	Não há meio de fugir. Que poderemos fazer?
MARA	Todo meu corpo recusa servir de mero tributo pago por sua inocência a um senhor dissoluto. Por guardar a virgindade merece alguém ser punido? Por conservar a pureza num mundo tão corrompido? Para poder pertencer ao homem que escolhi, terei então que entregar-me a outro que nunca vi?! É esse o imposto cobrado pelo senhor Proprietário: ter que sangrar em seu leito, corpo nu e aberto em cruz, como uma crucificada!
LUA	(*Desesperado.*) Mara, por Deus, por Jesus! Pare de falar assim! Não posso imaginar seu corpo sendo violado por outro que não por mim!
MARA	Meu corpo é terra adubada à espera do lavrador; não deixe que outra semente, que não aquela do amor, penetre minhas entranhas. Esta flor amanhecida anseia por teu orvalho!
LUA	Então está decidido. Façamos agora um trato: nem mesmo à custa da vida haveremos de ceder.
MARA	Eu, por mim, disse e repito, antes prefiro morrer. Que morta talvez me levem ao leito do sacrifício, já que é o corpo e não a alma que o senhor quer violar.
LUA	Vou já buscar os cavalos e volto pra te apanhar. Vamos para nossa casa e fingimos ignorar essa exigência absurda. E quando o sol se deitar em nosso leito de núpcias, já será tarde demais...
MARA	O direito é só à primeira e não à segunda noite... muito menos à terceira! O patrão será logrado!
LUA	Claro, ele vai se vingar. Há de querer nos punir pela rebeldia. Pode mandar nos prender, até mesmo torturar.
MARA	De tortura bem maior terei eu já escapado.
LUA	Pense bem: teremos então selado nosso destino.
MARA	Já pensei e decidi: pode ir buscar os cavalos.

LUA *sai*.

DONANA — Lua?... Onde é que ele vai?

MARA — Aqui perto... não vai demorar.

DONANA — Porque está quase na hora... Sabe, não fica bem ele não te acompanhar até a Casa Grande. Pode ser mal interpretado, depois do senhor Vigário já ter intercedido...

VIGÁRIO — Certamente, isso seria tomado como um acinte. O Proprietário já está de espírito prevenido... já tomou conhecimento da discordância... qualquer gesto fora do habitual pode adquirir para ele um significado e tomar proporções... Deus sabe lá! Pode até imaginar que exista aqui um foco de revolta.

MARA — Mãe, eu e Lua tomamos uma decisão. Vamos nos rebelar, dizer não ao Proprietário.

DONANA — Como duas crianças malcriadas!

MARA — Não, como duas pessoas adultas que sabem o que querem.

DONANA — Eu não lhe dizia, padre? Estão loucos! Pensam que podem enfrentar o Proprietário. Desobedecer mandá-lo pro inferno e tudo vai ficar por isso mesmo.

MARA — Sabemos que isso vai nos custar alguma coisa. Mas estamos dispostos a pagar o preço.

DONANA — Não há dúvida, perderam a cabeça!

VIGÁRIO — Minha filha, não seria eu que iria procurar demovê-la desse propósito, se visse alguma possibilidade de resistência. Mas a verdade é que não há.

MARA — Quem sabe? Nunca ninguém tentou resistir.

DONANA — Porque é loucura!

VIGÁRIO — É uma atitude suicida. Ele já está de pé atrás. Basta que note a sua demora para que mande seus jagunços caçá-la por toda a parte. E então será muito pior.

	Porque aí não só você irá sofrer, também seu noivo. Sobre ele talvez até caia o maior peso do castigo.
DONANA	Quer você se tornar viúva antes mesmo de ser mulher?
MARA	(*Os argumentos do* VIGÁRIO *e de* DONANA *abalam sua decisão.*) Acham que Lua pode ser morto?
DONANA	Não seria o primeiro.
VIGÁRIO	Quando o direito é mantido pela força e não pela razão, o uso da força é incontrolável. E não só seu noivo pode ser atingido, também sua mãe, suas irmãs, seus amigos. Ninguém pode prever até onde irá a repressão.
DONANA	O Vigário tem razão. Não seja tão egoísta, pense nos seus, que irão pagar por sua rebeldia. E depois, será que não pode fazer um pouco de sacrifício pela tranquilidade de todos? Cada uma de nós já passou por isso... Feche os olhos ao nojo, e o coração, à revolta. É uma noite só... Pra que provocar o touro? Se algumas gotas de sangue aplacam a sua sede, por que não ceder? E esquecer. Como um tempo que não houve, uma hora que se risca do tempo e da lembrança.
VIGÁRIO	Ainda não é chegado o momento da resistência.
MARA	E quando, quando vai chegar?! Se alguém não começa, mesmo se arriscando, nunca, nunca que as coisas vão mudar!
DONANA	E por que tem de ser você a primeira? Quem lhe deu essa incumbência? Não seja pretensiosa. E vou lhe dizer mais: eu lhe proíbo, está entendendo? Proíbo!
MARA	Lua não vai se conformar, não vai! Ele não vai poder suportar!
DONANA	Ora, seu pai suportou muito bem quando foi a minha vez. Lua não é melhor nem pior que ele.
MARA	Eu também não consigo me imaginar...
DONANA	Todos suportam, se não há outro jeito. Também não é assim... É um homem muito gentil, muito perfumado... (*Puxa-a de parte.*) Vou lhe dizer o que deve fazer

para que a coisa não seja tão desagradável. Basta que na hora do sacrifício feche os olhos, relaxe e pense no homem que desejaria ter por cima... Não digo que vá sentir prazer... mas ajuda muito. Padre, talvez fosse melhor o senhor mesmo levá-la.

MARA (*Está indecisa.*) Não, espere!... ainda não decidi.

DONANA Já está ficando tarde, Lua não volta e o Proprietário já deve estar imaginando coisas.

VIGÁRIO É bem possível...

DONANA Com toda a certeza você já está marcada.

MARA Mas Lua... eu prometi... nós fizemos um trato...

DONANA Deixe Lua comigo. Eu cuido dele. Vá com o Vigário.

VIGÁRIO É que o costume é o próprio noivo... Isso vai parecer já uma atitude inconformista por parte de Lua...

DONANA (*Corta, incisiva.*) Padre, se ele chega as coisas se complicam de novo. Atenda ao meu pedido.

VIGÁRIO (*Compreendendo.*) É, talvez seja melhor... Vamos, filha, eu vou levá-la. Se for preciso, dou uma explicação, justifico a ausência do noivo.

DONANA Bebeu demais na festa, não está em condições...

VIGÁRIO Boa ideia.

MARA (*Ainda hesitando.*) Lua... por que demora tanto?!

DONANA Anda, filha, o Vigário está esperando.

MARA Tenho então mesmo que ir!

DONANA É o melhor, para vocês dois e para todos nós.

MARA Também, se Lua estivesse aqui ia ser muito mais difícil. Eu mesma não ia conseguir...

DONANA Então vá logo, antes que ele chegue.

As TRÊS DONZELAS *se acercam.*

1ª DONZELA	Mara já vai?
2ª DONZELA	Não vai com Lua?
DONANA	Não, meninas, e calem essa boca de trapo.
MARA	Adeus, mãe.
DONANA	Que a Virgem te ajude e dê coragem.
3ª DONZELA	Boa noite, Mara!
1ª DONZELA	Felicidades!
2ª DONZELA	Boa sorte!
MARA	Que Lua ao menos vá me buscar.
DONANA	Ele irá, amanhã. Vá tranquila.
	MARA *sai com o* VIGÁRIO, *passos lentos, como uma condenada a caminho do cadafalso.*
3ª DONZELA	Nunca vi noiva tão triste!
1ª DONZELA	Parece uma condenada seguindo pro cadafalso onde será enforcada!
DONANA	Não falem do que não entendem, que cada uma de vocês vai ter que passar por isso quando chegar sua vez.
	DONANA *sai e as* TRÊS DONZELAS *avançam até à boca de cena, enquanto muda a luz.*
1ª DONZELA	É a noiva que vai sua sina cumprir.
2ª DONZELA	Vai morta morrendo em branca mortalha de flores florando o negro caminho.
3ª DONZELA	Seu fim confinado não é fim nem começo é só o tropeço a queda exigida

1ª DONZELA	da carne pisada
2ª DONZELA	da taça partida
3ª DONZELA	da voz sufocada
1ª DONZELA	da ave ferida.

QUARTO QUADRO

Mudança de luz. LUA *entra.*

LUA — *Mara?... Mara...* (*Para* AS DONZELAS:) Já terminou a festa?... Mara onde está? Uma de vocês pode ir dizer que estou com os cavalos lá fora, esperando?

As TRÊS DONZELAS *se entreolham, constrangidas.*

LUA — Ei, que há?

1ª DONZELA — Você esperava que ela estivesse aqui?

LUA — Claro. Ela vai comigo... (*Suspeita.*) Por quê? Saiu?

3ª DONZELA — Com o Vigário.

1ª DONZELA — Estranhamos... Não cabe ao noivo, segundo a tradição...

2ª DONZELA — Minha mãe me disse.

LUA — Mas como?! Ela não pode ter ido a parte alguma. Prometeu! Isso ficou decidido entre nós! Vocês estão brincando... Precisam casar também pra aprenderem a levar a vida mais a sério. (*Afasta-se e chama:*) Mara!

DONANA *entra.*

LUA — Donana! Por favor, diga a Mara que já estou aqui...

1ª DONZELA — Ele não acredita que ela tenha ido com o Vigário.

LUA — Claro que não acredito. Por que iria? Isso não tem nenhum sentido!

DONANA — Meninas, vão lá pra dentro.

As TRÊS DONZELAS *saem.*

DONANA   É verdade, Lua. O padre concordou em levá-la, pessoalmente, ao Proprietário.

LUA   (*Revoltado.*) Levá-la... Numa bandeja de prata! Enfeitada com os ramos da minha vergonha!

SENHORA   Foi uma gentileza do senhor Vigário.

LUA   (*Com indignação.*) Bela gentileza! Talvez ainda deva me ajoelhar e beijar-lhe a mão!

DONANA   Não se desespere... Amanhã ela estará de volta e será a mesma, sem marcas e sem faltar pedaço. E vai ser sua mulher, na alegria e na tristeza, como jurou diante de Deus. E como será também um novo dia, um novo sol, se vocês decidirem não tocar no assunto, será como se nada tivesse acontecido.

LUA   Mas por que essa decisão, quando minutos antes havíamos decidido o contrário? Vocês a obrigaram!

DONANA   Ela saiu daqui caminhando sobre seus próprios pés, as meninas são testemunhas.

LUA   Não posso entender! Não posso aceitar!

DONANA   É fácil. Falou mais alto o bom-senso. Era uma loucura o que vocês tinham planejado. Loucura e leviandade. Se o mundo está torto, é ridículo querermos nós consertá-lo, quando não temos força nem para desentortar um prego.

LUA   Esse raciocínio é que faz com que os Proprietários continuem fazendo o que querem, pisando e violentando, impondo sua lei e seu tributo. Porque ficamos nós de quatro, é que eles montam nas nossas mulheres. Na verdade, montam em nós e nos enrabam com o nosso consentimento!

O VIGÁRIO *entra.*

DONANA   Aí está o Vigário. Ele vai ter a palavra certa para acalmá-lo.

VIGÁRIO	Tudo bem... Deixei-a lá, esperando a vez. Parecia mais conformada, disposta ao sacrifício.
LUA	Ah, ela está conformada! Então eu também devo ficar! E devo fazer com que todos saibam disso. Principalmente ele, o nosso bem-amado Proprietário.
DONANA	Lua, meu filho...
LUA	Digam a ele que estou feliz por ter recebido minha mulher em seu colchão de penas de avestruz. Que estou agradecido pelos trabalhos executados esta noite por seu pequeno membro forjado em chumbo e excremento. E que vou fazer um grande lenço com o véu de esperma e amarrá-lo no pescoço nos feriados nacionais!
DONANA	Lua, pense bem no que faz e no que diz. O Proprietário tem olhos e ouvidos por toda a parte.
VIGÁRIO	Este é um momento em que precisa mostrar serenidade.
DONANA	Você não é mais um rapaz sem responsabilidades. Tem que pensar agora no futuro, na sua mulher, nos filhos que hão de vir.
VIGÁRIO	Nada de atos impensados, de gestos não medidos. Considere-se parte daquele imenso rebanho de humilhados e ofendidos que têm as preferências do Senhor. E entregue a Ele, que Ele, saberá fazer justiça.
LUA	Que mais quer o Vigário? Que caia de joelhos e reze ao Bom Deus, na hora em que Mara está lá, estendida, e uma lagarta com seus pés de larva passeia atrevida no seu corpo nu, queimando seus peitos, lameando seu ventre, fazendo em pedaços seu hímen dourado!
VIGÁRIO	Você se tortura... Ponha um freio à imaginação. Do contrário vai acabar sofrendo no próprio corpo a dor e a violência do ato. Acabará sangrando também.
LUA	E eu estou, padre... sangrando no sangue sugado de meu santuário. Na nudez cavalgada da virgem aba-

tida, na dor usurpada, na raiva contida. Sangrando, minha mente sangrando, meus olhos sangrando na espera do tempo do homem, que virá, estou certo, depois dos tiranos. (*Inicia a saída.*)

DONANA — Lua! Espere, aonde vai?

LUA — (*Para.*) Não tenho de ir buscar a noiva? Não faz parte do ritual?

DONANA — Mas não agora, ainda é cedo. Só quando clarear o dia. Fique aqui, que as meninas vão lhe fazer companhia.

LUA — Não, vou para lá... que o dia pode clarear mais cedo. (*Sai.*)

VIGÁRIO — Também vou para casa, que já me excedi demais em minhas atribuições. Boa noite. (*Sai.*)

DONANA — Deus permita que seja uma boa noite. (*Sai.*)

Luz sobre as TRÊS DONZELAS *que entram.*

1ª DONZELA — O noivo estrangula
a dor nas virilhas,
o falo enrijado
na fome do amor.

2ª DONZELA — O gozo primeiro
pertence ao senhor,

3ª DONZELA — são dele as primícias
do coito pioneiro.

1ª DONZELA — Nas dobras da noite
sufoca a revolta,
a voz estancada
no grito impossível,

2ª DONZELA — no olhar a visão
do ato terrível,

3ª DONZELA — a noiva desnuda,
a cruel provação.

QUINTO QUADRO

Quarto do PROPRIETÁRIO. *Ao centro da cena, uma enorme cama. A* SE-NHORA *entra trazendo nos braços estendidos um lençol branco, dobrado. Vai trocá-lo pelo que cobre a cama quando* MARA *entra, a* SENHORA *interrompe o movimento.* MARA *também fica imóvel, intimidada, na entrada.*

SENHORA   Ande, não fique aí parada. Vamos logo acabar com isso.

MARA *dá alguns passos tímidos na direção do leito. A* SENHORA *retira o lençol e mostra a mancha de sangue.*

SENHORA   Triste sina a minha, trocar lençóis na cama de meu marido. É o quinto que mudo hoje. Estou farta.

MARA   (*Olha em volta assustada.*) Onde está ele?...

SENHORA   Nosso guerreiro, está na sala, descansando. Refazendo-se da última batalha. Pediu um mingau de aveia, vinho do porto... Não sei como ainda consegue... Essa última tomou-lhe mais de uma hora. Essas camponesas, quando passam um pouco da idade, ressecam que nem terra sem chuva curtida de sol. Ele também já não é mais aquele jovem combatente sempre de lança em riste... É um velho guerreiro de coração cansado. Você, menina, vê se não exige demais dele.

MARA   Eu por mim não exigia nada.

SENHORA   (*Estranha, olha-a fixamente.*) Você tem coragem, menina.

MARA   Tenho é medo. E vergonha.

SENHORA   Nenhuma entrou aqui com esses olhos de vespa e essas unhas à mostra...

MARA   Já disse que tenho medo.

SENHORA   Se não quer lhe dar um gozo ainda maior, não deixe transparecer.

MARA   Que outros conselhos me dá? A Senhora, que tantos lençóis tem trocado por esses anos a fio?

SENHORA Acha que isso me dá prazer?

MARA Não disse isso. Pedi que me ajudasse porque está há tanto tempo nesse ofício... e porque sinto na Senhora uma aliada.

SENHORA (*Olha-a com desconfiança.*) Não gosto do seu atrevimento. Tudo que nessa cama se passa é com meu consentimento. Se troco os lençóis, é que essa é a parte que me cabe, por direito, no ritual. Não vou cedê-la a ninguém.

MARA Deve ter então um certo orgulho...

SENHORA E por que não? Todo esse sangue derramado tem a sua razão de ser. Como todo sangue vertido em defesa da ordem, da paz e da união entre as famílias. Pelo menos é o que ele diz.

MARA É o que ele diz.

SENHORA E você está aqui para quê? Para contestar? Se não, eis aí uma boa justificativa para sua humilhação. Acredite nisso e se sentirá bem melhor.

MARA É o que me aconselha, que procure me enganar a mim mesma.

SENHORA Que prefere você? Desprezar a si própria? Não há uma terceira saída.

MARA Não há mesmo?

SENHORA Não há. E essa segunda não lhe parece mais dolorosa?

MARA Não sei, Senhora, não sei... Acreditar que meu corpo pisado, meu orgulho ferido, minha honra ultrajada, meu gozo contido, tudo isso são coisas necessárias ao bem comum... eu me sinto idiota!

SENHORA Se conseguir mesmo acreditar, não se sentirá idiota.

MARA Não, prefiro um sofrimento consciente a uma falsa paz de espírito.

SENHORA — Talvez seu corpo anseie pela violência. Quer senti-la fundo e forte entre as pernas e prefere ganir como uma cadela no cio. A escolha é sua.

MARA — Ao contrário, toda minha carne grita inconformada. Mas já vi que falamos duas línguas. A Senhora não me entende, nem pode me ajudar em nada.

SENHORA — Entendo mais do que pensa. Mas não espere outra ajuda que não esses conselhos. Como o carcereiro ou o carrasco, estou por demais comprometida. (*Inicia a saída.*)

MARA — Vai me deixar sozinha?

SENHORA — Não vai querer que assista...

MARA — E por que não? Não é um simples ritual? Um ato não de amor, mas de força, de autoridade... E mostrar autoridade não é imoral. Ou é?...

A SENHORA olha-a fixamente nos olhos.

MARA — Por que me olha assim?

SENHORA — Vai ter ainda que atravessar a noite... e já amanhece em seus olhos!

MARA — Que quer isso dizer?

SENHORA — É o que eu me pergunto. (*Sai.*)

MARA fica só um instante. Vai até o grande leito, olha, inquieta, apreensiva, até que escuta a voz de LUA, que ecoa, sonora e distante.

LUA — (*Fora, distante, grita:*) Maaaaaara! Maaaaara!

MARA — Lua!

LUA — (*Idem.*) Maaaaara!

MARA — Meu Deus, ele está louco! (*Ela logo sente que não vai poder resistir àquele chamado. Olha em volta, vê que pode fugir, se quiser, e, lentamente, como que atraída por um ímã, sai.*)

PROPRIETÁRIO (*Entrando.*) A menina me perdoe se eu a fiz esperar... Tive que fazer uma pausa para poder repousar... Esta noite está sendo um tanto quanto exaustiva... Cinco noivas, cinco lindas donzelas... uma estiva! (*Procura* MARA *e não a encontra.*) Mas onde é que ela está?...

SENHORA *entra.*

PROPRIETÁRIO Onde a moça se meteu?

SENHORA Eu a deixei aqui esperando...

PROPRIETÁRIO Será que se escondeu? Que brincadeira é essa?

SENHORA Ouvi uns gritos...

PROPRIETÁRIO Também eu...

SENHORA Alguém chamando por ela como um doido varrido!

PROPRIETÁRIO O que está insinuando? Que ela deve ter fugido?

SENHORA Pra mim não seria surpresa...

PROPRIETÁRIO Isso nunca aconteceu! Nem vou deixar que aconteça!

SENHORA Calma... Quem sabe?... Talvez se arrependa e ainda volte.

PROPRIETÁRIO E eu? Vou ficar esperando? Se ela veio até aqui, aqui tinha de estar, à minha disposição. Se fugiu, isso é grave! Eu só posso interpretar como uma rebelião que é preciso sufocar. E o Vigário está com eles... Quem sabe se mais alguém... Tenho de agir com rigor! (*Ameaça sair.*)

SENHORA Vai convocar os jagunços?

PROPRIETÁRIO Os jagunços, a Polícia, toda a população. Que o povo certamente, sendo como é pela ordem, pela paz e tradição, há de ficar do meu lado, sem qualquer hesitação. Chame todos, todos, todos! Pois quero que todos saibam e se unam a mim na repressão a esse gesto insólito!

SENHORA *sai. Ele avança para a boca de cena, enquanto se realiza a mutação.*

PROPRIETÁRIO (*Discursa para a plateia.*) É meu supremo dever dar ciência do que se passa. Uma minoria, senhores, subversiva e radical, resolveu se rebelar contra um sagrado ritual, um costume secular, um direito consagrado, e assim talvez contestar, quem sabe, até o regime de trabalho e convivência que todos nós adotamos em nossa comunidade. Enquanto a maioria é unida e obediente, abre-se na minoria esse odioso precedente. Enquanto a maioria demonstra compreensão e cumpre o seu dever, rebela-se uma minoria e resolve dizer não, desafiando meu poder. Um poder que por direito exerço em nome de todos, que por todos estendo, com a minha proteção e democraticamente e sem fazer distinção, sem mesmo discriminar raça, cor ou religião. Será isso admissível? Iremos nós consentir num gesto tão egoísta e tão anti-social? Uma reação extremista e até ditatorial! É claro que não podemos de forma alguma ceder. E custe o que custar, aconteça o que acontecer, a noiva aqui deve estar antes que o dia amanheça. Pelos morros ou planícies, pelas matas ou descampados, tanto a noiva como o noivo, os dois devem ser caçados!

SEXTO QUADRO

Capela, simbolizada pelo altar, encimado pela cruz de Cristo. Rosas, muitas rosas, últimos vestígios dos casamentos celebrados. Um vitrô colorido joga sobre a cena a luz do luar.

Entram MARA *e* LUA, *ambos dando sinais de terem feito longa caminhada.*

LUA Pronto... aqui estamos a salvo.

MARA Estamos mesmo? Você acha?

LUA Por esta noite ao menos.

MARA E amanhã?

LUA Eu não sei... Esta noite nós faremos a nossa própria lei em nosso pequeno mundo. E amanhã, amanhã seremos outras pessoas, o mundo terá mudado. Ainda que dividido entre mandantes e mandados, opresso-

	res e oprimidos, já não será como dantes. (*Nota que ela está intranquila.*) Você... você não acredita?
MARA	Terei de acreditar, já que o que fiz está feito, não posso mais recuar. (*Ergue os olhos para a cruz.*) Mas isto aqui é uma capela...
LUA	Por isso mesmo é um lugar onde ninguém terá ideia de vir nos procurar.
MARA	Mas aqui... aqui não podemos...
LUA	Por quê?
MARA	Seria sacrilégio!
LUA	Deus vai por certo entender que outra saída não temos. E se a Ele prometemos, diante deste mesmo altar, nos unirmos pelo amor até a morte separar... Ou será que o juramento que fizemos esta tarde...
MARA	(*Interrompe.*) Não, estou disposta a tudo, não me faça essa injustiça. Fugi do Proprietário depois de estar em seu quarto, à beira do grande leito! Sabe o que vai me custar? Atrás de mim abriu-se um fosso, impossível retornar.
LUA	Mas temos à nossa frente um macio leito de noite sob um lençol de luar. O que importa é que o tesouro que nos quiseram furtar será nosso, todo nosso... e quando o amanhã vier e de mulher te chamar, te encontrará não mais virgem, mas tão pura quanto antes. Terás perdido a inocência, mas não a dignidade.
MARA	Não, nada terei perdido. Em te dando a virgindade, só terei me enriquecido. Não se empobrece a Terra que se abre para o plantio da semente desejada.
	Após um longo beijo, ela tira a grinalda e se deita de costas diante do altar.
MARA	Venha...
	Ele se deita sobre ela. Logo se ouvem vozes fora. Eles estremecem.

MARA — Você não ouviu?!

LUA — Acho que há gente lá fora... escutei um vozerio...

VIGÁRIO — (*Fora.*) Não tem, não tem ninguém aqui, vocês estão enganados. (*Entra e espanta-se ao ver* LUA *e* MARA.) Vocês!... Meu Deus, que loucura!

LUA e MARA levantam-se, rápido.

MARA — Perdão, Vigário, perdão...

LUA — Era o único lugar onde podíamos estar em segurança...

VIGÁRIO — Segurança... Eles estão aí! Correram toda a aldeia caçando vocês!

MARA — Soldados!

LUA — Jagunços!

VIGÁRIO — E muita gente! Um bando! Todos armados! E sabe quem vem na frente?

MARA — Adivinho! O Proprietário!

VIGÁRIO — Nada disso, os quatro noivos! Os quatro que hoje pagaram o tributo exigido, que a ele cederam as noivas no adultério consentido!

LUA — Mas logo eles que deviam formar do nosso lado!

VIGÁRIO — Vai levar tempo até eles disso terem consciência.

MARA — Mas o Vigário não pode de modo algum permitir... Isto aqui é uma igreja! Eles não podem invadir!

LUA — Ele sabe mais que nós: aqui nem o Proprietário, nem ninguém, ninguém tem voz. Somente Deus e o Vigário.

VIGÁRIO — É uma questão delicada... A divisão dos poderes não é assim tão respeitada... Mas claro, vou resistir!

Entram os quatro NOIVOS, *todos armados de espingardas de caça.*

VIGÁRIO	Êi! Alto lá! Para trás! Esta é a casa de Deus!

Três NOIVOS dominam LUA, separando-o de MARA.

LUA	Traidores! Sujos traidores!
MARA	Será que não têm vergonha?!
NOIVO	Nós a perdemos esta noite. E se isso nos foi imposto, em que ele é melhor que nós? Por que vai livrar o rosto?

As luzes se apagam e se acendem depois sobre as TRÊS DONZELAS.

AS TRÊS DONZELAS	A lei é inflexível: decreta a vergonha, tributo terrível partido entre todos.
2ª DONZELA	A noiva não vai descumprir sua sina.
3ª DONZELA	Ninguém lhe permite fugir ao suplício.
2ª DONZELA	O senhor a espera para o sacrifício.
1ª DONZELA	Ao noivo aviltado, no seu desespero, só resta gritar seu grito sem voz nos surdos ouvidos da noite sem rosto, enquanto que a noiva — paga o imposto.

SÉTIMO QUADRO

Quarto do PROPRIETÁRIO. MARA, imóvel, de pé ao centro da cena, enquanto que o PROPRIETÁRIO vai despindo-a, peça por peça.

PROPRIETÁRIO — Espere... cabe a mim retirar peça por peça... Assim... mas bem devagar... Faz parte do ritual. (*Olha-a detidamente.*) Você então tentou fugir ao compromisso... Por que? Tem medo? Acanhamento? Ou quem sabe imagina que sou um tarado sexual?

MARA *fecha os olhos, envergonhada.*

PROPRIETÁRIO — Não consigo atinar com o motivo da recusa. Porque é a primeira, fique sabendo, a primeira que pensa em abrir mão da honra de ocupar meu leito e da glória de passar comigo a sua derradeira noite de moça donzela. Isso me choca muitíssimo e me deixa intrigado. Pois quem vai sair lucrando é só você, minha bela... que vai dar, por minhas mãos, os seus primeiros passos na doce, nobre e difícil arte de fazer amor. E que moça não sonha com tão sábio professor? Esta noite, quatro delas aqui estiveram cumprindo o sagrado ritual, o honroso dever de dar a este proprietário o que por lei lhe pertence. E saíram todas quatro bem instruídas, satisfeitas e felizes por perderem a honra assim de maneira tão inegavelmente honrosa. Garanto que agora estão contando aos seus maridos... (*Ele continua despindo-a, atirando ao chão o véu, a grinalda, o vestido, as peças de baixo.*) É como despetalar uma rosa, suavemente, assim, pétala por pétala... até alcançar o fim, o cálice, onde beberei o vinho do amor submisso da servil propriedade pelo seu proprietário, do escravo por seu senhor, da vítima por seu algoz, do oprimido pelo opressor... e erguendo a hóstia consagrada ao direito de punir, violentar, corromper, esmagar e denegrir, cantaremos um hino à paz e levantaremos um brinde à harmonia entre as classes! (*Ele arranca a última peça, rasgando-a.* MARA *fica inteiramente nua, o pescoço erguido, os olhos cerrados.*)

LUA — (*Fora, distante, grita:*) Maaaaara!... Maaaara!...

PROPRIETÁRIO — Que é isso?

MARA — É alguma brincadeira... de alguém que bebeu demais na festa do casamento. (*Cobre-se com o véu.*)

PROPRIETÁRIO (*Começa a desabotoar a túnica.*) Isso é um desrespeito, perturba o ritual.

MARA O senhor foi tão gentil despindo as minhas roupas... Será que permitiria retribuir por igual?

PROPRIETÁRIO (*Sorri.*) Bravo... isso, sim... gostei... uma atitude inteligente e bastante construtiva. Já vi que evoluiu da oposição formal pra colaboração ativa. Isso me torna feliz. Diminui a oposição, diminui a violência. Pois é por demais sabido que o emprego da força só aumenta na razão direta da resistência. São somente os que resistem os verdadeiros culpados se às vezes, contra a vontade, nós nos vemos obrigados a usar de energia pra impor nossos direitos.

MARA (*Tira-lhe a túnica.*) Onde ponho?

PROPRIETÁRIO No chão mesmo...

MARA (*Desabotoando-lhe a camisa.*) Como sois forte...

PROPRIETÁRIO Você acha?

MARA Tudo em seu corpo é poder, força e autoridade! Desculpe se a princípio eu procurei resistir... É mesmo uma grande honra entregar a virgindade a alguém tão acima de qualquer pobre mortal. Desde já eu agradeço o que vai fazer por mim...

PROPRIETÁRIO (*Sorrindo.*) Acho que vamos ter o mais belo ritual...

MARA Também espero que sim...

Ele atira-a sobre o leito, deita-se sobre ela e beija-a. MARA, *num gesto rápido, que somente se percebe pela contração do corpo dele, arranca-lhe a faca da cinta e golpeia-o no ventre. Ele se ergue, com as mãos sobre o ventre.*

PROPRIETÁRIO Você me arranhou, sua gata!... (*Nos olhos a visão da morte, ele dá alguns passos incertos e cai ao solo, pesadamente.*)

A SENHORA *entra logo a seguir,* MARA *ainda está com a faca na mão, olhando para o corpo do* PROPRIETÁ-RIO, *horrorizada. Ao ver a* SENHORA, MARA *julga que está perdida, deixa cair a faca.*

SENHORA Você... foi você?!

MARA Sim, fui eu. Pode chamar a Polícia.

SENHORA (*Olha-a com admiração.*) Esse clarão matutino em seus olhos... eu sabia! Era você a que devia chegar! Tenho finalmente a explicação... por que amanheceu de repente, enquanto nas outras noites custava um século!

LUA (*Fora, grita:*) Maaaaara!...
Maaaara!...

SENHORA É seu noivo!

MARA Ele nada tem com isso!

SENHORA Tem, sim, é claro que tem. Por qualquer justa razão você deve ter feito isso. Ande, corra atrás dele. Não deixe que o sol nascente venha encontrá-lo assim, desatinado, perdido, gritando pelas colinas, que nem cavalo ferido. (*Arranca da cama o lençol.*) Tome, leve para ele o imaculado lençol, troféu da tua bravura. Façam dele uma bandeira e a coloquem bem alto para que todos a vejam quando forem regar os campos e trabalhar a terra. (*Envolve* MARA *no lençol.*) Ande, vá! E vá com Deus!

MARA *fica um instante indecisa, depois sai correndo. A* SENHORA *se volta para o corpo do* PROPRIETÁRIO, *seu olhar é frio, mas em seus lábios há um quase sorriso de libertação. Ela avança até a boca de cena e anuncia, dirigindo-se à plateia.*

SENHORA Minhas senhoras e senhores, cabe a mim participar que o nosso bem-amado Proprietário está morto. Tombou em ação heroica, cumprindo o seu dever, vitimado por seu zelo no exercício do poder.

o rei de Ramos

PERSONAGENS

Mirandão Coração-de-Mãe
Nico Brilhantina
Pedroca
Taís
Marco
Manga Larga
Marivalda
Cida
Dr. Vidigal
Delegado Paixão
Ronaldo
Boca-de-Alpercata
Salvador
Anacleto
Deixa-que-eu-Chuto

AÇÃO: *Rio de Janeiro*
ÉPOCA: *atual*
MÚSICAS: *Chico Buarque e Francis Hime*
LETRAS: *Chico Buarque e Dias Gomes*

PRIMEIRO QUADRO

DA MORTE DE MIRANDÃO CORAÇÃO-DE-MÃE E SEU INCRÍVEL FUNERAL

Cena inteiramente às escuras.

UMA VOZ (*Distante.*) Mataram Mirandão!

Luz sobre o corpo de MIRANDÃO *morto, estendido, no centro do palco. Apaga-se a luz.*

OUTRA VOZ (*Mais perto.*) Mirandão morreu!

Luz sobre personagem de pé diante do corpo de MIRANDÃO. *Apaga-se a luz.*

TERCEIRA VOZ (*Bem próxima.*) Mataram nosso pai!

Luz sobre um grupo de pessoas em volta do corpo. Apaga-se a luz.

QUARTA VOZ Morreu nosso rei!

Palco totalmente iluminado, todas as personagens em cena.

PEDROCA (*Canta:*) Ele disse pra Escola caprichar
No desfile da noite de domingo
Com gingo, com fé
Pediu muita cadeira a requebrar
Muita boca com dente pra caramba
E samba no pé
De repente o pandeiro atravessou
De repente a cuíca emudeceu
De repente o passista tropeçou
E a cabrocha gritou que o nosso rei morreu.

TODOS Viva o rei de Ramos
Que nós veneramos
Que nós não cansamos de cantar
Viva o rei dos pobres

Que gastava os cobres
Nas causas mais nobres do lugar
Viva o rei dos prontos
Que bancava os pontos
Que pagava os contos do milhar
Viva o rei de Ramos
Viva o rei, viva o rei,
Viva o rei de Ramos.

Os seus desafetos e rivais
Misericordioso não matava
Mandava matar
E financiava os funerais
As pobres viúvas, consolava
Chegava a chorar
De repente gelou o carnaval
De repente o subúrbio estremeceu
E a manchete sangrenta no jornal
Estampou garrafal que o nosso rei morreu

Viva o rei de Ramos
Que nós veneramos
Que nós não cansamos de cantar
Viva o rei dos crentes
E dos penitentes
E dos delinquentes do lugar
Viva o rei da morte
Da lei do mais forte
Do jogo da sorte
E do azar
Viva o rei de Ramos
Viva o rei, viva o rei
Viva o rei de Ramos.

Os homens carregam o corpo de MIRANDÃO *acima dos ombros e saem com ele, ainda cantando o samba, enquanto se ouve a voz de um locutor de TV.*

LOCUTOR   Falecido ontem, foi hoje sepultado Arlindo Miranda, o famigerado Mirandão Coração-de-Mãe. Nossa reportagem documentou o enterro, acompanhado por milhares de populares e até mesmo por políticos e autoridades. Figura controvertida, para uns um simples bandido, para outros um protetor dos pobres, Mirandão baixou à sepultura mil e vinte do Cemitério do Caju, milhar que todos anotaram devidamente... Mas quem foi Mirandão? O senhor aí, por favor...

SEGUNDO QUADRO

MORREU DE MÃOS LIMPAS, NUNCA MATOU, SEMPRE MANDOU MATAR

Luz sobre PEDROCA, *que está de costas e se volta para a plateia. É o braço direito de* MIRANDÃO. *De físico avantajado, bem mais moço que ele, veste-se de maneira semelhante, embora com certa pretensão à elegância suburbana que* MIRANDÃO *não tem. Alia a malícia do marginal a um extraordinário senso de fidelidade ao chefe, pelo qual tem uma admiração que beira o fanatismo.*

PEDROCA   Quem? Eu? Me chamo Pedroca,
ou Pedro Arcanjo Ferreira,
brasileiro, desquitado,
reservista de terceira,
sou cidadão carioca,
da Estação de Mangueira.

Se quiser saber também
qual a minha ocupação,
sou corretor zoológico,
uma nobre profissão
infelizmente ainda
sem regulamentação.

Antes disso, eu lutei boxe.
Cheguei quase a campeão
da minha categoria.
E foi nessa ocasião,
pra minha felicidade,
que eu conheci Mirandão.

Ele me tirou do ringue,
onde eu marcava bobeira,

e me levou pro bicho.
No bicho eu fiz carreira,
com a ajuda de Santa Bárbara,
minha santa padroeira.

Comecei humildemente
Como engolidor de lista,
uma função que requer
perfeito golpe de vista,
além de um bom estômago
e um certo pendor de artista.

Demonstrando vocação
e trabalhando com amor,
fui promovido a olheiro,
depois a anotador,
chegando rapidamente
ao posto de apurador.

Subindo assim por bravura
e também merecimento
de patente em patente
até chegar no momento
a uma espécie de ministro
chefe do planejamento,

por força das circunstâncias
acumulando também a função
de chefe de estado-maior,
bispo de uma religião —
que Deus perdoe a heresia —
em que o papa é Mirandão.

Agora que ele morreu
e a cidade está em pranto,
uma coisa vou dizer
que pode causar espanto,
a verdade verdadeira:
Mirandão era um santo.

Luz sobre MIRANDÃO, *todo de branco, charuto, sentado a uma grande mesa cheia de telefones de todas as cores. Fala a um deles.*

MIRANDÃO — De quanto é a aposta? Até cinquenta milhas eu sento em cima. Mais que isso, descarrego. Fala mais alto, o macaco tá ruim. Esse milhar tá cotado, idiota. É o número da sepultura daquele cantor que morreu ontem, a televisão deu, tá todo mundo carregando nele. Só seguro até vinte, entendido? (*Ele tem a simpatia, o carisma e o ar paternal dos ditadores menores. Parece carregar sempre nas costas um grande fardo, imensa responsabilidade, como arcanjo cruel e protetor. Sua obediência quase religiosa à "ética profissional" não é um traço de cinismo ou hipocrisia em seu caráter, mas uma noção particular e exótica de dignidade em que ele acredita sinceramente. Um exemplo de deformação a que pode chegar a manipulação de valores humanos na tentativa de vestir uma realidade em que todos esses valores são negados. Por vezes, até parece que ele, como os demais bicheiros, não se dá conta dessa contradição, como se todas as ações indignas pudessem se revestir de dignidade, desde que observado posteriormente um certo código de ética. No fundo,* MIRANDÃO *é um ferrenho moralista. No momento em que desliga,* PEDROCA *vai a ele.*)

MIRANDÃO — Gente descompetente. Material humano da pior qualidade. Pessoal sem cultura, sem *know-how*. Desse jeito, como é que a gente vai enfrentar a Loteria Esportiva, seu Pedroca? Com essa infraestrutura! (*Nota que* PEDROCA *traz alguma notícia.*) Que é que foi?

PEDROCA — Más notícias, chefe.

MIRANDÃO — Então não me dê. Hoje é dia 13 e parece que saí de casa com o pé comunista.

PEDROCA — O assunto exige providência imediata.

MIRANDÃO — Fala.

PEDROCA — Lembra do Boca-de-Alpercata?

MIRANDÃO — Então não me lembro daquele cadelo? Botei ele pra fora da organização.

PEDROCA — Tá trabalhando pra Nico Brilhantina.

MIRANDÃO — Um cadelo trabalhando pra outro cadelo.

PEDROCA — Não é só. Se segure. Tem uma bomba. O Brilhantina abriu um ponto na nossa zona.

MIRANDÃO — (*Levanta-se, transfigurado.*) Ele não pode fazer isso!

PEDROCA — Mas fez. E o Boca-de-Alpercata é quem tá recebendo jogo.

MIRANDÃO — Não pode. Tem um trato. Você sabe disso. Nenhum banqueiro pode invadir a zona do outro.

PEDROCA — Tou sabendo.

MIRANDÃO — A zona do Brilhantina é Leme e Copacabana. Isso foi acertado há 20 anos entre os 5 grandes. Eu, Anacleto, Deixa-que-eu-Chuto, Salvador e esse cachorro mesmo do Brilhantina. Assinamos um tratado. Isso já faz parte da História do Brasil. Eu fiquei com Ramos e todos os subúrbios da Leopoldina. Aqui, ninguém entra. Aqui eu sou o rei.

PEDROCA — Parece que o Brilhantina tá querendo testar essa realeza. E, se tu não reagir, tá fodido.

MIRANDÃO — (*Pensa um instante.*) Onde é o ponto?

PEDROCA — Na loja de Pai Joaquim.

MIRANDÃO — Casa de umbanda. Nem a religião eles respeitam. Esse Brilhantina é um herege. Onde vai parar essa humanidade assim, sem fé, seu Pedroca? Isso é o fim do mundo. Aliás, tá na Bíblia: é o Eucalipto!

PEDROCA — Às ordens, chefe!

MIRANDÃO — Vai lá e quebra tudo. Como católico apostólico romano, não posso permitir esse heresismo.

PEDROCA — E o Boca-de-Alpercata, que faço com ele?

MIRANDÃO — Tome as providências necessárias, de acordo com a moral e a ética.

TERCEIRO QUADRO

A MORAL E A LEI
ou
UMA QUESTÃO DE ÉTICA

Balé. Na loja de Pai Joaquim, entre imagens de orixás africanos, entre búzios, velas e patuás, o BOCA-DE-ALPERCATA *instalou seu ponto. Diante dele, alguns jogadores fazem seu jogo.* BOCA-DE-ALPERCATA *escreve as apostas num talão. Os homens de* PEDROCA *entram, cautelosos, um após outro, evoluem em torno do bicheiro carregando enormes imagens de orixás. A música e a coreografia criam um clima: preparação para o assalto.*

JOGADOR — Bota tudo na cobra, sonhei com minha mulher.

OUTRO — Quero esse milhar invertido, cercado pelos sete lados.

BOCA-DE-ALPERCATA — Se apressa, gente. O jogo tá fechado, a barra tá pesando, a cana pode bater, tenho de me mandar.

Os homens de PEDROCA *evoluem pelo cenário e começam a destruir a loja.*

BOCA-DE-ALPERCATA — Ei! Que estão fazendo?! Quem são vocês?! Que é isso?!

Todos se voltam para PEDROCA, *que surge de repente, de revólver em punho.*

PEDROCA — Castigo de Deus, Boca-de-Alpercata. Tudo isso é orixá que baixou nos seus cavalos pra acabar com essa desreverência.

Os bailarinos prosseguem na coreografia que traduz a destruição da loja e do ponto. Os jogadores, em pânico, fogem. PEDROCA *avança para* BOCA-DE-ALPERCATA, *que se encolhe, apavorado.*

BOCA-DE-ALPERCATA — Não! Não!... Pelo amor de Deus! Tenho mulher e seis filhos!

PEDROCA — Tinha...

PEDROCA *liquida* BOCA-DE-ALPERCATA *com um tiro. Ele cai, de costas, na cadeira, de boca aberta.*

MIRANDÃO *entra.*

PEDROCA — Missão cumprida, chefe.

MIRANDÃO — Pobre rapaz. Sabe que me corta o coração? Tão moço ainda... E tinha boas qualidades. Podia ter um brilhante futuro. Era bom anotador. Tinha boa letra, ligeireza na escrita e engolia uma lista como ninguém, quando a cana pintava. Tinha vocação. Só não tinha caráter.

PEDROCA — Pagou por isso.

MIRANDÃO — Era casado.

PEDROCA — Deixa viúva e seis filhos.

MIRANDÃO — Dê os pêsames à viúva em meu nome. Diga que eu garanto uma pensão pro resto da vida. E, quanto aos meninos, pago os estudos até se formar em doutor. Como manda a ética. (*Sai com* PEDROCA.)

Os jogadores, que haviam fugido, voltam e se acercam do cadáver.

JOGADORES — (*Cantam:*) Os seus desafetos e rivais
misericordioso não matava
mandava matar
E financiava os funerais
As pobre viúvas consolava
Chegava a chorar

MANGA LARGA *entra. Os jogadores fogem, receosos.*

MANGA LARGA — (*Faz um sinal para fora.*) Pode vir, chefe. Barra limpa.

BRILHANTINA — (*Entra, olha em volta. É mais moço que* MIRANDÃO *e, ao contrário de seu rival, ostenta uma pretensa elegância no trajar. Tem a obsessão do perfume e da limpeza. Vive lavando as mãos, perfumando-se, penteando-se, os cabelos reluzentes de brilhantina; vê o corpo de* BOCA-DE-ALPERCATA.) Foi gente do Mirandão.

MANGA LARGA — E quem podia ser?

BRILHANTINA — É, Mirandão tá querendo me intimidar. Fez uma demonstração de força. Mas isso é sinal de fraqueza.

>   Mirandão tá velho e não é mais aquele. Chegou a nossa vez de encostar ele na parede.

MANGA LARGA — Acho que ele pensa que com isso você vai fugir da raia.

BRILHANTINA — (*Sorri.*) Acho que ele se esqueceu de uns tirinhos que a gente andou trocando no passado. Esqueceu também que eu, Nicolino Pagano, filho de crioula com calabrês, sou carne de pescoço. (*Pega o dinheiro na gaveta e as pules sobre a mesinha, entrega a* MANGA LARGA.) Pega o dinheiro e as pules, é jogo feito pra hoje. (*Tira um frasco de água-de-colônia do bolso e passa nas mãos. Joga também um pouco nos cabelos.*)

MANGA LARGA — Não é pra fazer intriga, mas sabe o que esse porco do Mirandão anda dizendo? Que tu vive se perfumando porque nasceu e se criou no mangue e no alagado da Favela Varginha, cheirando e comendo merda.

BRILHANTINA — Ele anda dizendo isso, é? Pois foi mesmo. Até os quinze anos vivi naquele fedor. E aquela fedentina nunca me saiu do nariz. Quem sabe é essa a razão?... Não, eu acho que não, porque fedor por fedor, o do mundo é bem maior.

MANGA LARGA — Bom, e agora o que é que a gente faz?

BRILHANTINA — Agora, seu Manga Larga, a gente conserta tudo e reabre o ponto.

MANGA LARGA — E se eles voltarem?

BRILHANTINA — (*Calmo, sem se alterar.*) Aí a gente dá o troco.

MANGA LARGA — Falou.

BRILHANTINA — E manda rezar uma missa por alma da vítima. Como se chamava o rapaz?

MANGA LARGA — Boca-de-Alpercata.

BRILHANTINA — Afinal, coitado, tombou no cumprimento do dever.

> MANGA LARGA *sai.* BRILHANTINA *tira um pente do bolso, penteia os cabelos reluzentes.*

BRILHANTINA   (*Canta:*)   Há vinte anos
Fizemos nossa partilha
E desde então esse filho
Da mãe ficou com o filé,
Fiquei com os ossos
Ossos e sebos do ofício
Mas respeitei o armistício

Sou homem de boa-fé.
Pois é...
Diz um ditado

Da gente da minha terra
Que o bom cabrito não berra
Mas já não posso aturar
Se esse safado
Quer me ganhar no grito
Ainda vai ver um cabrito
Com um berro na mão fuzilar.

QUARTO QUADRO

A FILHA DO REI E SEUS AMIGOS

Luz sobre PEDROCA.

PEDROCA   Mirandão mandava em Ramos
e em toda Leopoldina,
só não mandava na filha,
rebelde desde menina,
ela era o seu desgosto,
sua cruz e sua sina.

Eu não sei o que Taís
tinha contra Mirandão,
porque um pai como ele
não se encontra mais não,
é artigo fora de série,
fora de circulação.

Ele deu tudo pra ela,
educação de primeira,

curso de língua, balé,
até colégio de freira.
Por isso é que com ela
eu sempre marquei bobeira.

Iluminação e clima de discoteca. Pares dançam alucinadamente. Entre eles, TAÍS *e* RONALDO.

Quando termina a música, TAÍS *e* RONALDO *se deixam cair no chão, abraçados. Estão ambos atordoados. Ele dá alguma coisa pra ela cheirar, ela sorri, desligada de tudo. De repente, cai em si, levanta-se de um salto.*

RONALDO	Que foi? Que bicho te mordeu?
TAÍS	É tarde, tenho que ir pra casa.
RONALDO	Sem essa, princesa. É cedo ainda... Tamos numa boa... quer saltar do barco no começo da viagem? Qualé, princesa?
TAÍS	(*Ele tenta detê-la, ela reage.*) Não, hoje não... O velho já tá grilado, se me vê chegar a essa hora faz um bulu dos diabos. É capaz até de me bater.
RONALDO	O bicheiro, é?
TAÍS	(*Ele tocou no ponto sensível.*) Que tem ser bicheiro?
RONALDO	Nada. Nem acho que tenha nada ser filha de bicheiro. Ele tá na dele, fica na tua também. Qualé o grilo?

PEDROCA *entra, procura* TAÍS *entre os jovens. Ela vê e reage com estranheza.*

TAÍS	Pedroca...
PEDROCA	(*Vai a ela.*) Taisinha, teu pai mandou te buscar.
RONALDO	Bem, tchau...
TAÍS	Tchau. (*Olha para* PEDROCA *com arrogância.*) Desde quando eu tou precisando de babá?
PEDROCA	(*Sorri.*) Tá dizendo isso pra me lembrar que já te peguei no colo...

TAÍS	Não vai querer fazer isso agora.
PEDROCA	(*Diante dela ele tem um ar idiota, é um brutamontes apaixonado.*) Não, hoje você tá crescidinha. Mas quem sabe um dia...?
TAÍS	Um dia o quê, seu Pedroca? (*Olha pra ele com ar de desafio.*)
PEDROCA	A gente também carrega no colo a mulher que escolheu... quando vem da igreja.

TAÍS *ri*.

PEDROCA	De que tá rindo? Tou falando sério.
TAÍS	Mas é por isso que é engraçado, porque você está falando sério. É mesmo de morrer de rir. (*Leve tom de ameaça.*) Só não sei se o Mirandão ia achar tanta graça se soubesse que você anda me cantando.
PEDROCA	(*Infantilmente preocupado.*) Taisinha... não fale nada pra teu pai... Não é por nada... questão de respeito.
TAÍS	Então vá embora, me deixa em paz.
PEDROCA	Você inda vai ficar?
TAÍS	Só mais um minuto. Mas quero sair sozinha, sem guarda-costas.
PEDROCA	A essa hora... é perigoso.
TAÍS	(*Volta-lhe as costas.*) Me esqueça, Pedroca.
PEDROCA	Teu pai não ia gostar de te ver assim, transando com qualquer um.
TAÍS	Com qualquer um, menos você.
PEDROCA	(*Como cão escorraçado.*) Tá legal. (*Sai.*)
TAÍS	(*Canta:*) Qualquer amor Me satisfaz Qualquer calor Qualquer rapaz Qualquer favor

  É só chamar
Pousar a mão
Qualquer lugar
Qualquer verão
  É só chamar
É tudo, é do primeiro
Qualquer hora, qualquer cheiro
Qualquer boca, qualquer peito
Qualquer jeito de prazer
Qualquer prazer é pouco
Qualquer éter, qualquer louco
Que o meu corpo de criança
Não se cansa de querer

Qualquer amor
Eu corro atrás
Qualquer calor
E eu quero mais
Qualquer amor
Qual nada.

Ilumina-se a casa de MIRANDÃO. TAÍS *entra.*

MIRANDÃO Isso é hora de chegar em casa?

TAÍS É, pai, sem essa... não sou mais criança.

MIRANDÃO É, sim, é de menor. E, enquanto for de menor, eu sou responsável por você.

TAÍS (*Como uma acusação.*) É... você é o responsável.

MIRANDÃO (*Procura ser mais paternal.*) Que é? Algum problema? Se tem, fala. Pra isso também sou seu pai.

TAÍS Você não ia entender.

MIRANDÃO Por que não? Porque sou um ignorante, é isso que você quer dizer. Sou sim, mas não me envergonho disso.

TAÍS Você não se envergonha de nada que faz.

MIRANDÃO E por que havia de me envergonhar? Sou um homem que me fiz por si, sem adjutório de ninguém. Passei fome, dormi no relento, vendi jornal, engoli gilete em

	praça pública, engraxei sapato. Você acha que isso é vergonha?
TAÍS	Não.
MIRANDÃO	Hoje, posso comprar todo o subúrbio de Ramos, se quiser, com a Estrada de Ferro Leopoldina e tudo.
TAÍS	Isso sim, eu acho uma vergonha.
CIDA	(*Entrando.*) Que está acontecendo? Vocês aqui discutindo a esta hora da noite? (*É uma senhora de prendas domésticas, pouco conhecimento toma dos negócios do marido. Para ela, ele é apenas o pai de sua filha. Fiel, submissa, tem dele uma imagem muito benevolente: bom marido, bom pai, bom chefe de família.*)
MIRANDÃO	É a hora que sua filha chega. E ainda me faz desaforo.
CIDA	Taís... seu pai faz tudo por você, passou o dia hoje cuidando da festa do seu aniversário. É até uma ingratidão.
MIRANDÃO	É a paga que a gente recebe dos filhos. A gente passa a vida se sacrificando por eles, lutando pra que eles tenham tudo que a gente não teve e no fim... eles dão uma banana e cospem na nossa cara.
CIDA	(*Olha para* TAÍS *e balança a cabeça num gesto de reprovação.*) Taís!...
TAÍS	Ih, pai, não faz drama!
CIDA	O baile vai ser na quadra da escola.
TAÍS	Um baile de aniversário na quadra da escola de samba? Não era melhor ser aqui em casa mesmo?
MIRANDÃO	Não, quero coisa grande. Uma festa que vai ficar nos anais e menstruais da História. Mandei decorar a quadra, encomendei trezentos litros de uísque escocês. E posso garantir que não é falsificado, comprei de um contrabandista honesto, com 20 anos de profissão.
CIDA	Trezentos litros! Isso dá pra embebedar Ramos, Olaria e Bonsucesso!

MIRANDÃO	Não faz mal, mulher, o que sobrar a gente dá de brinde da casa. Mandei botar 3.000 lâmpadas em volta da quadra.
TAÍS	Pra que tanta lâmpada?
MIRANDÃO	Quero tudo às claras. Muita luz. Pra não haver safadeza. Muita comida, muita bebida, mas muita moral. E em sua homenagem vou mandar cantar o samba-enredo deste ano.

QUINTO QUADRO

ONDE ENTRA UM POUCO DE AMOR,
POR QUE NÃO?

Quadra da escola de samba em clima de festa. Os passistas se exibem ao ritmo da bateria e cantam o samba-enredo, puxado por PEDROCA.

> Quem vacila, oi
> Quem vacila (*Bis.*)
> Acaba na cama da Domitila.
>
> Foi nos tempos
> Nos tempos do Brasil imperial
> Tinha uma marquesa
> Simplesmente sensacional
> Domitila, marquesa dos Santos
> De gentil beleza
> E de maridos tantos
>
> Duques e barões assinalados
> Marechais e magistrados
> Travessaram seu destino
> Mas foi finalmente o imperador
> Que aplacou o seu furor uterino.

MIRANDÃO *entra, de braço com* CIDA.

MIRANDÃO	Cheguei, gente, cheguei!
PEDROCA	Viva o nosso Presidente!
TODOS	Viva!

MIRANDÃO	Então, que tal a festa? Tudo em ordem?
PEDROCA	Na mais perfeita, chefe.
MIRANDÃO	Tou vendo muito penetra. Bota sentido na moral e na compostura. Isto aqui é uma festa familiar e democrática. Sabe que eu sou um homem aberto, mas não vamos abusar dessa abertura. Abusam, cacete neles. Onde tá minha filha?
PEDROCA	Ela tava por aqui...
MIRANDÃO	Quero que ela dance comigo a valsa da aniversariante. Vem, vamos ver onde ela tá... (*Sai com* CIDA.)

RONALDO *e* MARCO *entram.*

MARCO	Mas isso não é um ensaio da escola de samba...
RONALDO	Não, é a festa de aniversário de Taís, uma amiga minha. A gente andou transando, mas eu acho que ela não tá a fim de nada comigo. O pai dela é o presidente da escola. Por isso resolveu dar a festa na quadra. É um cafonão.
MARCO	Você vai demorar? Não estou gostando do ambiente.
RONALDO	Ei, cara, precisa se enturmar. Tá chegando da Europa... não vai dar uma de supercivilizado. Isso aqui é um rebu suburbano, mas as garotas são da pesada, vai por mim. Espera aqui que eu vou ver se encontro Taís. (*Sai.*)
	MARCO *fica sobrando, vendo os passistas dançarem. Tem 25 anos e seus muitos anos de ausência, na Europa, fazem com que se sinta inteiramente desambientado, embora faça o possível por não demonstrar.*
MIRANDÃO	(*Entra, trazendo* TAÍS *pela mão.*) Ei, para! Para!
PEDROCA	(*Para a bateria:*) Bateria! Mirandão tá mandando parar, porra!
	A bateria para.
MIRANDÃO	A valsa!

TAÍS	Que é isso, pai! Não dá vexame! Valsa em quadra de escola de samba!... Essa não!
MIRANDÃO	Por que não? Eu já combinei com eles. Vamos lá, pessoal da bateria! A valsa da aniversariante!

Com manifesta má vontade, os surdos começam a marcar o compasso da valsa. MIRANDÃO *e* TAÍS *saem dançando. Ela constrangida, ele glorioso, sorridente.* MARCO *vê* TAÍS *e não tira os olhos de cima dela. Ela nota também e dança olhando para ele. Outros pares entram na dança. Até que* MIRANDÃO *se sente cansado. Para.* CIDA *vem em seu socorro.*

CIDA	Que foi?...
MIRANDÃO	Acho que tou mesmo ficando velho. O coração tá rateando...

Sai com CIDA.

Como que atraídos por um ímã, MARCO *e* TAÍS *vão ao encontro um do outro e continuam a valsa, olhos nos olhos, vidrados.* RONALDO *entra e vê* TAÍS *e* MARCO *dançando.*

PEDROCA	Quem é esse moço?
RONALDO	Ah, é um amigo meu. Chapa legal, pode ficar descansado. Meu vizinho lá em Copacabana. Tava estudando na Europa um troço qualquer... Economia, parece. O pai mandou. Coisa de *nouveau riche*. Aparte essa caretice, é um menino joia.
PEDROCA	Playboy de Copacabana.

A luz vai baixando, com exceção de um foco de luz em TAÍS *e* MARCO. *As demais personagens se imobilizam na penumbra. Somente eles se movimentam, acompanhados pelo foco de luz.*

TAÍS	Quem é você?
MARCO	Meu nome é Marco. Cheguei ontem.
TAÍS	Chegou de onde?

MARCO   De Paris. Não é espantoso?

TAÍS   O quê?

MARCO   Anteontem a gente nem se conhecia. E havia entre nós todo o oceano Atlântico. E de repente estamos aqui, um em frente ao outro...

TAÍS   E parece que isso tinha de acontecer. Estava escrito. (*Canta:*) Consta nos astros
Nos signos
Nos búzios
Eu li num anúncio
Eu vi no espelho
Tá lá no evangelho
Garantem os orixás
Serás o meu amor
Serás a minha paz

MARCO   Consta nos autos
Nas bulas
Nos mapas
Está nas pesquisas
Eu li num tratado
Está confirmado
Já deu até nos jornais
Serás o meu amor
Serás a minha paz

TAÍS   Mas se a ciência
Disser o contrário

MARCO   Se o calendário
Nos contrariar

OS DOIS   E se o destino insistir
Em nos separar

OS DOIS   Danem-se

TAÍS   Os astros

MARCO   Os autos

TAÍS   Os signos

MARCO	As bulas
TAÍS	Os búzios
MARCO	Os mapas
TAÍS	Anúncios
MARCO	Pesquisas
TAÍS	Ciganas
MARCO	Tratados
TAÍS	Profetas
MARCO	Ciências
TAÍS	Espelhos
MARCO	Conselhos
OS DOIS	Se dane o evangelho E todos os orixás Serás o meu amor Serás, amor, a minha paz.

As luzes acendem-se novamente, as personagens se movimentam. Terminou a festa, os convidados vão saindo.

MIRANDÃO   (*Entra distribuindo garrafas de uísque.*) Toma... Escote legítimo. Custa uma nota... Lembrança do aniversário de minha filha... Pode levar... uísque do bom... três mil pratas a garrafa...

Os convidados saem, MIRANDÃO *também. Ficam apenas* TAÍS *e* MARCO, *que continuam perdidos um no outro, sem tomar conhecimento do que se passa em volta.*

MARCO   (*Cai em si.*) Já é tarde... a festa acabou.

TAÍS   Também pode estar começando... se você quiser.

Eles se beijam.

TAÍS E MARCO E CORO   Danem-se
Os astros
Os autos

Os signos
As bulas
Os búzios
Os mapas
Anúncios
Pesquisas
Ciganas
Tratados
etc.

MIRANDÃO e CIDA entram no meio da música e eles não percebem.

MIRANDÃO — Taís! Vamos pra casa!

MARCO — Eu vou indo...

TAÍS — Eu vou com você até o portão.

Saem TAÍS e MARCO.

CIDA — Tenha calma, Miranda.

MIRANDÃO — Eu tou calmo. É que se a gente não dá aviso aos navegantes eles acabam chegando às vias de fato na cara da gente mesmo.

CIDA — Temos que procurar entender essa juventude de hoje. Ser mais tolerantes.

MIRANDÃO — E eu não sou tolerante? Alguém pode dizer que a minha casa não é uma casa de tolerância?

TAÍS entra.

MIRANDÃO — Taís... quem é esse rapaz?

TAÍS — Não sei.

MIRANDÃO — Como é que não sabe?

CIDA — O nome dele, como se chama.

TAÍS — Marco.

MIRANDÃO — Marco de quê?

TAÍS	Não sei. Que importância tem isso?
MIRANDÃO	Como é que não tem importância? O nome é a marca das pessoas. A família dele de onde é?
TAÍS	Ih, pai, sem essa. Já pensou se ele perguntasse de onde veio a nossa? De onde você veio?
CIDA	Taís! Seu pai tem o direito de saber essas coisas.
TAÍS	Pois eu não sei de onde é a família dele, nem de onde veio nem pra onde vai. Não sei, nem quero saber. Não quero saber se ele tem família. Gosto dele e fim de papo.
MIRANDÃO	Tou fazendo todas essas perguntas porque quero o melhor pra você. Filha minha não é pra qualquer gabiru, nem pra qualquer joão-ninguém. Meu sonho... meu sonho mesmo, vou te dizer, é casar você com um príncipe italiano.
TAÍS	Um príncipe?!
MIRANDÃO	Por que não? Compro um, se você quiser.
TAÍS	Ih, pai, sem essa! Que cafonice!
CIDA	Só acho que comprado não fica bem...
PEDROCA	(*Entra, afobado.*) Mirandão!
MIRANDÃO	Que aconteceu?
PEDROCA	Tenho um assunto sério e reservoso...

MIRANDÃO *e* PEDROCA *se afastam.*

PEDROCA	Informação de fonte segura, Brilhantina tá pra abrir uma fortaleza em nossa zona.
MIRANDÃO	Uma fortaleza? Onde?
PEDROCA	Isso eu não sei. Só sei que é aqui por perto.
MIRANDÃO	Me descobre onde fica e mando arrebentar. Invado e arrebento!

SEXTO QUADRO

O BURACO DA MARCELINA

Fortaleza de bicho. O cenário é composto de três portas colocadas uma após outra. BRILHANTINA *vai abrindo as portas sucessivamente, seguido por* MANGA LARGA *e* MARIVALDA, *sua mulher. Uma bonita mulher, mas veste-se com um luxo exagerado e de gosto mais que duvidoso. Coberta de joias, brincos, colares, parece um carro alegórico. Fútil ao extremo, seu QI não é dos mais notáveis.*

MARIVALDA — Que é isso, Nico?

BRILHANTINA — Uma fortaleza, meu anjo.

MARIVALDA — Pra que tanta porta?

BRILHANTINA — Pra prevenir uma batida da polícia. São três portas de ferro que os tiras vão ter que arrombar até chegarem onde tá o bicheiro.

MANGA LARGA — Enquanto isso, o cara se manda.

BRILHANTINA — Não é bem bolado?

MARIVALDA — Só não gosto muito da decoração. Também da arquitetura. Falta um toque de bom gosto...

BRILHANTINA — Minha querida, você me deu uma ideia: a próxima fortaleza de bicho que a gente construir, vou chamar o Niemeyer pra fazer o projeto.

MANGA LARGA — (*Traz uma garrafa de champanha e copos.*) A champanha pra inaugurar.

BRILHANTINA — Nacional?

MANGA LARGA — Não, francesa. Contrabando legítimo. (*Estoura o champanha e enche os copos.*)

BRILHANTINA — Agora é preciso batizar.

MARIVALDA — Por que não bota um nome?

BRILHANTINA — Boa ideia. Manga Larga, como se chamava mesmo a mãe do Mirandão?

MANGA LARGA   Marcelina.

BRILHANTINA   (*Pega o telefone e disca.*) Vamos prestar uma homenagem àquela boa senhora. E Mirandão precisa saber disso.

MIRANDÃO surge no plano superior, à sua mesa de trabalho, atendendo ao telefone.

MIRANDÃO   Alô?

BRILHANTINA   Alô! Mirandão? Sou eu, Nicolino Pagano. Tou te telefonando pra comunicar que acabo de prestar uma homenagem à falecida senhora sua progenitora, Dona Marcelina. Batizei uma fortaleza que tou abrindo aqui, pertinho de você, com o nome dela. Vai se chamar Buraco da Marcelina.

MIRANDÃO   Eu agradeço...

BRILHANTINA   Não precisa agradecer, é uma homenagem muito justa, que faço de todo coração.

MIRANDÃO   Só sinto não poder retribuir, porque segundo tou informado tu não teve mãe, seu cachorro. Foi achado no lixo. (*Desliga, furioso.*)

BRILHANTINA solta uma gargalhada. MANGA LARGA faz um brinde.

MANGA LARGA   Ao Buraco da Marcelina!

Todos riem. Apagam-se as luzes.

SÉTIMO QUADRO

OS TRATADOS SÃO FEITOS PELOS TRATANTES

Luz sobre PEDROCA.

PEDROCA   Nem tudo estava correndo
como manda o figurino
e uma grande sacanagem

para nosso desatino
estava sendo armada
na moita pelo destino.

Brilhantina abriu outro ponto,
Mirandão mandou quebrar,
Brilhantina revidou,
a coisa não ia parar;
do jeito que o mundo ia,
precisava conversar.

E os dois compreenderam
que era da conveniência
de ambos levar um papo,
espécie de conferência
entre as partes em conflito,
as duas superpotências.

Balé. A música cria um clima de expectativa, de suspense policial. MANGA LARGA *e sua gangue entram e revistam o local da conferência, que é uma leiteria. Depois entram* PEDROCA *e seus homens, fazendo o mesmo. Todos estão armados, revólveres à mostra na cintura. Encaram-se, hostis, durante as evoluções. Por fim, entram* MIRANDÃO *e* BRILHANTINA, *um de cada lado. Fazem sinal e todos saem. Há uma mesa no centro da cena.*

MIRANDÃO   Pode sentar...

BRILHANTINA   Não, faz favor...

MIRANDÃO   Faço questão...

BRILHANTINA   Você primeiro.

Por fim, sentam-se os dois ao mesmo tempo.

BRILHANTINA   Toma alguma coisa?

MIRANDÃO   Não bebo em serviço.

BRILHANTINA   Então vai permitir que eu tome um copo de leite duplo. Desculpe, mas tenho de dar de mamar a minha úlcera...

Um garçom entra com dois enormes copos de leite, que coloca sobre a mesa.

MIRANDÃO É só pra ele, que não mamou em criança.

BRILHANTINA Deixa disso, Mirandão... Eu sei que a falecida Marcelina te largou com um mês de nascido e tua avó que te criou não tinha dinheiro pro feijão, quanto mais pro leite.

MIRANDÃO Respeita minha mãe! E respeita a mãe dela!

BRILHANTINA Não tou desrespeitando. Quero que as duas estejam lá em cima, comendo e bebendo com os anjos, tirando a barriga da miséria que passaram aqui na terra. Mas isso é ou não é verdade?

MIRANDÃO Não gosto de falar nisso. E esse assunto não faz parte da nossa pauta.

BRILHANTINA Então vamos à pauta.

MIRANDÃO Vim aqui pra te dizer que esta zona é minha. Ficou decidido e sacramentado assim, há vinte anos.

BRILHANTINA Sacramentado por quem?

MIRANDÃO Por mim. Por todo mundo.

BRILHANTINA (*Mantém-se sempre sorridente, tranquilo, tomando seu leite.*) Todo mundo sacramentou... naquela hora. Mas a hora mudou, Mirandão. Ou tu não tem relógio?

MIRANDÃO Meu relógio parou. A hora pra mim é a mesma.

BRILHANTINA Por isso tu anda assim devagar. Dá corda no relógio, Mirandão. Tua hora passou.

MIRANDÃO Que é que tu tá querendo dizer com isso?

BRILHANTINA O mesmo que tu disse ao falecido Pimenta, de quem tomou todos esses pontos.

MIRANDÃO Escuta, Nicolino, não vamos falar de gente que já entregou a alma ao Criador. O falecido Pimenta tá no céu de mão dada com o falecido Natal, e com certeza Deus deixou os dois abrirem lá todos os pontos que quiseram, porque eram dois santos. Vamos falar de nós, que ainda estamos aqui na terra pecando. Eu nunca me meti na sua jurisdição. Sempre respeitei o nosso acordo de cavalheiros. Porque pra mim palavra é palavra. Honra é honra.

BRILHANTINA E quem pode, pode, Mirandão. Quem não pode, não pode.

MIRANDÃO Tu quer dizer que eu não posso?

Os dois se olham cara a cara, tensos, medindo as mútuas disposições. BRILHANTINA *sorri.*

BRILHANTINA Tá nervoso, Mirandão. Me chamou pra conversar, vamos conversar...

MIRANDÃO (*Contém a sua indignação.*) Tem duas maneiras da gente se entender. A primeira é tu fechar os pontos que abriu na minha zona, indevidamente.

BRILHANTINA Negativo.

MIRANDÃO A segunda é tu me dar uma compensação.

BRILHANTINA Como é que é isso?

MIRANDÃO Se tu abre um ponto aqui, eu abro outro no teu setor. Se tu abre dois, eu abro dois.

BRILHANTINA Negativo também. Quando entro num jogo, é pra ganhar ou perder. Não jogo pra empate.

MIRANDÃO Então tu não quer mesmo chegar a um entendimento. Tu quer é partir pro pau.

BRILHANTINA Calma... tá muito nervoso. Toma um copo de leite. É bom, faz bem à saúde, acalma, tranquiliza.

MIRANDÃO *procura controlar-se.*

BRILHANTINA Fora de brincadeira... bebe...

MIRANDÃO *toma um gole de leite e faz uma careta.* BRILHANTINA, *por baixo da mesa, levanta a calça e procura o revólver enfiado na meia.*

BRILHANTINA   O leite daqui é bom, não é batizado... Sabe que eu sou conhecedor do assunto. Minha úlcera me obriga. Você que é feliz, Mirandão, não tem úlcera... (*Com uma das mãos bebe um gole de leite e com a outra empunha o revólver.*) Palavra de honra, eu te invejo. Você é um homem de sorte... de muita sorte...

BRILHANTINA *atira,* MIRANDÃO *leva as mãos à barriga e cai de bruços sobre a mesa, derramando o leite.*

MIRANDÃO   Seu filho... da puta!

BRILHANTINA *sai correndo.* PEDROCA *entra, vê* MIRANDÃO *caído.*

PEDROCA   Mirandão! (*Corre atrás de* BRILHANTINA. *Atira para fora. Ouvem-se vários tiros. Verdadeira fuzilaria.*)

MIRANDÃO   (*Ainda caído sobre a mesa.*) Pedroca...

PEDROCA   (*Vem a ele.*) Acertei nele também!

MIRANDÃO   Dá uma olhada aqui... Tou sentindo uma coisa úmida na barriga. Vê se é sangue ou leite.

PEDROCA   (*Olha, não quer assustá-lo.*) É... é leite, chefe. Mas um leite meio rosado...

MIRANDÃO   E tu já viu leite rosado, seu merda? Só se for o que tua mãe te deu de mamar. Me leva pro hospital e chama Dr. Vidigal.

Apagam-se as luzes.

OITAVO QUADRO

OS GENERAIS BAIXAM ENFERMARIA, MAS A GUERRA CONTINUA

Com a cena ainda às escuras, ouvem-se as vozes de PEDROCA *e* MANGA LARGA: *"Dr. Vidigal! Chamem Dr. Vidigal!". Também uma sirene de ambulância.*

VOZ DE MULHER (*Por alto-falante.*) Dr. Vidigal! Chamado com urgência à sala de cirurgia!

Luz. Estamos no saguão do hospital. Enfermeiros e enfermeiras cruzam o palco de um lado para o outro. DR. VIDIGAL *entra.*

VIDIGAL (*Canta:*) Sou um doutor competente
formado no Piauí
não vejo a cor do cliente
se é deputado ou gari

Me procurou, tou aqui,
pronto com meu bisturi.
Se sangue fosse petróleo
me chamariam de Ali
e eu tava c'o monopólio
do Oiapoque ao Chuí

Me procurou tou aqui (*Bis.*)
pronto com meu bisturi.
Sutil artista da faca
me chamam de Pitangui
e se a polícia me achaca
faço boca de siri

Me procurou tou aqui (*Bis.*)
pronto com meu bisturi.

Continua a movimentação, enquanto VIDIGAL *segue, declamando.*

VIDIGAL Eu sou o Dr. Vidigal.
É um ofício divertido,
podem crer, senhores, esse
de ser doutor de bandido.
Se não me falha a memória,
se meu arquivo não mente,
de cento e vinte bicheiros
já extraí simplesmente
trezentas e sete balas,
o que dá a média incomum
de duas balas e alguns

estilhaços pra cada um.
É claro que Mirandão
e também o Brilhantina
já superaram essa média
— tê-los aqui é rotina.
Mas nesse dia o destino
resolveu se divertir
e os dois foram parar,
sem que eu pudesse impedir,
na mesma casa de saúde.
Mirandão jorrando sangue
de um buraco na barriga
— era sensacional!
parecia um chafariz
em feriado nacional.
E o corpo de Brilhantina
era um ralador de coco
com vários furos a mais,
sem contar os naturais...

Neste quadro o palco é dividido em três espaços cênicos que correspondem aos quartos de MIRANDÃO *e* BRILHANTINA *e ao saguão do hospital.*

PEDROCA — (*Entrando.*) Comé, doutor, o homem escapa?

VIDIGAL — Ele não tinha o corpo fechado?...

PEDROCA — Tinha...

VIDIGAL — Não devem ter fechado tudo... Devem ter deixado algum buraquinho... (*Mostra a bala que extraiu.*)

PEDROCA — É a bala?

VIDIGAL — Não, é um caroço de azeitona. (*Solta uma gargalhada.*) Agora vamos ao outro.

PEDROCA — Que outro?

VIDIGAL — O que mandou a azeitona.

PEDROCA — O senhor vai operar também aquele sacana?!

VIDIGAL	Questão de ética, meu caro: puta e médico não podem escolher freguês. (*Canta, sempre contracenando com as enfermeiras que entram e saem, dentro da rotina profissional:*) Me procurou tou aqui, pronto com meu bisturi. (*Bis.*) *Apagam-se as luzes do saguão e acendem-se as do quarto de* MIRANDÃO. CIDA *ao lado do leito.*
PEDROCA	(*Entra.*) Como é que tá, chefe?
MIRANDÃO	(*Para* PEDROCA:) Melhor. Qual foi o resultado de hoje?
PEDROCA	Cavalo na cabeça.
MIRANDÃO	Cavalo... S. Jorge... tinha que ser.
PEDROCA	E tava muito carregado.
MIRANDÃO	Descarregaram?
PEDROCA	Você tava aqui assim... a turma resolveu sentar em cima. E entramos bem.
MIRANDÃO	Sabia... Não posso confiar em ninguém. Idiotas... descompetentes... (*Passa a mão no pescoço procurando o patuá.*) E o meu patuá? Até agora não devolveram o meu patuá.
CIDA	Já te disse, eles tiraram durante a operação. Eles tiram tudo.
MIRANDÃO	Mas eu fiquei desprotegido.
CIDA	Adiantou muito a proteção...
MIRANDÃO	Pedroca, chame Dr. Vidigal, pergunte pelo meu patuá.
PEDROCA	Pode deixar, chefe. Vou atrás dele agora mesmo. PEDROCA *vai sair quando* MARCO *entra.*
MARCO	Desculpe... A enfermeira me disse que era aqui... Acho que errei a porta. *Sai.*

CIDA	Não é o namorado de Taís?
PEDROCA	É aquele pilantra.
CIDA	Que está fazendo aqui?
PEDROCA	Era o que eu queria saber.
CIDA	Deve ter vindo se encontrar com ela.

PEDROCA *sai. Apagam-se as luzes.*

Acendem-se as luzes do quarto de BRILHANTINA. *Ele ainda está cheio de ataduras.* VIDIGAL *entra.*

MARIVALDA	As minhas balas, doutor?
VIDIGAL	(*Mostra as balas.*) Aqui estão... uma, duas, três, quatro...
MARIVALDA	Até que são bonitinhas...
VIDIGAL	São lindas. A senhora pode fazer um colar.
MARIVALDA	Colar?... Talvez dando um banho de ouro... Será que fica bem?
VIDIGAL	Bastante original. Faltou apenas um estilhaço que se alojou no encéfalo. Deixei pra extrair depois.
MARIVALDA	Por quê?
VIDIGAL	Se tentar agora, ele não vai resistir.
MARIVALDA	E o senhor acha que ele pode viver assim, com uma bala na cabeça!
VIDIGAL	Ora, minha senhora, ele viveu até hoje com coisas muito piores dentro da cabeça...
BRILHANTINA	Ai, doutor...
VIDIGAL	Que foi?
BRILHANTINA	Tá doendo...
VIDIGAL	Deixa de frescura, Nicolino. Até parece que nunca levou uma bala na carcaça. Tá se portando como estreante.

BRILHANTINA   Não é medo, doutor. Não tenho medo de nada. Nem da morte.

VIDIGAL   Então pare de choramingar como mulher. Vou mandar a enfermeira lhe dar uma injeção. Você vai melhorar.

BRILHANTINA   É verdade que Mirandão tá aqui também?

VIDIGAL   É... Tá no mesmo andar.

BRILHANTINA   Foi o senhor também que operou?

VIDIGAL   Nessa guerra eu sou neutro.

BRILHANTINA   E como é que tá aquele porco?

VIDIGAL   A bala quase perfurou o intestino.

BRILHANTINA   (*Sádico.*) E dói?

VIDIGAL   Deve doer como o diabo. A enfermeira me disse que durante a noite ele chorava, uivava, xingava...

BRILHANTINA   (*Não pode conter a satisfação, começa a rir e a gemer ao mesmo tempo.*) Ai, doutor... não me faça rir... ai, a minha cabeça...

VIDIGAL *faz coro nas risadas de* BRILHANTINA *e sai, cruzando com* MARCO, *que entra.*

MARIVALDA   Pronto, seu filho chegou. Felizmente.

BRILHANTINA   Olá, filho.

MARCO   Oi, pai.

MARIVALDA   Agora Marquito fica com você, enquanto eu vou em casa.

BRILHANTINA   Por que essa pressa?

MARIVALDA   É que a vida não parou por sua causa, não é, Nicolino? Eu tenho que ir ao cabeleireiro, à manicure, ao massagista...

BRILHANTINA   Não pode ficar um dia sem fazer massagem?

MARIVALDA	Há três que não faço massagens, estou até engordando. Você é um egoísta, Nico, só pensa em si!
BRILHANTINA	Egoísta?! Eu tou com uma bala na cabeça, Marivalda!
MARIVALDA	E o que tem isso? O doutor disse que você pode viver muito bem com essa bala a vida toda. Tchau... tchau, Marquito. (*Sai.*)
MARCO	Tchau.
BRILHANTINA	Que há, filho? Você tá me olhando com ar de censura.
MARCO	Não, não vou te censurar. Estou é perplexo.
BRILHANTINA	Compreendo... Tu passou muito tempo fora... e agora chega aqui e encontra essa barra pesada... Deve estar um pouco assustado...
ENFERMEIRA	(*Entra com uma seringa.*) Tá na hora da injeção.
MARCO	Enfermeira, a senhora pode ficar cinco minutos com ele?
BRILHANTINA	Aonde é que você vai?
MARCO	Vou dar uma saidinha e já volto.
BRILHANTINA	Me faz um favor, então. Vai na farmácia e compra um frasco de água-de-colônia, a melhor que tiver. Eles aqui não me deixam tomar banho, isso tá me deixando muito deprimido.
MARCO	Tá legal. (*Sai.*)

A enfermeira aplica a injeção.

BRILHANTINA	Sabe quem é esse? Meu filho. Estudou Economia em Paris, na Sorbonne. É um tecnocrata.

Apagam-se as luzes.

Saguão do hospital. MARCO *e* TAÍS *se encontram.*

TAÍS	(*Surpresa.*) Marco! Que está fazendo aqui?
MARCO	Vim ver meu pai, que foi... acidentado.

TAÍS	O meu também.
MARCO	É, eu sei... Como é que ele tá?
TAÍS	Parece que tá fora de perigo. E o seu?
MARCO	Também... Isto é, parece que não de todo... ainda falta extrair uma bala.
TAÍS	Bala? O meu também foi baleado!
MARCO	(*Ironizando.*) Que coincidência, não é?...
TAÍS	É... Ambos baleados, e no mesmo hospital... Ou não é uma simples coincidência?
MARCO	Acho que não.
TAÍS	(*Deduz.*) Seu pai é...
MARCO	Nicolino Pagano.
TAÍS	Nico Brilhantina! Desculpe... é um apelido. Todos eles têm apelidos. O meu se chama Arlindo Miranda, mas tem um apelido muito engraçado: Mirandão Coração-de-Mãe. Bota ironia nisso... (*Ri. Pausa.*) Os dois se odeiam.
MARCO	Tou sabendo. Isso muda alguma coisa pra você?
TAÍS	Pra mim, não, não muda nada.
MARCO	Pra mim também não.
TAÍS	Aconteça o que acontecer?
MARCO	Aconteça o que acontecer.
TAÍS	Então, eles que se danem. Que continuem na deles. Nós vamos continuar na nossa.
	MARCO *a toma nos braços e canta.*
OS DOIS	Danem-se
TAÍS	Os nomes
MARCO	Que nomes

TAÍS	As honras
MARCO	As posses
TAÍS	As poses
MARCO	A bênção
TAÍS	A crença
MARCO	A raça
TAÍS	O ramo
MARCO	O ranço
TAÍS	Rancores
MARCO	Furores
TAÍS	Vinganças
OS DOIS	Se danem as heranças E tudo o que está por trás Serás o meu amor Serás, amor, a minha paz.
PEDROCA	(*Entra.*) Olá.
TAÍS	(*Teme que* PEDROCA *descubra quem é* MARCO.) Ele veio... visitar papai.

TAÍS *e* MARCO *saem de mãos dadas, sob o olhar desconfiado de* PEDROCA.

Apagam-se as luzes.

Acendem-se as luzes do quarto de MIRANDÃO.

MIRANDÃO	(*Ao telefone.*) Cachorro? Por que será que todo mundo hoje deu de jogar no cachorro? Será por causa do Brilhantina? Pode aceitar, eu banco. Claro, rapaz, se ele engoliu a lista, qualquer pule que aparecer a gente paga. Tem de confiar na palavra do apostador. Questão de honra. (*Desliga.*)
CIDA	(*Entrando, preocupada.*) Miranda... a polícia!

MIRANDÃO   Polícia?! Aqui?!

CIDA   O delegado Paixão!

DELEGADO   (*Entra.*) Bom dia, seu Miranda.

MIRANDÃO   Ah... Bom dia, doutor. Muito amável de sua parte vir me visitar...

DELEGADO   Como foi isso? Andou trocando uns tirinhos com o Brilhantina?

MIRANDÃO   Nada disso, Dr. Delegado. A gente tava conversando, coloquiando, como dois bons amigos... até que o revólver dele caiu no chão e disparou. Uma fatalidade acidental. Pergunte ao Brilhantina...

DELEGADO   Ele não está em condições de ser interrogado.

MIRANDÃO   (*Não disfarça a sua satisfação.*) Não tá em condições, é? Tá mal?

DELEGADO   Parece que sim.

MIRANDÃO   Será que morre?

DELEGADO   Está com um estilhaço de bala na cabeça difícil de ser extraído. Outra "fatalidade acidental"...

MIRANDÃO   Coitado... Olha, Cida, se ele morrer, eu quero que você encomende uma coroa, a maior que houver, a mais cara. Mande gravar na fita: "Saudades do amigo do peito, Mirandão." Espero poder ir na missa de sétimo dia rezar pela alma dele, coitado, ele vai precisar muito... aquele filho da puta.

CIDA   Miranda!... Dá licença, doutor? (*Sai.*)

DELEGADO   Olha, se você não se cuidar, Mirandão, não vai mesmo poder ir em missa nenhuma...

MIRANDÃO   Por quê?

DELEGADO   Quero te dar um aviso... Tua situação não tá boa, não... Os homens lá de cima estão no teu piso, acharam muito rabo-de-palha...

MIRANDÃO — Que rabo-de-palha? Sou um comerciante honesto. Tudo que tenho posso provar que ganhei com as minhas lojas de eletrodomésticos. Minha escrita tá toda em dia. Ou será que querem me pegar de bode respiratório?

DELEGADO — Vai sair uma portaria mandando encanar você.

MIRANDÃO — Encanar? Tá brincando, Paixão...

DELEGADO — E eu não posso fazer nada. É ordem de cima. Do Secretário de Segurança. Vão endurecer. E você tá na alça de mira. Vão te mandar pra Ilha Grande.

MIRANDÃO — Mas por que isso?

DELEGADO — Operação Limpeza. Eles querem limpar a área pra depois implantar a Loteria Popular, a Zooteca.

MIRANDÃO — Zooteca?

DELEGADO — O bicho vai ser legalizado.

MIRANDÃO — Você acredita nisso?

DELEGADO — Já está tudo pronto, só esperando pelo decreto do Governo.

MIRANDÃO — Não acredito, a Igreja é contra. Não vai deixar! Deus e todos os santos estão do nosso lado!

DELEGADO — (*Sorri.*) Será que estão mesmo?...

MIRANDÃO — (*Começa a cair na realidade.*) Bom, você deve estar por dentro dessa transa... mesmo porque a polícia só tem a perder...

DELEGADO — Vim como amigo, pra te avisar. A zooteca vai liquidar com vocês.

MIRANDÃO — (*Levanta-se do leito.*) Mas isso... isso é uma grande sacanagem! Uma intervenção do Estado na iniciativa privada! Como democrata, como defensor da livre empresa, que é a base do capitalismo, eu não aceito!

CIDA *entra.*

DELEGADO	Você aceite ou não aceite, a coisa vai ser feita.
CIDA	Miranda, que é isso?... Você não pode se levantar...
MIRANDÃO	(*Procurando as roupas.*) A zooteca!
CIDA	A zooteca?
MIRANDÃO	Vão implantar a zooteca! Veja minhas roupas, tenho que sair daqui, tomar um providenciamento!

VIDIGAL *entra.*

VIDIGAL	Ei, aonde é que você vai?
MIRANDÃO	Pra casa! A zooteca!
VIDIGAL	Zooteca?... Que tem a zooteca?!
MIRANDÃO	O Estado vai intervir no jogo do bicho! Precisamos levantar todas as reservas morais da nação contra isso!
VIDIGAL	Mas espera... eu ainda não posso te dar alta...
MIRANDÃO	Eu já me dei alta. Será que o senhor não entende? Se estatizam o bicho, estamos fodidos!

MIRANDÃO *sai.* CIDA *e* DR. VIDIGAL *atrás dele. Apagam-se as luzes do quarto de* MIRANDÃO.

Acendem-se as luzes do quarto de BRILHANTINA.

BRILHANTINA	(*Levantando-se do leito.*) A zooteca?!
VIDIGAL	Isso mesmo, a zooteca! Mirandão que falou! Vai sair o decreto!
BRILHANTINA	A zooteca?... Não é possível!
MARIVALDA	(*Desligada.*) Zooteca?... Que é zooteca?
BRILHANTINA	É uma desgraça! O fim de tudo! Tenho que sair daqui, me ajudem...

MANGA LARGA *e* MARIVALDA *ajudam* BRILHANTINA.

VIDIGAL, BRILHANTINA E MANGA LARGA	(*Em coro.*) A zooteca!

Apagam-se as luzes do quarto.

Acendem-se as luzes do saguão. Enfermeiras e enfermeiros se movimentam, numa coreografia que exprime a agitação provocada pela notícia. Surgem também tipos populares do Rio de Janeiro. A notícia tomou conta da cidade.

CORO	A zooteca A zooteca De boca em boca só se fala em zooteca A zooteca A zooteca Essa fofoca inda vai dar muita meleca.
MIRANDÃO	Vou em Palácio Vou em Congresso Denunciar essa manobra subversiva Estão querendo solapar os interesses da livre iniciativa.
CORO	É um absurdo É um atentado
BRILHANTINA	Tem que salvar nosso ideal capitalista Está na cara que a estatização do bicho é coisa de comunista.
CORO	Que será Do meu pão Do meu lar E da nação A zooteca A zooteca Essa fofoca inda vai dar muita meleca.
VIDIGAL	E os tiroteios E a clientela Eu tenho um enfarte, uma embolia, eu tenho um estresse Acho que vou ser rebaixado a residente do INPS.
CORO	É um deboche É uma piada

PEDROCA   O avestruz, a cobra, a vaca e o veado
           Tudo que é bicho agora vai ser promovido a funcionário do Estado.

CORO   Que será
           Do meu pão
           Do meu lar
           E da nação
           A zooteca
           A zooteca
           De boca em boca só se fala em zooteca
           A zooteca
           A zooteca
           Essa fofoca inda vai dar muita meleca.

MANGA LARGA   Pega o projeto
E MARIVALDA   Joga no lixo
               Nós não fizemos a revolução pra isso
               Vamos marchar com Deus e com a família pela liberdade do bicho.

CORO   É o demônio
           É o fim do mundo

MIRANDÃO   Mas se o governo autorizar esse vexame
           Eu faço as malas, saco todo o meu dinheiro e vou morar em Miami.

CORO   Que será
           Do meu pão
           Do meu lar
           E da nação
           A zooteca
           A zooteca
           De boca em boca só se fala em zooteca
           A zooteca
           A zooteca
           Essa fofoca inda vai dar muita meleca
           A zooteca
           A zooteca
           Inda vou ver muito banqueiro de cueca

A zooteca
A zooteca
Daqui pra frente vai ser ferro na boneca!

Apagam-se as luzes.

NONO QUADRO

ONDE SE ROUBA UM POUCO
DE SHAKESPEARE, QUE POR SUA VEZ
ROUBOU MUITA GENTE

Luz sobre PEDROCA.

PEDROCA — A situação era crítica
isso temos que admitir
mas ninguém imaginava
que o pior estava por vir:
na contagem regressiva
outra bomba ia explodir.
E essa justo debaixo
do rabo do Mirandão.
Considerando a zooteca
e toda aquela situação,
vocês têm de concordar,
era dose pra leão.

Acendem-se as luzes da casa de MIRANDÃO.

MIRANDÃO — (*Possesso.*) Taís! Isso é verdade? Diga que não é verdade!

O silêncio de TAÍS *é uma confirmação.*

CIDA — Não é possível! Não acredito!

MIRANDÃO — Vê se te serve! Aquele pilantrinha que entra toda noite na minha casa e senta a bunda no meu sofá é filho de Nico Brilhantina!

CIDA — Minha filha, você sabia disso?

TAÍS — Não, nem eu nem ele. Só descobrimos no hospital.

MIRANDÃO — Pois então esqueça que ele existe.

TAÍS	E se eu não concordar?
MIRANDÃO	O problema não é de concordância nem desconcordância. Você é minha filha e é de menor. Tem que obedecer. Por bem ou por mal.
TAÍS	Que é que você vai fazer? Vai me trancar num quarto a pão e água? Isso não se usa mais.
CIDA	Miranda, era melhor que você procurasse explicar a situação. Ela talvez não entenda.
MIRANDÃO	Mas será o impossível, meu Deus? Como é que não entende? Ela não me viu no hospital com uma bala na barriga? E de quem era a bala? Do pai desse sem-vergonha! Tiro dado à traição, por baixo da mesa!
TAÍS	Você também deve ter dado outro nele.
MIRANDÃO	Eu, não. Tava desarmado.
TAÍS	Os seus capangas. O fato é que ele ainda está com uma bala na cabeça.
MIRANDÃO	E você inda defende aquele filho da puta!
CIDA	Calma, Miranda, calma.
MIRANDÃO	Como é que eu posso ter calma? Ela ainda acha que a razão tá com ele! A minha filha!
TAÍS	Não acho que a razão esteja com ninguém. Pra mim, tudo isso é lama. E nós, eu e Marco, não temos nada com isso. Estamos noutra, entende, velho? Completamente. (*Sai.*)
MIRANDÃO	Cida, você escutou?!
CIDA	Tenha paciência. Eles estão apaixonados um pelo outro.
	MIRANDÃO *pega o telefone e começa a discar nervosamente.*
MIRANDÃO	Apaixonados coisa nenhuma! Esse neto de uma boa senhora deve ter sido mandado aqui pelo filho da

	boa senhora. Brilhantina não conseguiu me liquidar, mandou o filho fazer mal a minha filha.
CIDA	Não acredito. É nojento demais.
MIRANDÃO	Ora, aquilo vive se perfumando pra disfarçar o mau cheiro que vem da alma. Alô? Donde fala? Me chame aí o Brilhantina.

As luzes se acendem no apartamento de BRILHANTINA.

MARIVALDA	(*Ao telefone.*) É para você, Nico.

Ela leva o telefone até BRILHANTINA, *que está sentado numa poltrona, entre almofadas, com os pés dentro de uma bacia de água quente. Tem ainda uma atadura e um saco de gelo na cabeça.* MARCO, *sentado, lê um livro.*

BRILHANTINA	Alô?!
MIRANDÃO	Olha aqui, seu sujo, se você não quer que eu faça com teu filho o que já devia ter feito contigo, diga a ele que se afaste de minha filha.
BRILHANTINA	Quem é que tá falando?
MIRANDÃO	Você sabe, seu canalha! (*Desliga.*)

Apagam-se as luzes na casa de MIRANDÃO.

BRILHANTINA	Alô? Alô?
MARIVALDA	Quem era?
BRILHANTINA	(*Desliga, impressionado.*) Mirandão. Disse pro meu filho se afastar da filha dele...
MARIVALDA	Marco tá namorando a filha do Mirandão?
BRILHANTINA	Filho... Me tranquiliza, me diz que isso é piada...
MARCO	Não é piada. A gente se conheceu e... tamos transando.
BRILHANTINA	Transando... (*Leva a mão à cabeça.*) Ai, a minha cabeça!
MARIVALDA	Tá falando sério? Sabe que Mirandão é o maior inimigo de teu pai?

MARCO E daí?

BRILHANTINA Daí que você é meu filho. Quem é inimigo de teu pai é teu inimigo também.

MARCO Por quê?

BRILHANTINA Deus do céu! Será que tu não entende? Porque tu tem o meu sangue, porra!

MARCO Isso não tem a menor importância. Eu vou receber como herança os inimigos que você fez. Quero ter o direito de fazer os meus. Certo?

BRILHANTINA (*Levando as mãos à cabeça.*) Marivalda, por Deus, liga pro consultório do Dr. Vidigal, pergunta se ele já saiu pra vir aqui...

MARIVALDA *sai.*

BRILHANTINA (*Procura controlar-se.*) Escuta, filho, mete na tua cuca uma coisa: tem muita garota no mundo que não te serve, mas nenhuma serve menos que essa.

MARCO Quem decide isso sou eu.

BRILHANTINA Aí é que tu te engana. Antes de tu decidir, já tava decidido.

MARCO Por quem? Por você?

BRILHANTINA Não, pelo destino, pela sorte, pelo azar, sei lá... sei que a roleta rodou, a bolinha caiu num número: era ela. Tava proibida para ti. Entende?

MARCO Essa explicação pode servir pra você. Não jogo e não aceito a vida como um jogo.

BRILHANTINA Chegou a hora da gente botar as cartas na mesa.

MARCO Então, vamos lá.

BRILHANTINA Tu tem sorte, pôde estudar na Europa, mas teu pai comeu o pão que o diabo amassou. Quando eu era menino, me lembro que minha mãe me levava no depósito de lixo, em busca de restos de comida. E a gente tinha que brigar com os urubus... "Chô, urubu! Chô, urubu"... Um enxotava, o outro pegava um osso, um pé de galinha... Bom, tudo isso já vai longe e hoje eu posso te dizer com orgulho que tenho o bastante pra garantir o teu futuro e o futuro dos teus filhos. Mas é bom que tu saiba que a minha empresa, a Construtora Pagano, não é um negócio muito rendoso...

MARCO — Eu sei, é uma empresa só de fachada, pra esconder a sua verdadeira atividade como banqueiro de bicho.

BRILHANTINA — Não fale do bicho com esse desprezo, porque é a ele que tu deve o teu anel de doutor. E a posição que tenho hoje, como banqueiro de bicho, foi conquistada com sangue, suor e lágrimas.

MARCO — Tou ciente disso.

BRILHANTINA — Pois fique ciente também de que a hora não é boa para nós.

MARCO — O Governo tá querendo estatizar o bicho.

BRILHANTINA — O diabo da zooteca! E é numa hora dessas que tu me vem criar esse problema com a filha do Mirandão! Porra!

MARCO — Olha, velho, desde que cheguei que estou colhendo informações, investigando a fundo o seu negócio. Há muita coisa que ainda não entendo, há umas explicações que você vai ter de me dar, uns dados que preciso computar. E no fim, quando eu concluir o meu estudo, aí, sim, nós vamos ter uma conversa muito séria. Agora, não, ainda é muito cedo.

BRILHANTINA — Conversa... Sobre quê?

MARCO — Sobre tudo. (*Sai.*)

BRILHANTINA — (*Fica preocupado.*) Ei, espere... Que é que ele quis dizer? Tá colhendo informações... investigando... Será que ele vai querer me entregar?

Entra DR. VIDIGAL.

VIDIGAL   Bom dia!

BRILHANTINA   Ah, doutor, inda bem que o senhor chegou.

VIDIGAL   Que é isso, Nicolino? Está parecendo uma velha, cheia de achaques...

BRILHANTINA   A cabeça, doutor... de vez em quando dá umas ferroadas... Acho que é a bala que tá querendo sair...

VIDIGAL   (*Abrindo a maleta e tirando o aparelho de medir a pressão.*) É possível. Ela fica procurando um buraco, não encontra, funde a tua cuca.

BRILHANTINA   Falando sério, doutor... O senhor não acha que há perigo de alterar qualquer coisa lá no cérebro? Posso ficar meio perturbado da ideia.

VIDIGAL   Perturbado ou inspirado. Com uma bala no cérebro, meu caro, cada ideia sua será um tiro. (*Solta uma gargalhada.*)

Apagam-se as luzes.

DÉCIMO QUADRO

OS BRUTOS TAMBÉM AMAM

Luz sobre PEDROCA.

PEDROCA   (*Canta:*) Foi então que eu vi que a sorte
pendia para o meu lado,
que por obra do destino
afinal tinha pintado
a grande oportunidade
que eu sempre tinha sonhado.

Pois se um pilantra qualquer
só porque veio de Paris
pode ter a pretensão
de namorar a Taís,
por que não posso eu
sonhar fazê-la feliz?

Quando nos apaixonamos
Poça de água é chafariz
Ao olhar o céu de Ramos
Veem-se as luzes de Paris

No verão é uma delícia
Brisa fresca de Bangu
Mesmo o cabo de polícia
Só nos diz merci beaucoup

Eu ouço um samba de breque
Com o Maurice Chevalier
Bebo com Toulouse-Lautrec
No bar do Caxinguelê

Daí ninguém mais estranha
O Louvre na Praça Mauá
E o borbulhar de champanha
Num gole de guaraná

Cascadura é Rive Gauche
O mangue é o Champs-Élysées
Até mesmo um bate-coxa
Faz lembrar o pas de deux
Purê de batata-roxa
Parece marrom-glacê

PEDROCA *coloca um cravo na lapela do terno branco, ajeita a gravata. Acendem-se as luzes da casa de* MIRANDÃO.

MIRANDÃO (*Ao telefone.*) Anacleto? Aqui é o Mirandão. Tou te telefonando pra te convidar pra uma reunião. Eu, você, Brilhantina, Salvador e Deixa-que-eu-Chuto. Nós cinco precisamos nos reunir pra tratar desse assunto da zooteca. Só os cinco grandes, uma reunião de cúpula. Posso contar contigo? Ótimo. Então depois mando te avisar o dia, a hora e o lugar. Tchau. (*Desliga.*)

PEDROCA *está diante dele.*

MIRANDÃO (*Repara.*) Mas o que há?... Todo na estica... Aonde vai? Vai à missa!

PEDROCA — Não... eu queria falar contigo. Assunto sério e reservoso.

MIRANDÃO — Não me vem de novo com a ideia de passar fogo no filho do Brilhantina. Eu sei que Taís anda se encontrando com ele às escondidas. Mas isso é assunto meu. É uma problemática particular.

PEDROCA — E se eu tivesse pra essa problemática... outra solucionática?

MIRANDÃO — Qual?

PEDROCA — (*Hesita, acanhado.*) É... é difícil paca... Sabe que eu sempre tive você como pai...

MIRANDÃO — E eu sempre te tratei como filho... ou como irmão mais moço.

PEDROCA — Pois é... por isso é que é difícil. Eu também vi Taisinha crescer... como se fosse minha irmãzinha. Certo? Vi ela enfeitar, botar corpo de moça e...

MIRANDÃO — (*Já meio desconfiado.*) E o quê, seu Pedroca?

PEDROCA — De repente, descobri que tava gostando dela.

MIRANDÃO — Gostando de que jeito? Como irmão?

PEDROCA — Aí é que tá... Não é como irmão. Pra ser sincero contigo... sabe, a filha do meu melhor amigo é coisa sagrada pra mim. Tanto que sentindo o que eu sinto por ela, sempre respeitei, como respeito a imagem duma santa. Mas agora eu vejo que... que preciso te dizer isso porque... eu podia te livrar dessa aporrinhação com o filho do Brilhantina.

MIRANDÃO — Livrar como, seu Pedroca?

PEDROCA — (*Faz uma pausa, toma coragem.*) Casando com ela.

MIRANDÃO — (*Olha abismado para ele.*) Será que eu entendi bem? Tu pedindo Taís em casamento?!

PEDROCA — É... quer dizer... eu ia ficar muito feliz. E isso resolvia o teu problema.

MIRANDÃO (*Reage violentamente.*). Tu não te enxerga? Vai ali, te olha no espelho! Tu tem idade pra ser pai dela!

PEDROCA Eu acho que ela precisa de um homem experiente...

MIRANDÃO Mas não é do teu tipo de experiência. Não criei minha filha com tanto amor, tanto preparo, tanto cuidado, pra entregar depois a um monte de bosta como você!

PEDROCA (*Humilhado.*) Também não precisa me humilhar desse jeito.

MIRANDÃO É o que tu merece. Sai daqui! Some da minha frente! Some!

PEDROCA (*Leva a mão ao revólver num gesto quase instintivo.*) Miranda, não se faz isso com um homem!

MIRANDÃO (*Percebe o gesto e mostra algum receio.*) Pedroca... Pensa duas vezes antes de fazer besteira... Bota a cuca no lugar... Vê bem quem tá na tua frente! (*Por alguns segundos,* PEDROCA *fita* MIRANDÃO *com ódio. Mas este sustenta o olhar e a sua superioridade por fim prevalece.* PEDROCA *deixa cair o braço, baixa a cabeça. Tira o lenço do bolso, leva aos olhos e seu corpanzil estremece num soluço.*)

MIRANDÃO (*Impressionado.*) Pedroca... Que é isso?... Tá virando criança?...

PEDROCA *abraça* MIRANDÃO, *esconde a cabeça no seu peito, soluçando como uma criança.*

MIRANDÃO Não faz isso... Não tem vergonha? Tamanho homem... Que vexame!

CIDA (*Fora. Grita:*) Miranda! Miranda! (*Entra, transtornada.*) Miranda!

MIRANDÃO Que foi, mulher?

CIDA Taís!... Saiu de manhã cedo, não voltou... agora achei isto!

Mostra um bilhete. MIRANDÃO *lê.*

CIDA Estava em cima da cama dela!

Apagam-se as luzes.

Acendem-se as luzes do apartamento de BRILHANTINA.

BRILHANTINA — (*Ainda sob o impacto da revelação que* MANGA LARGA *acaba de lhe fazer.*) Onde foi que você viu eles?

MANGA LARGA — Aqui perto. Passaram por mim na moto, cada um levando uma mochila nas costas. Por isso desconfiei.

Apagam-se as luzes.

Acendem-se as luzes da casa de MIRANDÃO.

MIRANDÃO — Ela fugiu com aquele pilantra!

PEDROCA — O filho do Brilhantina!

CIDA — Oh, meu Deus, por que ela fez isso? Por quê!?

Apagam-se as luzes.

Acendem-se as luzes do apartamento de BRILHANTINA.

BRILHANTINA — (*Para* MARIVALDA:) Você sabia disso?

MARIVALDA — Ia te dizer agora... Ia saindo pra ir ao massagista quando encontrei os dois.

BRILHANTINA — Diabo, nem jogador de futebol faz tanta massagem!

MARIVALDA — Falei com Marquito, ele só disse: diga ao velho que desculpe fazer isso desse jeito, mas não tinha outro.

Apagam-se as luzes.

Acendem-se as luzes da casa de MIRANDÃO.

MIRANDÃO — Isso é rapto! Ela foi raptada!

CIDA — Então é preciso avisar a polícia!

MIRANDÃO — Não, nada disso. Nada de meter polícia no meio. Esse é um assunto que a gente vai ter que resolver entre nós mesmos.

Apagam-se as luzes.

Acendem-se as luzes do apartamento de BRILHANTINA.

BRILHANTINA	Ele não disse pra onde ia?
MARIVALDA	Não...
BRILHANTINA	Mas a gente tem que descobrir! E chegar antes de Mirandão. Porque essa ele não vai perdoar!
MARIVALDA	Você acha que ele é capaz de matar Marquito?
BRILHANTINA	Você tem alguma dúvida?

Apagam-se as luzes.

Acendem-se as luzes da casa de MIRANDÃO.

PEDROCA	Mirandão, me dá carta branca e eu vou buscar aqueles dois nem que seja no inferno, debaixo do penico de Satanás!
MIRANDÃO	É, agora eles botaram de lado, de vez, as regras do jogo. Vai valer tudo! (*Pega o telefone e disca.*) E esses sacanas não tinham outra hora pra fugir! Logo agora que tou com esse problema da zooteca!

Acendem-se as luzes do apartamento de BRILHANTINA. *Campainha de telefone.* BRILHANTINA *atende. A cena agora se desenvolve simultaneamente nos dois cenários.*

BRILHANTINA	Alô!
MIRANDÃO	Brilhantina? Tou vencendo o nojo que me causa ouvir a tua voz pra te fazer um apelo. Não é uma ameaça, não, é um apelo de pai. Acho que tu sabe o que é ser pai, se teu filho não nasceu de chocadeira.
BRILHANTINA	Sei tanto quanto você.
MIRANDÃO	Então, se tu sabe onde se encontram aqueles dois sacanas, me diz. Eu prometo, dou minha palavra de honra que não toco num fio de cabelo de teu garoto. Só quero ir lá buscar minha filha.
BRILHANTINA	Se eu soubesse, já tinha ido. Ou você acha que eu tou de acordo? Mandei meu filho estudar na Europa pra quê? Pra se juntar com uma...

MIRANDÃO	Uma o quê, seu cachorro?!
BRILHANTINA	Meu filho tem credencial pra coisa melhor.
MIRANDÃO	Pois olha, Brilhantina, vou te dizer uma coisa: a partir de hoje, eu não posso mais responder por mim nem pela minha gente.
BRILHANTINA	Que é que tu quer dizer?
MIRANDÃO	Tu entendeu muito bem. Quem faz, paga. Não tem mais papo entre nós. (*Desliga.*)
PEDROCA	É isso aí: quem faz, paga. E ele vai pagar muito caro.
BRILHANTINA	A coisa agora engrossou.
MIRANDÃO E BRILHANTINA	Vamos partir pro pau!

DÉCIMO PRIMEIRO QUADRO

A GUERRA ZOOLÓGICA

Balé. Coreografia: as duas gangs, *chefiadas por* PEDROCA *e* MANGA LARGA, *procuram o casal fugitivo. Todos empunham revólveres. As evoluções marcam a busca e o espírito belicoso de parte a parte.*

DÉCIMO SEGUNDO QUADRO

OS CINCO GRANDES

Luz sobre PEDROCA.

PEDROCA	A situação era grave a guerra era iminente Mirandão então sugeriu a convocação urgente dos cinco grandes banqueiros com o Brilhantina presente. Em matéria de bicheiros, o que estava ali era o fino. Salvador, Deixa-que-eu-Chuto,

Anacleto e Nicolino,
os reis do jogo do bicho
pra decidir seu destino.

O bicho estava ameaçado
de agora levar a breca,
não por culpa dos garotos,
mas da grande meleca
que estava pra acontecer
com a criação da zooteca.

Uma grande mesa, cercada por cinco cadeiras de espaldar alto. A mesa tem a forma de ferradura, com a abertura voltada para a plateia. MIRANDÃO *ocupa a cabeceira.*

MIRANDÃO	Tá todo mundo? (*Confere.*) Seu Anacleto, seu Salvador, seu Deixa-que-eu-Chuto...
SALVADOR	Falta o Brilhantina.

BRILHANTINA *entra.*

MIRANDÃO	A gente sempre espera pela pior figura...
BRILHANTINA	Bom dia, senhores. Desculpem o atraso. Culpa da minha manicure. Vamos sentar.

Todos ocupam seus lugares.

MIRANDÃO	Esta reunião foi convocada botando de lado as divergências que cada um de nós tem com o outro, esquecendo o que cada um pensa do outro (*encara o* BRILHANTINA), engolindo os palavrões que cada um tem vontade de dizer ao outro, porque a situação, a conjuntura nacional, exige de nós uma providência.
ANACLETO	Muito bem.
MIRANDÃO	Senhores, o jogo do bicho tá ameaçado de morte. Ou a gente se une num esforço nacional e patriótico e salva o bicho, ou vamos ser enterrados com ele. É

	bem verdade que não é só o bicho, é o mundo que tá em crise, o capitalismo, a nossa civilização cristã.
BRILHANTINA	Dá licença pra um aparte? O mais grave é que hoje os pais não tão mais ensinando os filhos a jogar no bicho.
MIRANDÃO	É, tão acabando com a tradição.
BRILHANTINA	E uma nação sem tradição não é uma nação.
SALVADOR	É isso aí.
BRILHANTINA	Outro problema sério é o nosso material humano, que tá cada vez pior.
DEIXA-QUE--EU-CHUTO	Falou...
BRILHANTINA	Gente sem vocação.
MIRANDÃO	Vocação sacerdotal. Mas isso é um problema de todas as religiões. Tamos vivendo num mundo onde cada vez há menos fé.
BRILHANTINA	Gente sem firmeza ideológica, que faz o bicho por fazer, que não tem aquela fibra, aquela consciência...
MIRANDÃO	Aquela ideologia.
BRILHANTINA	É isso aí: ideologia.
MIRANDÃO	Tudo isso é verdade. São problemas internos da nossa infraestrutura. O pior vem de fora. Como vocês todos já sabem, uma pedra de trezentas toneladas vai rolar em cima da gente: a zooteca. Amanhã, depois, quem sabe? Um dia desses a gente vai acordar e ler no jornal: o bicho foi legalizado. A Caixa Econômica Federal vai substituir a todos nós de agora em diante.
ANACLETO	E a polícia, não vai chiar? Eles vão perder essa boca--rica?...
SALVADOR	E a Igreja? Os padres? É contra a religião!
BRILHANTINA	Parece que a Igreja já concordou.

SALVADOR	Por isso é que eu sou ateu.
ANACLETO	Isso vai dar desemprego em massa!
MIRANDÃO	Não vai porque eles vão empregar todo o nosso pessoal.
DEIXA-QUE--EU-CHUTO	E nós?
MIRANDÃO	Nós... bem, se não for todo mundo pra Ilha Grande...
BRILHANTINA	Não, tou informado que querem aproveitar o nosso *know-how*.
MIRANDÃO	Mas vão dar o que a gente ganha?
BRILHANTINA	Isso de jeito nenhum.
MIRANDÃO	Vão dar uns trocados. Os 90 milhões que a gente arrecada por dia no Rio vão pra Caixa Econômica. E acabou-se o que era doce.
ANACLETO	Mas escuta, se eles vão pagar quatro mil pratas pelo milhar, a gente paga cinco e tudo bem.
MIRANDÃO	E a repressão? Se o Governo entra no negócio, não vai querer concorrente. E vai mandar baixar o pau. E os nossos amigos na polícia não vão poder fazer nada.
BRILHANTINA	É... vão desmantelar nosso esquema. Mas vamos fazer uma suposição. Suponhamos que a gente consiga resistir. É uma suposição...
MIRANDÃO	Gente, vamos deixar de supositórios. Estamos aqui pra tomar decisões concretas. Vamos ser concretistas.
ANACLETO	Que é que você propõe?
MIRANDÃO	Eu proponho duas medidas. Primeiramente, uma ação popular. Segundamente, uma passeata.
BRILHANTINA	Passeata? Nós? Tá maluco?
MIRANDÃO	Nós, não, claro. O povo, que com certeza tá do nosso lado. Se eu quiser, levanto o povo de Ramos e toda a Leopoldina. Faço uma marca das famílias com Deus pela liberdade do bicho!

BRILHANTINA	Acho essa ideia muito subversiva. E que diabo, nós somos gente de bem, corrupção sim, subversão não.
MIRANDÃO	Bem, é uma ideia. Quem tiver outra, que apresente. Temos é que decidir alguma coisa.
SALVADOR	Em primeiro lugar, é preciso a gente se unir e não ficar se estraçalhando.
ANACLETO	União nacional.
DEIXA-QUE--EU-CHUTO	É isso aí.
MIRANDÃO	Agora tem o seguinte: se a gente vai fazer uma união nacional pra enfrentar a situação, é preciso que as zonas de cada um sejam respeitadas.
BRILHANTINA	Esse assunto não tá na ordem do dia.
MIRANDÃO	É preciso que a filha da gente também seja respeitada.
BRILHANTINA	Isso não tá na pauta!
MIRANDÃO	Caguei pra pauta!
BRILHANTINA	A pauta foi aprovada pela maioria.
MIRANDÃO	E eu quero que a maioria se foda!
BRILHANTINA	Não pode. Tem que haver democracia.
MIRANDÃO	Pai de raptor de donzela não pode falar em democracia!
BRILHANTINA	Meu filho não raptou ninguém. Sua filha fugiu com ele porque quis.
MIRANDÃO	Que é que tu quer dizer, seu veado? Que minha filha é uma galinha?
BRILHANTINA	Prendesse ela no seu galinheiro que meu galo tava solto.
MIRANDÃO	Seu filho da puta!... (*Lança-se contra* BRILHANTINA, *mas é contido pelos outros.*)
SALVADOR	Calma, gente, calma!... Vamos esquecer esses problemas pessoais! Vamos pensar no nosso Brasil!

Subitamente, BRILHANTINA *leva as mãos à cabeça, sentindo uma dor violentíssima. Solta um grito.*

BRILHANTINA (*Fixa um ponto no espaço e aponta.*) Chô! Chô! Chô, urubu!

(*Persegue um hipotético urubu.*)

MIRANDÃO Urubu... onde é que ele tá vendo urubu?

BRILHANTINA (*Aponta para o alto.*) Olha lá! Pedra nele! Pegou o pé de galinha! Pedra nele! (*Agarra-se a* MIRANDÃO.) Depressa, mãe, ele vai fugindo com o nosso almoço!

MIRANDÃO (*Desvencilhando-se.*) Sai pra lá. Sou lá sua mãe!

SALVADOR Brilhantina! Que é isso?...

DEIXA-QUE-
-EU-CHUTO Ele pirou!...

BRILHANTINA Chô, urubu! Chô! Larga o pé de galinha, desgraçado! Corre atrás dele, mãe! Vocês aí, vê se me ajudam!

SALVADOR,
ANACLETO
E DEIXA-QUE-
-EU-CHUTO Chô, urubu! Chô! Chô, urubu, chô!

MANGA LARGA *entra, assustado.*

MIRANDÃO Ei, rapaz, corre, vai chamar Dr. Vidigal!

Apagam-se as luzes.

Com a cena às escuras, ouvem-se vozes: "DR. VIDIGAL! DR. VIDIGAL!" "*Sala de cirurgia chamando com urgência* DR. VIDIGAL." *Sirene de ambulância. Música.*

VOZ DO
LOCUTOR
DE RÁDIO Atenção, senhores ouvintes, atenção! Nicolino Pagano, que está internado no Hospital Getúlio Vargas em estado grave, faz um apelo dramático a seu filho Marco para que volte ao lar. Atenção, Marco, volte, atenda ao apelo de seu pai.

DÉCIMO TERCEIRO QUADRO

FUGA E TOCATA OU UMA PEQUENA PAUSA PARA FAZER AMOR

MARCO e TAÍS, *num ponto qualquer do tempo e do espaço, fazem amor. Estão deitados, despidos, mas imóveis.*

TAÍS	A esta altura, eles já devem estar caçando a gente.
MARCO	Tá arrependida?
TAÍS	Nem um pouco. Só tenho medo...
MARCO	Que seu pai mande me matar?
TAÍS	Ele é meu pai, mas eu sei que é capaz disso. Conheço ele bem.
MARCO	Então a nossa única saída é aquela que eu te falei.
TAÍS	Aquela sua ideia...
MARCO	A gente entra na deles e eles entram na nossa. A gente não tem outra saída, nem eles. Por isso a nossa história vai terminar bem.
TAÍS	Você acha?
MARCO	Se Romeu e Julieta tivessem a mesma ideia, unindo Montecchio e Capuleto, não teriam o fim que tiveram.
	Eles se beijam.
TAÍS	(*Canta:*) Amando noites afora Fazendo a cama sobre os jornais Um pouco jogados fora Um pouco sábios demais Esparramados no mundo Molhamos o mundo Com delícias As nossas peles retintas de notícias Amando noites a fio Tramando coisas sobre os jornais

Fazendo entornar um rio
E arder os canaviais
das páginas flageladas
Sorrimos, mãos dadas e inocentes
Lavamos os nossos sexos nas enchentes

Amando noites a fundo
Tendo os jornais como cobertor
Podendo abalar o mundo
No embalo do nosso amor
No ardor de tantos abraços
Caíram palácios
Ruiu um império
Os nossos olhos vidrados de mistério.

DÉCIMO QUARTO QUADRO

A ESTRANHA METAMORFOSE
OU SATANÁS VOLTA A SER ANJO

Apartamento de BRILHANTINA. *Em cena,* MARIVALDA, MANGA LARGA *e* DR. VIDIGAL. *Este acabou de chegar.*

VIDIGAL	Mas o que é que ele tem? Estava tão bem quando teve alta...
MARIVALDA	Sei, não, doutor... Acho que alguma coisa saiu errada na operação.
VIDIGAL	Nada saiu errado, foi uma cortesectomia perfeita.
MARIVALDA	Nicolino não é mais o mesmo. Depois que tirou aquela bala da cabeça, ele está cada vez mais esquisito.
VIDIGAL	Esquisito como? Continua tendo alucinações, vendo urubus?
MANGA LARGA	Não, não é isso. Parece que a operação mexeu no miolo dele e mudou a química.
MARIVALDA	É bom que o senhor mesmo veja. É espantoso.
MANGA LARGA	O senhor vai cair duro.

VIDIGAL	Onde é que ele está?
MARIVALDA	Há mais de uma hora que tá trancado no escritório com o Marquito e a filha do Mirandão.
MANGA LARGA	Vê se te serve: a filha do Mirandão!
VIDIGAL	Os garotos voltaram?
MARIVALDA	Voltaram. A gente fez um apelo.
VIDIGAL	Eu sei, escutei pelo rádio.
MARIVALDA	Depois de duas semanas, eles voltaram.
	BRILHANTINA *entra com* MARCO *e* TAÍS. *Tem nas mãos uma Bíblia.*
BRILHANTINA	Mas é uma ideia maravilhosa, filho!
MARCO	Você sacou bem qual é a jogada?
BRILHANTINA	Saquei e tou de pleno acordo. Tenho certeza de que os outros banqueiros também vão aprovar.
TAÍS	Nós pretendemos ir agora falar com eles e depois com papai.
BRILHANTINA	Pois vão, vão e digam que já têm o meu oquei. (*Abraça paternalmente* MARCO *e* TAÍS.) Que Deus e os anjos protejam vocês, meus filhos.
MARCO	Tchau, velho.
TAÍS	Tchau!
BRILHANTINA	E olhe, diga a seu pai que eu só tenho para ele pensamentos de amor e fraternidade. Dê um grande abraço nele por mim.
	Saem TAÍS *e* MARCO. MARIVALDA, MANGA LARGA *e* DR. VIDIGAL *presenciam a cena.*
MANGA LARGA	Tá vendo, doutor? Mirandão manda bala nele e ele responde com amor e fraternidade!

BRILHANTINA	(*Mostra a Bíblia.*) Amigo Manga, Jesus, quando foi esbofeteado, ofereceu a outra face. Tá aqui, na Bíblia.
MANGA LARGA	(*Espantadíssimo.*) Bíblia? Que papo é esse, Nicolino? Tu nunca foi de Bíblia!
BRILHANTINA	Me deram pra ler lá no hospital. É um livro maravilhoso. Aliás, amigo Manga, queria que você comprasse uma dúzia deles pra distribuir entre nossos irmãos. Afinal, somos uma irmandade. E todos precisam aprender a perdoar seus semelhantes. É ou não é, doutor?
VIDIGAL	(*Também surpreso com a transformação operada em* BRILHANTINA.) Claro... Claro...
BRILHANTINA	Mas o que houve? Chamaram o senhor? Eu estou ótimo.
VIDIGAL	Eu estou vendo. Vim só fazer uma visita de amigo.
MANGA LARGA	Escuta... e o pau lá com Mirandão, como é que fica?
BRILHANTINA	Mirandão é um infeliz. Nós temos que mostrar a ele o caminho da paz, do entendimento e da boa vontade.
MANGA LARGA	Mostrar o caminho da paz... quer dizer... liquidar.
BRILHANTINA	Não, nada disso. Mirandão é nosso irmão, Manga. Vamos fechar todos os pontos que abrimos na zona dele.
MANGA LARGA	Fechar? Os pontos que a gente abriu com tanto sacrifício?! Pensa bem, Brilhantina, muita gente deu seu sangue, sua vida por esses pontos!
BRILHANTINA	Mas foi por causa disso que Mirandão abriu luta contra nós. E eu quero viver em harmonia com Mirandão e com todo mundo. Chega de briga, chega de mortes. Por que é que a gente não pode viver como irmãos, na santa paz de Nosso Senhor Jesus Cristo?
MANGA LARGA	(*Olha para* VIDIGAL, *duramente.*) O senhor é o culpado disso!

VIDIGAL	Culpado de quê?
MANGA LARGA	Foi o senhor que mexeu na cabeça dele. E ele tá pinel.
BRILHANTINA	Ao contrário, agora é que eu sei o que tou fazendo. Antes, eu não sabia. O nosso negócio, meu irmão, faz a felicidade de uma porção de pessoas, diariamente. É um trabalho que Deus deve aprovar, esse de espalhar a felicidade. Por isso, vamos continuar com o bicho, vamos continuar pagando quatro mil contos por cruzeiro apostado no milhar e seiscentos pela centena. Isso é distribuir riqueza, é combater a miséria, uma missão social e abençoada por Nosso Senhor. Mas tudo em paz, tudo de mãos dadas, com amor, e não com ódio.
MANGA LARGA	(*Inconformado.*) Essa, não! Para mim, chega! (*Sai.*)
BRILHANTINA	Manga, vem cá... Acho que ele não entendeu...
VIDIGAL	É, acho que não.
BRILHANTINA	É um ótimo rapaz... mas um pouco ignorante demais, custa a entender as coisas. Dá licença um minuto, doutor, são quase seis horas, vou rezar as Ave-marias. (*Sai, cantando:*) Ave Maria gracia plena...
MARIVALDA	Como é que o senhor explica isso? Ele mudou, é outro homem. Vive rezando e distribuindo esmolas.
VIDIGAL	É... impressionante. É como se Satanás, arrependido, voltasse a ser anjo. Bem, tenho que cuidar da minha clientela. Sabe que hoje tem uma passeata?
MARIVALDA	Passeata? E já pode fazer passeata?
VIDIGAL	Pelos direitos do homem, parece que não, mas pelos direitos do bicho, parece que pode.

Apagam-se as luzes.

DÉCIMO QUINTO QUADRO

A MARCHA COM DEUS E A FAMÍLIA
PELA LIBERDADE DO BICHO

Balé. Com máscaras dos 25 bichos, os bailarinos marcham, portando cartazes que dizem: estou com o cavalo e não abro — liberdade para a borboleta — abertura para o veado — bicho amplo e irrestrito — viva a iniciativa privada — abaixo os bichocratas — "animals lib" — o bicho é do povo como o céu é do avestruz — arena livre para o touro — o macaco tá certo — etc.

TODOS   (*Cantam:*) Abaixo a zooteca
Abaixo a zooteca   (*Bis.*)

O povo democrata
Não quer burocracia
Levanta a pata
Da nossa bicharia

O bicho organizado
É pura bandalheira
Bicheiro, togado,
Merece usar coleira

O bicho de estatizado
É coisa de cartola
Ministro de estado
Direto pra gaiola

O bicho de estado
Jamais será jogado
O bicho polido
Jamais será curtido
O bicho legal
Jamais será legal

Abaixo a zooteca
Abaixo a zooteca

O povo patriota
Não quer mais quartelada

Levanta a bota
Da nossa bicharada

O Estado já tá rico
E o povo tá na lona
Não mete o bico
Aqui na nossa zona

O bicho engravatado
É safadeza pura
O bicho bichado
Derruba a ditadura.

Abaixo a zooteca
Abaixo a zooteca

DÉCIMO SEXTO QUADRO

O CARTEL ZOOLÓGICO

Casa de MIRANDÃO. MARCO *e* TAÍS, *de mãos dadas, ele com uma pasta, esperam, tensos.*

TAÍS	Tá nervoso?
MARCO	Um pouco só. Mas tudo bem... Vamos enfrentar a fera.
CIDA	(*Entrando.*) Taís! Minha filha! (*Caem nos braços uma da outra.*) Miranda! Venha ver, Taís voltou! (*Repara em* MARCO.) Mas voltou com ele!...
MARCO	Como vai a senhora?
CIDA	(*Preocupada.*) Por Deus, vá embora antes que meu marido veja!
MARCO	Mas eu quero mesmo que ele me veja. Estou aqui pra falar com ele.
TAÍS	É, mãe, nós queremos levar um papo com o velho.
MIRANDÃO	(*Entrando.*) Taís!
TAÍS	Oi, pai.

MIRANDÃO	(*Vendo* MARCO.) Mas o que é isso?... Tu tem coragem de me aparecer com esse... rua! Rua, seu sacana, antes que eu te dê um tiro nos cornos!
TAÍS	(*Abraça* MARCO.) Se atirar nele, vai ter que atirar em mim também!
CIDA	Calma, Miranda, calma!
MIRANDÃO	Mas é muita topetice! Depois de cobrir a gente de vergonha, inda tem a audácia de voltar abraçada com esse pilantra. E você quer que eu engula isso?
CIDA	Miranda, vamos deixar isso pra depois... o que importa é que ela voltou!
MIRANDÃO	Não, é preciso que ela ouça já umas verdades.
TAÍS	As suas verdades não são as minhas, pai.
MIRANDÃO	A verdade é uma só, como a decência das pessoas também. Tu foi educada dentro da moral cristã e a moral cristã também é uma só, não tem duas. Tem que haver respeito pelos pais e respeito pela família.
TAÍS	Pai, eu e Marco estamos aqui pra te falar de negócios. E, se você não quiser ouvir, vai também botar pela porta afora a sua salvação.
MIRANDÃO	E eu tou lá precisando de salvação? Quem tá precisando disso é o bosta do pai dele, que vive de vela na mão!
MARCO	Ele, o senhor e todos os banqueiros de bicho. Estão todos a um passo do fim. E eu trago nesta pasta a fórmula para salvar vocês.
TAÍS	É uma ideia que ele teve, pai. Marco estudou o jogo do bicho e com os conhecimentos que ele tem bolou um projeto genial.
MARCO	Já expus minha ideia a meu pai, ao Anacleto, ao Salvador e ao Deixa-que-eu-Chuto. Todos acharam sensacional.
MIRANDÃO	Então você já falou com todos os grandes banqueiros...

MARCO	Só falta o senhor, que deixei pro fim, por ser o maior de todos. Se o senhor aprovar, o bicho está salvo e vai crescer como ninguém jamais imaginou.
TAÍS	Pai, deixe ele falar.
CIDA	Miranda, você não anda tão preocupado com a zooteca?...
TAÍS	Marco tem uma fórmula pra enfrentar a zooteca!
MIRANDÃO	(*Impressionado.*) Bom, então... vão vocês lá pra dentro, quero conversar a sós com ele. Isso é conversa de homem.
TAÍS	Não, eu quero ficar.
CIDA	Então, fique. Eu acho bom. (*Sai.*)
MARCO	Talvez o senhor não saiba... Passei dez anos na Europa estudando. Tenho curso de Economia.
MIRANDÃO	Não precisa jogar na cara seu anel de doutor. Pra mim, isso é merda.
MARCO	Só estou dizendo isso pra que o senhor saiba que eu não sou um amador. Fiz um estudo de todo o mecanismo do jogo do bicho. É um mecanismo obsoleto, não tem a menor condição de sobreviver à concorrência da zooteca. A não ser que se modernize, que use a tecnologia e os métodos modernos de organização de empresa.
MIRANDÃO	(*Resistindo ainda.*) Bobagem, bobagice... De que jeito? Tem graça... Tou nisso há quase 50 anos e vem você agora cagar regra...
TAÍS	Deixe ele explicar.
MARCO	Proponho a criação de um grande cartel.
MIRANDÃO	Cartel?
MARCO	Um sindicato de empresas do mesmo ramo, todas autônomas, mas unificadas, modernamente orga-

	nizadas, para impor o seu preço e as suas regras de jogo. Como os grandes cartéis internacionais.
MIRANDÃO	Vamos devagar... Troca isso em miúdos. Como é que isso funciona?
MARCO	De maneira muito simples. Duas ou três grandes empresas concorrentes se unem, firmam um acordo para explorar determinado negócio. Ficam assim superfortes e podem eliminar todas as outras empresas concorrentes que não façam parte do acordo.
MIRANDÃO	Eliminar... De que jeito?
MARCO	De todos os jeitos. Pela intimidação, pelo suborno, pela política de baixos preços, pela sabotagem e até mesmo... por meios mais violentos. Dominando um mercado, o cartel pode então partir para outro.
MIRANDÃO	Que outro?
MARCO	Em outro país. Aí novas empresas entram no acordo e as que não entram são eliminadas.
MIRANDÃO	(*Impressionado.*) Mas isso não dá cadeia?
MARCO	Parece que não, porque esses cartéis dominam hoje quase todos os setores do comércio e da indústria, em todo o mundo capitalista. Se você e Brilhantina, em vez de viverem se digladiando, se unissem formando um cartel, o jogo do bicho não só seria invencível nacionalmente, como acabaria transpondo as fronteiras do país e dominando o mundo.
MIRANDÃO	(*Começa a se entusiasmar.*) Menino, sabe que você enxerga longe? Nem parece filho do caolho do teu pai.
MARCO	(*Abre a pasta.*) Vou lhe mostrar todo o meu plano...
MIRANDÃO	Você acha então que assim a gente pode resistir à zooteca?
MARCO	Não tenho a menor dúvida. O cartel é a solução.
TAÍS	E depois a exportação do bicho, a multinacional!

MARCO   É o caminho.

MIRANDÃO   Mas eu tenho que ser o presidente.

MARCO   Bem, tem que haver uma eleição. Eleição indireta, claro... O senhor ganha fácil.

MIRANDÃO   O diabo é que além da zooteca eu tenho um pequeno problema. Recebi um aviso, estão querendo me encanar.

MARCO   Vamos convocar uma reunião dos grandes banqueiros e resolver esse e todos os problemas. Se o senhor precisar sumir por uns tempos, instalamos a nossa matriz em Nova Iorque.

MIRANDÃO   Sabe que você me deu uma ideia? Uma grande ideia!

DÉCIMO SÉTIMO QUADRO

A DIVISÃO DO MUNDO

MARCO   (*Canta:*) Como todo cartel que se preza, meu bem,
                 Nossa sede será na Metrópole
                 Pra montar sucursais
                 Nas demais capitais
                 Espalhando a justiça social.

TAÍS   Como todo patrão que se preza, papai,
                 Você vai morar longe do trópico
                 Divulgando em inglês,
                 Alemão, polonês,
                 Nosso jogo na aldeia global.

MARCO, TAÍS   Do Caribe ao Rio da Prata
E MIRANDÃO   Desde o Congo a Hong Kong
                 Mão de obra mais barata
                 Para o bicho prosperar.
                 Monto banca em Sri Lanka
                 Fundo loja no Camboja
                 Abro um ponto em cada esquina
                 Lá da China Popular.

Acendem-se as luzes na mesa dos cinco grandes. MIRANDÃO, BILHANTINA, SALVADOR, ANACLETO *e* DEIXA-QUE-EU-CHUTO *sentados.* MARCO *e* TAÍS *de pé.*

BRILHANTINA (*Levanta a mão.*) Aprovado!

SALVADOR (*Idem.*) Aprovado!

ANACLETO (*Idem.*) Aprovado!

DEIXA-QUE--EU-CHUTO (*Idem.*) Aprovado!

MIRANDÃO Então tá aprovado por unanimidade absoluta este primeiro documento, que é o nosso *Draft Memorandum of Principles*. (*Pronuncia errado e olha para* MARCO.)

MARCO (*Corrige.*) *Draft Memorandum of Principles*, memorando de princípios.

MIRANDÃO Vamos agora pôr em votação o segundo documento, que é o nosso. (*Lê no frontispício do documento que Taís lhe apresenta.*) *Home Market Protection Agreement*...

MARCO (*Pronuncia corretamente.*) *Home Market Protection Agreement*. Este é o documento que divide as áreas de atuação fora do Brasil.

Desce um grande mapa-múndi.

MIRANDÃO (*Aponta o mapa.*) Eu fico com as Américas do Norte, do Sul e Central. O Brilhantina fica com a Europa. Seu Anacleto fica com a Ásia, seu Salvador fica com a África e seu Deixa-que-eu-Chuto fica com a Oceania. Todo mundo de acordo?

TODOS De acordo.

MIRANDÃO (*Lendo.*) Fica estabelecido que, se amanhã houver condição de exportar o bicho pra outros planetas ou estações orbitais, um novo acordo terá que ser firmado.

MARCO Um *Special Agreement*.

MIRANDÃO   E já que tá tudo acertado, no geral e no particular, peço que cada um bote seu jamegão nos dois documentos. Como presidente eleito da *International Animal Game Corporation*, vou assinar primeiro. (*Assina.*) Agora seu Nicolino Pagano, como vice-presidente.

BRILHANTINA *assina.* MARCO *e* TAÍS *levam os documentos para os outros assinarem.*

BRILHANTINA   Que Deus Nosso Senhor abençoe nossa organização.

TODOS   Amém. (*Fazem o sinal da cruz.*)

BRILHANTINA   Que ela espalhe pelo mundo a felicidade que sempre espalho entre o povo desta terra.

BRILHANTINA *e* MIRANDÃO *apertam-se as mãos, enquanto os outros aplaudem.*

MIRANDÃO   Bem, pessoal, vou encerrar aqui esta reunião porque hoje é domingo de Carnaval e eu sei que cada um tem que ir correndo pra quadra de sua escola. No bicho, estamos unidos, mas no samba, cada um por si.

Apagam-se as luzes.

DÉCIMO OITAVO QUADRO

SAMBA NO PÉ E SANGUE NA QUADRA OU O GRANDE GOLPE FINAL

Quadra da escola de samba. Os últimos passistas, retardatários, deixam a quadra, rumo à avenida, para o desfile. É domingo de Carnaval. MIRANDÃO *entra e comanda. Os passistas se movimentam no ritmo marcado pela bateria cantando o samba-enredo.*

MIRANDÃO   Vamos lá, minha gente! Mais ligeireza nisso! O desfile tá marcado pras 4 horas da madrugada, mas quero todo mundo na Candelária às três. A escola não pode perder pontos.

MANGA LARGA, *fantasiado, com rosto pintado, se mistura entre os passistas e vai se aproximando de* MIRANDÃO *durante as evoluções.*

MIRANDÃO	(*Dirige-se a uma pastora.*) Você aí, que é que inda tá fazendo aqui? Sua ala já tá lá na rua... Vamos... como presidente, baixo decreto: este ano tem que dar nossa escola na cabeça! Todo mundo levando o samba no pé... repara na harmonia... Cuidado pra não atravessar! Porta-bandeira, Mestre-sala... Quero dez em todos os quesitos. E cuidado com as alegorias... Paguei tudo do meu bolso. Amor, muito amor nessa briga!
	Os passistas evoluem e vão saindo, enquanto MANGA LARGA *se aproxima e se posta diante de* MIRANDÃO.
MIRANDÃO	Você... que é que quer?
MANGA LARGA	Só lhe dar uma palavrinha, seu Mirandão...
MIRANDÃO	Agora não tenho tempo. Não vê que tenho de botar a escola na avenida?
	MIRANDÃO *inicia a saída, mas* MANGA LARGA *barra-lhe a passagem.*
MANGA LARGA	É uma palavrinha só, seu Mirandão... (*Rápido, saca do revólver e atira à queima-roupa.*) Taí a palavrinha... (*Dá outro tiro.*) E o ponto final. (MIRANDÃO *leva as mãos à barriga, os olhos saltam das órbitas. Ele dá alguns passos e cai.* MANGA LARGA *foge, enquanto os passistas que escutaram os tiros voltam, assustados.*)
UM PASSISTA	(*Grita:*) Mataram Mirandão!
OUTRO	(*Mais afastado.*) Mataram Mirandão!
TERCEIRO	Mataram nosso presidente!
PEDROCA	(*Entra correndo, empurrando todo mundo.*) Mirandão... Quem fez isso?
MIRANDÃO	Não vi a cara do filho da puta...
PEDROCA	(*Grita:*) Chamem o Dr. Vidigal! Depressa!
	Um sambista sai correndo.
MIRANDÃO	Por que é que vocês tão me olhando com essa cara de besta? Todo mundo pra avenida...

PEDROCA	Não era melhor suspender o desfile da escola?
MIRANDÃO	Suspender? Você tá louco? (*Tem um desfalecimento e* PEDROCA *ampara-o.*)
PEDROCA	Chefe!
MIRANDÃO	Pedroca...
PEDROCA	Fala, meu pai.
MIRANDÃO	Se eu morrer... quero no meu enterro a escola fantasiada. Não esqueça também de mandar cotar... o milhar da minha sepultura. Com certeza esses putos vão carregar nele... (*Morre.*)

PEDROCA *vê que ele morreu, deita seu corpo no chão, cruza as mãos sobre o peito. Os passistas evoluem em torno do corpo. Ao som do surdo, também lento, cadenciado. Quatro deles carregam o corpo de* MIRANDÃO *e saem com ele, cantando o mesmo samba do início.*

PEDROCA
Ele disse pra escola caprichar
no desfile da noite de domingo
Com ginga, com fé
Pediu muita cadeira a requebrar
Muita boca com dente pra caramba
E samba no pé
De repente o pandeiro atravessou
De repente a cuíca emudeceu
De repente o passista tropeçou
E a cabrocha gritou que o nosso rei morreu.

TODOS
Viva o rei de Ramos
Que nós veneramos
Que nós não cansamos de cantar etc.

Saem todos de cena, PEDROCA *fica sozinho.*

PEDROCA
E foi assim que morreu
o nosso pai Mirandão.
Desde o saudoso Natal
não se via tal multidão

mais de trinta mil pessoas
acompanharam o caixão.

Cemitério do Caju,
sepultura mil e vinte,
número que os presentes
anotaram sem acinte,
milhar que deu na cabeça
logo no dia seguinte.

Pior é que eu perdi Taís,
pr'aquele grande finório
do Marquito Brilhantina.
E assim este relatório
devia terminar. Mas, calma,
vamos voltar ao velório.

Entra o funeral. Nas primeiras alças do caixão, o DE-
LEGADO *e* BRILHANTINA; *nas outras,* SALVADOR, ANA-
CLETO, DEIXA-QUE-EU-CHUTO *e* DR. VIDIGAL. *Mais atrás,* CIDA, *toda de preto,* TAÍS *e* MARCO *abraçados;* MARIVALDA, MANGA LARGA *e os sambistas, ainda fantasiados. O caixão é depositado no centro da quadra. Um* cameraman *filma, fotógrafos batem* flashes.

CIDA	Foi um bom homem... Bom marido, bom pai.
SALVADOR	Vivia ajudando todo mundo.
DEIXA-QUE--EU-CHUTO	Amparava as viúvas.
ANACLETO	Adorava as criancinhas.
MULHER	Quem vai agora pagar seus caixões de anjinhos?
VIDIGAL	Perdi meu melhor cliente.
BRILHANTINA	Vai pro céu. Era um santo.
DELEGADO	(*Dirigindo-se a* CIDA:) Minha senhora, mais uma vez meus pêsames.
CIDA	Obrigada.

DELEGADO	Infelizmente, não vou poder ficar para o velório. Vocês entendem... isso ia me comprometer...
PEDROCA	Claro... a gente entende...
DELEGADO	Só o que eu posso dizer é que ele morreu na hora certa. Tenho aqui no bolso uma ordem de prisão contra ele.
PEDROCA	Agora, Delegado, só se o senhor mandar uma precatória pro outro mundo.
DELEGADO	Aliás, ele sempre foi um mestre na arte de escapar da polícia.

DELEGADO *sai.* PEDROCA, *que o acompanhou até a saída, volta. Há uma pausa. Súbito, a tampa do caixão começa a abrir-se lentamente.*

MARIVALDA	(*Vê e abafa um grito.*) Nico!
BRILHANTINA	Que foi, mulher?
MARIVALDA	Olha!...
BRILHANTINA	(*Vê e faz sinal pra ela se calar.*) Se segura, mulher... guenta as pontas...
MIRANDÃO	(*Põe a cabeça de fora do caixão.*) Pedroca... vê se eu já posso sair desse pijama de madeira...
PEDROCA	(*Olha em volta.*) Acho que pode... A polícia e a imprensa já se mandaram... tamos entre amigos.

MIRANDÃO *levanta-se do caixão. Com exceção dos bicheiros,* CIDA, MARCO, TAÍS, VIDIGAL *e* MARIVALDA, *todos se assustam e correm, gritando.*

MIRANDÃO	Por que esse escândalo? Vocês não avisaram a eles?...
PEDROCA	Tem muita gente que não sabe...
MARIVALDA	(*Agarrada ao braço de* MANGA LARGA.) Ele não tá morto?!
MANGA LARGA	Nada, foi só um golpe, pra ele escapar da Polícia. Atirei nele com bala de festim.

VIDIGAL	Eu não sei de nada, não vi nada, assinei o atestado de óbito, pra mim ele está morto.
CIDA	(*Abraça* MIRANDÃO.) Meu querido! Eu estava tão impressionada vendo você dentro daquele caixão. Parecia que você nunca mais ia levantar dali!
MIRANDÃO	Mas levantei e esta noite mesmo nós levantamos voo para os Estados Unidos. Amanhã estou em Nova Iorque e de lá vou presidir à nossa nova organização, a *International Animal Game Corporation*.
BRILHANTINA	A multinacional do bicho!
MIRANDÃO	Vamos faturar em bichodólares. Pedroca, você que vai assumir meu posto aqui em Ramos, providencia o leite de onça pra brindar o nosso grande cartel zoológico.
BRILHANTINA	Ideia de meu filho!
MIRANDÃO	Menino inteligente... não saiu nada ao pai. Vai ser nosso homem em Paris. Depois de casar, evidentemente.
MARCO	(*Para* TAÍS:) Eu não te disse que a nossa história ia acabar bem?
TAÍS	É, ser bicheiro em Paris é outra coisa... tem um certo *status*...

Eles se abraçam e se beijam, enquanto todos confraternizam.

UM PASSISTA	Pessoal! Mirandão ressuscitou!
OUTRO	Mirandão tá vivo, gente!
TERCEIRO	Mirandão não morreu!

Os passistas entram, alegres, cercam MIRANDÃO.

VOZES	Tá vivo!... Tá vivo mesmo!... Tem o corpo fechado... É um milagre!
MIRANDÃO	(*Erguendo o copo.*) Ao nosso cartel!

TODOS — Ao cartel!

TAÍS — (*Canta:*) Como todo cartel que se preza, meu bem
Seguiremos as normas da ética
Muito acima das leis
Muito acima dos reis
Muito acima do bem e do mal.

MARCO — Como todo cartel, meu bem,
Toda a evolução cibernética
Emitindo sinais
Computando animais
Num satélite artificial.

TODOS — Doravante, gente fina,
Nosso jogo tá por cima
Temos a matéria-prima
Genuína, nacional
Temos mais experiência
A ciência e o cacete
A malícia, o macete
Cassetete e capital.

Vamos impor!
Financiar!
Exigir!
Subornar!
Influir!
Governar!
Eleger!
Derrubar!
E convém zonear o planeta, meu bem,
Pra melhor repartir nossos royalties
Toma Chile e Uruguai
Eu controlo o Sinai
E de quebra te arrendo o Gabão

E nós vamos além
Vamos faturar bem
Vamos faturar em bichodólares
Vamos viver em paz

Ninguém passa pra trás
Um parceiro que é mais um irmão.

No futuro, que tristeza
Se a empresa der um furo
Nós venderemos em dois meses
Por dez vezes o valor venal

Viva o holding!
Viva o dumping!
Viva o truste!
Viva o lucro!

Viva o luxo!
Viva o bicho! (*Bis.*)
Multinacional!
Viva o bucho!
Viva o lixo!
Multinacional!

campeões
do mundo

PERSONAGENS

Tânia Müller
Riba
Velho
Carlão
Embaixador
Frederico Müller
Glória Müller
Elza
Dirigente
Inquiridor
Médico
TV-Repórter
Gerente
Homem
Torturador

AÇÃO: *Rio de Janeiro*
ÉPOCA: *vários momentos distintos entre 1963 e 1979.*
CENÁRIO: *o espaço cênico deve ser dividido em vários planos, de modo a permitir várias ações em locais diferentes. Apenas um cenário é fixo e deve ocupar dois planos centrais, o primeiro deles no nível do palco. Este cenário fixo sugere uma sala e um quarto no andar superior. Na sala, poucos móveis, um sofá-cama, uma cadeira, um aparelho de televisão, um rádio de pilha e uma pequena impressora* offset. *Na parede da esquerda, uma janela e uma porta. Pilhas de jornais sobre a mesa e pelo chão, bem como livros, panfletos e garrafas de refrigerante vazias. No quarto, uma cama de armar. Quarto e sala se comunicam por uma escada. É um "aparelho revolucionário". Os outros planos são adaptáveis às suas situações, sendo que as cenas desenroladas no presente, isto é, em 1979 (no aeroporto e no apartamento de Tânia), devem ser marcadas sempre o mais próximo possível do espectador.*

primeiro painel

CENA I

Ainda com a cena às escuras, ouve-se uma voz cantando a canção Campeões do Mundo.

CANTOR
Onde andam os campeões
guerreiros e ladrões
do mundo imundo?
Onde estão essas crianças:
milagre, esperanças,
iradas
quebradas?

As luzes de cena vão-se acendendo em resistência.

CANTOR
Sem bandeiras,
sem canções,
aprenderam as lições
de vida, de morte, de vida e morte.

O primeiro plano da cena é invadido por manifestantes que conduzem faixas com os dizeres: SEJA BEM-VINDO À PÁTRIA — COMITÊ BRASILEIRO PELA ANISTIA — A UNE SAÚDA O COMPANHEIRO RIBAMAR — ANISTIA AMPLA, GERAL E IRRESTRITA. TÂNIA MÜLLER *está entre os manifestantes. Fotógrafos, jornalistas e um operador de TU com uma câmera portátil. Estamos no Aeroporto Internacional do Rio de Janeiro, em 1979.*

CORO
De volta às estações,
perdidos campeões,
por onde andarão seus companheiros?
Tantas histórias contadas,

	tanto sangue nas calçadas,
	mas vejam ainda cantam os brasileiros.
LOCUTORA DO AEROPORTO	(*Voz pelo alto-falante.*) Voo 221, da Varig, procedente de Paris. Anunciamos a sua chegada. *Varig's flight 221 from Paris now arriving.*
	Quando termina a canção, RIBAMAR *entra, com algumas malas num carrinho, e é imediatamente cercado pelos jornalistas e fotógrafos. Espocam flashes, o operador de TV grava tudo.*
VOZ	Viva Ribamar!
TODOS	Viva!
VOZ	Viva a Anistia!
TODOS	Viva!
CORO	Ri-ba-mar! Ri-ba-mar! Ri-ba-mar! Ri-ba-mar!
	RIBA *é carregado por um grupo de manifestantes.*
VOZ	Viva a democracia!
TODOS	Viva!
	RIBA *é abordado por uma moça, repórter da televisão.*
TV-REPÓRTER	Ribamar, o que é que você sente ao pisar novamente o solo de sua terra, depois de nove anos de exílio?
RIBA	(*Emocionado.*) Nem acredito. Nem acredito.
TV-REPÓRTER	E quais os seus projetos?
RIBA	(*Atordoado.*) Projetos?
TV-REPÓRTER	É, dentro do novo contexto político, que é que você propõe?
RIBA	Primeiro comer uma boa feijoada.

CORO	Ri-ba! Ri-ba! Ri-ba! Ri-ba!
REPÓRTER	(*Para a câmera:*) Sandra Helena para o *Jornal Nacional*.
	Entra um grupo portando enormes bandeiras rubro--negras e vestindo camisas da mesma cor. Cantam.
TV-REPÓRTER	(*Para o operador:*) É a delegação do Flamengo que tá chegando! Vamos lá cobrir!
TORCEDORES	Uma vez Flamengo, sempre Flamengo, Flamengo sempre hei de ser; é meu maior prazer vê-lo brilhar, seja na terra, seja no mar, vencer, vencer, vencer, uma vez Flamengo, Flamengo até morrer.
	Os torcedores saem cantando, com a adesão dos manifestantes políticos, jornalistas, fotógrafos etc. Somente TÂNIA *permanece, empunhando um cartaz: "Seja Bem-vindo, Companheiro."*
RIBA	(*Só agora vê* TÂNIA.) Tânia!
TÂNIA	Oi, Riba. (*Larga o cartaz e os dois se abraçam calorosamente.*)
RIBA	Puxa vida, você tava aí... Não tinha visto.
	Eles se olham nos olhos, emocionados.
RIBA	Que bom te encontrar.
TÂNIA	Não esperava que eu viesse?
RIBA	Sei lá... claro... quer dizer, tanto tempo fora, a gente volta sem saber direito o que vai encontrar, ou não vai encontrar, o que restou...
TÂNIA	(*Sorri.*) Eu restei.
RIBA	Restou... e não mudou nada. A mesma Tânia...
TÂNIA	Bobagem. Quem é que não mudou? Tudo mudou.
RIBA	Vendo você, não posso deixar de lembrar... Carlão, o Velho Baiano...

TÂNIA	Estão mortos, você sabe. O Velho foi assassinado.
RIBA	Soube na Europa.
TÂNIA	Montaram uma daquelas farsas pra dizerem que resistiu à prisão. Com Carlão nem se preocuparam, sumiram com o corpo, mas se sabe que morreu empalado.
RIBA	(*Como se sentisse na própria carne.*) Filhos da puta.

RIBA *tem 35 anos e um olhar de náufrago que mal acredita ter chegado à praia.* TÂNIA *tem 31, bonita, segura de si, passa determinação e experiência.*

RIBA	Daquela turma do sequestro, só nós restamos inteiros, eu acho.
TÂNIA	(*Irônica.*) Inteiros... Será que estamos inteiros?
RIBA	É... tanta água passou debaixo da ponte...
TÂNIA	Não vamos falar disso agora. Você mal chegou...
RIBA	Temos tanto que conversar... muito que discutir.
TÂNIA	Claro... e há muito tempo pra isso. Você tem pra onde ir?
RIBA	Não... isto é, não sei... tenho que consultar os companheiros...

Os torcedores voltam, carregando um jogador do Flamengo e cantando o hino. Junto com eles, vêm também os manifestantes do início, que carregam RIBA *e levam* TÂNIA *de roldão.*

CENA II

Quarto do "aparelho". 1970. O VELHO *está em cena, 55 anos, tem a cabeça grisalha. Um ar sempre tranquilo e determinado. Seu carisma é evidente, inspira confiança ilimitada pela capacidade que tem de jamais deixar transparecer suas próprias dúvidas. A par de sua firmeza, que beira a intransigência, irradia equilíbrio e ponderação. Tem o olhar translúcido dos santos e dos obstinados. Demonstra também alguma tensão, mas está escutando o rádio, que transmite alguns acordes do hino "Pra Frente Brasil".*

LOCUTOR — Amanhã, dia 21 de junho de 1970, pode transformar-se numa data histórica. Na Cidade do México, o Brasil joga sua última partida no Campeonato do Mundo, contra a Itália. Se vencermos, seremos tricampeões, trazendo definitivamente para nossa pátria a Taça Jules Rimet.

O VELHO *baixa o volume do rádio.* RIBA *entra.*

RIBA — Nada até agora. (*Olha por um basculante.*)

VELHO — Tá enxergando bem daí?

RIBA — Toda a ladeira, até a curva. (*Tira os óculos e limpa-os na barra da camisa.*) Quando eles dobrarem a curva, não há como... Não existe outro caminho, existe?

VELHO — Não. E, além do mais, eles têm de seguir o plano. (*Consulta o relógio de pulso.*)

RIBA — Que horas são?

VELHO — Faltam dez para meio-dia.

RIBA — Seu relógio tá certo? (*Consulta o próprio relógio.*) No meu faltam quinze, dá no mesmo. De qualquer maneira, eles já deviam estar aqui há uma pá de tempo.

VELHO — Calma.

RIBA — O gringo sai de casa entre nove e nove e quinze, todos os dias, Tânia informou. E esses caras são metódicos. De Botafogo até aqui não pode levar mais de meia hora. Uma hora que seja, se o trânsito estiver difícil.

VELHO — (*Sorri.*) Calma, companheiro. (*Vai até a janela, olha, volta, pega um jornal para controlar a tensão.*)

RIBA — Velho, você não acha que eles devem ter caído?

VELHO — Não, ainda não. Vamos esperar mais um pouco. Pode ter havido um imprevisto. Fique aí, não tire o olho da ladeira.

RIBA   (*Procura controlar-se.*) É, deve ter acontecido alguma coisa.

VELHO   É a primeira ação em que você toma parte?

RIBA   Não, já participei de dois assaltos a bancos. (*Como que corrigindo.*) Duas expropriações. Antes, fui do Comitê Cultural do Partidão. Rachei em 68, quando houve a invasão da Tchecoslováquia. (*Sorri.*) Claro, isso não é nada, diante de sua experiência, seu passado. (*Reage.*) Mas você me olha como se eu estivesse me cagando de medo. Não tou não. É a ansiedade... e a euforia.

VELHO   Que euforia?

RIBA   Não sei se você me entende... Porra, bicho, vai ser um gesto histórico. Já pensou quando a notícia explodir? Nas manchetes, no rádio, na televisão. Puta que pariu, vai sacudir o mundo. E eu sei, você sabe... *antes da coisa acontecer.* Isso é que me deixa nessa euforia, nesse barato. É como se eu soubesse por antecipação o curso da História. Imagina você antes da batalha de Waterloo já sabendo que Bonaparte vai se foder e que todo o império napoleônico vai pra pica. Isso te deixa engasgado nesse ouriço, como eu tou. (*Autocriticando-se.*) Bom, talvez tudo isso seja uma deformação profissional... Como publicitário... Visão de intelectual.

VELHO   Ou de político.

RIBA   É isso aí.

VELHO   Preste atenção. O carro não pode chegar e ficar parado na porta.

RIBA   (*Volta a olhar pela janela, agora com um binóculo.*) Com este binóculo posso ver quando a Kombi virar naquela rua, lá embaixo.

VELHO   (*Começa a se inquietar.*) Nada ainda?

RIBA   Nada.

VELHO   É... (*Consulta novamente o relógio.*)

RIBA Escute, Velho, você não acha perigoso esperar tanto? Se eles caíram, vão ser torturados... até falar.

VELHO Pelo menos um dia, qualquer um aguenta. Se não for um frouxo. Estamos dentro do teto de segurança. (*Olhando pela janela.*) Se a ação tivesse falhado, os homens da cobertura teriam vindo avisar.

RIBA E se caíram todos?

VELHO É muito difícil. A menos que não tenham seguido o plano à risca, como tracei.

RIBA *gira o dial, passando por várias estações, detendo-se numa em que se ouve uma música da época.*

VELHO Ei, lá vêm eles!

RIBA (*Desliga o rádio e corre para a janela.*) É, é a Kombi.

VELHO (*Pega o binóculo.*) Parece que tá tudo bem.

RIBA Não tou vendo o gringo.

VELHO Deve estar no chão, deitado. Ande, vá abrir a porta da garagem, depressa, o carro tem de entrar direto.

RIBA *sai correndo. O* VELHO *continua olhando pela janela, agora sem o binóculo. Ouve-se o ruído do carro que se aproxima e para. O* VELHO *tem uma expressão de satisfação. Agora, a sós, controla menos a ansiedade. Acende um cigarro, ainda atento à janela, observando se o carro não foi seguido. Volta e fixa a plateia. A iluminação fecha sobre ele. Fica apenas um foco em seu rosto.*

DIRIGENTE (*Fora de cena.*) O companheiro tá numa posição ultraesquerdista.

CENA III

Aparelho do Partido. O DIRIGENTE *está sentado. Seu tom, embora firme, é persuasivo, nada impositivo.*

DIRIGENTE   Com todo o respeito e com a estima pessoal que tenho ao companheiro, me sinto obrigado a lhe dizer que está incorrendo num grave equívoco, e está dividindo o Partido. A teoria do foco revolucionário é romântica, suicida e antileninista.

VELHO   (*Volta-se para o* DIRIGENTE, *sem sair de seu próprio cenário:*) Parece-me que foi Lênin quem disse que "a violência é a parteira da História". Por outro lado, a Revolução cubana...

DIRIGENTE   (*Interrompe.*) O companheiro tá querendo aplicar mecanicamente um exemplo histórico. Mas a nossa realidade é outra. Esse seu mecanismo...

VELHO   Doze homens iniciaram a revolução em Sierra Maestra.

DIRIGENTE   Mas veja o que aconteceu com Che Guevara na Bolívia. Quando o povo não participa, quando não há condições para a luta armada...

VELHO   (*Interrompe.*) Se não há condições para a luta armada, é porque só a luta armada criará essas condições.

DIRIGENTE   O companheiro tem uma visão desesperada da situação e procura enfrentá-la assumindo uma posição voluntarista. Acha o companheiro que através da criação de um foco de guerrilha urbana ou rural, sem que haja condições para isso, vai poder derrubar a ditadura. No fundo, o companheiro não acredita num movimento de resistência de massas, no trabalho lento e paciente do Partido para formar uma frente democrática e antifascista.

VELHO   Isso vai demorar cem anos. Estou ficando velho e quero fazer a revolução eu mesmo, e agora, não quero deixar para meus netos.

DIRIGENTE   Por que o companheiro não vem discutir suas teses no Comitê Central, como membro da Direção?

VELHO   Porque tou farto de discutir, reunir, tou farto de falatórios e manifestos. Entrei pro Partido com 17 anos.

Estou há quase 40 discutindo, reunindo, organizando, preparando uma revolução que nunca vem e não virá nunca porque não saímos da teoria. A hora é de ação e mais ação.

CENA IV

Ilumina-se a sala do "aparelho" totalmente. Ouvem-se vozes fora. Entram RIBA, TÂNIA *e* CARLÃO *conduzindo o* EMBAIXADOR, *que tem uma venda nos olhos. O* EMBAIXADOR *é homem de meia-idade, traja-se impecavelmente e traz uma pequena mala preta. Está um pouco assustado, embora faça todo o possível para manter a tranquilidade. Tem um pequeno ferimento na testa, de onde escorre um filete de sangue.* TÂNIA *e* CARLÃO *estão armados com metralhadoras portáteis.*

RIBA	Por aqui...
CARLÃO	Pra onde vamos levar ele?
VELHO	Praquele quarto dos fundos, lá em cima.
TÂNIA	Mas espere, é preciso fazer um curativo nele. (*Tira a venda do* EMBAIXADOR.)
VELHO	(*Notando o ferimento.*) Que foi isso?
TÂNIA	Foi o Carlão... (*Sai.*)
VELHO	Precisava?
CARLÃO	Foi na hora do transbordo. Quando íamos mudar de carro, pensei que ele ia reagir... foi só uma coronhada.
VELHO	Sr. Embaixador, o senhor desculpe... Não queremos lhe fazer mal algum. O companheiro deve ter ficado nervoso. Mas o senhor pode estar certo de que aqui vai ser bem tratado. O melhor que pudermos, dentro das circunstâncias.
EMBAIXADOR	Ok, eu posso... fazer uma pergunta?
VELHO	Claro.
EMBAIXADOR	O que os senhores pretendem?

VELHO	O senhor está sendo sequestrado por um grupo de patriotas. Não somos bandidos. A ação que estamos praticando é uma ação política. Nada temos contra o senhor, pessoalmente, embora tenhamos muito contra o governo de seu país. Nossa luta no momento é contra a ditadura.
EMBAIXADOR	Perdão, não entendo. Que tenho eu, embaixador de um país democrático, a ver com a ditadura de seu país?
VELHO	Vários companheiros nossos foram presos. Sabemos que estão sendo torturados e que muitos não têm chance de sobreviver. Em primeiro lugar, queremos libertá-los.
EMBAIXADOR	Entendi. Vão exigir libertação deles em troca da minha.
VELHO	É uma das condições. A outra é a divulgação de um manifesto. Pelos jornais, rádios e televisão.
EMBAIXADOR	Suponhamos que autoridades não concordem.
VELHO	Vamos mantê-lo aqui até que aceitem nossas condições.
EMBAIXADOR	Quantos são os presos?
VELHO	Quarenta.
EMBAIXADOR	Não acha um pouco demais?
VELHO	O Sr. Embaixador vale esse preço. Para a ditadura, naturalmente.
RIBA	É a diferença entre o Produto Nacional Bruto americano e o nosso, 40 vezes maior... (*Ri.*)
EMBAIXADOR	*Well...* vamos supor que governo brasileiro não aceite essas condições de modo algum...
VELHO	Bem, embaixador, nós não estamos brincando, nem blefando. Estamos numa guerra. Nesse caso, vamos ter que fazer o que não queremos fazer.

CARLÃO	Vamos ter que matá-lo.

Por um momento, o EMBAIXADOR *perde a sua altiva tranquilidade.*

VELHO	O senhor seria justiçado.

Há uma pausa altamente significativa, em que o EMBAIXADOR *sente que está diante de pessoas dispostas a tudo e que sua vida está realmente ameaçada. A pausa é quebrada pela entrada de* TÂNIA *com uma caixa de medicamentos.*

TÂNIA	Também Carlão não precisava ter tascado o gringo.
CARLÃO	(*Irrita-se.*) Porra, Tânia, já expliquei!
TÂNIA	Tá bem... (*Começa a fazer o curativo no* EMBAIXADOR.)
VELHO	Calma, gente.

CARLÃO *vai até a janela e fica olhando para fora. O* VELHO *vai até ele.*

VELHO	Você tem certeza de que não foram seguidos?
CARLÃO	Não, fizemos tudo certinho, trocamos de carro, tudo de acordo com o plano.
VELHO	Por que demoraram tanto?
CARLÃO	Ele saiu de casa com quase duas horas de atraso.
TÂNIA	E isso nunca aconteceu, eu acho.
EMBAIXADOR	Eu amanheci indisposto. Fui a um jantar ontem e comi um marisco, acho que não me fez bem.
RIBA	Amanheceu com dor de barriga.
EMBAIXADOR	É...
CARLÃO	E tinha que ser hoje.
EMBAIXADOR	Peço desculpas...

TÂNIA *termina o curativo.*

TÂNIA	Pronto. É o que eu posso fazer.
EMBAIXADOR	Obrigado.
TÂNIA	Tá doendo?
EMBAIXADOR	Um pouco.
TÂNIA	Quer tomar uma aspirina?
EMBAIXADOR	Não, não posso tomar aspirinas, tenho alergia. Rosto incha.
CARLÃO	(*Nota a pequena mala preta na mão do* EMBAIXADOR.) Ei, gente, e essa maleta... (*Num gesto brusco, arranca a mala das mãos do* EMBAIXADOR, *abre-a, despeja o conteúdo sobre a mesa: documentos, charutos, uma caneta, um frasco de remédio.*)
RIBA	Que é que foi, cara?
CARLÃO	(*Examina a mala detidamente, mostra-se frustrado.*) Pensei que podia ter algum aparelho de rádio ou radar, desses que localizam o sujeito.
RIBA	Tás vendo muito filme policial...

CARLÃO *recoloca os objetos dentro da mala e devolve-a ao* EMBAIXADOR, *que pega o frasco e toma uma pílula.*

EMBAIXADOR	Remédio para coração. Sou cardíaco... (*Verifica.*) Acabou...
RIBA	Me dá o frasco, a gente compra outro, quando sair.
VELHO	Agora levem ele lá pra cima. Um de nós tem que ficar sempre com ele, revezando de duas em duas horas. Vá você primeiro, Tânia. Uma coisa, embaixador. A quem o senhor quer que avise que está bem?
EMBAIXADOR	Melhor comunicar o ministro-conselheiro da embaixada. Peça para avisar minha mulher.
VELHO	Ela será avisada.

TÂNIA *sai com o* EMBAIXADOR. *Os dois sobem a escada e passam ao quarto, no plano superior.*

VELHO É preciso também que haja sempre um homem na janela atento a qualquer movimento suspeito na rua. Você, Riba.

RIBA *vai para a janela.*

VELHO Vamos passar agora à segunda parte do plano. (*Apanha algumas folhas de papel sobre a mesa.*) O manifesto e o comunicado com as condições.

RIBA A lista com os nomes dos presos?

VELHO Fica pra depois, quando eles divulgarem o manifesto.

CARLÃO Quem vai levar?

VELHO Você ou Tânia. Só vocês dois devem sair e entrar na casa, porque estão morando aqui há um mês e a vizinhança já conhece. Nem eu nem Riba devemos aparecer, pra não despertar suspeitas.

CARLÃO Tânia disse pra vizinhança do lado que a gente tava esperando parentes de São Paulo. Aliás, a vizinhança é muito legal, fizemos um bom relacionamento.

VELHO Mesmo assim, é bom não nos mostrarmos muito.

CARLÃO Certo. Eu levo o comunicado.

VELHO (*Coloca os painéis em três envelopes e entrega a* CARLÃO.) Escolha dois lugares bem longe daqui. A caixa de esmolas de uma igreja e uma caixa do Correio, por exemplo. Depois telefone pros jornais, pras rádios e pras TVs dizendo onde estão.

RIBA E aproveite, Carlão, ligue pra embaixada, diga que o embaixador tá bem. E compre este remédio pra ele. (*Entrega o frasco.*)

CARLÃO (*Pega o frasco com evidente má vontade.*) Merda, virei *boy* de gringo...

RIBA Sem essa, bicho. Se ele sofre do coração, é bom ter esse remédio aqui. Não vai querer que o gringo morra na nossa mão.

CARLÃO	Por mim, quero que ele se foda. (*Inicia a saída, para.*) Além do mais... não, não vou comprar porra nenhuma.
RIBA	Por quê, cara?
CARLÃO	Isso pode ser uma pista pra polícia.
RIBA	O remédio?
CARLÃO	É, alguém pode alertar que o gringo sofre do coração e toma esse remédio. Aí a polícia vai de farmácia em farmácia e acaba pintando aqui.
RIBA	Acho que você superestima a eficiência da nossa polícia.
CARLÃO	Segurança, companheiro, temos de seguir as normas de segurança.
VELHO	Em parte, ele tem razão. Mas não podemos deixar de comprar o remédio. Procure numa farmácia bem distante daqui.
CARLÃO	Tá legal. (*Sai.*)

O VELHO *e* RIBA *voltam a olhar pela janela.*

CENA V

No quarto. O EMBAIXADOR *ainda de pé,* TÂNIA *monta guarda à porta.*

EMBAIXADOR	Será que eu podia... se não fosse indelicado...
TÂNIA	O quê? Quer ir no banheiro? Só que eu tenho que ir junto.
EMBAIXADOR	Junto?
TÂNIA	E tem que deixar a porta aberta.
EMBAIXADOR	Não, eu só queria sentar um pouco!
TÂNIA	Senta, pô. Também pode se deitar, se quiser. Tira o paletó, fica à vontade. *Relax.* Vamos ter que ficar uma pá de tempo aqui, eu acho.

EMBAIXADOR   (*Senta-se. Sente doer a cabeça.*) Você acha?

TÂNIA   Isso não vai depender de nós, vai depender deles. Se de cara os milicos aceitarem as nossas condições, tudo bem. Se não, Vossa Excelência vai ter que passar uns dias aqui neste cafofo. É uma pena, mas a nossa Organização é ainda subdesenvolvida. Não temos ainda aparelhos apropriados para hospedar embaixadores.

EMBAIXADOR   Eu não estou me queixando.

TÂNIA   Se quiser, podemos continuar o papo, pra matar o tempo. Senão vai ser muito chato pra você.

EMBAIXADOR   Obrigado.

TÂNIA   Fui eu que tomei todas as informações a seu respeito. Seus hábitos, a hora que saía de casa, o tipo de segurança...

EMBAIXADOR   Perdão. Mas você, uma moça, metida nisso... Não entendo. Estudante?

TÂNIA   Fiz dois anos de Sociologia, um ano de História.

EMBAIXADOR   Por que não continuou?

TÂNIA   Porque entrei na luta armada.

EMBAIXADOR   Qual o objetivo dessa luta?

TÂNIA   Derrubar a ditadura, evidentemente.

EMBAIXADOR   E vocês acham que assaltando bancos, sequestrando embaixadores, vão mudar o regime?

TÂNIA   Claro que não. Essas são ações logísticas. Para financiar a luta armada precisamos de dinheiro. E o dinheiro tá nos bancos.

EMBAIXADOR   Daí os assaltos...

TÂNIA   Não assaltamos, expropriamos. O dinheiro foi roubado ao povo e o que fazemos é uma expropriação.

EMBAIXADOR   Ladrão que rouba ladrão... (*Sente que foi grosseiro.*) Desculpe.

TÂNIA   Usamos o dinheiro em favor do povo, não em proveito pessoal.

EMBAIXADOR   Vão exigir dinheiro também para me libertar?

TÂNIA   Não, apenas a liberdade dos companheiros que estão sendo torturados e assassinados nas prisões. E o Sr. Embaixador deve estar por dentro disso.

EMBAIXADOR   Por que devo estar?

TÂNIA   Porque a CIA tem muito a ver com isso. É a CIA que está mandando peritos em tortura pra instruir os nossos.

EMBAIXADOR   Mas eu nada tenho a ver com a CIA.

TÂNIA   (*Ri.*) Ora, embaixador, corta essa...

EMBAIXADOR   É verdade que a CIA trabalha no Brasil, mas é um engano de vocês imaginar que embaixador americano tem controle da CIA. Eles trabalham diretamente junto a generais, altas personalidades, donos de grandes empresas. Quanto a essa história de torturas e assassinatos, desculpe, mas não acredito que seja verdade.

TÂNIA   Ah, você não acredita.

EMBAIXADOR   Pelo menos os generais com quem converso dizem que isso não existe.

TÂNIA   Não existe... (*Abre a blusa e mostra os seios.*) Não existe...

EMBAIXADOR   (*Impressionado.*) Que foi isso?

TÂNIA   Choque elétrico. Não só aqui, também na vagina.

CENA VI

Sala de torturas. Em cena, INQUIRIDOR, *ao lado da "cadeira do dragão", uma poltrona tosca, de madeira, com o assento, o encosto e os apoios dos braços revestidos de placas de metal, nas quais são ligados os fios terminais de uma "máquina de choque" que está sobre uma mesinha.* TÂNIA *entra, de capuz, conduzida pelo* TORTURADOR.

INQUIRIDOR	Tire a roupa.
	TÂNIA *se despe. Fica de calcinha.*
INQUIRIDOR	Toda. Tá com vergonha de mostrar a xoxota? Comunista não tem vergonha.
	TÂNIA *tira a calcinha.* TORTURADOR *obriga-a a sentar-se na "cadeira do dragão"; amarra seus braços, suas pernas e seu tronco com correias de couro.*
INQUIRIDOR	(*Brincando com a maquininha de choque.*) Olha, garota, eu não queria fazer isso com você. Não tenho nenhum prazer. Há uns caras que têm. Eu, não. Tou apenas cumprindo um dever. Você tá nisso por idealismo? Eu também. E tou arriscando minha vida tanto quanto você.
TÂNIA	Se é assim, por que não me deixa ver seu rosto?
INQUIRIDOR	Porque sei que amanhã, se um de vocês me pega, me liquida. É uma guerra suja, sim, essa nossa. Mas não pense que tou nisso por dinheiro ou porque fui treinado cientificamente pra isso. Também tenho minha ideologia. E o que faço é por convicção. Acredito que a razão e o direito estão do meu lado, tanto quanto você acredita que estão do seu. Vocês querem salvar o Brasil. Nós também. Só discordamos no método.
TÂNIA	Vocês acham que pra isso é preciso primeiro liquidar todos os que não pensam como vocês.
INQUIRIDOR	Sabe, eu tenho uma filha de 5 anos. Lembrei dela agora porque neste momento ela deve estar tendo sua primeira aula de piano. E porque olhando pra você eu fico pensando... Temos que fazer alguma coisa pra que amanhã, quando ela tiver a sua idade, um cara qualquer não seja obrigado a fazer com ela o que eu estou fazendo com você. Entendeu? É por isso, por ela, que eu estou nessa.
TÂNIA	Muito comovente. Se me tirar o capuz, vai ver que estou chorando.

INQUIRIDOR (*Irritando-se, grita.*) Sua putinha comunista! Vou-lhe dar uma chance. Uma única chance, meta na sua cabeça!

TÂNIA Que é que você quer?

INQUIRIDOR Os nomes. Os nomes de todos os componentes do grupo.

TÂNIA (*A esmo.*) Pedro, João, Dário, Pirajá...

INQUIRIDOR Quero os nomes verdadeiros, não codinomes.

TÂNIA Não sei os nomes verdadeiros, não usamos nomes verdadeiros.

INQUIRIDOR E os pontos?

TÂNIA Que pontos?

INQUIRIDOR Não se faça de idiota. Quero os pontos! (*Faz um sinal ao* TORTURADOR, *que se acerca da maquininha de choque.*) Vai dizer ou não vai?

TÂNIA Mas eu não sei! Não sei!

O INQUIRIDOR *faz um sinal e o* TORTURADOR *aciona a manivela.* TÂNIA *solta um grito de dor e desmaia. Ouve-se um exercício de piano primário executado por uma criança.*

INQUIRIDOR Desmaiou. Chame o médico.

O TORTURADOR *sai. A luz se apaga em resistência, fica apenas um foco no* INQUIRIDOR, *cujo rosto se ilumina, como se escutasse, embevecido, a filha tocar.*

CENA VII

No aparelho. RIBA *está na janela, vigilante. O* VELHO *está diante do televisor.*

LOCUTOR (*Voz.*) O Presidente Médici enviou ao chefe da delegação brasileira no México o seguinte telegrama: Às vésperas da batalha final, saibam todos que o Brasil tem seus olhos voltados para os valorosos atletas da nossa seleção. Confiantes, esperamos que cada um saiba cumprir o seu dever. Assinado, Emílio Garrastazu Médici.

Ouve-se o hino "Pra frente, Brasil". RIBA *baixa o volume do televisor.*

RIBA   Já pensou se o Brasil vence? Os gorilas vão capitalizar, vão fazer um carnaval. E o povo vai esquecer tudo, a fome, a opressão. Só que não dá pra torcer contra o Brasil, não dá. Você não acha?

VELHO   Por que não? O selecionado não é a pátria de chuteiras.

RIBA   É, tem razão. Acho que é uma debilidade minha. Não consigo escapar ao envolvimento emocional e raciocinar politicamente. Não, não me venha com aquele chavão "debilidade pequeno-burguesa", a classe operária tá toda envolvida, torcendo adoidado.

VELHO   Não falei nada.

RIBA   Sei não... às vezes penso até que a gente devia estudar mais a fundo essas coisas. A paixão do povo pelo futebol, pelas escolas de samba, pela novela de televisão. Isso de dizer que é alienação, "ópio das multidões", e descartar, pura e simplesmente, sem parar pra pensar, pra tentar entender... Acho isso furado, você não acha?

VELHO   Aonde você quer chegar?

RIBA   Quero chegar na alma do povo. E começar daí. Descobrir o mecanismo da paixão popular e usar esse mecanismo pra envolver a massa e trazê-la para o nosso lado. Porque a revolução é também uma paixão, certo? Uma paixão ao nível do racional, mas uma paixão.

VELHO   E o que é que o companheiro propõe? Parar tudo pra estudar o futebol, o carnaval, a telenovela?

RIBA   (*Aborrecido com a ironia.*) Já vi que você não me entendeu...

VELHO Entendi, sim. Pode ser até que você tenha razão. Acontece que passei quase quarenta anos no Partido teorizando a revolução. Praticamente, toda a minha vida. Estou velho e não quero morrer com a sensação de ter sido tudo inútil. Temos teorias de sobra na cabeça. Estamos intoxicados de teoria. Precisamos botar todo esse intelectualismo de lado e passar à ação. Ou você vai chegar à minha idade discutindo teses, informes e vendo tudo em volta continuar na mesma.

RIBA (*Olha para o* VELHO *com profundo respeito.*) Eu entendo... entendo o seu drama.

VELHO Não é o meu drama. É o drama do povo brasileiro.

RIBA Mas você... puxa vida... uma vida inteira... a juventude, a mocidade...

O VELHO *aumenta o volume do televisor.*

LOCUTOR (*Voz.*) E atenção, atenção! Acaba de ser sequestrado o Embaixador dos Estados Unidos. O Cadillac preto CD-3 da embaixada foi interceptado por um Volks, de onde saltaram cinco homens armados, que obrigaram o motorista a seguir até a Rua Euclides de Figueiredo. Ali, o embaixador foi colocado numa Kombi, que desapareceu como uma flecha. Ignoram-se maiores detalhes. (*Noutro tom.*) A companhia do Metrô informa que as maiores dificuldades para a construção do trecho inicial...

O VELHO *desliga o televisor.*

RIBA (*Muito excitado.*) Puta merda, Velho! Já imaginou que bomba! Daqui a pouco essa notícia tá no mundo todo. Vai ser manchete do *New York Times*! BBC de Londres, NBC! Porra, é o representante do Grande Império! Já pensou, Velho, os patrões lá de Nova York em cima dos milicos daqui, comé, que merda é essa? Queremos o nosso homem, custe o que custar, senão desembarcamos os *marines*. E os milicos com a batata quente na mão vão ter que arriar as calças. Vão dar tudo que a gente quiser.

VELHO — (*Também eufórico, mas procurando controlar-se.*) Calma, companheiro, contenha um pouco o seu entusiasmo. Cabeça fria. Agora é que começa a fase decisiva.

Ouve-se o ruído de um carro.

RIBA — (*Olha pela janela.*) Carlão tá chegando.

VELHO — Veja se não tá sendo seguido.

RIBA — Não... Espera, vem um fusca atrás... Não, é uma velha. Tudo bem.

CARLÃO — (*Entrando.*) Oi, gente. (*Traz uma pizza embrulhada, que coloca sobre a mesa.*)

VELHO — Tudo certo?

CARLÃO — Tudo. Botei uma cópia na caixa de esmolas de uma igreja.

VELHO — Que igreja?

CARLÃO — Aquela do Largo do Machado. Deixei a segunda cópia num supermercado, no Leblon. Telefonei pro *JB* e pro *Globo*.

RIBA — E a embaixada?

CARLÃO — Bati um fio também, falei com o tal ministro-conselheiro. Quando disse que o embaixador tava bem, o babaca do gringo começou a gritar "*Where? Where?*".

RIBA — Na embaixada deve estar o maior rebu.

CARLÃO — Acho que só fiz uma besteira. O supermercado onde eu deixei uma das cópias é perto do apartamento onde morei.

VELHO — Por que deixou lá?

CARLÃO — Sei lá. Só depois é que me dei conta.

RIBA — Qualé, cara, você que vive tão preocupado com as normas de segurança.

VELHO — Encontrou algum conhecido?

CARLÃO Não.

VELHO Convém evitar bairros, lugares onde você possa ser reconhecido.

CARLÃO Claro, não precisa me dizer. Foi uma bandeira.

RIBA (*Sente o cheiro.*) Pizza?

CARLÃO Me lembrei que não providenciamos comida. Esquecemos.

RIBA Tou mesmo com uma fome de lascar. (*Desembrulha.*) Será que o embaixador gosta de pizza?

CARLÃO Eu já comi. (*Mostra um pequeno embrulho.*) Comprei também o remédio.

VELHO Leva pra ele e renda Tânia. Escute, me informaram que o pai dela é testa de ferro de uma multinacional.

RIBA É sim, testa de ferro e reaça. Frederico Müller. Udenista, anticomunista de espumar no canto da boca.

VELHO Será que a gente pode confiar nela?

CARLÃO Fique tranquilo, companheiro, eu respondo por Tânia. É uma companheira cem por cento. Foi presa, torturada e não abriu o bico.

RIBA E isso de ser filha de reaça não quer dizer nada. Conheço até filhos de gorila militando na esquerda.

VELHO Também por já ter sido presa ela não devia estar aqui.

CARLÃO Era preciso uma garota bonita pra namorar o chefe da segurança da embaixada e colher todas as informações sobre o embaixador e ela recebeu da Organização essa tarefa. Daí em diante, não se podia mais deixá-la de fora.

CENA VIII

Prisão. 1969. Em cena, TÂNIA *e* MÜLLER.

MÜLLER	Não vamos discutir agora suas ideias. Eu acho que estão todas erradas e nem sei como você, sendo minha filha, pode pensar desse modo.
TÂNIA	Eu também não sei como você pode ser meu pai.
MÜLLER	Bom, depois nós discutimos esse assunto. Agora, o que é preciso é que você proceda como eu ordenar.
TÂNIA	Ordenar... Você parece que tem alma de milico, tá sempre ordenando.
MÜLLER	Se quiser sair daqui, diga que está arrependida de ter-se metido nesse movimento. Que foi iludida, envolvida pelo seu namorado.
TÂNIA	Eu não vou dizer nada disso.
MÜLLER	Mas é a única maneira de eu poder tirar você daqui. Você tem que ajudar, droga, senão eu não vou poder fazer nada.
TÂNIA	Mas eu não quero que você me tire daqui. Eu não lhe pedi nada.
MÜLLER	(*Patético.*) Minha filha, eu tenho que fazer alguma coisa por você! Sua mãe tá lá sofrendo, chorando, desesperada. Eu também. Estou, inclusive, me arriscando. Saiba que meu nome está sendo cogitado para uma pasta no Ministério e talvez, por sua causa, eu venha a ser preterido. Mas você é minha filha, eu tenho que fazer alguma coisa pra libertar você.
TÂNIA	Só se todos os meus companheiros saírem comigo.
MÜLLER	Você sabe que isso é impossível. Eles assaltaram bancos, atacaram depósitos de munição. São terroristas, filha.
TÂNIA	Então eu também sou.
MÜLLER	Mas você é minha filha.
TÂNIA	Esqueça esse detalhe. E não arrisque a sua pasta no Ministério.

MÜLLER	Tânia, você tá louca! Será que não percebe o que pode lhe acontecer se não mudar de atitude?
TÂNIA	Sei, sim. Já fui torturada e já vi um companheiro morrer assassinado aqui na prisão. Enfiaram a cabeça dele num barril de merda.
MÜLLER	(*Choca-se.*) Coisa horrível.
TÂNIA	Você acha horrível?
MÜLLER	Claro, são excessos que ninguém aprova.
TÂNIA	Então faça alguma coisa pra acabar com isso.
MÜLLER	Estou tentando livrar você.
TÂNIA	Não é só livrar sua filha. Tome uma posição. Quer, eu lhe digo os nomes dos carrascos, dos torturadores.
MÜLLER	Você não percebe nada... Vocês... se dizem tão politizados e não entendem nem mesmo o momento que estão vivendo. Tudo isso é resultado de uma decisão tomada em escalões superiores. Não posso fazer nada para mudar, nem acho que deva. Estamos lutando contra um inimigo externo, o comunismo internacional, cujo exército está disseminado dentro da nossa população. É uma situação semelhante à de um território ocupado, onde, teoricamente, toda pessoa é um soldado inimigo em potencial. Nessas circunstâncias, as autoridades encarregadas da segurança nacional têm o direito de usar de violência, quando necessário.
TÂNIA	E matar?
MÜLLER	Se for preciso.
TÂNIA	É essa então a filosofia.
MÜLLER	E é uma filosofia baseada nos direitos de legítima defesa, de represália e de necessidade. Desenvolvida pelos maiores juristas do país, sabia?
TÂNIA	A serviço da Escola Superior de Guerra.
MÜLLER	A serviço da Revolução.

TÂNIA   Entendo: vocês acharam uma justificativa moral para a imoralidade.

CENA IX

No aparelho. RIBA *sintoniza um canal de televisão, enquanto* CARLÃO *limpa o revólver junto à janela.*

RIBA   Carlão, quanto tempo faz que você deixou o comunicado?

CARLÃO   Umas seis horas.

RIBA   Não acha que já era tempo deles divulgarem o nosso manifesto?

CARLÃO   Que ele já tá na mão dos milicos, disso eu tenho certeza.

RIBA   Também pode ser que eles resolvam endurecer.

CARLÃO   É, pode ser. Aí a gente endurece também.

RIBA   Se não divulgarem o manifesto, nem ao menos isso, é sinal de que não vão querer dialogar conosco.

CARLÃO   Mas eles não têm nada que dialogar. Têm é que cumprir as exigências. Divulgar o manifesto e soltar os 40 presos. Nem um a menos.

RIBA   Também não é assim. Pode-se negociar.

CARLÃO   Ficou decidido, companheiro. Por que amolecer, se a gente tá mandando no jogo? Com a faca e o queijo na mão, como diz meu velho.

RIBA   Verdade que teu velho foi fundador do Partido?

CARLÃO   Fundador não, mas militou logo no início, ainda nos anos 20. Por quê?

RIBA   Por nada.

CARLÃO   Era anarquista. Um dia escreveu na porta de uma igreja: "Morra Deus". (*Ri.*) Foi expulso.

TÂNIA	(*Entra, olha a televisão.*) Não deram nada ainda...
RIBA	Demorando, não?
TÂNIA	Talvez não tenha havido tempo.
RIBA	Acho que já houve tempo de sobra.
TÂNIA	Quero dizer, tempo pra decidir. Porque com certeza eles vão ter que discutir entre eles. A linha dura, a linha moderada, deve estar rachando um pau.
CARLÃO	(*Faz um sinal.*) Espera! (*Aumenta o volume da TV.*)
LOCUTOR	Atenção! Atenção! Edição extraordinária. Já se encontra em poder do governo a mensagem dos sequestradores do embaixador americano contendo as exigências para libertá-lo. Essas exigências são duas: primeira, a divulgação de um manifesto redigido pelos terroristas; segunda, a libertação de 40 presos políticos cujos nomes serão fornecidos posteriormente. O Presidente Médici convocou o Conselho de Segurança Nacional em caráter de emergência para decidir sobre o assunto.
	CARLÃO, RIBA *e* TÂNIA *se entreolham, tensos.*
TÂNIA	É isso aí, bicho! Tá rachando o pau.

CENA X

Quarto. O EMBAIXADOR *está tenso.*

EMBAIXADOR	Pensei que aceitassem sem discutir.
VELHO	Eu também. Mas deve haver divergências dentro do governo. O senhor deve saber, há uma linha dura e uma linha moderada. Mais ou menos como os "falcões" e as "pombas" no seu governo. Nem nisso somos originais...
EMBAIXADOR	(*Mostrando certa intranquilidade.*) Qual a linha que o senhor espera que prevaleça?

VELHO A moderada, evidentemente, porque, além do mais, conta com aliado poderoso e decisivo: o governo dos Estados Unidos, que neste momento deve estar pressionando violentamente. Fique tranquilo, eles vão acabar aceitando as nossas condições e o senhor será libertado.

EMBAIXADOR (*Sorri, sem muito entusiasmo.*) Estou tranquilo. Minha mulher, meus familiares é que não devem estar. Estou mais preocupado com eles.

VELHO Escreva um bilhete para sua mulher e nós vamos fazer chegar às mãos dela.

EMBAIXADOR Posso escrever?

VELHO Pode, claro. Até nos interessa que o senhor faça isso para provar que está vivo. Um refém morto não vale nada.

EMBAIXADOR (*Abre a pasta, pega uma agenda e começa a escrever.*) Que devo escrever?

VELHO Que está bem e que ela fique tranquila. É bom acrescentar que espera que o governo brasileiro satisfaça todas as nossas condições. Dê a entender que sua vida depende disso. E que não tentem localizá-lo, pois poderia ser fatal.

EMBAIXADOR (*Termina de escrever, arranca a página e entrega ao* VELHO, *que lê rápido.*)

VELHO Ótimo. Vamos fazer o possível para que receba ainda hoje. (*Chama.*) Ei! Venha alguém aqui.

EMBAIXADOR Desculpe dar esse trabalho, deviam ter sequestrado alguém que não tivesse tantos problemas.

CARLÃO *entra.*

VELHO O embaixador escreveu um bilhete para a esposa. É do nosso interesse que ela receba.

CARLÃO (*Pega o bilhete.*) Entendido. (*Sai.*)

EMBAIXADOR   Mary nunca enfrentou uma situação dessas, coitada. Além do mais, somos muito unidos. Vinte anos de casados, nunca nos separamos. Talvez o senhor esteja achando ridículo...

VELHO   Ridículo por quê? Também tenho mulher, tenho filhos.

EMBAIXADOR   Mas deve ser diferente. Sua mulher deve estar acostumada. Quero dizer, sinceramente, não sei como o senhor pode conciliar... o tipo de vida que vive, suas atividades como terroris...

VELHO   (*Corta, corrigindo.*) Como revolucionário.

EMBAIXADOR   Desculpe... Mas acho que não pode dormir em casa todas as noites, nem pode beijar seus filhos todos os dias. Bom, talvez o senhor considere essas coisas simples hábitos burgueses decadentes.

VELHO   E o senhor parece que não nos considera seres humanos.

EMBAIXADOR   Oh, não, desculpe, não quis ofender. Acho até a vida que escolheu bem mais emocionante, bem mais romântica que a minha.

VELHO   (*Tira do bolso dois retratos.*) Minha mulher. Meus dois filhos. Este é o mais velho. Parece muito comigo. A menina saiu mais à mãe.

EMBAIXADOR   Não acha perigoso para eles andar com esses retratos?

VELHO   É contra as normas de segurança. Já fui muito criticado por isso. Mas, se for preso, engulo os retratos. Já fiz isso uma vez.

CENA XI

ELZA *espera, impaciente, num "ponto". É uma praça pouco movimentada. Ela consulta o relógio. Está prestes a ir embora, quando vê o* VELHO, *que se aproxima. Disfarça. O* VELHO *entra. Os dois falam sem se olhar, de costas um para o outro.*

ELZA	Já ia embora. Passa vinte minutos da hora combinada.
VELHO	Devia ter ido. Nunca espere mais que dez minutos. Você sabe. Eu podia ter caído. Por sorte foi o trânsito. Como vão as crianças?
ELZA	Vão bem. Mês passado, Aninha pegou uma bronquite muito forte. Fiquei com medo de chamar um médico.
VELHO	Por que não entrou em contato com a Organização? Te mandariam um companheiro.
ELZA	As ligações estão difíceis. Preferi tratar dela eu mesma. Achei mais seguro.
VELHO	E ela ficou boa?
ELZA	Ficou. Fique tranquilo. Mas passei um mau pedaço. Estava precisando tanto te ver. Tenho lido tanta coisa nos jornais. Estão te caçando por toda parte. Os meninos estão assustados.
VELHO	Por que você fala disso com eles?
ELZA	Tenho que falar. Eles já não são tão crianças. Luís Carlos vai fazer 15 anos. E já está lendo Marx.
VELHO	É muito cedo ainda. Não vai entender nada. Ou vai entender tudo errado.
ELZA	Mas é inevitável. Também é justo que ele queira saber por que o pai tá sendo caçado como um bandido.
VELHO	Você procura explicar?
ELZA	Claro. Até onde eles possam entender. Muitas perguntas ficam sem resposta.
VELHO	Um dia eles vão ter resposta pra tudo.
ELZA	Mas até lá... tive que tirar os dois da escola.
VELHO	Por quê? Não tinha conseguido matricular sem o meu sobrenome?
ELZA	Tinha. Mas eu vivia apavorada que acabassem descobrindo que eram nossos filhos. Soube que estão

	torturando crianças. Podiam fazer isso com eles pra obrigar você a se entregar.
VELHO	É, acho que fez bem. Talvez tenha que ir com eles pra outro Estado. Por segurança.
ELZA	Mais longe de você ainda. Só nos vemos de mês em mês, assim, numa praça, numa esquina, sem poder ao menos nos olharmos nos olhos.
VELHO	Compreenda, Elzinha, é a nossa luta. Me admira você, tão politizada... Você tá me decepcionando.
ELZA	Ah, não vem com isso, Mário. Sou politizada, mas mulher. Sinto falta de você, sinto falta de seu corpo. Agora mesmo, que vontade de te abraçar. Encoste ao menos um pouco em mim.
	Eles colam os corpos, costas com costas. E o fazem sensualmente, como num ato de amor.
VELHO	Cuidado...
ELZA	Há tanto tempo não fazemos amor. Será que você também não sente falta de mim?
VELHO	Claro. Tanto quanto você. Ou mais até, porque você ainda tem as crianças, pode procurar um parente, um amigo. Eu, não. Da minha solidão depende em parte a segurança da Organização, você sabe. E tá certo.
ELZA	Será que tá mesmo, Mário?
VELHO	Você tem dúvida?
ELZA	Às vezes eu me pergunto se tudo isso vale a pena. Sacrificar nossos filhos do jeito que estamos sacrificando, renunciando a tudo.
VELHO	Elza, tou estranhando você. Que é que tá se passando? Não é a primeira, nem a segunda vez que caímos na clandestinidade. Você sempre aguentou com firmeza. Em 47, em 61, em 64... quantos anos de cadeia...

ELZA — Mas nunca foi como agora. Desde que você optou pela luta armada que eu sinto que sua vida tá por um fio. Selamos um pacto com a morte, Mário.

VELHO — Eu optei pela luta armada, esse é o único caminho que pode levar à derrubada da ditadura. Não há outro, Elza. E eu pensei que você também estivesse convencida disso.

ELZA — (*Controlando-se.*) Desculpe... eu me descontrolei.

VELHO — Tou sentindo você insegura, cheia de dúvidas.

ELZA — Você não tem dúvidas, de vez em quando? Nunca teve? Me lembro em 56, quando Kruschev denunciou os crimes de Stálin, você passou um mês sem dormir. E uma noite eu acordei e vi você andando pela casa e falando sozinho. E você me disse, quase chorando: sabe, Elza, é como a gente descobrir de repente que nosso pai, que aprendemos a amar e admirar desde criança, não passa de um assassino, um estripador. Como é possível que uma ideia nobre e justa produza homens dessa espécie? Que há de errado nela?!

VELHO — Que sentido tem relembrar isso agora?

ELZA — Quero que você entenda minhas fraquezas.

VELHO — Agora, depois que fiz a minha opção, como você diz, não posso me dar ao luxo de ter dúvidas. Não posso vacilar.

ELZA — É que você não é obrigado a criar seus filhos, ao mesmo tempo que executa suas tarefas. Você pode ser guerrilheiro 24 horas por dia. Eu, não, tenho que ser mãe também. Ou você acha que essa não é uma tarefa importante?

VELHO — Das mais importantes, meu bem. (*Tenta fazer humor.*) Pra usar de um jargão do Partido, fundamental.

ELZA — (*Não se contém, segura a mão dele.*) Mário!

VELHO — Que é isso? Tá chamando atenção... Deixe de criancice, Elza. Podemos estar sendo seguidos.

ELZA

Um minuto só!

VELHO

Controle. Assim você não ajuda em nada. Estamos parecendo dois adolescentes.

ELZA

(*Controla-se, afasta-se dele e volta à posição anterior.*) Me perdoe, Mário. Foi mesmo uma criancice. Não vai acontecer mais. Nunca mais. Esqueça, por favor. Vamos falar de política. Diga alguma coisa que me restitua o otimismo. Nem que seja um daqueles chavões do Partidão, "o capitalismo está em crise, agonizante, e o socialismo avança em todo o mundo". Ou então... "Nossos focos guerrilheiros estão pipocando pelo país todo e os gorilas estão com os dias contados, se cagando de medo."

CENA XII

No aparelho. CARLÃO *com os olhos fixos no televisor. Ouve-se o diálogo de um filme.* TÂNIA *junto à janela fechada, vigiando através das venezianas.*

TÂNIA

Já é mais de meia-noite. A esta hora eles não vão dar mais nada.

CARLÃO

Pode ser que leiam o manifesto bem no cu da madrugada. Só de sacanagem. (*Abaixa o volume da televisão.*)

TÂNIA

Nós exigimos que fosse lido no horário nobre. Por que não vai dormir um pouco? É a sua vez de descansar.

CARLÃO

Vá você, eu fico no seu lugar.

TÂNIA

Por quê? Esse é o meu turno.

CARLÃO

Posso então ficar aqui com você?

TÂNIA

Acho que não deve, Carlão. Somos só quatro e temos que nos revezar.

CARLÃO

Entendo, você não quer ficar sozinha comigo. Fique tranquila, não vou voltar a encher seu saco.

TÂNIA

Carlão! Você prometeu não insistir nesse assunto.

CARLÃO	Não tou insistindo em assunto nenhum, Tânia. Tou só pedindo pra ficar aqui com você.
TÂNIA	Eu sei no que isso acaba. Já te conheço de sobra.
CARLÃO	Não conhece. Porque estamos vivendo há um mês nesta casa fingindo de marido e mulher, você pensa que conhece.
TÂNIA	Tá legal. Conheço pouco. Mas não tou a fim de aprofundar esse conhecimento. Tá?
CARLÃO	Só que um mês vivendo juntos, dia e noite, era preciso ser de ferro pra não... não se envolver.
TÂNIA	Eu não sou de ferro e pra mim isso é só uma tarefa, companheiro.
CARLÃO	Era tarefa dormir com o segurança do embaixador?
TÂNIA	Eu não dormi com ele. Mas se fosse tarefa, dormia. E por favor, corte esse papo que eu não quero magoar você. Não sou das que trepam só por solidariedade ou companheirismo.
CARLÃO	Não quero sua solidariedade.
TÂNIA	Então, tudo bem. Vai dormir, Carlão. (*Volta-lhe as costas, olha pela veneziana. Há uma pausa.*)
CARLÃO	Você sabe o que fizeram comigo na PE?
TÂNIA	Sei.
CARLÃO	Quem contou?
TÂNIA	Um companheiro que estava na mesma cela. Cassiano. Ele viu você chegar arrebentado.
CARLÃO	Então é isso...
TÂNIA	Isso o quê?
CARLÃO	Agora tou sacando. Por isso você falou em solidariedade. Talvez quisesse dizer piedade. Pois saiba que eu não tou inutilizado, como você pensa.

TÂNIA — (*Veemente.*) Porra, cara, esse é um papo que não me interessa.

CARLÃO — (*Descontrolando-se.*) Mas a mim interessa e eu quero que você saiba. Você já viu fazer vinho? Os caras pisam os cachos de uva, esmagam, esmagam. Assim eles fizeram comigo. Pularam em cima dos meus colhões, pisaram, esmagaram. Mas eu não tou impotente! Não tou impotente!

TÂNIA — E em que isso me interessa? Eu não preciso dos seus colhões pra nada, porra!

CARLÃO tem uma crise de choro. TÂNIA se arrepende, sente que foi cruel.

TÂNIA — (*Compadecida.*) Companheiro... Carlão... sem essa...

CARLÃO — Filhos da puta! (*Saindo, grita.*) Filhos da puta!

VELHO — (*Entra, cruzando com CARLÃO.*) Que houve com ele?

TÂNIA — Pirou. É assim, de vez em quando funde a cuca. Foi muito torturado.

VELHO — Então vocês fizeram mal em indicar um companheiro com esse problema pra uma ação como esta. Aqui, o controle sobre os nervos é condição básica.

TÂNIA — Foi a Organização que indicou. É um companheiro muito firme politicamente.

VELHO — A TV não deu nada?

TÂNIA — Nada. (*Pausa.*) Escute, Velho, como era no Estado Novo?

VELHO — Como era o quê?

TÂNIA — Não sei se é lenda, dizem que arrancaram teu bigode, fio a fio.

VELHO — (*Sorri.*) Foi. Na Polícia Especial. Também me enfiaram farpas nas unhas e queimaram a sola dos meus pés com maçarico. Mas isso até que não foi nada. Houve os que enlouqueceram, como Herry Berger.

TÂNIA   Então a tortura no Brasil não nasceu hoje.

VELHO   Hoje ela é apenas mais sofisticada. Os torturadores usam a tecnologia, fazem cursos no exterior. Torturam cientificamente. Se você quer comparar, os torturadores do Estado Novo eram simples amadores.

TÂNIA   O que teria acontecido com o homem cordial brasileiro?

VELHO   Talvez nunca tenha existido. A verdade é que no Brasil o pobre sempre apanhou. Preso político ou preso comum. O direito de espancamento foi adquirido pelas classes dominantes nos tempos da escravidão. Meu pai era italiano, mas minha mãe era mulata. Meus bisavós pelo lado materno foram escravos. E devem ter sido torturados, chicoteados nos pelourinhos e nos troncos do senhor de engenho. Tenho nas costas quatrocentos anos de tortura.

TÂNIA   Então o que tá acontecendo não é porque uma dúzia de sádicos se apoderou do aparelho de repressão.

VELHO   Se fosse só isso, seria muito simples e desimportante. Apenas um acidente histórico. Mas não é. Se você quer a explicação, vai ter que mergulhar mais fundo, no tecido social em decomposição.

TÂNIA   O buraco é mais embaixo...

VELHO   Bem mais embaixo. (*Sai*.)

A luz fecha em TÂNIA.

CENA XIII

MÜLLER *em angustiosa espera*. GLÓRIA *entra, em trajes de dormir*.

GLÓRIA   Frederico, você não vem se deitar?

MÜLLER   Pra quê? Você acha que eu vou poder dormir?

GLÓRIA   Também não adianta você ficar nessa tensão nervosa.

MÜLLER	Durma você. Vou ficar aqui até ela chegar.
GLÓRIA	Olhe a sua pressão, você não pode se aborrecer...

Ouve-se o ruído de um carro que chega.

GLÓRIA	Parou um carro aí na porta. Deve ser ela. Sim, é ela, graças a Deus!
MÜLLER	(*Mais deprimido que irado.*) Seis horas da manhã. Com o dia amanhecendo.
GLÓRIA	Espere ela explicar primeiro, Frederico. Quem sabe... ela faz parte da diretoria do Grêmio... Esses estudantes hoje varam a noite discutindo política...
MÜLLER	Estive na escola, falei com a Diretora. O Grêmio foi fechado. Felizmente. E você acha que eu sou idiota? Era o carro daquele pilantra, eu vi.
GLÓRIA	Hoje em dia... pense bem, Frederico... uma moça dormir fora de casa não é como no nosso tempo.
MÜLLER	Uma moça, não uma menina.

TÂNIA *entra. Tem 15 anos. Assusta-se ao ver os pais.*

TÂNIA	Oi... Que houve?
MÜLLER	(*Controlando-se, fala com suavidade e ironia.*) Não houve nada. Por que haveria? Tá tudo normal. Estamos apenas esperando você. Já telefonei para o Pronto-Socorro, para o Distrito Policial, para o Instituto Médico-Legal...
TÂNIA	Mas que exagero, pai.
MÜLLER	(*No mesmo tom.*) Exagero. Uma menina de 15 anos chega em casa depois do sol nascer, uma coisa tão natural...
TÂNIA	Eu dormi na casa da Sílvia.
MÜLLER	Mentira! Eu liguei pra casa dela. E vi quem te trouxe de carro.

TÂNIA — (*Percebe que não adianta sustentar a mentira.*) Tavinho. Eu tava com ele.

MÜLLER — Estava onde?

TÂNIA — Ih, pai, me deixa ir dormir...

Ela tenta sair, mas ele a agarra violentamente pelo braço, fazendo-a cair.

MÜLLER — (*Descontrolado.*) Não! Você não vai dormir coisa nenhuma!

GLÓRIA — Frederico! Tenha calma!

MÜLLER — (*Debruça-se sobre* TÂNIA, *possesso, e começa a espancá-la.*) Sua sem-vergonha! Sua vagabunda! Eu te mato! Eu te mato!

GLÓRIA — (*Tentando arrancá-lo de cima de* TÂNIA.) Frederico! Por Deus! Pare! Pare com isso! Chega, você tá machucando a menina!

MÜLLER *larga* TÂNIA, *por fim. Ela se levanta, o olhar cheio de ódio.*

TÂNIA — (*Fitando-o com raiva.*) É a última vez que você vai me bater. (*Sai.*)

MÜLLER — (*Grita.*) Não é não. E se prepare porque hoje mesmo vou te levar num médico. Vou pedir um exame de virgindade. E conforme for o resultado, vou mover um processo contra esse pilantra com quem você passou a noite.

TÂNIA — (*Entra.*) Exame de quê?

MÜLLER — De virgindade. Quero saber se você ainda é virgem.

TÂNIA — (*Sorri.*) Ora, pai... Ridículo. (*Sai.*)

MÜLLER — Que é que ela quis dizer?

GLÓRIA — Frederico... não é mais como no nosso tempo... te disse...

MÜLLER	(*Compreende e se sente arrasado.*) Ela... Tânia... nossa filha... com 15 anos! Nunca imaginei... você sabia, Glória?!
GLÓRIA	Sabia. E não vá se expor ao ridículo de processar esse rapaz. Talvez não tenha sido ele.
MÜLLER	É possível...
MÜLLER	(*Vai se encolhendo, como se sentisse o mundo desabar sobre a própria cabeça. Seus olhos se enchem de lágrimas.*) Isso é horrível... horrível...
GLÓRIA	(*Preocupa-se, vendo o quanto ele está sofrendo.*) Frederico... que é isso, Frederico... Tenha calma... procure aceitar... isso não é o fim do mundo.
MÜLLER	Pra mim, é.

Em primeiro plano, num flashback, *torcedores do Flamengo passam cantando e carregando um jogador.*

CENA XIV

Apartamento de TÂNIA. *1979. Ela e* RIBA *acabam de chegar.*

TÂNIA	Vou preparar um cafezinho pra nós.
RIBA	É aqui que você mora?
TÂNIA	É.
RIBA	Sozinha?
TÂNIA	Hum-hum.
RIBA	Posso ficar aqui até arrumar um apartamento?
TÂNIA	Sem problema. Quanto tempo quiser. Numa boa. Este apartamento é meu e já serviu de geladeira pra muita gente. Foi aqui que eu me escondi logo depois do sequestro, até conseguir sair do país.
RIBA	Você não foi banida.

TÂNIA	Não, consegui atravessar a fronteira no Sul. Estive no Chile, Peru... foi lá que soube que você tinha sido preso e depois trocado pelo embaixador suíço.
RIBA	Quando você voltou?
TÂNIA	Há uns quatro anos.
RIBA	Não foi presa?
TÂNIA	Fui, me encheram um pouco o saco, mas o troglodita, meu pai, livrou a minha barra. (*Ela serve o café.*) Pirei, fiz sonoterapia... e tou aqui.
RIBA	Você me parece muito bem.
TÂNIA	Bem em que sentido?
RIBA	Bem de cuca.
TÂNIA	Quatro anos de análise.
RIBA	Que tal o casamento de Freud com Marx?
TÂNIA	São felizes e têm muitos filhos. De vez em quando um corneia o outro, mas tudo bem.

Eles riem.

TÂNIA	É claro que as feridas cicatrizam, mas deixam marcas. Ou a gente faz uma plástica para efeito externo, ou deixa... só pra agredir. Você...
RIBA	Umas poucas certezas e muitas dúvidas. Apesar de ter tido muito tempo pra pensar, acho que algumas dessas dúvidas vão morrer comigo. Dentre as poucas certezas está a de que a revolução socialista no Brasil não depende fundamentalmente de mim. (*Ri.*) Por incrível que pareça, eu já tive essa ilusão.
TÂNIA	Estou te achando um pouco assustado.
RIBA	O choque da volta... Acho que não cheguei ainda, tou chegando aos poucos.
TÂNIA	Também agora não há pressa.

RIBA — Há, sim. Trouxe algum dinheiro. Muito pouco. Tenho que arrumar emprego rapidinho.

TÂNIA — Tem alguma coisa em mente?

RIBA — Sei lá. Não creio que a agência me queira de volta. Também não queria voltar a trabalhar em publicidade. Escrevi uma peça, vou tentar encenar. Mas acho que não vai ser fácil. Tou pensando em tentar a TV. Que é que você acha?

TÂNIA — É uma boa. De um modo geral, a barra tá pesada. Na imprensa, estão despedindo gente. O campo de trabalho cada vez menor.

RIBA — O sonho acabou. O milagre econômico foi pra Cucuia.

TÂNIA — Uma merda. A única vantagem é que agora a merda é pra todos. Democraticamente.

RIBA — É a merdocracia. Deu-se a Abertura, abriram-se as comportas e a merda jorrou, inundando o país. Fez-se distribuição justa da riqueza nacional.

Eles riem e param de rir de súbito, olhando nos olhos um do outro.

RIBA — Quando eu te vi no aeroporto, levei um susto. Agora acho que o espantoso foi eu ter me surpreendido com isso.

TÂNIA — A luta, o perigo e o sofrimento unem as pessoas para toda a vida.

A intimidade é quase epidérmica.

RIBA — Talvez eu tenha que ir à Bahia, ficar um tempo com meu pessoal.

TÂNIA — Qualé? Tá com medo de ficar aqui e se envolver? Não te trouxe pra uma armadilha, não. Fica tranquilo.

RIBA — Mas nem precisava. A armadilha já funcionou quando eu te vi no aeroporto.

Ele a beija. Um beijo tímido, a princípio, que se incendeia depois. Os dois rolam no chão e fazem amor. Ouve-se a voz de CARLÃO *gritando: "Ei, pessoal! Estão lendo!"*

CENA XV

No aparelho. CARLÃO *olhando, vidrado, para a televisão. Entram o* VELHO *e* TÂNIA, *correndo. Todos escutam, tensos.*

CARLÃO   Estão lendo o manifesto!

LOCUTOR   Este ato não é um episódio isolado. Ele se soma aos inúmeros atos revolucionários já levados a cabo: assaltos a bancos, onde se arrecadam fundos para a revolução, tomando de volta o que os banqueiros roubam ao povo; tomadas de quartéis e delegacias, onde se conseguem armas e munições para a luta pela derrubada da ditadura: invasões de presídios, quando se libertam revolucionários, para devolvê-los à luta do povo. Na verdade, o sequestro do embaixador é apenas mais um ato da guerra revolucionária que avança a cada dia e que este ano ainda iniciará a sua etapa de guerrilha rural.

Acende-se o quarto. RIBA *escuta, tenso, apontando o revólver para o* EMBAIXADOR, *que também está preocupado.*

EMBAIXADOR   Que está acontecendo?

RIBA *faz um sinal para ele se calar!*

LOCUTOR   O embaixador representa em nosso país os interesses do imperialismo que, aliados aos grandes patrões, aos grandes fazendeiros e aos grandes banqueiros nacionais, mantêm o regime de opressão e exploração. O sequestro do embaixador é uma advertência clara de que o povo brasileiro não lhes dará descanso e a todo momento fará desabar sobre eles o peso de sua luta. É uma luta longa e dura, que não termina com a troca de um general por outro, mas que só acaba com o fim do regime dos grandes exploradores e com a construção de um Governo que liberte os trabalhadores de todo o país da situação em que se encontram. A vida e a morte do Sr. Embaixador estão nas mãos da ditadura. Se ela atender às nossas exigências, ele será libertado. Caso contrário, seremos obrigados a cumprir a justiça revolucionária. Ação Libertadora Nacional (ALN), Movimento Revolucionário 8 de Outubro (MR-8).

TÂNIA Eles cumpriram a exigência!

TÂNIA e CARLÃO *se abraçam, radiantes.*

VELHO Espera!

Ouve-se o hino "Pra frente, Brasil".

LOCUTOR (*Voz.*) E passamos a transmitir, diretamente da Cidade do México, Brasil e Itália, final da Copa do Mundo de 1970.

CARLÃO Vai entrar o futebol. (*Desliga a TV.*)

TÂNIA Agora devemos mandar a lista dos presos.

VELHO A lista é aquela que foi decidida pelas Organizações. (*Tira a lista do bolso.*) Inclusive aqueles três que não conseguimos saber o nome verdadeiro. Constam aí com os codinomes e com as indicações que podemos dar.

TÂNIA Isso vai criar problemas.

VELHO Podemos tirá-los.

TÂNIA Não, não é justo que esses companheiros percam essa chance de serem libertados só porque não sabemos o nome deles.

CARLÃO Eu não poria os do Partidão.

VELHO Por que não? O critério foi incluir todas as organizações revolucionárias.

CARLÃO	O PCB não é revolucionário. É um partido burguês reformista. Mero apêndice da oposição burguesa conciliadora.
TÂNIA	Mas tem uma tradição de luta contra a ditadura. E a repressão tá perseguindo e prendendo quadros tanto do PC quanto dos nossos.
CARLÃO	Pro Partidão nós não passamos de aventureiros. E neste momento eu garanto a vocês que eles estão contra nós, reprovando o sequestro.
TÂNIA	Por tudo isso mesmo é que eu acho que eles não podem ficar de fora.
CARLÃO	Bom, a maioria é que resolve, sou voto vencido, mas quero deixar claro que fui contra.
VELHO	Essa discussão não tem razão de ser. Estamos só perdendo tempo.
TÂNIA	É o que eu também acho, porque tudo isso já foi decidido anteriormente.
VELHO	(*Entrega a lista a* CARLÃO.) Pode levar.

CARLÃO *sai.*

CENA XVI

Quarto. RIBA *e o* EMBAIXADOR *ainda tensos, mas eufóricos.*

RIBA	Puxa, cara, é de arrepiar. Puta merda, tou me sentindo uma espécie de Josué fazendo parar o Sol. Fazendo parar o mundo e obrigando o mundo a me ouvir. E, se eles cumpriram a primeira exigência, é sinal de que vão aceitar também a segunda. E isso prova que estamos certos em nossa tática. E devemos aproveitar para libertar o maior número possível de companheiros. Será que o senhor não entende? São companheiros que estamos salvando da tortura e da morte.
EMBAIXADOR	Eu entendo. E embora não concorde com o método que estão usando, se é verdade que essas pessoas es-

tão mesmo sendo torturadas, eu não posso também concordar com isso.

RIBA — O senhor ainda não acredita?

EMBAIXADOR — Eu não acreditava. Dou minha palavra de honra, não sabia que essas coisas estavam ocorrendo no Brasil.

RIBA — Corta essa, embaixador. Vai me dizer que o senhor também não sabia que estamos sob uma ditadura militar. Vamos jogar um jogo franco, embaixador. Ninguém aqui é idiota pra aceitar que o representante do Grande Império americano em nossa terra é um desinformado, um ingênuo.

EMBAIXADOR — Nem devem acreditar também que o regime que existe aqui é bom para os Estados Unidos.

RIBA — E não é?

EMBAIXADOR — Claro que não.

RIBA — Uma informação espantosa de parte de quem há um século vem se dedicando à indústria de fabricar Trujillos, Somozas, Strossners como fabrica automóveis, em série.

EMBAIXADOR — Temos talvez alguma culpa pelo aparecimento de alguns, pela manutenção de outros, mas por princípio desaprovamos as ditaduras.

RIBA — Pois olha, eu julgava que a nossa Grande Mãe do Norte sempre olhava com carinho maternal para todas as ditaduras latino-americanas. E tinha para com elas um desvelo que só se tem para com os filhos excepcionais.

EMBAIXADOR — Muitas dessas posições estão sendo revistas. Minha opinião pessoal é que para os Estados Unidos só pode ser prejudicial e constrangedora a existência de qualquer ditadura no continente americano. É constrangedora do ponto de vista ético e moral. É prejudicial de qualquer outro ponto de vista.

RIBA — Inclusive do ponto de vista dos monopólios e das multinacionais?

EMBAIXADOR — Sim, porque as ditaduras são sempre instáveis e uma das condições para se fazer bons negócios, bons investimentos, é a estabilidade do regime.

RIBA — Mas num regime discricionário, em que os detentores do poder não têm que dar satisfação a ninguém dos seus atos, é muito mais fácil a penetração do capital estrangeiro, a conquista de privilégios, enfim, a colonização econômica do país.

EMBAIXADOR — Numa etapa inicial, sim. Depois, não.

RIBA — Quer dizer que estamos nessa etapa inicial e que neste momento a ditadura interessa aos grandes trustes.

EMBAIXADOR — (*Titubeia.*) É uma conclusão que o senhor está tirando.

RIBA — E que leva a outra; numa segunda etapa, quando as multinacionais já tiverem tomado conta do país, a ditadura não interessará mais aos Estados Unidos e então podemos ter esperanças até mesmo de que vocês venham a pressionar pela volta à democracia. Ou um tipo de democracia que garanta seus interesses econômicos e deixe em paz sua consciência.

EMBAIXADOR — Falando com franqueza, é muito provável que isso venha a ocorrer nos próximos anos. Porque nós somos uma nação de homens de negócios. Queremos fazer bons negócios com nossos vizinhos, com todo o mundo. Mas não queremos que esses negócios deixem os nossos fregueses infelizes, porque isso não é ser bom comerciante, entende? Bom comerciante é aquele que realiza transação vantajosa, mas deixa o freguês satisfeito, feliz.

RIBA — Enfim, vocês querem continuar pondo na nossa bunda, mas, se possível, sem dor.

EMBAIXADOR — É um pouco difícil o nosso diálogo, porque o senhor tem opiniões preconcebidas a nosso respeito.

Ouve-se o espocar de um foguete. Logo depois outro e outro. RIBA *estremece e aponta o revólver para o* EMBAIXADOR.

EMBAIXADOR — Que foi?

RIBA — Acho que são foguetes.

Os dois ficam tensos.

RIBA — Talvez por causa do jogo.

EMBAIXADOR — Que pensou que fosse?

RIBA — Sei lá. Temos que estar preparados para qualquer surpresa. Apesar de já terem divulgado o nosso manifesto, os gorilas devem estar procurando nos localizar.

EMBAIXADOR — Se isso ocorrer, no caso de tentarem invadir a casa...

RIBA — Vamos morrer todos. Mas o embaixador morre primeiro.

EMBAIXADOR — (*Sente um calafrio, mas procura manter-se impassível.*) Já fez isso alguma vez? Já matou alguém?

RIBA — Não, nunca. Participei de dois assaltos, mas não houve mortos.

EMBAIXADOR — Antes, o que fazia?

RIBA — Escrevia.

EMBAIXADOR — Livros?

RIBA — Também. Um romance, duas peças de teatro. Ganhava a vida mesmo torrando meu saco como redator de uma agência de publicidade.

EMBAIXADOR — Um intelectual.

RIBA — Isso aí.

EMBAIXADOR — Ganhava bem?

RIBA — Razoavelmente, num país onde o intelectual é uma espécie de marginal de luxo. Podia me considerar, inclusive, bem-sucedido dentro dos padrões.

EMBAIXADOR   Não entendo. Não acha que teria muito mais possibilidades num regime capitalista?

RIBA   É possível. É possível até que esteja lutando por uma revolução que a mim, pessoalmente, não trará nenhum proveito. Por uma sociedade tediosa e desestimulante.

EMBAIXADOR   Então, por quê? Não entendo.

RIBA   Seguinte: minha classe, a classe média, não tem um projeto histórico. Tenho então que abraçar o projeto de uma outra classe, o proletariado.

EMBAIXADOR   Tudo isso me parece muito contraditório.

RIBA   O intelectual é um animal contraditório e cheio de dúvidas, embaixador. Estou tentando me proletarizar, mas não é fácil. Não basta botar uma calça larga, sujar a gola da camisa. É um problema de formação de entranhas. Posso agir como um operário, mas continuo pensando como intelectual. É uma merda.

VELHO   (*Entra trazendo uma camisa dobrada nos braços.*) É a minha hora de ficar com ele. Vá lá pra baixo. Atenção ao movimento da rua. Tou sentindo alguma coisa estranha.

RIBA   Vou ver. (*Sai.*)

VELHO   Embaixador, sei que está se sentindo mal com essa camisa suja de sangue.

EMBAIXADOR   É, foi o sangue do ferimento...

VELHO   Eu lhe trouxe uma das minhas. Se o senhor aceita...

EMBAIXADOR   Mas não era preciso...

VELHO   Sei que o senhor não tá acostumado a passar vários dias sem trocar de camisa. E não sabemos quantos dias mais teremos que passar aqui.

EMBAIXADOR   Ok, é uma gentileza de sua parte. (*Troca de camisa.*)

VELHO   Enquanto isso, lavamos a sua.

EMBAIXADOR	Quem vai lavar?
VELHO	Eu mesmo. Tou acostumado a lavar as minhas. Só peço um pouco de tolerância para com os meus dotes de lavadeira.

CENA XVII

Sala do aparelho. TÂNIA *está na janela.* RIBA *entra.*

TÂNIA	Riba...
RIBA	Quem é?
TÂNIA	Aqueles dois homens... Já passaram duas vezes em frente à casa, olhando muito.
RIBA	(*Olha.*) Têm cara de milicos. Estão subindo a ladeira... não estou vendo mais...
TÂNIA	Que é que você acha?
RIBA	Sei lá... Pode ser simples coincidência. Mas a verdade é que estou sentindo... bom, isso é muito subjetivo... Também não consigo controlar minha imaginação e fico fazendo suposições...
TÂNIA	O que você imagina? Que já estão no nosso piso?
RIBA	Se começo a raciocinar sobre possibilidades... sobre nossa inexperiência, sobre os meios de que eles dispõem...

Abre-se a porta de súbito e CARLÃO *entra.* TÂNIA *e* RIBA *se assustam e num gesto instintivo empunham suas armas.*

CARLÃO	Que é isso? Assustados...
TÂNIA	Puxa, você...
RIBA	Não viu aí fora dois caras com pinta de milicos à paisana?
CARLÃO	Não...

TÂNIA	E a lista com os nomes?
CARLÃO	Tarefa cumprida. (*Aumenta o volume da TV, ouve-se o locutor descrevendo o final do jogo Brasil x Itália.*)
CARLÃO	Essa merda desse jogo. As ruas estão desertas. Todo mundo grudado na televisão. Nem parece que sequestramos o Embaixador dos Estados Unidos.
RIBA	Quanto é que tá? (*Posta-se diante do aparelho, interessado.*)
CARLÃO	Sei lá.
TÂNIA	Escolhemos mal a data do sequestro.
RIBA	O Brasil tá jogando muito. Deve estar vencendo.
CARLÃO	Tomara que perca. E perca de goleada.
RIBA	Não fala assim, cara.
TÂNIA	Você disse que as ruas estão desertas. Mas se o Brasil for campeão, vai haver um carnaval.
CARLÃO	E o governo vai conseguir distrair a atenção do povo.

Há um gol do Brasil.

RIBA	(*Vibra.*) Gol!
TÂNIA	Gol de quem?
RIBA	Do Brasil! Carlos Alberto! E é o quarto! Quatro a um Brasil!
CARLÃO	Esses dois caras de que vocês falaram...
TÂNIA	Que é que tem?
CARLÃO	Como é que foi?
RIBA	(*Vibrando com o jogo.*) O jogo tá no fim. O Brasil vai ser campeão.
CARLÃO	(*Irritado.*) Desliga essa merda!
TÂNIA	Ei, calma, cara...

CARLÃO   A gente sequestra o embaixador americano, faz o mundo inteiro se voltar para essa bosta de país, e o país, 90 milhões de pessoas grudadas nos rádios e nas televisões, acompanhando o futebol! Porra! Será que esse povo merece o que tamos fazendo por ele? Tou arriscando a minha vida por um povo alienado, que só pensa em futebol! Puta que pariu!

TÂNIA   O povo não tem culpa.

RIBA   E não tem nada uma coisa com a outra. Eu não sou alienado e gosto de futebol. Sei que os milicos vão capitalizar essa vitória, mas não consigo deixar de vibrar.

CARLÃO   Porque você é um pequeno-burguês de merda.

RIBA   (*Ofendendo-se.*) Pera lá, cara!

TÂNIA   Carlão!

CARLÃO   Um intelectualzinho de bosta que tá nisso porque quer fazer bonito, brincar de revolucionário. No dia que cair e lhe apertarem os colhões, entrega todo mundo.

RIBA   (*Avança para agredir* CARLÃO.) Olha, eu não admito...

TÂNIA   (*Mete-se entre os dois.*) Parem com isso, porra! Se querem brigar, esperem um pouco e vão ter que brigar com a Polícia e com o Exército. Se querem mostrar valentia, mostrem na hora de levar porrada nos DOPS e no DOI-CODI, que é isso que nos espera. Não sejam crianças. Desafiam o mundo e brigam por causa de futebol. Ridículo.

         CARLÃO *sai, abruptamente. Ouve-se o locutor anunciando o fim do jogo. Entra o hino "Pra frente, Brasil".*

TÂNIA   Chato isso.

RIBA   Muito chato.

TÂNIA   Não ligue. Carlão é um sectário.

RIBA   Mas ele parece que discorda de mim! E por quê?!

CENA XVIII

Enfermaria. CARLÃO *nu, desmaiado, sobre uma mesa. O* MÉDICO *o examina, sob as vistas do* INQUIRIDOR *e do* TORTURADOR.

MÉDICO   Quem é ele?

INQUIRIDOR   Estudante universitário, trabalhava na Petrobras, filho de operários. Ninguém importante.

MÉDICO   Mas é preciso parar, senão ele vai morrer.

INQUIRIDOR   Isso também não nos interessa. Morto não informa. E eu acho que ele não tem também nada a informar. Foi uma falha do computador. Trate dele, faça o que puder. (*Consulta o relógio.*) Tenho que ir pra casa, preciso dormir, amanhã minha mulher vai me acordar cedo pra ir à igreja. Completamos 15 anos de casados, mandamos rezar uma missa.

MÉDICO   Parabéns. Isso prova que o casamento não é uma instituição falida, como dizem por aí. E que alguns valores morais de nossa sociedade continuam de pé...

INQUIRIDOR   Graças a Deus.

CENA XIX

Aparelho. Ruídos de buzinas e foguetes que vêm da rua. Ouve-se também a campainha tocar, insistente. RIBA *e* TÂNIA *estão tensos.*

RIBA   Que é isso?

TÂNIA   (*Olhando pela janela.*) Não sei... tem um mundo de gente aí fora...

    A campainha toca insistente. CARLÃO *entra, tenso, revólver em punho.*

CARLÃO   São os homens?!

TÂNIA   Não, é o pessoal da rua, os vizinhos.

    Ouve-se um coro, fora: Bra-sil! Bra-sil! Bra-sil!

RIBA	E agora?
TÂNIA	Acho melhor abrir.
CARLÃO	Não! Tá louca? Com o embaixador aqui dentro!
TÂNIA	Mas eles sabem que estamos aqui. Vão desconfiar.
CARLÃO	Mas o que podem pensar? Que não queremos abrir. Que estamos ocupados...
TÂNIA	E se já notaram que temos visitas?
RIBA	É, não tem saída, acho melhor abrir. Pra não despertar suspeitas.
TÂNIA	Carlão, vá avisar o Velho. E não deixe ninguém subir.

O coro aumenta e a campainha marca o ritmo. CARLÃO *sai,* TÂNIA *e* RIBA *escondem as armas, cobrem a impressora com uma toalha.* TÂNIA *abre a porta. A cena é invadida por um grupo que empunha bandeiras verde-amarelas e também de clubes cariocas e canta o hino "Pra frente, Brasil".*

TÂNIA	(*Gritando.*) Olá... sejam bem-vindos... Este é meu irmão...

O grupo evolui pelo cenário, arrastando TÂNIA *e* RIBA, *que são obrigados a participar da euforia geral. Após certo tempo, apagam-se as luzes, mas eles continuam cantando.*

CENA XX

Quarto. O VELHO *e o* EMBAIXADOR, *tensos, preocupados. O* VELHO *aponta o revólver para a cabeça do* EMBAIXADOR.

EMBAIXADOR	Que está acontecendo?
VELHO	Não sei...
CARLÃO	(*Entra.*) Os filhos da puta dos vizinhos invadiram a casa. Estão festejando a vitória do Brasil. Tivemos que deixar entrar, pra não despertar suspeitas.

EMBAIXADOR   Não entendo...

VELHO   É o Campeonato do Mundo. O Brasil venceu.

EMBAIXADOR   *Oh, yes...*

CARLÃO   É melhor que não vejam você. Fique aqui com ele.

VELHO   Cuidado, isso é muito perigoso. Policiais podem se infiltrar no meio do povo.

CARLÃO   Se isso acontecer, eu dou um tiro e você fuzila o gringo. (*Sai.*)

EMBAIXADOR   (*Espantadíssimo, ante o inusitado da situação.*) Está havendo uma festa lá embaixo...

VELHO   É... parece. Isso não estava nos nossos planos.

EMBAIXADOR   *My God*, nunca vou entender este país!

Acendem-se simultaneamente as luzes da sala e de várias salas de tortura. Na primeira, todos cantam e dançam agitando bandeiras. Nas salas de tortura, em cada uma delas um homem ou uma mulher, nus, pendurados nos paus de arara.

CORO   Noventa milhões em ação
pra frente, Brasil,
do meu coração
Todos juntos vamos
pra frente, Brasil,
Salve a Seleção!

De repente é aquela
corrente pra frente
parece que todo o Brasil
deu a mão...

segundo painel

CENA XXI

Apartamento de TÂNIA. *1979.* TÂNIA *e* RIBA *deitados, nus, depois de fazerem amor. Ambos imóveis.* RIBA *estende o braço, pega os cigarros, acende um. Fica pensando, fumando, olhando para o teto, enquanto se ouve a canção "Campeões do Mundo" (apenas a 1ª parte).*

TÂNIA	Em que você tá pensando?
RIBA	Tudo aquilo... Tanta gente... tanta gente... que foi feito deles?
TÂNIA	Quem?
RIBA	Tavinho, Marcelo...
TÂNIA	Marcelo desbundou. Tavinho inda tá preso, teve a pena reduzida pra trinta anos, mas não pegou a Anistia. Lembra do Rocha? Virou executivo da Volkswagen.
RIBA	Miranda?
TÂNIA	Tá meio lelé... Pentotal na veia, éter no ânus.
RIBA	Ouvi dizer que entregou muita gente.
TÂNIA	Há quem queira crucificá-lo por isso.
RIBA	Não eu. A resistência física tem um limite além do qual toda estrutura psicológica se desintegra e toda ética vai pra Cucuia.
TÂNIA	Há companheiros que não aceitam. Um comunista morre, mas não fala. Principalmente um dirigente.
RIBA	Acho uma posição puramente romântica.
TÂNIA	Muitos morreram e não falaram.

RIBA	Eu sei. Sei também que muitos morreram sem falar porque nada sabiam. E que em outros casos houve erro de cálculo.
TÂNIA	Mas houve heróis.
RIBA	Acredito. Por mim, acho que se no tempo de Cristo os métodos de tortura tivessem chegado à sofisticação a que chegaram hoje, até Jesus teria entregue os doze apóstolos.
TÂNIA	De um modo geral, toda a esquerda se portou bem. Foram poucos os canalhas.
RIBA	Camargo, que foi feito da Jandira, aquela garota loura...
TÂNIA	Camargo está na lista dos desaparecidos... Aquela garota loura foi metralhada no Araguaia.
RIBA	E é este o final da história. Uma garota loura metralhada no Araguaia. O resto é silêncio...

Ouvem-se rajadas contínuas de metralhadora. Um grupo de guerrilheiros passa correndo ao fundo, enquanto slides são projetados. São cenas de guerrilha, entremeadas com fotos de Mariguela, Lamarca, Guevara.

CENA XXII

Sala do aparelho. Ouve-se a campainha da porta. Várias vezes o VELHO *olha pela janela.* CARLÃO *entra.*

CARLÃO	Quem é?
VELHO	Venha ver... são dois homens...
CARLÃO	(*Olha.*) Acho que são os mesmos... Os mesmos que Riba e Tânia viram...

A campainha volta a tocar. Eles ficam indecisos.

CARLÃO	É melhor não abrir.
VELHO	Pode ser que não seja nada. Se fosse a Polícia ou o Exército, não viriam apenas dois, mandariam um choque no mínimo.

CARLÃO	Também pode ser uma sondagem.
VELHO	Atenda você. Não deixe que passem da porta. Eu lhe dou cobertura. (*Pega a metralhadora, esconde-se e fica atento.*)
CARLÃO	(*Entreabre a porta. Surgem os dois homens.*) Bom dia.
HOMEM	Bom dia. Somos marinheiros e estamos oferecendo alguns artigos estrangeiros, relógios, joias, perfumes, tudo de primeira qualidade...
CARLÃO	Obrigado, não estou interessado.
HOMEM	Quem sabe sua senhora?... Permite que entre pra mostrar, sem compromisso...
CARLÃO	Estou sozinho, minha mulher saiu.
	O homem procura olhar o interior da casa, como se buscasse alguma coisa.
CARLÃO	Com licença. (*Os homens saem, ele fecha a porta. Espera alguns segundos.*) Você escutou?
VELHO	Escutei. Já fomos localizados.
CARLÃO	Também acho. Nenhum deles tem cara de marinheiro ou contrabandista.
VELHO	Têm cara de oficiais do Exército ou da Aeronáutica. Dois agentes.
CARLÃO	E agora? Acho que temos de mudar de aparelho.
VELHO	Calma. Se já nos localizaram, não adianta sair daqui. Devem estar vigiando a casa e iriam atrás de nós.
CARLÃO	E se resolverem invadir a casa?
VELHO	Eles não podem fazer isso; sabem que mataríamos o embaixador. E no momento eles estão muito mais preocupados em salvar a vida do embaixador do que em nos prender.
CARLÃO	(*Sem estar muito convicto.*) É, eles também não podem fazer nada. Mas, de qualquer maneira, isso muda

	muito a situação. Sabemos agora que estamos na mira deles.
VELHO	Muda a situação, mas não muda nosso plano. Temos que seguir item por item, como se nada tivesse acontecido.
CARLÃO	Podem prender Tânia... ela foi comprar jornais e comida.
	CARLÃO *volta a olhar pela janela.*
VELHO	Está vendo eles?...
CARLÃO	Não... não vejo ninguém... Só um carro... Tânia está chegando.
VELHO	Observe bem. Veja se ela não foi seguida.
CARLÃO	Nada de anormal na rua. Mas tenho certeza de que esses filhos da puta já instalaram postos de observação em torno da casa. Você não acha?
VELHO	É possível.
CARLÃO	Talvez tenham ocupado outras casas... e estejam de lá com lunetas, teleobjetivas, filmando até... e esperando a hora de dar o bote. A sensação que tenho é de estar sentado sobre um barril de pólvora que a qualquer momento vai explodir, mandando tudo pelos ares.
TÂNIA	(*Entra, trazendo vários jornais.*) Oi.
VELHO	Tudo bem?
TÂNIA	Tudo.
VELHO	Notou alguma coisa estranha na rua quando chegou?
TÂNIA	Quando parei o carro aqui na porta, senti mil olhos me fitando. Olhei em volta e não vi ninguém. Deve ser só uma sensação.
CARLÃO	Já não é mais apenas uma sensação. Aqueles dois caras que você e Riba viram rondando a casa estiveram

aqui. Fingiram-se de marinheiros querendo vender contrabando. Mas são dois agentes, não há dúvida.

TÂNIA — Então já sabem onde estamos...

VELHO — É provável. Mas tudo bem. Vamos em frente.

CARLÃO *começa a folhear os jornais, excitadamente.*

TÂNIA — Estamos em todas as manchetes. Dividimos com Pelé as glórias nacionais.

VELHO — (*Interessando-se também pelos jornais.*) Alguma coisa sobre os presos?

CARLÃO — *O Globo* diz na primeira página que a oficialidade jovem não aceita que o governo negocie conosco. Essa oficialidade sugere uma operação-resgate. (*Lendo.*) Segundo fontes bem-informadas, essa operação já estaria sendo minuciosamente planejada, temendo-se que grupos mais radicais a ponham em prática por conta própria.

VELHO — Tudo isso é especulação.

CARLÃO — O fato é que já passaram dois dias desde que o governo recebeu a lista de presos.

TÂNIA — O rádio não deu nada?

CARLÃO — Nada.

TÂNIA — Esse silêncio é de encher o saco.

CARLÃO — Editorial do *JB* violento contra nós.

TÂNIA — E o que você queria, que a condessa batesse palmas? Veja também o *Estadão*. Os Mesquitas estão espumando de raiva. Até mesmo o *Correio da Manhã*... E com razão. É muita audácia. Sequestram o Embaixador dos Estados Unidos e exigem a libertação de 40 subversivos. Onde é que nós estamos? (*Isola-se um pouco, avança para a boca de cena.*) Fico pensando no meu pai. O troglodita deve estar num daqueles ataques de ira sagrada. (*Ela ri.*) Imagina se ele soubesse que estou metida nisso...

CENA XXIII

Casa de TÂNIA. *1964.* MÜLLER *escuta a "Cavalgada das Valquírias", de Wagner.* GLÓRIA *bate nervosamente na porta do quarto de* TÂNIA.

GLÓRIA — Tânia? Tânia, abra aí, menina! (*Para* MÜLLER:) Ela não quis falar comigo hoje, se trancou no quarto, estou preocupada.

MÜLLER — Preocupada por quê? Se ela está em casa, tudo bem. O que você não deve é deixá-la sair. Aqueles livros?

GLÓRIA — Queimei. Queimei tudo. Avalie que tinha um com o retrato de Che Guevara!

TÂNIA *entra com um rádio de pilha colado ao ouvido.*

MÜLLER — Que é que você está escutando?

TÂNIA — Uma emissora de Porto Alegre. O 3.º Exército vai se levantar em defesa de Jango.

MÜLLER — (*Ri, irônico.*) Ah. Vai... Quem lhe disse isso? Seus coleguinhas lá da UNE? É isso que vocês estão esperando, é? Idiotas. Jango já está a caminho do Uruguai. Ele, Brizola e toda a canalha comunista que queria entregar o país a Moscou.

GLÓRIA — E foi Deus quem nos salvou, foi Deus quem ouviu as nossas preces.

TÂNIA — É, Deus deve ter se comovido com a Marcha da Família.

MÜLLER — Ou não deve ter gostado do comício de 13 de maio...

TÂNIA — Jango foi traído.

GLÓRIA — O que é muito bem feito. Ele também traiu sua classe. Um fazendeiro, um senhor de terras, querer comunizar o Brasil.

TÂNIA	Vocês acreditam mesmo nisso?
MÜLLER	Está mais que evidente. Quem mandava nas cidades? A CGT, Comando Geral dos Trabalhadores. Quem mandava no campo? As Ligas Camponesas. O Exército estava minado pelos sargentos, e a Marinha, pelos marinheiros. Não havia mais hierarquia, o terreno estava preparado para que os comunistas fizessem daqui uma nova Rússia.
GLÓRIA	Do que nós escapamos.
MÜLLER	E trate de se afastar daqueles subversivos lá da UNE. Principalmente daqueles baderneiros que viviam trepados em caminhões fazendo palhaçadas.
TÂNIA	Era teatro para o povo.
MÜLLER	Teatro comunista. Tome juízo. Porque nós não vamos ter contemplação. Agora não vai ser como em 54, quando deixamos o poder escapar de nossas mãos, depois do suicídio de Getúlio. E não vai ser também como em 61, após a renúncia de Jânio, quando acabamos permitindo que Jango assumisse a Presidência. Agora vamos às últimas consequências. E se seus amiguinhos da UNE pensam que vão de novo botar a cabeça de fora, estão enganados. Nem agora, nem daqui a dez anos.
TÂNIA	Nunca vi você tão eufórico.
MÜLLER	Estamos cansados de ganhar e não levar. Agora vamos ganhar e levar tudo a que temos direito. Vamos desmontar essa máquina subversiva e modelar este país à nossa maneira.
	TÂNIA *inicia a saída.*
GLÓRIA	Tânia, aonde você vai?
TÂNIA	Vou sair, não aguento mais.
GLÓRIA	Não, você não vai sair.
TÂNIA	Por quê?

GLÓRIA — Diga pra ela, Frederico.

MÜLLER — Um general amigo meu me disse que seu nome está numa lista de ativistas do movimento estudantil que devem ser presos.

GLÓRIA — Tá vendo o que você foi arranjar? Quantas vezes eu te falei...

MÜLLER — Consegui que ele riscasse o seu nome. Mas isso tem uma condição: você vai romper com essa gente e sumir por uns tempos. Aproveitamos e fazemos aquela cirurgia.

TÂNIA — O senhor inda não tirou isso da cabeça?! Será possível?!

MÜLLER — Claro que não. E já falei com um cirurgião amigo meu, é coisa simples, uma costurinha à toa.

TÂNIA — Mas eu não quero! Nem quero favores de seus amigos gorilas! (*Sai.*)

GLÓRIA — Fazem mesmo esse tipo de cirurgia?

MÜLLER — Fazem, claro. Costuram o hímen e pronto. Ela volta a ser virgem.

CENA XXIV

Na sala do aparelho. O VELHO *e* CARLÃO *em cena, um pouco tensos.* RIBA *entra, trazendo o* EMBAIXADOR.

VELHO — Sente-se, embaixador.

EMBAIXADOR — (*Intranquilo, senta-se.*) Obrigado.

VELHO — Chame a Tânia.

RIBA *sai.*

VELHO — Nós achamos que o senhor devia ficar a par das decisões que vamos tomar. O governo, segundo o noticiário radiofônico, recusa-se a cumprir a segunda parte das exigências, alegando que cinco dos nomes não constam de nenhuma lista de prisioneiros.

RIBA *entra.*

CARLÃO — Mentira.

RIBA — Vamos supor que o governo formalize a proposta de libertar 35. Já seria uma vitória.

CARLÃO — Seria uma traição.

RIBA — Traição?

CARLÃO — Aos cinco que não vão ser libertados.

VELHO — É possível que o governo esteja querendo só ganhar tempo até solucionar divergências internas.

CARLÃO — Ou enquanto prepara a operação-resgate.

VELHO — Os jornais falam numa operação militar para libertar o senhor.

EMBAIXADOR — Operação militar... dos Estados Unidos?

VELHO — Não, de grupos de extrema direita brasileiros. Esses mesmos grupos ameaçam fuzilar todos os 40 presos políticos de nossa lista.

RIBA — E se eles cumprirem a ameaça?

VELHO — Acho improvável.

RIBA — Mas podem cumprir. Como é que ficamos, então?

CARLÃO — Nesse caso, eles serão responsáveis pela morte desses 40 mais um, o embaixador.

Entra TÂNIA.

RIBA — Eles, não, nós!

CARLÃO — Como, nós?

RIBA — Claro. Nós não entramos nessa pra matar ninguém, entramos pra salvar companheiros.

CARLÃO   E nunca te passou pela cabeça essa possibilidade, ter que matar o embaixador?

RIBA   Não, nunca.

VELHO   Nenhum de nós faria isso com prazer, companheiro. Todos esperamos que não seja preciso. Mas, se tiver que ser feito, será feito.

RIBA   No caso de assassinarem 40 dos nossos, seria uma vingança estúpida contra quem, afinal de contas, pouco tem a ver com isso.

CARLÃO   Pouco, não, muito. Ele representa um país que apoiou o Golpe de 64 e quase todos os golpes militares na América Latina. Nosso gesto terá pelo menos um efeito simbólico de condenação ao imperialismo.

RIBA   Mas será que ele vale 40 vidas de 40 companheiros nossos?

Há uma pausa.

RIBA   Respondam! Quero que me respondam!

VELHO   Acho que o companheiro está emocionalizando o problema, que por enquanto é apenas uma hipótese.

RIBA   Estamos discutindo essa hipótese. Se o governo declarar, oficialmente, que fuzilará nossos companheiros se não libertarmos o embaixador, como é que ficamos?

VELHO   O Governo não pode declarar isso publicamente. Só podemos conceber o fato como uma ação isolada de um escalão intermediário.

RIBA   E aí?

VELHO   Aí estaremos diante de um fato consumado. E de um dilema: ou liquidamos o nosso refém, ou mostramos que estávamos blefando. E nenhuma ação desse tipo poderá ser praticada.

RIBA — De qualquer maneira, vamos matar um inocente. E todo mundo vai nos responsabilizar pela morte de 40 companheiros.

CARLÃO — Todo mundo, não, só a reação. E ele não é um inocente. Não aceito essa colocação.

VELHO — Estamos numa guerra. E numa guerra muitos inocentes morrem, infelizmente. Ou o companheiro veio para a luta armada julgando que isso jamais iria ocorrer?

CARLÃO — Acho essa discussão pura perda de tempo. Devíamos era escolher quem será incumbido de executar o embaixador.

TÂNIA — Essa responsabilidade não deve recair sobre um só, deve ser de todos.

CARLÃO — Se for de todos, acaba não sendo de ninguém. E na hora da confusão ele acaba escapando.

VELHO — Os companheiros acham que um de nós deve desde já receber a tarefa?

TÂNIA — É o que ele tá propondo. E eu concordo.

VELHO — O companheiro tá de acordo com isso?

RIBA — (*Hesita um pouco.*) De que adianta discordar? Sou voto vencido.

CARLÃO — Eu me apresento como voluntário.

TÂNIA — Corta essa vocação de herói, cara. Vamos fazer um sorteio.

CARLÃO — Tá certo, como quiserem.

O VELHO *corta uma folha de papel em quatro pedaços. Marca um deles com uma cruz. Dobra-os.*

VELHO — Quem tirar o papel marcado com uma cruz terá a tarefa de justiçar o embaixador, em caso de um ataque de surpresa. Ou de um massacre de presos políticos. Entendido?

TÂNIA — Entendido.

VELHO — Vamos colocar nas mãos do próprio embaixador. (*Coloca os papéis na mão do* EMBAIXADOR.) Desculpe... o senhor concorda?

EMBAIXADOR — (*Sorri, procurando ainda mostrar senso de humor.*) Eu mesmo escolher meu próprio carrasco. Muito gentil...

VELHO — Não, o senhor vai apenas abrir a mão para que cada um de nós apanhe um papelzinho. Quem começa?

TÂNIA — (*Tira um papelzinho, abre-o.*) Em branco.

VELHO — (*Para* CARLÃO:) Você.

CARLÃO — (*Tira um papel, também em branco. Mostra decepção.*)

VELHO — (*Apanha um papel.*) Também...

Todos se voltam para RIBA. *Este compreende que foi o sorteado.*

RIBA — Eu?!

TÂNIA — Só pode ser...

RIBA — (*Abre o último papelzinho e vê que foi sorteado.*) É... fui eu.

VELHO — É uma tarefa desagradável. Mas é uma tarefa, companheiro.

CARLÃO — Quero que fique registrado o meu protesto contra essa forma de distribuir tarefas. Tarefas importantes devem ser confiadas a companheiros capacitados. Não se faz revolução com loteria. (*Sai, bruscamente.*)

VELHO — Se o Sr. Embaixador quiser escrever uma nova carta a sua esposa, isso talvez ajude. Foi para lhe pedir isso que o trouxemos aqui.

EMBAIXADOR — (*Revelando na voz o medo pela perspectiva da morte.*) Quero, sim. Mas antes queria dizer alguma coisa, se me permitirem.

VELHO	Claro. O senhor pode falar o que quiser. Sem censura.
EMBAIXADOR	(*A voz um pouco trêmula.*) Eu, até há pouco, acreditava que estava diante de pessoas bem-intencionadas, apesar de toda a violência que estão fazendo contra mim. Pessoas que eram forçadas a praticar essa violência contra uma criatura indefesa para conseguirem um objetivo muito nobre, libertar companheiros que estão na prisão. Agora, depois dessa decisão de me tirarem a vida, caso as coisas não saiam como planejaram, eu quero dizer que estou profundamente decepcionado. Porque isso está em desacordo com tudo que me disseram sobre justiça, liberdade, direitos humanos.
VELHO	Terminou?
EMBAIXADOR	Já.
VELHO	Vamos então voltar ao quarto. Não podemos perder tempo com essa discussão de princípios. Mais importante que tudo agora é a carta que o senhor vai escrever a sua esposa. (*Para* TÂNIA *e* RIBA:) Fiquem atentos. Qualquer movimento suspeito na rua, deem o sinal.
	Saem o VELHO *e o* EMBAIXADOR. *Há uma pausa.* TÂNIA *nota a confusão que se estabeleceu no espírito de* RIBA.
TÂNIA	Gostei que você dissesse tudo aquilo. Não que esteja de acordo. Mas a gente deve botar pra fora o que sente.
RIBA	Talvez Carlão tenha razão, talvez eu não seja o mais capacitado para a tarefa. Não sei... nunca matei ninguém.
TÂNIA	E não seria capaz de matar? Então que diabo tá fazendo aqui?
RIBA	Não é que eu não seja capaz. Em defesa própria, durante um assalto, uma ação revolucionária qualquer, é outra coisa. Assim... é uma execução fria. Não é nada de que alguém possa se orgulhar.
TÂNIA	Mas é uma tarefa.

RIBA	E se é tarefa, fim de papo, não se discute. Tenho minhas dúvidas. Acho que você também tem. É humano ter dúvidas. Ou não?
TÂNIA	Quem entra numa ação desse tipo tem que estar por tudo.
RIBA	Eu sei, não tenho o direito de recusar. Afinal, também há tarefas desagradáveis. Não se pode escolher. Isso não é piquenique.
TÂNIA	Não se faz uma omelete sem quebrar os ovos...
RIBA	Sei o que você tá pensando. Que eu sou um intelectual de merda, com o vício pequeno-burguês da liberdade individual. Tou reagindo porque não escolhi a tarefa, ela me foi imposta. Não é nada disso. É que de repente me dei conta... Isso pode ter um desfecho que nenhum de nós imaginou. Se matam os 40... uma barbaridade... matamos então o embaixador... outra barbaridade. Aonde estamos indo, Tânia?!
TÂNIA	Você se esqueceu de completar: podem nos matar a todos também.
RIBA	Então?! Isso tem sentido?
TÂNIA	Acho muito tarde pra você se fazer essa pergunta. Botamos o nosso barco na corredeira, não há como pular fora, temos de ir até o fim, dê onde tiver que dar.
RIBA	Mas isso não é racional. Eu tenho um fim em mente, sei aonde quero chegar.
TÂNIA	Todos nós sabemos. Mas eu acho que é sempre assim, a gente chega aonde pode e como pode, não aonde quer e como quer.
RIBA	Não dei um salto no escuro. Fiz uma opção consciente. Troquei um mundo em que me sentia mal por uma luta por outro mundo, ao qual espero chegar. Conscientemente.
TÂNIA	Não estou duvidando de sua consciência política.

RIBA	Não, no fundo, você também me olha com desprezo, como Carlão.
TÂNIA	Você é injusto. E eu não mereço que me agrida como se eu estivesse contra você. Tou até procurando te entender.
RIBA	Desculpe. Esse cara vive me encostando na parede. E por quê? Por que nunca fui preso? Por que nunca fui torturado? Por que ainda não esmagaram meus colhões, nem me enfiaram um cassetete no rabo? Mas isso não é culpa minha, é falha deles. Ou é um problema de classe? Ele é filho de operários... Porra, mas eu não sou carreirista, não tenho nada a ganhar nessa merda. Ao contrário, se fosse um carreirista, tinha ficado onde estava, só tinha a ganhar com o sistema. E chutei tudo pro alto.
TÂNIA	E por que chutou?
RIBA	Porque minha vida não tinha sentido. Porque não me reconhecia no que fazia. E principalmente porque, num dado momento, compreendi a necessidade da luta armada para destruir o sistema.
TÂNIA	Então você tem muito a ganhar... Nós temos muito a ganhar. Porque nenhum de nós entrou nessa por um problema existencial apenas.
RIBA	Claro, claro...

CENA XXV

1968. Em primeiro plano, manifestantes, portando faixas, entram e vão se agrupando, enquanto se ouve, fora, um cantor. ("Pra não dizer que não falei de flores", de Geraldo Vandré.)

CANTOR	Caminhando e cantando e seguindo a canção, somos todos iguais braços dados ou não nas escolas, nas ruas, campos, construções,

caminhando e cantando
e seguindo a canção.

Uma líder estudantil sobe num plano mais elevado e faz um comício-relâmpago.

LÍDER　　Companheiros! Vocês que estão aí nas janelas, nas sacadas! Não basta bater palmas, é preciso descer e vir para a rua mostrar que o povo está unido contra a ditadura. Eles só estão no poder porque têm armas. Mas o povo também pode se organizar e se armar. Também pode responder à violência com a violência! Só o povo armado derruba a ditadura!

CORO　　Só o povo armado
derruba a ditadura!
Só o povo armado
derruba a ditadura!

Enquanto a passeata continua a se organizar em primeiro plano, a ação se desenrola, simultaneamente, numa agência de publicidade. O GERENTE, *sentado à sua mesa,* RIBA *diante dele.*

GERENTE　　Vamos, Riba, abra o jogo comigo. Você vai pra outra agência, recebeu alguma proposta vantajosa. Se é isso, posso falar com o *big boss* pra melhorar sua situação. Se bem que não seja fácil, você está ganhando muito acima do padrão.

RIBA　　Já disse, não vou pra agência nenhuma, não recebi nenhuma proposta, nem quero melhorar minha situação. Só quero a minha demissão.

GERENTE　　Não me diga que vai abandonar a profissão.

RIBA　　E por que alguém não pode abandonar a profissão? Que há de espantoso nisso?

GERENTE　　No seu caso, rapaz, com o futuro que tem pela frente, francamente, não dá pra entender.

RIBA　　Meu futuro... Continuar essa lutazinha mesquinha pra subir de degrau em degrau, de posto em posto,

	até sentar a bunda aí na sua cadeira de Gerente. Bela merda.
GERENTE	Que é que você queria? Ser o dono da agência?
RIBA	O que eu queria, não sei, mas sei o que não quero. Não sei o que vai dar sentido à minha vida, mas sei o que não dá. Tou fazendo uma opção. Acho que vou ficar muito mais satisfeito comigo mesmo depois disso. Ainda que me arrebente.

No primeiro plano a passeata continua se organizando, enquanto se ouve a voz do cantor e se acende a casa de TÂNIA. *A ação, daí em diante, transcorre nos três planos ao mesmo tempo.* MÜLLER *e* GLÓRIA *em cena.*

GLÓRIA	Ela está arrumando as malas.
MÜLLER	Pra quê?
GLÓRIA	Pra ir embora. Já te disse, Frederico, ela vai embora. Não deixe. É uma loucura.
MÜLLER	Uma loucura que está se alastrando pelo mundo todo. De Paris a Praga, de Nanterre a Berkeley, de Varsóvia a Tóquio. Não sei o que há com esses jovens. Pensam que vão mudar o mundo.

Na agência de publicidade, o GERENTE *conclui seu diálogo com* RIBA.

GERENTE	Continuo não entendendo.
RIBA	Você não vai entender nunca. Não é um problema de lógica formal nem de bom senso. É um problema de consciência. Tchau.
GERENTE	Tchau, Riba. Boa sorte.

RIBA *desce e se une aos manifestantes na passeata.*

CORO	(*Canta:*) Vem, vamos embora que esperar não é saber, quem sabe faz a hora não espera acontecer.

Na casa de TÂNIA, *ela entra com uma grande bolsa de couro às costas, alguns livros debaixo do braço.*

MÜLLER — Que palhaçada é essa, Tânia? Pra onde a senhora vai?

TÂNIA — Pra que quer saber? Pra informar o SNI ou os seus amigos da Operação Bandeirantes?

MÜLLER — Isso é só pra me agredir?

TÂNIA — Ah, desculpe, não é informação que você dá, é dinheiro.

GLÓRIA — Tânia!

TÂNIA — Vai negar?

MÜLLER — Essa é uma contribuição que todos os empresários dão.

TÂNIA — Todos?

MÜLLER — Os que têm consciência da necessidade de combater a subversão.

No primeiro plano, com intervenção da Polícia, a passeata é dissolvida pela violência. Os manifestantes fogem.

TÂNIA — Então é verdade. E é você quem arrecada esse dinheiro.

MÜLLER — Quem te disse isso?

TÂNIA — (*Sorri.*) Também temos o nosso serviço de informações. Um belo trabalho, Sr. Müller, um belo trabalho em defesa dos ideais cristãos pra varrer da terra o comunismo ateu. Pois você sabe o que estão fazendo com o seu dinheiro? Estão montando salas de tortura.

MÜLLER — Invenção de comunistas.

TÂNIA — Antes fosse. E antes você não tivesse consciência do que está fazendo, para o que está contribuindo. (*Inicia a saída.*)

GLÓRIA — Tânia! Me prometa ao menos que não vai continuar participando dessas passeatas, dessas arruaças estudantis.

TÂNIA (*Sorri.*) Passeatas... Acabou-se o tempo das passeatas, mãe. Fecharam as praças, fecharam as ruas, fecharam os palcos, todos os espaços. Também não existem mais estudantes, nem professores, nem artistas. Foi tudo abolido por um deus chamado Segurança Nacional. Não sei se é o mesmo que estava com vocês na Marcha da Família. (*Sai.*)

MÜLLER *e* GLÓRIA *olham um para o outro, perplexos, sem ação. Ouve-se o coro, vindo de longe.*

CORO (*Fora.*) Vem, vamos embora
que esperar não é saber,
quem sabe faz a hora
não espera acontecer.

CENA XXVI

Sala do aparelho. Ouve-se o ruído de um helicóptero. O VELHO *está na janela e procura visualizar o aparelho.*

CARLÃO Que é isso?...

VELHO É um helicóptero. Tá sobrevoando a área.

CARLÃO Exército ou Polícia?

VELHO Não dá pra ver...

CARLÃO (*Toma o binóculo.*) É do Exército! Eles estão vindo.

Eles escutam, tensos. O ruído aumenta.

VELHO Parece mais de um.

Sirene de carro da Polícia.

CARLÃO Vem também um carro cheio de policiais subindo a ladeira! A casa tá toda cercada!

VELHO Mas a televisão anunciou que os presos iam seguir hoje pra Argélia!

CARLÃO Golpe pra ganhar tempo. Não vão libertar ninguém! (*Sobe as escadas correndo.*) Querem é nos pegar!

VELHO Calma, Calma!

Acendem-se as luzes do quarto. RIBA *e o* EMBAIXADOR, *também tensos, escutam o helicóptero.* CARLÃO *entra, correndo.*

CARLÃO Começou a operação-resgate! Prepare-se, você vai ter que matar o gringo.

RIBA Calma... espera... que é que tá havendo?

CARLÃO A tarefa é sua, sem discussão.

RIBA Eu sei, mas... pode não ser! Só tou ouvindo um helicóptero...

CARLÃO Também carros de polícia cercando a casa. Devem atacar por terra e por ar, com paraquedistas, talvez... os filhos da puta! Vamos, tasque o gringo!

RIBA *aponta a arma para o* EMBAIXADOR, *que está lívido.*

RIBA Não, isso não pode ser assim, tem que haver uma decisão... O Velho é que tem de ordenar. Ele é que deve decidir.

CARLÃO Você não tem é coragem. Veado!

RIBA *dá um murro em* CARLÃO. *Os dois se atracam. Entra o* VELHO.

VELHO Parem com isso! Estão loucos?!

RIBA *e* CARLÃO *se separam.*

CARLÃO Esse cara... Eu sabia! Nunca confiei nele! Agora tive a prova! É um traidor! Ou quem sabe um policial infiltrado!

VELHO Espera... vamos com calma. Não se pode acusar um companheiro assim, sem provas.

CARLÃO Eu tive a prova. Ele se recusa a matar o gringo!

VELHO E faz bem. Ainda não chegou a hora. E quem vai dar essa ordem sou eu.

O ruído do helicóptero vai se afastando lentamente. Até que TÂNIA *grita da sala, diante do aparelho de TV.*

TÂNIA — Ei! Venham ver... Estão partindo! Estão transmitindo do Galeão!

O VELHO *e* CARLÃO *descem a escada correndo, voltam à sala.* RIBA *pega um rádio de pilha e escuta.*

TÂNIA — Vejam... estão embarcando! Os 40!

Neste momento o televisor deve estar voltado para a plateia, e as imagens do embarque dos banidos surgem no videotape da época.

LOCUTOR — Neste momento, no Aeroporto do Galeão, os 40 banidos embarcam no "Hércules" da FAB, rumo à Argélia. O governo cumpriu assim a exigência dos sequestradores, esperando-se agora que o embaixador seja libertado, tão logo as agências internacionais anunciem a chegada dos subversivos à cidade de Argel.

Todos dão expansão à sua alegria, inclusive o EMBAIXADOR, *que se sente aliviado.*

RIBA — Seguiram pra Argélia! Nossos companheiros libertados já seguiram pra Argélia!

EMBAIXADOR — Oh, my God!

RIBA — Vencemos! Vencemos!

Esquecendo-se momentaneamente de que são uma sentinela e um prisioneiro, RIBA *larga a arma e abraça o* EMBAIXADOR, *ambos comovidos.*

RIBA — Você tá salvo, cara! Você tá salvo!

Na sala, simultaneamente, TÂNIA, CARLÃO *e o* VELHO *riem, eufóricos.*

TÂNIA — Velho, nós ganhamos a parada! Parece incrível, mas ganhamos.

RIBA — (*Caindo em si.*) É, você tá salvo, nós é que estamos fodidos.

Apaga-se a luz do quarto. A cena segue apenas na sala.

CARLÃO Espera, isso aí pode ser uma simulação.

TÂNIA Qualé, cara, não viu eles entrando no avião? (*Saindo.*) Riba! Riba!

CARLÃO Sei lá... Pode ser tudo fajutado. Mostraram eles entrando no avião, não mostraram o avião levantando voo. E mesmo assim...

VELHO Mas é claro que nós não vamos libertar o embaixador antes da chegada deles a Argel ser confirmada pelas agências internacionais.

CARLÃO Então vamos esperar antes de soltar foguetes.

Voltam os ruídos do helicóptero e da sirene da Polícia.

CARLÃO E os filhos da puta inda estão aí, nos cercando por todos os lados. Esperando a gente sair pra dar o bote.

VELHO Enquanto tivermos o embaixador em nosso poder, estamos garantidos, eles não vão nos atacar.

CARLÃO E depois?

VELHO Cada um de nós tem exata consciência do que fez e do preço que pode pagar.

CARLÃO Então é uma burrice libertar o gringo. Vamos levar ele conosco.

VELHO Não, mesmo lutando contra um inimigo sem ética, nós precisamos ter a nossa.

CARLÃO A ética revolucionária é a que serve à Revolução. E esse gringo filho da puta nada mais é que o imperialismo, cuja ética é apenas defender seus interesses.

VELHO (*Incisivo, calmo, autoritário.*) Companheiro, nosso objetivo era libertar 40 companheiros nossos. Logo que haja confirmação da chegada deles a Argel, vamos soltar o embaixador. Nem que isso possa custar a vida a alguns de nós. Vamos sair, todos juntos, e deixá-lo em algum lugar.

CARLÃO	E aí?
VELHO	Aí... temos de nos separar. Cada um cuide de si.
CARLÃO	(*Olha para o* VELHO *como filho que se separa dramaticamente do próprio pai.*) Mas eu quero ir com você. Pra onde você for.
VELHO	Isso seria um erro primário. Não tenha dúvidas, companheiro, a Polícia virá atrás de nós. Atrás de mim, principalmente. E se eles me pegam, sei que me matam. Você terá muito mais chance de escapar se se separar de mim.
CARLÃO	Eu não me importo de correr o risco.
VELHO	Mas eu me importo.
CARLÃO	(*Sente-se rejeitado.*) Talvez então a gente não se veja mais. Queria lhe dizer uma coisa... (*Está emocionado. Não encontra as palavras.*) Bom, posso lhe dar um abraço?

CARLÃO *e o* VELHO *se abraçam. O ruído dos helicópteros aumenta, juntamente com a sirene da Polícia, até se tornar quase insuportável. Cessa de súbito.*

CENA XXVII

Apartamento de TÂNIA. *1979.* RIBA *já vestiu as calças e está fumando.* TÂNIA *acaba de vestir o vestido. Há uma longa pausa.*

RIBA	Que é que você acha?...
TÂNIA	Quê?...
RIBA	Você acha que nós cometemos um erro de avaliação?
TÂNIA	Isso não é hora de fazer autocrítica.
RIBA	Você já fez?
TÂNIA	Não.
RIBA	Parece que todo mundo exige que a gente faça.

TÂNIA	Tou ainda muito machucada. E isso é mexer nas feridas. Porra, o que importa é o que a gente vai fazer daqui pra frente.
RIBA	Você sabe?
TÂNIA	Não.
RIBA	Então pelo menos que a gente saiba o que não vai fazer. Isso já ajuda.
TÂNIA	Você não mudou nada. Sempre se questionando.
RIBA	Você não se questionou durante todos esses anos? Suas intenções, os fins a que se propunha, as ações que praticou?
TÂNIA	Claro. Mas acredito ainda nas mesmas coisas.
RIBA	Também eu. Ainda acho que a dignidade do homem é inseparável das intenções e dos fins a que ele se propõe. Só que entre as intenções e os fins quase sempre temos que passar por uma série de mal-entendidos.
TÂNIA	Será que isso não é inevitável em todos os processos revolucionários? Ilusões, mal-entendidos...
RIBA	Naquele tempo, nós nos julgávamos capazes de ações individuais que podiam mudar a face do mundo. E essas ações pareciam ter sentido... Era como se disséssemos ao povo, olha, vocês não precisam se organizar, nem fazer nada, porque há aqui um punhado de heróis que vai fazer tudo por vocês.
TÂNIA	Também acho que as coisas não podem ser julgadas assim, certo-errado, errado-certo. Qualé? Nossa geração teve outras opções. Não é justo que nos chamem agora pra um ajuste de contas, de dever e haver, sem levar isso em consideração.
RIBA	O que me pergunto é se nós adiantamos ou atrasamos o processo. Isso me fundiu a cuca durante todos esses anos. Tou me referindo à nossa ação como um todo, à luta armada.

TÂNIA   Era a única saída.

RIBA   Pela pressa que tínhamos. Ou por não enxergarmos outro caminho.

TÂNIA   Não sei. E acho que algumas sementes, de todas as que plantamos, vingaram e deram força ao movimento popular de resistência, tempos depois.

RIBA   É possível, se levarmos em conta os aspectos subjetivos.

TÂNIA   Há erros que não podem ser evitados.

RIBA   É o que você acha?

TÂNIA   É.

RIBA   Não estou certo disso.

TÂNIA   Só numa coisa eu te dou razão. Não devemos repetir. Não temos esse direito. Porque os tempos são outros. Nós também mudamos. Eu já passei dos 30 e você deve estar a caminho dos 40. Devemos ter vivido. É o mínimo que se espera de nós. E é importante não esquecer.

Eles permanecem pensativos, olhando para o teto, enquanto as cenas seguintes se desenrolam nos outros planos. Voltam os ruídos de helicópteros e sirenes da Polícia.

CENA XXVIII

Um ponto. O VELHO *entra, indo ao encontro de* ELZA. *Estão quase no escuro. Ela, nervosa, tensa, assustada.*

ELZA   Mário! Tava rezando pra você não vir!

VELHO   Por quê? Calma. Tomei todas as precauções. Um companheiro esteve aqui antes, ficou meia hora rondando a praça. Não há tiras, ninguém suspeito. Este é um ponto seguro.

ELZA   Não há mais pontos seguros, não há mais segurança em parte alguma, Mário.

VELHO   (*Impaciente.*) As crianças, as crianças?

ELZA   Mandei elas pra Bahia, pra casa de meus pais. E mudei de aparelho duas vezes este mês. Mas sinto que eles estão fechando o cerco. Caíram vários companheiros nos últimos dias, você deve saber.

VELHO   Sei, sei...

ELZA   E eu soube que a ordem é matar. Matar e depois dizer que tentou resistir. Quando caiu o aparelho de Vila Cosmos, semana passada, dois companheiros foram metralhados dormindo.

VELHO   Cabeça fria, companheira. Não vamos perder a cabeça. O aumento da repressão é um sinal de fraqueza do regime. A Ditadura sente que nós estamos crescendo e tá caindo no desespero.

ELZA   Crescendo como, Mário, se a cada dia cai um companheiro? Depois do sequestro do embaixador, quantos já caíram, quantos já foram mortos? Perdemos vários grupos de ação. E não só nós, o PCdoB, o MR-8, a Val-Palmares, todos estão perdendo quadros todos os dias. Só estamos crescendo nas prisões e nas salas de tortura.

VELHO   Vai haver um novo sequestro por esses dias para libertar companheiros.

ELZA   Um novo sequestro. E depois mais prisões, mais tortura, mais assassinatos. E até quando? E tudo isso leva a quê? A nada! Ou quem sabe até não estamos fazendo o jogo do inimigo, dando uma justificativa para a escalada da violência? Será que não estamos fazendo justamente o que eles querem?

VELHO   Que é que há? Essa tese é do Partido.

ELZA   Mário, está sendo criada a indústria da repressão. Uma grande máquina, com verbas secretas, pessoal especializado e tudo o mais. Essa indústria está enriquecendo muita gente. Mais violência, mais verbas.

VELHO   Isso é uma consequência do regime, não de nossa luta.

ELZA Um governo de força só se mantém quando consegue justificar o uso da força. E minha dúvida é se nós não estamos ajudando...

VELHO Quando vencermos, essa máquina será desmontada. Claro, a luta não vai se decidir nas cidades. Esta é apenas uma luta tática. Por isso estou seguindo para o Nordeste. Talvez você fique um tempo sem notícias minhas.

ELZA Você vai pra onde?

VELHO Pro campo. Todo o preparo logístico foi feito. Temos dinheiro, temos armas e temos homens treinados. Vamos estabelecer um eixo guerrilheiro, que marchará pelo interior do país, em operações móveis, promovendo a rebelião social no campo. Lá é que vamos derrubar a Ditadura.

ELZA Quando você viaja?

VELHO Amanhã. Por isso vim aqui, correndo esse risco, porque queria me despedir de você. Os companheiros foram contra, mas eu vim. (*Sorri.*) Sempre fui um indisciplinado incorrigível.

Eles se abraçam. As luzes continuam acesas.

QUADRO XXIX

Sala de torturas. CARLÃO *nu, morto, sobre uma mesa. O* MÉDICO *toma-lhe o pulso, examina as pupilas, sob as vistas do* INQUIRIDOR *e do* TORTURADOR.

MÉDICO Por que não me chamaram antes? Isso não está certo. Vocês não estão seguindo as normas. Eu não posso aceitar isso.

INQUIRIDOR Faça alguma coisa.

MÉDICO O quê? Sou médico, não sou milagreiro.

INQUIRIDOR (*Culpando o* TORTURADOR.) Foi essa besta. Empregam gente incompetente, sem preparo técnico, sem o menor conhecimento do ofício, dá nisso.

MÉDICO Merda. Agora que é que eu ponho no atestado de óbito?

INQUIRIDOR Assim não dá gosto trabalhar.

O MÉDICO começa a escrever o atestado de óbito. As luzes continuam acesas.

No outro espaço cênico, o VELHO e ELZA se separam.

ELZA Mário, eu quero ir com você.

VELHO Depois. Depois você vai. Quando o eixo guerrilheiro estiver bem-estruturado, quando as massas camponesas começarem a aderir, aí vamos ter ainda muita luta pela frente e eu vou precisar muito de você. Só quero que até lá você cuide de si e dos meninos. Se você soubesse que saudade eu tenho deles...

Ouve-se o ruído de um carro que freia violentamente, rangendo os pneus. Um foco de luz cai sobre eles. ELZA se assusta e grita.

ELZA Mário!

O VELHO se volta e tenta sacar do revólver, ouve-se o pipocar de uma metralhadora e ele cai crivado de balas. ELZA se atira sobre ele.

ELZA Mário!

As luzes continuam acesas.

Na casa de TÂNIA, MÜLLER e GLÓRIA assistem à televisão. No vídeo, a imagem do EMBAIXADOR.

EMBAIXADOR O que posso dizer é que eram rapazes determinados e inteligentes, embora fanatizados por um ideal. Não, não eram gângsteres. Mas, para alcançar esse ideal aparentemente nobre, estavam dispostos a assaltar e a matar. Falavam de uma sociedade justa e feliz, mas pretendiam construí-la pela força das armas. Caso tivessem vencido, teriam feito do Brasil uma nação com a qual dificilmente poderíamos continuar mantendo boas relações e bons negócios.

A imagem do EMBAIXADOR *continua no vídeo, falando sem som.* TÂNIA *levanta-se de súbito e começa a arrumar-se rapidamente.*

TÂNIA — Puta merda! Ia esquecendo...

RIBA — Aonde você vai?

TÂNIA — Tenho uma reunião daqui a meia hora. Você quer ir? Ia ser bacana, os companheiros iam gostar de você.

RIBA *levanta-se.*

RIBA — Hoje, não. Na próxima... quem sabe?

TÂNIA — Tá legal. (*Continua arrumando-se.*)

Há uma pausa.

RIBA — Sabe, naquele tempo...

TÂNIA — Que foi que você disse?

RIBA — (*Sorri.*) Naquele tempo, pelo menos nós éramos campeões do mundo...

As luzes vão se apagando lentamente, em resistência, enquanto se ouve o hino "Pra frente, Brasil". A princípio falado, cadenciado.

CORO — (*Falado:*) Noventa milhões em ação
pra frente, Brasil,
do meu coração.
Todos juntos vamos
pra frente, Brasil,
salve a Seleção!

De repente é aquela
corrente pra frente
parece que todo o Brasil
deu a mão...
todos unidos na mesma emoção
é tudo um só coração...

Aos poucos as vozes da declamação vão sendo abafadas por outras vozes cantando a mesma letra.

vargas
DIAS GOMES E FERREIRA GULLAR

PERSONAGENS

DO ENREDO   DA ESCOLA

Getúlio Vargas   Simpatia
Alzira Vargas   Marlene
Carlos Lacerda   Tucão
Gregório Fortunato   Bola Sete
Benjamin Vargas   Quibe
Autor   Moleque Tião
1ª Ave de Rapina   1º Bicheiro
2ª Ave de Rapina   2º Bicheiro
3ª Ave de Rapina   3º Bicheiro
Embaixador   Gringo
1º Pistoleiro   Bigode
2º Pistoleiro   Magnata
3º Pistoleiro   Chulé
4º Pistoleiro   Meleca
Osvaldo Aranha   Gasolina
Gen. Zenóbio da Costa   Branca de Neve
José Américo   Bolacha
Tancredo Neves   Bom Cabelo
Apolônio Sales   Pato Rouco
Brigadeiro Epaminondas Santos   Zé do Rádio
Almirante Guilhobel   Azeitona
Orador   Turquinho
Major Rubens Vaz   Ruço
   Gaúchos, Soldados,   Mestre-sala, Porta-
   Policiais, Marinheiros   bandeira, Passistas
   e o Povo   e Ritmistas

A ação transcorre, toda ela, na quadra de uma Escola de Samba. É um grande pátio, onde não há móveis, utensílios de espécie alguma. A quadra está cheia de gente. Fantasiados uns, outros, não. São elementos da Escola. Todos estão de costas para a plateia e assim entoam pela primeira vez o samba-enredo, em "bocca chiusa".

SIMPATIA *volta-se e se dirige à plateia. É o Presidente da Escola. Um tipo sorridente, comunicativo, envolvente. Quando não está "desfilando" de* GETÚLIO, *é mais exuberante de gestos, mais largado no andar. Seu apelido define uma característica fundamental de sua personalidade: a simpatia algo malandra e irresistível.*

SIMPATIA   Boa noite, minha gente, desculpe se antes do samba venho deitar falação. Mas pra coisa ter sentido, ficar tudo esclarecido, faz falta uma explicação.

É preciso esclarecer — para evitar confusão, pra ninguém dizer que viu o que não viu ou quis ver — que é apenas um ensaio o que aqui vamos fazer.

Só um ensaio do enredo com que vamos desfilar no Carnaval deste ano. Isso se Deus permitir e se a polícia deixar, e a gente sair do cano em que acabamos de entrar.

Só uma parte das alas foi chamada a ensaiar. É o pessoal responsável pelo desfile na pista. Isto é somente uma amostra pra convidado e turista.

Nossa Escola tem problemas que não vamos esconder, porque estão no jornal. O principal é dinheiro. Tucão tá contra o enredo e Escola sem bicheiro, minha gente, se dá mal.

Tucão tem lá seus motivos que aqui não vou discutir. Foi presidente dez anos, sem ninguém se imiscuir. Mas na última eleição a turma votou em mim, deu o desprezo em Tucão.

Também há muita pressão pra gente mudar o enredo que acham subversivo: alegam que dessa história tem muito cara ainda vivo.

Claro que nem todo mundo se sai bem deste desfile e isso pode dar bode... Nessas coisas de política há sempre alguém que se ri, e sempre alguém que se fode.

Mas nós tamos convencidos que com esse nosso enredo vamos botar pra quebrar. Sambando o samba de fato, com graça e com formosura, a Escola vai desfilar.

E o enredo é esse mesmo — ninguém vai modificar o que já está na História — e pra quem ainda não sabe se chama: Dr. Getúlio, Sua Vida e Sua Glória.

O destaque do Getúlio — me perdoem a imodéstia — é feito aqui pelo degas. Sou presidente da Escola, exigi a regalia: afinal, somos colegas... No cargo, na sorte não, pois ele, no fim, se mata com um tiro no coração.

Talvez não por coincidência, quem vai fazer o Lacerda, inimigo do Getúlio, é meu inimigo, o merda do Tucão. O Ministério, com Oswaldo Aranha, Tancredo e outras altas patentes, é interpretado no enredo pela Comissão de Frente.

Tem ainda o Bejo Vargas e o Gregório Fortunato que era o chefe da guarda pessoal do Presidente, a filha deste, Alzirinha, que é o destaque principal, é coisa sem discussão: vai ser feita pela minha protegida, a Marlene, que como atriz de teatro é uma revelação. Até Isabel Ribeiro perde dela de montão!

E antes de terminar quero aqui apresentar o autor do nosso enredo. Ele mais a comissão estudaram, pesquisaram, leram livro de dar medo.

AUTOR *cumprimenta a plateia.*

É o nosso dramaturgo é o nosso Chakispir, e nisso não vai deboche, se não tem nome em letreiro tem mais público decerto que muito autor brasileiro.

Eu deixo vocês com ele que é quem vai comandar, e vou pro meu lugar. A todos muito obrigado. (*Sai.*)

AUTOR   Elogio assim na cara deixa a gente encabulado, mas devo reconhecer que o enredo tá bem bolado e que foi minha a ideia de a gente representar algumas cenas, que assim fica mais fácil entender. Já que está tudo explicado, vamos aquecer o ambiente, vamo aquecer o ambiente. E a Comissão de Frente!

Ouve-se um apito. Imediatamente a bateria ataca e toda a Escola canta o samba-enredo.*

Foi
O chefe mais amado da nação
Desde o sucesso da revolução
Liderando os liberais
Foi
O pai dos mais humildes brasileiros
Lutando contra grupos financeiros
E altos interesses internacionais
Deu
Início a um tempo de transformações
Guiado pelo anseio de justiça
E de liberdade social
E
Depois de compelido a se afastar
Voltou pelos braços do povo
Em campanha triunfal

Abram alas que Gegê vai passar
Olha a evolução da história   (*Bis.*)
Abram alas pra Gegê desfilar
Na memória popular

(foi o chefe)

Foi
O chefe mais amado da nação
A nós ele entregou seu coração
Que não largaremos mais
Não
Pois nossos corações hão de ser nossos
A terra, o nosso sangue, os nossos poços
O petróleo é nosso, os nossos carnavais
Sim
Puniu os traidores com o perdão
E encheu de brios todo o nosso povo
Povo que a ninguém será servil
E

---

* Letra e música de Chico Buarque e Edu Lobo.

Partindo, nos deixou uma lição:
A pátria afinal ficar livre
Ou morrer pelo Brasil

Abram alas que Gegê vai passar
Olha a evolução da história
Abram alas pra Gegê desfilar (*Bis.*)
Na memória popular.

TUCÃO *entra, interrompendo o samba. É o ex-presidente da Escola. Banqueiro de bicho, grosso de maneiras, seu poder econômico lhe dá ar misto de chefe de "gang" e coronel do interior. Está acostumado a ser obedecido, a poder de dinheiro ou de bala. Ele avança para* MARLENE *e a agarra pelo braço.*

TUCÃO	Vamos embora!
MARLENE	Que embora! Tou no ensaio, não tás vendo?
TUCÃO	Tás, mas vais sair agora. E já.
MARLENE	Não posso sair, Tucão. Não vê os turistas convidados, essa gente veio aqui para assistir.
TUCÃO	Tou cagando pros turistas.
MARLENE	Porque não és mais presidente. Senão não ias gostar. Vê se te manca.
TUCÃO	Está bem. Se não sou mais presidente, devias sair também.
MARLENE	Não vou sair, vai-te à merda! Fico fora e tu desfilas no papel do tal Lacerda. Aqui, ó!
TUCÃO	E tu pensas que eu tô querendo brilhar? A minha jogada é outra. Sei o que faço.
MARLENE	Pois eu não! Eu adoro desfilar. É essa a minha alegria. E eles pedem pra eu ficar.
TUCÃO	Eles quem? O Simpatia?
MARLENE	Ele agora é o presidente, tem direito de mandar.

TUCÃO — Mandar em você!

MARLENE — Em mim, não manda. Manda na Escola. Fiquei porque quis ficar.

TUCÃO — Ela pensa que me enrola. Fui dez anos presidente desta joça, e uma cabrocha para sair de destaque tinha antes de rezar no meu cardápio. Era a lei.

MARLENE — E vai dizer que eu não sei? Vai dizer que eu estou por fora?

GASOLINA, QUIBE, BOLA SETE *e outros elementos da Escola apoiam* MARLENE.

QUIBE — Você é quem fez a lei, deve obedecer agora.

TUCÃO — Fiz a lei pra meu uso, não pra uso desse pilantra.

MARLENE — Democracia, Tucão.

BOLA SETE — Igualdade, a lei é essa.

TUCÃO — Por causa dessa conversa, me tiraram a presidência.

MARLENE — Eleição é eleição. Se tu perdeu, paciência.

GASOLINA — Tu nem parece bicheiro. Desaprendeu de jogar?

BOLA SETE — Carregaram no leão e deu foi leão, azar!

QUIBE — Tem de soltar o dinheiro. Espera a sorte mudar...

TUCÃO — Conversa não me convence. Não há lei quando se trata de mulher que me pertence.

MARLENE — Aí que você se engana. Não tenho dono, não sou mercadoria barata. Não tem rico nem bacana. Por dinheiro ou por amor, a quem quiser dar, eu dou.

TUCÃO — Então tu escolhe agora: ou fica ou vamos embora.

MARLENE — Já escolhi.

TUCÃO — Vais?

MARLENE — Não vou.

TUCÃO   Já vi tudo. Se gamou por esse veado. Torno a te perguntar: vais? Olha, depois não te queixa!

MARLENE   Tu tás é com dor de corno e cara cheia. Me deixa!

TUCÃO   Tá certo. Vou te deixar. Burra demais pra meu gosto. Tás entrando numa fria. Sem meu dinheiro, a Escola não vai poder desfilar. Mais de metade das alas inda nem tem fantasia. E o que taí foi no beiço, não tem jeito de pagar. Inda por cima esse enredo comunista, que o sacana do Simpatia inventou. Não vai ter saída não. Esse negócio ou dá cana ou desclassificação. Simpatia sabe disso e vocês tão na inocência. Ela gamada por ele, ele pela presidência. Eu espero a minha vez pra ver com paciência a caveira de vocês. (*Sai.*)

AUTOR   Caveira porra nenhuma! Nós vamos é pra cabeça. Nossa vitória já pinta. Vamos botar no chinelo o próprio Joãozinho Trinta.

O nosso enredo começa com uma ala distinta: a Ala das Revoluções. Mas é bom esclarecer, para evitar confusões: é a Revolução de 30, chefiada por Getúlio, que assim chega ao Poder; a Constitucionalista, que exigia eleições e o levante comunista, de tristes recordações...

Entra a primeira ala, que é a dos gaúchos. Vestidos a caráter, cavalgam pelo palco, iniciando o balé. Em seguida entram os paulistas, vestidos como bandeirantes, que, com espingardas boca de sino, investem contra os gaúchos. Enquanto eles lutam, entram os comunistas. São soldados barbados. Os gaúchos e os paulistas se unem contra eles, acabam por dominá-los e amordaçá-los. Em seguida colocam mordaças sobre as próprias bocas e desfraldam uma faixa: 1937 — ESTADO NOVO. Termina o balé.

Entram três passistas fantasiados de águias, com enormes bicos. Eles carregam uma ampliação da carta-testamento de Vargas.

AUTOR   Mas espere! Para, para! Isso está fora de hora. É uma esculhambação... Ainda está muito cedo. A carta não entra agora. É só lá no fim do enredo. Volta, volta! (*Para a plateia:*) Peço à fina plateia que nos desculpe. É que alguém lá se enganou. (*Aponta para as* AVES.) São as "Aves de rapina" de que fala o Presidente na carta que ele deixou. (*Cita:*) "Se as aves de rapina querem o sangue de alguém, querem continuar sugando o povo brasileiro, eu ofereço em holocausto a minha vida."

Os componentes da Escola cantam o refrão do samba-enredo.

CORO
Abram alas que Gegê vai passar
Olha a evolução da História
Abram alas pra Gegê desfilar
Na memória popular

Saem todos, exceto as AVES DE RAPINA, *que tiram suas enormes cabeças: são* TRÊS BICHEIROS, *comparsas de* TUCÃO, *que entra.*

PRIMEIRO BICHEIRO
Oi! Falou com o deputado?

TUCÃO
Falei.

TERCEIRO BICHEIRO
E ele?

TUCÃO
Chutou pra corner.

PRIMEIRO BICHEIRO
Está mudado. A polícia varejou meu ponto outra vez. O tira disse que vem repressão e ele vai ser obrigado a agir.

TUCÃO
Conversa, não cola! Não se lembram do que disse o Governador Brizola? Disse que o jogo do bicho é cultura popular. E a cultura é um troço que se deve preservar.

SEGUNDO BICHEIRO
E preservar no capricho. Certo mesmo era criara Faculdade do Bicho.

TERCEIRO BICHEIRO
A barra pra mim pesou desde que desarquivaram o Mariel Mariscot.

PRIMEIRO BICHEIRO	Mas isso não acontece só com nós da classe média. A classe alta padece da mesma dificuldade. Segundo tou informado o Anísio, o Tio Patinhas e o próprio Castor de Andrade tão muito preocupados.
TUCÃO	A confusão é geral. Não é só com a gente não. Essa merda é federal, atinge toda a Nação. Só se fala em moratória e na desindexação. É problema a toda hora: é a seca no Nordeste, no Sudeste, catapora, Maluf de leste a oeste, o Zico que vai embora, é a puta da Marlene que me chifra e dá o fora. E tudo isso é resultado dessa porra de eleição que eu não queria fazer e terminou se fazendo.
PRIMEIRO BICHEIRO	Não tinha jeito, Tucão. A Escola toda queria.
TUCÃO	Nesse caso, não devia deixar que ele disputasse.
TERCEIRO BICHEIRO	Tentamos. Não houve jeito.
TUCÃO	Mas bem que a gente podia evitar que ele ganhasse.
SEGUNDO BICHEIRO	Como? Tinha a maioria.
TUCÃO	Ou armar uma arruaça, impedir que se empossasse.
PRIMEIRO BICHEIRO	Difícil. Ele foi eleito.
TUCÃO	A verdade é que agora vamos ter de dar um jeito. Ele tem de cair fora.
AUTOR	(*Entrando.*) Olha o ensaio, pessoal! Vamos apresentar agora a Campanha Eleitoral. Pra quem não conhece História não é demais relembrar que Getúlio foi deposto por um golpe militar e cinco anos depois topa se candidatar. Por estranho que pareça à plateia aqui presente, eu posso informar que neste país já houve eleição direta pra Presidente.
UMA VOZ	Mas que beleza!

POVO   (*Canta e dança.*)
                 Que beleza, oi, que beleza,
                 Que beleza, meu amor, que beleza, (*Bis.*)
                 Que beleza, oi, que beleza,
                 Que beleza é o voto popular.

                 Entra GETÚLIO, *acompanhado de* BEJO, ALZIRA *e*
                 GREGÓRIO. LACERDA *e as* AVES DE RAPINA *entram
                 pelo lado oposto.*

LACERDA   (*Discursa:*) "Este homem não pode ser candidato;
                 se candidato, não pode ser eleito; se eleito, não pode
                 tomar posse; se tomar posse, faremos uma revolução
                 para derrubá-lo!"

POVO   (*Canta:*)   "Gegê, Gegê,
                              Tá todo mundo (*Bis.*)
                              Esperando por você"*

GETÚLIO   "Brasileiros! Trabalhadores do Brasil!"

POVO   (*Canta:*)   Eu voto no Brigadeiro,
                              Que é bonito e é solteiro
                              O partido é a UDN
                              São muito chiques, são muito finos
                              Pra deputado tem Baleeiro,
                              Tem Prado Kelly, Afonso Arinos,
                              Pra Presidente é o Brigadeiro,
                              Que é bonito e é solteiro**

LACERDA   "Quem não vê o que está se preparando? Quem não
                 sente, quem não se apercebe do que espera esta na-
                 ção se o presidente da Meia-Porção tomar o Poder?
                 (...) Pois aos 69 anos de idade um ditador não muda
                 de temperamento nem de vocação. Nem mudam os
                 vorazes urubus que o cercam, porque sabem que para
                 onde ele vai haverá carniça"

POVO   (*Canta:*)   Não vai dar pé
                              Pro Cristiano
                              Tenho certeza que este entra pelo cano

---

* "Gegê" — Marchinha de Claribalte Passos e Antônio Valentim dos Santos.
** Jingle da Campanha eleitoral do Brigadeiro Eduardo Gomes, candidato da UDN.

	É Cristiano E é Machado Se for eleito vou ficar muito espantado.
GETÚLIO	"É preciso apenas viver para poder esperar. Vivemos e esperamos. É chegada a hora. Levanta-te e anda, povo brasileiro. Ergue-te contra os que traíram a tua fé e faltaram às promessas que te fizeram!"
POVO	(*Canta:*) João Mangabeira, João Mangabeira, Vê lá se tu não fica na rabeira
LACERDA	"Hoje ele fala em trabalhismo, em socialismo, coisas de que não entende, porque o Sr. Getúlio Vargas, em todo o tempo que passou na Fazenda de Itu, em São Borja, só leu Seleções!"
POVO	(*Ritmado:*) Nós queremos Getúlio Nós queremos Getúlio
	O CORO *continua em fundo.*
GETÚLIO	"Se for eleito em 3 de outubro, no ato da posse, o povo subirá comigo as escadas do Catete. E comigo ficará no Governo. Levai-me, levai-me convosco!"
	O CORO *se avoluma para lopo diminuir novamente.*
LACERDA	"Quem não quiser a guerra civil, quem não quiser dias de sangue e de luto para este país, dias de vergonha e de amargura, não pode eleger Getúlio Vargas!"
	O CORO *se avoluma, calando a voz de* LACERDA, *para enteio cessar.*
POVO	(*Canta e dança:*) "Bota o retrato do velho outra vez Bota no mesmo lugar O sorriso do velhinho faz a gente trabalhar Eu já botei o meu e tu? Não vai botar? Eu já enfeitei o meu e tu? Não vai enfeitar? O sorriso do velhinho faz a gente trabalhar."*

---

* "Retrato do Velho" — Marcha de Haroldo Lobo e Marino Pinto.

GETÚLIO — (*Fazendo o juramento constitucional.*) Prometo manter, defender e cumprir a Constituição da República, observar suas leis e promover o bem geral do Brasil.

POVO — (*Canta:*) "O Brasil tem muito doutor
Muito funcionário, muita professora
Se eu fosse o Getúlio mandava
Metade dessa gente pra lavoura.
Mandava muita loura
plantar cenoura
E muito bonitão
plantar feijão
E essa turma da mamata eu mandava plantar batata."*

Saem todos.

GETÚLIO — E aqui estamos nós de novo, no velho casarão do Catete.

ALZIRA — O senhor vai mesmo morar aqui?

GETÚLIO — Que jeito? O Guanabara passou para a Prefeitura.

ALZIRA — Horrível.

GETÚLIO — Quê?

ALZIRA — Não gosto deste Palácio. Um mau gosto — essas águias no telhado, esses brocados... é frio, e parece que nunca ninguém morou aqui. Não sei como o senhor vai conseguir.

GETÚLIO — É, não vai ser fácil, depois de cinco anos de São Borja... Campo, sol, chimarrão... me trancar agora neste casarão por mais cinco anos, não vai ser fácil. (*Sorri.*) A não ser que eles me tirem daqui antes disso.

ALZIRA — É o meu medo.

GETÚLIO — Mas o que é que tu tens? Afinal, isto não é um enterro. Foi uma bonita vitória eleitoral. Pela primeira vez no Brasil um candidato da oposição vence um pleito

---

* "Se eu fosse o Getúlio" — Marcha de Roberto Roberti e Arlindo Marques Jr.

	inteiramente controlado pelo Governo. (*Sorri.*) E pela primeira vez na História um Ditador deposto volta ao Poder eleito pelo povo. Tudo isso devia fazer-te feliz, rapariguinha, porque esse ditador é teu pai.
ALZIRA	Quero meu pai vivo em São Borja, não quero ele morto no Catete.
GETÚLIO	Francamente, esperava de ti hoje uma palavra de estímulo, de entusiasmo. Não esse agouro.
ALZIRA	Estou dizendo o que sinto. O senhor sabe que eu não queria que o senhor voltasse ao Governo.
GETÚLIO	E tu sabes também que eu fiz tudo para que isso não acontecesse. Só aceitei mesmo quando vi que, se não voltasse, eles iam destruir o que ainda resta da minha obra. A legislação trabalhista, a siderurgia e tudo o mais. Voltei só para defender isso. Mas não queria. Como não quis ser chefe da Revolução de 30. Como não quis ser ditador em 37. Sou como aquele sujeito que salta no mar, salva uma criança de morrer afogada e vira herói. Mas ninguém sabe que ele foi empurrado. Eu sempre fui empurrado.
ALZIRA	O senhor também nunca resistiu muito.
GETÚLIO	Sempre resisto um pouco, de início.
ALZIRA	Mas quando empurram...
GETÚLIO	Aí nado como se tivesse mergulhado por minha própria vontade. Aí é que está a habilidade de um estadista: em se deixar empurrar pela História. E ceder aqui, barganhar ali, mas ver sempre para onde a História vai e ir com ela. O importante não é o detalhe, é o todo. Isso os meus inimigos não compreendem.
ALZIRA	Seus inimigos ainda vão lhe fazer justiça. Mas não agora. Ao contrário, eles não lhe perdoam a derrota que sofreram.
GETÚLIO	Sei disso. Sei que vou ter de lutar contra as mesmas forças que me derrubaram em 45. Contra os mesmos interesses que comecei a contrariar.

ALZIRA
: E que vai ter de continuar contrariando...

GETÚLIO
: Só que agora vai ser diferente. Trago comigo uma decisão: desta vez, vou até o fim.

ALZIRA
: Então me desculpe, meu pai, mas como o senhor às vezes pede a minha opinião...

GETÚLIO
: E vou continuar pedindo. Tu és a melhor cabeça da família.

ALZIRA
: Obrigada. Pois a "melhor cabeça da família" acha que, se o senhor está mesmo decidido a ir até o fim, escolheu mal o seu ministério. Há nele homens que foram seus inimigos no passado, outros que o senhor mal conhece. Acho que devia ter um ministério de confiança.

GETÚLIO
: Apesar de teu bom senso, continuas a não entender nada de política. Num ministério, o único homem que precisa ser de absoluta confiança é o Ministro da Guerra. Porque é sempre o encarregado de nos depor.

AUTOR
: Um aviso aos generais
que hoje estão no Poder:
Isso foi ele quem disse,
não vão me comprometer.

Entra um passista carregando uma tabuleta: LEI DE REMESSA DE LUCROS

AUTOR
: Nessa parte do desfile
nós procuramos mostrar
as paradas que Getúlio
teve logo de topar
por causa de umas leizinhas
que resolveu assinar.
Primeiro foi uma lei
que mandava maneirar
nessa história de gringo
que vem pra cá trabalhar
e dana de mandar dólar
que é um nunca se acabar.

Entram ALZIRA, BEJO, GREGÓRIO, *seguidos da maioria dos componentes da Escola, que se sentam ao redor de* GETÚLIO.

GETÚLIO — "Por trás dos bastidores da administração pública, logrou o Governo descobrir, aos poucos e não sem dificuldade, uma trama criminosa, que há cinco anos se vem tecendo contra a economia, a riqueza e a independência da Pátria." (*Aplausos. Saindo da personagem,* SIMPATIA *explica.*) O negócio era o seguinte: Dr. Getúlio descobriu que os gringos estavam só no venha a nós e ao vosso reino nada. Tinha uma lei que só permitia que eles mandassem de volta pra terra deles, como lucro, 8% do dinheiro que tinham trazido. Mas enquanto Dr. Getúlio esteve em São Borja, baixaram uma portaria no Banco do Brasil dizendo que a sobra daqueles 8% ficava valendo como se fosse dinheiro também trazido por eles, estão entendendo?

COMPONENTES DA ESCOLA — Não!

SIMPATIA — Então no ano seguinte, quando eles contavam os lucros pra mandar pra casa, contavam também sobre aquela sobra, que já era lucro, já era dinheiro tirado do bolso da gente. Entenderam?

COMPONENTES DA ESCOLA — Não!

SIMPATIA — Assim, em pouco tempo, os gringos mandavam de volta toda a grana que tinham trazido e ficavam aqui ganhando dinheiro com o nosso dinheiro, que passava a ser deles. Entenderam agora?

COMPONENTES DA ESCOLA — Porra nenhuma!

AUTOR — Pois eu entendi sim!
E não tem nada de novo.
Leis, acordos, FMI,
Vai Galvêas, vem Delfim,
e quando chega no fim
estoura é no cu do povo!

**COMPONENTES
DA ESCOLA** — Ah!... (*Saem todos.*)

AUTOR — Mas vamos continuar.
Devo agora destacar
um personagem sinistro
da História Brasileira
que nem brasileiro é;
Manda mais do que ministro,
e com tamanha insolência
já fez muito presidente
entrar fácil pelo cano.
Ei-lo aqui, sua excelência,
o embaixador americano.
que vem com seu abre-alas,
os fuzileiros navais.

Um arranjo jazzístico marca a entrada dos fuzileiros navais, que abrem caminho para o EMBAIXADOR.

EMBAIXADOR — Oh, Excelência, permita que este fã ardoroso possa tomar uns minutos do vosso tempo precioso.

GETÚLIO — Mas que atitude modesta. O senhor nunca toma, empresta...

EMBAIXADOR — Sinto-me muito feliz de ver em que alta conta o senhor tem meu país.

GETÚLIO — Ora bem, sejamos francos, conta mais alta é a nossa pendurada em vossos bancos.

EMBAIXADOR — Não falemos nesse assunto, meu Presidente, eu lhe peço. Nossa ajuda apenas visa — de acordo com a divisa do país — ordem e progresso.

GETÚLIO — A gente faz o que pode, ajudados pela Esso...

EMBAIXADOR — Permita-me observar que o clima brasileiro não anda muito propício ao capital estrangeiro.

GETÚLIO — É, ainda não conseguimos acabar com o impaludismo. Essa febre tropical...

EMBAIXADOR — Não me refiro a esse mal, mas a outro: o comunismo.

GETÚLIO   Ah, entendo. Esse é mortal.

EMBAIXADOR   Não que seja culpa sua, mas há muita agitação, gente a gritar pela rua e a fazer pichação de um slogan — aliás grosso e sem imaginação — que diz: o petróleo é nosso.

GETÚLIO   É uma verdade!

EMBAIXADOR   Verdade?

GETÚLIO   Isto é, faço o que posso. E reconheça, excelência, que a polícia tem agido com bastante eficiência: é firme na repressão. Da minha boa vontade posso dar demonstração: o projeto do petróleo que mandei para o Congresso não propõe o monopólio. Permite que o estrangeiro entre também com dinheiro na exploração do petróleo.

EMBAIXADOR   Este é o ponto, Presidente, que justamente interessa: de que nos vale ter lucros se o senhor proíbe a remessa?

GETÚLIO   Eu? Há alguma coisa errada; Não proibi. A remessa foi apenas limitada.

EMBAIXADOR   A verdade é que a imprensa de meu país não gostou.

GETÚLIO   E seu Governo, o que pensa?

EMBAIXADOR   A Câmara protestou. Nosso povo acha uma ofensa a lei que o senhor baixou. O acionista que investe quer ter uma recompensa. E essa o senhor tirou!

GETÚLIO   Embaixador, com licença. Não foi esse o meu intento. Só limitei a remessa de lucros em 8%, a exemplo de outras nações. Não se pode permitir que o lucro seja mandado pra fora sem restrições. Do contrário, o investimento estrangeiro na Nação deixa de ser um fator para o desenvolvimento e se torna exploração.

EMBAIXADOR   Entendo o seu pensamento. Só que não concordo não. Mandar capital pra cá é um negócio arriscado. Revolução comunista, aqui é caso esperado. E vinda a revolução, quem é que vai garantir o capital aplicado?

	Quem se mete nesse risco vai querer ganhar dobrado. Nada mais justificado.
GETÚLIO	O embaixador exagera. Existe o perigo, mas aí está vossa frota e os fuzileiros navais. Qualquer coisa que aconteça, os marines desembarcam e pronto: dobram a remessa! Desprotegido de fato é o capital brasileiro que não tem nem fuzileiros nem bombardeiros a jato. Só se protege com leis...
EMBAIXADOR	Isto é uma aleivosia! Nossos soldados e armas defendem a democracia. Não é nosso objetivo invadir qualquer nação. Respeitamos o princípio de autodeterminação.
GETÚLIO	Embaixador, não se zangue, a verdade não ofende. Mas me explique o caso do Dr. Salvador Allende.
EMBAIXADOR	De quem? Salvador Allende? Não estou entendendo não.
GETÚLIO	Esse vocês liquidaram sem qualquer contemplação.
EMBAIXADOR	Ora, Sr. Presidente, esse fato ainda não houve. Só aconteceu depois. Vai ser em 73 e estamos em 52. O senhor inda não morreu. Não é justo que se fale do que ainda não se deu, Esse argumento não vale.
GETÚLIO	Está bem. Se a história é essa, retiro o meu argumento.
EMBAIXADOR	E, se não tem argumento, revogue a lei de remessa.
GETÚLIO	Bem, isso é outra conversa. Vou examinar a contento.
EMBAIXADOR	(*Abraça* GETÚLIO.) Este meu abraço expressa todo o meu contentamento.
	Saem o EMBAIXADOR, *escoltado por fuzileiros e* GETÚLIO.
AUTOR	A Campanha do Petróleo começou com os comunistas. Depois contou com o apoio de civis e militares da ala nacionalista. Foram presos, espancados,

muitos deles torturados,
acusados de extremistas.
Mas a luta não parou.
E no Governo de Vargas
ganhou força e se ampliou.

HOMENS e MULHERES entram em massa compacta, portando cartazes que dizem: O PETRÓLEO É NOSSO, MONOPÓLIO ESTATAL etc.

POVO — (*Ritmado.*) Não é seu nem vosso,
o petróleo é nosso.

ORADOR — Companheiros! Lutar pelo monopólio estatal do petróleo é lutar pela emancipação nacional! (*Aplausos.*) Esse projeto entreguista que está na Câmara reflete bem o Governo entreguista de Getúlio... (*Vaias.*)

UM PARTICIPANTE — Pessoal! A cana!

POLICIAIS entram, espancam o POVO. Saem. O POVO recomeça.

POVO — Não é seu nem vosso,
O petróleo é nosso.

ORADOR — Companheiros! Cresce em todo o País a consciência de que o monopólio estatal é indispensável à defesa da nossa soberania! (*Aplausos.*) Na própria Câmara várias emendas foram apresentadas...

PARTICIPANTE — Pessoal! A cana!

Novamente os POLICIAIS entram, espancam o POVO e saem. O POVO retoma o estribilho.

POVO — Não é seu nem vosso,
O petróleo é nosso.

ORADOR — Companheiros! A lei que cria a Petrobras e garante o monopólio estatal acaba de ser aprovada pela Câmara! (*Aplausos.*) Só falta a sanção presidencial para que possamos nos dizer vitoriosos...

PARTICIPANTE — Pessoal! A cana!

Novamente os POLICIAIS *entram, mas desta vez o* POVO *reage e os expulsa de cena.*

POVO — Não é seu nem vosso,
o petróleo é nosso

VOZ (RÁDIO) — E atenção! Atenção! Hoje, 3 de outubro de 1953, o Presidente da República, Getúlio Vargas, assinará a lei de número 2004, que cria o monopólio estatal do petróleo.

POVO — (*Canta:*) O petróleo não é seu, tira a mão.
Não é seu e nem é vosso,
Foi Gegê quem escreveu, meu irmão.
Saiba que o petróleo é nosso.

O POVO *sai, enquanto* GETÚLIO *e* OSWALDO ARANHA *entram.*

GETÚLIO *senta-se diante de uma mesa, sobre a qual está a Lei da* PETROBRAS.

ARANHA — Isto é uma armadilha. As emendas pelo monopólio estatal partiram da UDN.

GETÚLIO — Isso prova, meu caro Oswaldo Aranha, que a História também gosta de fazer suas piadas...

ARANHA — E por que a UDN de repente botou a máscara de nacionalista?

GETÚLIO — Para me desmoralizar. Eles pensam que eu não vou sancionar a lei. Tens razão, é uma armadilha. Só que eles não sabem que eu também lhes preparei uma arapuca quando mandei aquele projeto entreguista. Era justamente para que eles apresentassem as emendas pelo monopólio, pensando que assim me roubavam a bandeira nacionalista. E eles caíram na arapuca, Osvaldo.

ARANHA — Isto é verdade. Mas é verdade também que a arapuca que eles te armaram não tem saída.

GETÚLIO — Como?

ARANHA — Se não sancionas a lei, te desmoralizas perante a opinião pública. Se sancionas, estás perdido: os trustes

	não vão te perdoar. Este é o momento mais difícil de tua vida, Getúlio, não só como político, também como homem. Quem te diz isso não é o Ministro, é o amigo — vê bem o que assinas, para não assinares a tua própria sentença.
GETÚLIO	Só se vive uma vida, Oswaldo. E a minha está no fim. Já passei dos 70, meu tempo está se esgotando. O que não fizer agora, não vou poder mais fazer. (*Toma da pena e vai assinar.*)
TUCÃO	(*Entrando.*) Palhaçada!

A mão de GETÚLIO *se imobiliza, antes de assinar.*

Entram as AVES DE RAPINA, MARLENE, BOLA, QUIBE *e outros* COMPONENTES DA ESCOLA.

Cria-se um clima de grande tensão. As AVES DE RAPINA, *atrás de* TUCÃO, *têm um ar de franco desafio.*

TUCÃO	Quando é que vão acabar com essa palhaçada?
SIMPATIA	Tá com pressa? Palhaço, aqui só você que comete essa ousadia sem nem respeitar o público.
TUCÃO	Quem fala? É o Dr. Getúlio ou o moleque Simpatia?
MARLENE	Tucão, acaba com isso! Vai embora daqui, Tucão!
TUCÃO	Embora porra nenhuma.
MARLENE	Tás fazendo um papelão!
TUCÃO	Papelão fazem vocês. Enchem a Escola de doutor, de professor, de jornalista, gente culta que conhece como a história se passou, e ficam dizendo que Getúlio era comunista.
BOLA SETE	Pera lá. Ninguém aqui disse isso, nem insinuou. Tudo que tá dito aqui tá nos livros, nos jornais, e ainda tem gente viva, que viveu e que contou.
TUCÃO	Conversa. Tá tudo errado. A história que me contaram — quem contou foi um deputado — é outra: Getúlio

	ia dar o petróleo pros gringos. Não deu porque não deixaram.
SIMPATIA	Não fale tanta besteira. Era só o que faltava, pôr Getúlio de entreguista!
TUCÃO	Diga então a verdadeira razão por que ele mandava espancar os comunistas da campanha do petróleo, como inda pouco se viu.
AUTOR	E inda tem que explicar? Vá pra puta que o pariu!
TUCÃO	O negócio é o seguinte: esse Getúlio bonzinho que vocês estão mostrando nunca existiu de verdade. É um Getúlio inventado para engabelar o povo. Vai, pergunta ao deputado o que foi o Estado Novo. Era cara torturado, "telefone", "pau-de-arara"...
QUIBE	Mas que tem o cu com as calças? Que ele era nacionalista é coisa que tá na cara.
BOLA SETE	A prova é que ele assinou a lei que ia assinar agora, e você entrou na quadra pra perturbar.
TUCÃO	Entrei pra fazer parar com toda essa galinhagem.
AUTOR	Mas, seu Tucão, pega mal. Taí a reportagem da TV e do jornal. Taí Tereza Aragão, Pamplona, Sérgio Cabral... (*Cumprimenta-os.*)
TUCÃO	E quer que essa gente assista a toda essa bobagem? Vão pensar que aqui na Escola só dá fresco e comunista. Não! Chega de sacanagem!
SIMPATIA	Tucão, eu sei que a Escola lhe deve muito respeito. Foi seu grande benfeitor. Mas você não tem direito de fazer tanto escarcéu. Seja mais respeitador. Se ficar disciplinado, ensaiando, tudo bem. Mas sem dar ordens, calado, que as ordens quem dá sou eu.
TUCÃO	Ah, tá virando valente? Que pode uma presidência!
SIMPATIA	Ou fique quieto ou se mande!
TUCÃO	Tenho medo de voz alta!...

SIMPATIA	Tou perdendo a paciência...
TUCÃO	(*Saca do revólver.*) Você pode perder coisa que vai lhe fazer mais falta!
MARLENE	Tucão!

Há um grande tumulto. TUCÃO *é dominado e arrastado para fora do palco.*

SIMPATIA	O ensaio continua. A ala da Petrobras!

GETÚLIO *senta-se e assina a lei.*

UMA VOZ	Viva a Petrobras!
TODOS	Viva!
UMA VOZ	Viva Getúlio!
TODOS	Viva!

Todos cantam a segunda parte do samba-enredo, dançando em volta de GETÚLIO.

Foi
O chefe mais amado da nação.
A nós ele entregou seu coração.
Que não largaremos mais;

Não
Pois nossos corações hão de ser nossos.
A terra, o nosso sangue, os nossos poços.
O petróleo é nosso, os nossos carnavais;

Sim
Puniu os traidores com o perdão.
E encheu de brios todo o nosso povo.
Povo que a ninguém será servil;

E
Partindo nos deixou uma lição:
A pátria afinal ficar livre
Ou morrer pelo Brasil
Abram alas que Gegê vai passar.
Olha a evolução da história.

Abram alas pra Gegê desfilar,
Na memória popular.

(foi o chefe)

AUTOR Mas a lei da Petrobras deixou mui contrariados nossos amigos do Norte, que como bons aliados se preocupam com a sorte do nosso país, coitados... E assim, da noite pro dia, desdobraram-se em cuidados. Foi decerto por acaso — como a História é caprichosa — que nesta altura dos fatos uma esquadra poderosa muito amável nos fazia, com vinte e nove navios, "visita de cortesia". Era apenas um cruzeiro, de pura cordialidade, da mais completa inocência; a questão da Petrobras e a lei do monopólio, tudo mera coincidência...

Entram, dançando em ritmo de jazz, DOIS PASSISTAS, *cada qual com uma tabuleta.*

Primeira tabuleta:
AGOSTO DE 1953
VENDEMOS 860 MIL SACAS DE CAFÉ

Segunda tabuleta:
VENDEMOS 145 MIL SACAS DE CAFÉ

AUTOR Foi também por essa época que o americano, pois é, não sei por que cargas-d'água, deixou de tomar café.

Cessa o jazz. Saem os passistas.

AUTOR Enquanto isso, aqui dentro, Lacerda, que não parou a luta contra Getúlio, agora a intensificou: uma dura oposição que utilizava o jornal, o rádio e a televisão.

LACERDA *escuta sua própria voz, gravada.*

LACERDA (GRAVAÇÃO) A infiltração comunista no Governo Vargas chega a tal ponto, que não sei se seria ousar muito ou avançar demais dizer que corremos o risco de ver implantar-se na América do Sul, no seu setor mais saliente, mais ponderável, mais responsável, mais poderoso, que é o Brasil, a grande base da Rússia no hemisfério ocidental. Se você que me ouve não quer que isto aconteça, una-se a nós contra a nefanda oligarquia Vargas.

LACERDA — Está bom. Pode pôr no ar.

Entra o MAJOR VAZ.

LACERDA — (*Apertando a mão do MAJOR.*) Major Rubens Vaz, é um prazer vê-lo novamente aqui.

MAJOR — E de hoje em diante você vai me ver muitas vezes a seu lado.

LACERDA — Isso significa que aderiu à nossa causa.

MAJOR — Muito mais que isso. Eu e outros companheiros da Aeronáutica tomamos uma decisão política: você precisa de proteção.

LACERDA — Proteção?

MAJOR — As coisas que você vem dizendo contra o Governo mais cedo ou mais tarde vão despertar uma reação violenta.

LACERDA — Estou ciente disso, Major. Mas nem por isso se justifica ter uma guarda pessoal formada por oficiais da Aeronáutica.

MAJOR — Mas foi o que decidimos: aonde você for, de hoje em diante, terá sempre a companhia de um de nós.

LACERDA — Vocês sabem bem o que estão fazendo?

MAJOR — Sabemos. Se você sofrer um atentado, será apenas um jornalista morto. Mas se um de nós estiver a seu lado, então eles terão também atingido a Aeronáutica. E as Forças Armadas terão que agir.

AUTOR — E ainda por coincidência surge o Clube da Lanterna. Diz que vinha iluminar o caminho da verdade, mas veio foi preparar a confusão e a baderna.

Entra, dançando, a Ala dos Lanterneiros, todos portando, como alegorias de mão, enormes lanternas coloridas.

AUTOR — E enquanto essas coincidências iam assim coincidindo... Naquele clube inocente o homem muito ladino fazia uma conferência sobre um tema pertinente com este título: "Como se depõe um Presidente."

LACERDA É simples, em primeiro lugar, é preciso levantar a bandeira moralista: mostrar que o Governo é corrupto, composto de chantagistas, de ladrões, de rufiões, cafetões e vigaristas, de tubarões, charlatães, maganões e descuidistas. Isto é muito importante. Com a bandeira moralista, ganha-se então por inteiro a famosa classe média, que sonha ter em virtudes o que lhe falta em dinheiro. E como a virtude é rara e difícil de provar, torna-se fácil apontar corrupção no Governo. Gatunagem, malandragem, ladroagem, tratantagem. (*Aplausos.*)

LACERDA (*Discursa:*) "Enquanto o povo brasileiro dorme, os gatunos agem".

MEMBROS DO CLUBE (*Cantam:*) Lacerda, Lacerda,
Vamos fazer revolução.
Nosso chefe e você Lacerda,
Nosso Lema oposição.

LACERDA Em segundo lugar, lançar mão sem hesitar da ameaça comunista, que age com apoio externo. Como os comunas são hábeis na arte de se ocultar, a gente pode afirmar que eles estão no Governo. Estão em todo lugar... (*Aplauso.*) "O Governo está infiltrado de agentes de Moscou": bolchevistas, menchevistas, ativistas, marxistas, o que for; leninistas, maoistas, extremistas, terroristas, que horror. Diante disso, o burguês fica logo apavorado e sem contar até três se passa pro nosso lado.

MEMBROS DO CLUBE (*Cantam:*) Nosso chefe é você. Lacerda,
Nosso lema, oposição.

LACERDA E, finalmente, para se depor um Presidente, manda a boa técnica que, em terceiro lugar, se acuse o Governo de pretender dar o golpe que nós pretendemos dar. Será bom então que se diga que é sua intenção mudar o regime, rasgar a Constituição, cercear as liberdades, praticar atrocidades, vender, trair a Nação. Esta fórmula, minha gente, aplicada com rigor, depõe qualquer Presidente, derruba até ditador. A invenção não é minha, é receita americana (da América Latina) já provada e comprovada, da Cordilheira dos Andes às planícies da Argentina.

MEMBROS DO CLUBE (*Cantam:*) Lacerda, Lacerda
Vamos fazer revolução

LACERDA "... darei o resto da minha vida para que o espírito de Vargas, essa frieza moral, essa ambição sinistra, essa mentira cínica, essa promiscuidade porca de um Governo que rouba o povo para com o dinheiro do povo enganar o povo, desapareça da face desta nação tão digna de melhores dias e de homens mais dignos à frente de seus destinos". (*Sai com o* MAJOR *e os* MEMBROS DO CLUBE.)

MEMBROS DO CLUBE (*Saem cantando:*) Nosso chefe é você, Lacerda
Nosso lema oposição.

AUTOR Nesta altura do desfile surge um grupo de passistas... muito importante no enredo: a Ala dos Pistoleiros, os personagens famosos do crime da Toneleros.

Entram os QUATRO PISTOLEIROS *e as* AVES DE RAPINA. *Os* PISTOLEIROS *de chapéu de feltro, grandes paletós e revólver em punho.*

PRIMEIRO PISTOLEIRO Se os três mosqueteiros eram quatro, os quatro pistoleiros podem ser treze, quinze ou quantos se quiser.

OS QUATRO PISTOLEIROS Nós seremos os executantes.

SEGUNDO PISTOLEIRO Os outros, né, vão ficar nas encolhas...

TERCEIRO PISTOLEIRO Os mandantes

QUARTO PISTOLEIRO e os mandantes dos mandantes.

OS QUATRO PISTOLEIROS E AVES DE RAPINA	Quem quiser saber quem são vai ter muito que andar
PRIMEIRO PISTOLEIRO	Indo daqui a Caxias, correndo o Brasil inteiro, mesmo assim não vai achar.
OS QUATRO PISTOLEIROS E AVES DE RAPINA	Quem quiser saber quem são, vai ter muito que andar.
TERCEIRO PISTOLEIRO	Atravessar o oceano.
QUARTO PISTOLEIRO	Comer terra e comer mar.
PRIMEIRO PISTOLEIRO	E até mesmo noutra língua, vai ter talvez de falar...
SEGUNDO PISTOLEIRO	Língua de ave de rapina, das águias de além-mar...
TERCEIRO PISTOLEIRO	Que as aves que aqui gorjeiam, não gorjeiam como lá...
QUARTO PISTOLEIRO	Pois se nem a gente sabe quem mandará o mandante a mando do mandador.
PRIMEIRA AVE	Só se sabe que essa ordem
SEGUNDA AVE	passará de um pro outro,
TERCEIRA AVE	e do outro para o outro,
AS TRÊS AVES	do outro pro matador.
PRIMEIRO PISTOLEIRO	O matador será um, ou dois ou três ou talvez,
OS QUATRO PISTOLEIROS	cem ou mil ou um milhão.
SEGUNDO PISTOLEIRO	E a vítima não será o major que vai morrer,

TERCEIRO PISTOLEIRO	Será um povo, um país, uma nação.

Entra GREGÓRIO *e fica imóvel, em plano elevado.*

PRIMEIRO PISTOLEIRO	Este é Gregório, o anjo protetor do Presidente, o chefe de sua guarda pessoal. Vai se dar mal, vai entrar de anjinho nesta história.
SEGUNDO PISTOLEIRO	Preso, vai ser depois assassinado, com uma punhalada bem no umbigo por alguém que nada tinha contra ele e era ao contrário até seu grande amigo...
AVES DE RAPINA	Homem que sabe muito está talhado pra defunto.

Sai GREGÓRIO. *Entram* LACERDA *e o* MAJOR. *Ficam imóveis em outro ângulo do palco.*

PRIMEIRO PISTOLEIRO	Esse aí é outro que vai também bancar o mamulengo sem saber.
SEGUNDO PISTOLEIRO	É peça indispensável desta trama que ele pensa tecer mas já vem pronta.
TERCEIRO PISTOLEIRO	Somente levará um tirinho no pé mas vai dizer que errei o alvo. Eu, um profissional, que afronta! Nem sei quem vai ferir esse papalvo. Meu alvo, acertarei: é o Major.
AVES DE RAPINA	Os homens necessitam de um cadáver, e cadáver fardado é bem melhor...

Entra o CORO.

CORO	Lacerda, Lacerda, Vamos fazer revolução, Nosso chefe é você, Lacerda Nosso lema, oposição.
LACERDA	"Somos um povo honrado governado por ladrões e é preciso que todo o povo brasileiro se una numa Aliança Contra o Roubo e o Golpe!"

O CORO *prossegue cantando em BG.*

GREGÓRIO	Quem é esse homem? Que é que ele quer?

PRIMEIRA AVE	(*No ouvido de* GREGÓRIO.) Isso põe em risco a segurança do Presidente!
SEGUNDA AVE	Você é responsável pela segurança do Presidente!
GREGÓRIO	E ele não para de falar! E ninguém faz nada! Ninguém faz ele calar!
TERCEIRA AVE	Você é que tem que fazer!
PRIMEIRA AVE	Você é que tem que agir!
	O CORO *se avoluma. Todos começam a cantar e correr ao redor de* LACERDA, *ensandecidos. Ouvem-se tiros. O* MAJOR *cai, baleado.* LACERDA *corre para ele e tenta ampará-lo.*
VOZ FORA (RÁDIO)	Atenção, atenção! O jornalista Carlos Lacerda acaba de sofrer um atentado em frente a sua residência, na Rua Toneleros. O jornalista foi ferido, com um tiro no pé, mas no atentado morreu um oficial da Aeronáutica, o Major Rubens Florentino Vaz.
LACERDA	Perante Deus acuso um só homem como responsável por este crime: é o protetor dos ladrões, cuja impunidade lhes dá audácia para atos como o desta noite. Esse homem chama-se Getúlio Vargas.
VOZ OFF (RÁDIO)	O assassinato do Major Vaz teve grande repercussão nas Forças Armadas. No Hospital Miguel Couto, o Brigadeiro Eduardo Gomes, líder da Aeronáutica, declarou: "Para honra da Nação, esperamos que esse crime não fique impune."
	Entram dois PASSISTAS *com a frase do* BRIGADEIRO *escrita numa faixa. Os demais erguem o corpo do* MAJOR *e começam a gritar:*
CORO	Um, dois, três Getúlio no xadrez!
	Saem todos, conduzindo o corpo do MAJOR, *enquanto entram* GETÚLIO, GREGÓRIO *e* BEJO VARGAS.
GREGÓRIO	Não tive nada com o caso, Presidente. Palavra. Não que eu não tivesse vontade de calar a boca daquele patife,

	sempre falando, xingando meu Presidente. Mas ficou só na vontade.
GETÚLIO	Ficou mesmo, negro?
GREGÓRIO	Juro pela Virgem Santíssima!
GETÚLIO	Não há nenhum elemento da Guarda envolvido?
GREGÓRIO	Nenhum. Respondo eu por eles. O Cel. Benjamin sabe que tenho a guarda nas mãos.
GETÚLIO	(*Volta-se para* BEJO:) Bejo, tu acreditas no que ele diz?
	Há uma pausa. BEJO *encara* GREGÓRIO *como se quisesse descobrir a verdade no olhar aflito do Chefe da Guarda.*
GREGÓRIO	O Cel. Bejo é meu compadre. Sabe que eu não ia mentir numa hora dessas.
BEJO	Seria muito estúpido...
GETÚLIO	Está bem, confio em ti porque estás comigo há trinta anos e te acho incapaz de uma traição.
GREGÓRIO	(*A palavra traição como que o assusta.*) Traição?
GETÚLIO	Meu maior inimigo não podia ter engendrado coisa pior contra mim. Um oficial morto... um major da Aeronáutica!
GREGÓRIO	Acertaram no homem errado.
GETÚLIO	Balearam também o Lacerda.
GREGÓRIO	Só no pé...
GETÚLIO	E esse tiro no pé do Lacerda foi um tiro nas costas do meu Governo.
GREGÓRIO	Por quê?
GETÚLIO	Carlos Lacerda era o meu inimigo. Hoje meu maior inimigo é o mandante deste crime.
GREGÓRIO	É, parece mesmo que a coisa saiu às avessas...
GETÚLIO	Qualquer coisa que apures, vem me comunicar.

GREGÓRIO   Sim, Presidente. (*Sai.*)

GETÚLIO   (*Anda nervosamente de um lado para outro.*) Quero que o crime seja apurado até o fim. O culpado, seja quem for, deve ser preso e punido. E faço questão de que ninguém tenha imunidade (*Para diante de* BEJO.) Nem mesmo meu irmão.

BEJO   (*A insinuação o desconcerta um pouco.*) Eu?!

GETÚLIO   Sim, tu. Juras que não estás metido nisso?

BEJO   Se tivesse, não tinha mandado ninguém, ia eu mesmo dar uma surra naquele canalha. E não tinha errado o tiro. Tenho boa pontaria quando respondo a um desaforo. Tu me conheces.

GETÚLIO   Claro que te conheço.

BEJO   Quem preparou o atentado não soube nem escolher os pistoleiros. Um pistoleiro que erra o alvo a cinco metros de distância é a vergonha da classe.

GETÚLIO   Não acho que ele tenha errado o alvo, Bejo. O alvo era eu, era o Governo. E eles acertaram em cheio.

BEJO   Achas que o atentado foi tramado pela Oposição?

GETÚLIO   Não sei. Mas parta de onde tenha partido, só favorece a eles, que têm agora a peça que faltava: um cadáver. Tu sabes a importância de um cadáver, num momento desses. Em 30, nós também tivemos o nosso cadáver: João Pessoa. E foi decisivo para a Revolução. Agora, eles têm o Major Vaz.

BEJO   Já dizem por aí que foi Luthero o mandante do crime.

GETÚLIO   (*Reage com veemência.*) Luthero? Impossível. Conheço meu filho.

BEJO   Tu sabes que esse crime vai ser usado contra o teu Governo. E nada mais eficiente que acusar teu filho ou teu irmão... Tu mesmo não desconfiaste de mim há pouco?...

GETÚLIO   Não, não acredito que nenhum Vargas esteja metido nisso. Nenhum de nós ia ser tão burro, nem tão louco

	a ponto de... (*Lembra da mulher e da filha.*) A propósito, vê se essas notícias não chegam a Jandira na casa de saúde... Isso pode fazer mal a ela. Era bom também que minha mulher não tomasse conhecimento...
BEJO	Podes deixar por minha conta.
GETÚLIO	E manda chamar Alzira, estou precisando dela.
BEJO	Já mandei.
GETÚLIO	Conto contigo, com ela e com pouca gente mais. Alguns amigos, talvez. Cada vez menos.
BEJO	Ainda podes contar com o Exército.
GETÚLIO	Menos os oficiais da Cruzada Democrática e os nacionalistas.
CORO	(*Fora, num crescendo:*) Lacerda, Lacerda, Vamos fazer revolução, Nosso chefe é você, Lacerda, Nosso lema, oposição.
GETÚLIO	(*Sorri.*) É ou não é engraçado? Os nacionalistas e o Partido Comunista estão contra mim; e as grandes empresas internacionais também. Os comunistas me acusam de ceder aos americanos e os americanos me cortam o crédito, sabotam o café, hostilizam de todos os modos o meu Governo. (*O* CORO, *fora, sobe ao máximo.*) E esta cantoria que não para! (*Sai com* BEJO.)
AUTOR	República do Galeão! Ei, vamos lá, minha gente! Acho que vai ser preciso dar mais uma explicação. Sabe o que era essa tal República do Galeão? Já vi que não sabem não. Com a morte do Major Vaz, a Aeronáutica exigiu fazer a investigação do crime, e assim surgiu outro poder na Nação: o dos oficiais da FAB, da Base do Galeão.
CORO	(*Canta:*) Abram alas que Gegê vai passar. Olha a evolução da História. Abram alas pra Gegê desfilar Na memória popular.

O CORO *para e faz um gesto para mostrar de onde vem a* ALA DO GALEÃO, *que não entra. Há uma pausa. Por fim, desorganizadamente, entram os* OFICIAIS *da* ALA DO GALEÃO *e todos os* COMPONENTES DA ESCOLA, *exceto* SIMPATIA *e* MARLENE.

OFICIAL — Em consideração ao público é que a gente veio aqui explicar a decisão que acabamos de tomar: nós da ala do Galeão não vamos mais desfilar.

AUTOR — Puxa vida! Mas por quê? Justo no meio do ensaio!

OFICIAL — Nós estamos solidários e de acordo com Tucão: achamos que esse enredo joga a Escola no chão.

BOLA SETE — Um momento, pessoal. Posso falar? Vão me ouvir? Eu acho que não é hora de a gente se dividir.

PRIMEIRO BICHEIRO — É besteira acreditar que vão conseguir aqui dinheiro às pampas que dê para a Escola desfilar.

AUTOR — Mas é uma revolução? Ou um golpe militar?

QUIBE — E uma conspiração, meu chapa. E tem mais: dou a bunda se não sei quem tá tramando por trás.

TUCÃO — Quero que fique bem claro que não tive interferência nenhuma na decisão. Se eles assim decidiram, foi de própria opinião. Esse enredo é uma loucura. E sou contra um Presidente que não tem nem compostura: vai desfilar na Avenida feito uma bicha maluca.

SEGUNDO BICHEIRO — Só acontece esse troço em Escola mixuruca.

PRIMEIRO BICHEIRO — Assim a coisa não vai. Deviam ter convidado uma personalidade, talvez um Clóvis Bornay.

TUCÃO — Mas o cara está naquela de aparecer... por vaidade... Fazer bonito pras negas... Não vai ser com meu dinheiro, ganho com honestidade, na profissão de bicheiro.

AUTOR — Mas é só você, Tucão, quem pode salvar a Escola!

TUCÃO — E a Escola não elegeu esse cara Presidente? Não me mandou passear? Pois agora que se aguente!

AUTOR	Se não desfilar este ano, a Escola vai morrer!
TUCÃO	Talvez alguém morra antes... Bem antes do sol nascer.
AUTOR	A gente apela, Tucão, para seu patriotismo. É a Escola, Tucão, a Escola que vai sofrer!
TUCÃO	E o caso de Simpatia, como vamos resolver? Vai continuar mandando? Comendo a mulher da gente? Aqui, ó! Essa é que não... Eu de corno e "coronel", e ele de gostosão!

Entra SIMPATIA.

SIMPATIA	Que é que há? Qual é o pó?
AUTOR	A Ala do IPM e as Aves de Rapina não querem mais desfilar.
OFICIAL	Mais de metade da Escola vai também se retirar.
AUTOR	E assim desfalcado, o ensaio não pode continuar...

TUCÃO *sai.*

SIMPATIA	Continua de qualquer jeito e quem quiser que se vá. Que vão embora de vez e deixem de chatear.
OFICIAL	Simpatia, não é que a gente esteja contra você. Entenda...
TERCEIRO BICHEIRO	É a situação...
OFICIAL	Sem dinheiro, Simpatia, por melhor que seja o enredo, vamos entrar numa fria.
PRIMEIRO BICHEIRO	Só Tucão pode salvar a Escola de uma derrota que vai ser uma desgraça!
SIMPATIA	Mas Tucão largou a Escola, diz que não dá um tostão. Que vocês querem que eu faça?
SEGUNDO BICHEIRO	Se a gente quer, ele volta...
PRIMEIRO BICHEIRO	Mas com uma condição:

SIMPATIA	Qual é?
PRIMEIRO BICHEIRO	Você renuncia, deixa de ser Presidente.
SIMPATIA	E ele vem pro meu lugar, ditar ordens novamente?
OFICIAL	Não tem jeito, Simpatia. É a saída, bem ou mal.
TERCEIRO BICHEIRO	Aí ele solta a grana e a Escola sai bacana. Pra vencer no Carnaval.
AUTOR	Eu acho, Simpa, não sei... Quem sabe é melhor assim...
SIMPATIA	(*Indignado.*) Até você, seu sacana, também está contra mim?
AUTOR	Não é isso, Simpatia... Vou contigo até o fim. Tou achando que é bobagem...
SIMPATIA	E você está de acordo com toda essa sacanagem? Por trás disso está Tucão querendo me derrubar. Mas moleza não vai ter. Isso podem anotar. Mando dizer a Tucão e a quem com ele estiver: me fizeram presidente, pois vão ter de me aturar.

MARLENE *e* BOLA SETE *entram e ficam assistindo à cena afastados.*

OFICIAL	Mas, Simpa, você não vê que não tem mais condição?
SEGUNDO BICHEIRO	Tão todos contra você, não pense que é só Tucão.
SIMPATIA	Está decidido agora. Não adianta mais falar: quem quiser que vá embora. Só morto vão me tirar!

Os BICHEIROS *e os* OFICIAIS *se entreolham, veem que nada mais há a fazer e saem.*

SIMPATIA	(*Para o* AUTOR:) Pule essa parte do enredo, a parte do Galeão. Assim acaba mais cedo.

Afasta-se. Vai ocupar a sua marca ao lado de MARLENE *e* BOLA SETE, *esperando a cena.*

AUTOR — (*Para a* PLATEIA:) Mas é preciso dizer o resultado do inquérito, prenderam o autor do atentado, que era o pistoleiro Alcino, que acusou o Climério de ser quem tinha mandado. E Climério era compadre de Gregório Fortunato, que era compadre também de Bejo, irmão de Getúlio... Era compadre demais, um tinha que ir no embrulho. E Gregório Fortunato é quem vai mesmo afinal acabar pagando o pato. Começa o último ato.

AUTOR *sai.* GREGÓRIO, *diante de* GETÚLIO *e* ALZIRA, *tem a cabeça baixa, como quem acaba de levar uma repreensão inteiramente justa.* GETÚLIO *fala com severidade.*

GETÚLIO — Eu confiei em ti e tu me traíste.

GREGÓRIO — (*As palavras de* GETÚLIO *doem na alma de* GREGÓRIO.) Nunca, Presidente! Não diga isso...

GETÚLIO — (*Corta duro.*) Disseste que não havia nenhum homem da Guarda envolvido no atentado.

GREGÓRIO — Eu não sabia...

GETÚLIO — (*Corta.*) Esse Climério é teu compadre. Devias saber. E mentiste.

GREGÓRIO — Só pela metade.

GETÚLIO — Que metade?

GREGÓRIO — A verdade é que eu não sabia. Não tinha certeza... alguém me falou, e eu também andei falando... que era preciso tapar a boca daquele homem, fazer ele parar de xingar o Presidente. E falei com Climério, é verdade... mas ficou só nisso... não sabia que Climério tinha falado com alguém, se é que foi ele quem falou...

GETÚLIO — Ainda tens dúvidas?

GREGÓRIO — Alguém pode ter tido a mesma ideia... sei lá!

GETÚLIO — Sabes o que isso significa? Que o inquérito invade os porões do Palácio. O inimigo está agora cavando debaixo dos meus pés. E foste tu, tu que o trouxeste até cá!

GREGÓRIO *baixa a cabeça, arrasado.*

GETÚLIO — A Guarda está dissolvida. Quero saber que providência tomaste.

GREGÓRIO — (*Está desnorteado, mal sabe o que diz.*) Eu... não sei... pensei em mandar dinheiro para Climério fugir...

GETÚLIO — Estás louco! Queres me derrubar de uma vez?!

GREGÓRIO — O Presidente ordene o que devo fazer.

GETÚLIO — Deves mandar prender Climério, e te apresentares na Comissão de Inquérito.

GREGÓRIO — Eu?...

GETÚLIO — Sim, tu, para depor. E vai preparado: eles vão te prender.

GREGÓRIO — Mas a mim?

GETÚLIO — E eu não vou mover uma palavra.

GREGÓRIO *sente que o mundo desmoronou. Baixa a cabeça e sai.*

GETÚLIO — (*Volta-se para* ALZIRA, *como se só então notasse a sua presença:*) Onde estiveste?

ALZIRA — Fui a Niterói.

GETÚLIO — Preciso de ti aqui no Palácio.

ALZIRA — Fui ver meus filhos que há três dias não via.

GETÚLIO — Já estás a par da situação?

ALZIRA — Durante a travessia da barca li os jornais. Também andei colhendo informações no Serviço Secreto do Exército.

GETÚLIO — Eles estão apertando o cerco. Já conseguiram chegar até os porões do Palácio. Vão agora tentar subir ao primeiro andar, ao segundo, ao terceiro...

ALZIRA — E o senhor o que é que está fazendo? Nada.

GETÚLIO — (*A acusação como que o sacode.*) Como?

ALZIRA	Ao contrário, está facilitando a subida, abrindo o portão do Palácio, dizendo "venham, subam, revistem tudo, virem tudo de pernas para o ar, podem até prender meus auxiliares, meus amigos, pessoas de minha família, à vontade..."
GETÚLIO	(*Corta.*) Não quero que ninguém tenha imunidades, e nenhuma porta esteja fechada pros encarregados do inquérito.
ALZIRA	Me desculpe, meu pai, mas é uma loucura.
GETÚLIO	Eu não tenho o que esconder e espero que os meus amigos e as pessoas de minha família também não tenham. Isto é, eu esperava.
ALZIRA	Se têm ou não têm, isto é o de menos: o que importa é que o senhor está abrindo mão de sua autoridade, de sua força, de tudo. Passando as rédeas e o chicote a um grupo de milicos que investiga um crime. Isto é suicídio. Porque eles não vão usar essa força para descobrir a verdade e inocentar o senhor. E o senhor sabe disso.
GETÚLIO	Claro que sei.
ALZIRA	Por que então não dá um basta? Por que não faz valer a sua autoridade de Chefe de Governo? Esses rapazes já querem revistar os arquivos do chefe de sua Guarda Pessoal. Amanhã vão querer revistar o seu quarto de dormir, espiar embaixo de sua cama. O senhor não percebe? Eles não vão parar! A não ser que o senhor obrigue, pela força.
GETÚLIO	Não se usa a força quando se quer, mas quando se pode. E tu não vais ter a pretensão de me dar aula sobre esse assunto...
ALZIRA	Claro que não. Nem estou insinuando que dê um golpe de Estado. Mas que use os poderes que a democracia lhe concede. Que não dê de presente ao inimigo o serrote com que ele vai serrar o galho em que o senhor está sentado.

GETÚLIO	(*Sorri, mas seu sorriso é triste, amargurado.*) O que eu acho é que a árvore está tão podre que eles nem precisam serrar... Sabes que teu irmão, Maneco, acaba de vender uma fazenda a Gregório por três milhões de cruzeiros?
ALZIRA	A Gregório?
GETÚLIO	É, a Gregório Fortunato, que há quatro anos não tinha um tostão.
ALZIRA	Isso me surpreende, mas não tanto quanto ao senhor. Há muita coisa que o senhor não sabia.
GETÚLIO	Mas que agora estou sabendo. É como um pesadelo. Estão remexendo um lodaçal e eu estou vendo, boiando, cabeças de pessoas conhecidas... pessoas de minha inteira confiança e até de minha família, atoladas até o pescoço. Parece que estou sobre um mar de lama.
ALZIRA	E mesmo assim o senhor continua brincando de democracia.
GETÚLIO	Eu aceitei as regras do jogo, agora vou ter de jogar até o fim. Mas ainda guardo uma carta para o lance final. O que me importa é que o povo me faça justiça.
ALZIRA	(*Com sarcasmo.*) O povo... o povo já está gritando nas ruas "Abaixo Getúlio", o mesmo povo que trouxe o senhor nos braços até aqui. Que é que o senhor pode esperar de um povo assim?
	Tumulto fora de cena.
CORO	(*Fora.*) Fora Simpatia! Fora Simpatia!
	Entram intempestivamente BOLA SETE *e* QUIBE, *seguidos de* BOM CABELO, ZÉ DO RÁDIO *e* BRANCA DE NEVE.
BOLA SETE	Simpatia, vim te avisar... É melhor tu cair fora!
SIMPATIA	Cair fora?
AUTOR	Mas que droga! O que aconteceu agora?

QUIBE	O pessoal do Tucão... tá tudo de cara cheia provocando agitação!
CORO	(*Fora.*) Fora Simpatia! Fora Simpatia!
BOLA SETE	É o Tucão botando banca. Estão preparando alguma, meu companheiro, te arranca!
MARLENE	Bola Sete tem razão. É melhor tu te arrancar.
TUCÃO	E dar uma de covarde?
MARLENE	Vai, a gente continua o ensaio sem você. Depressa, nego, te peço! Vai antes que seja tarde!
SIMPATIA	Mas fazer isso por quê? Por causa da dor de corno de teu amigo Tucão? Ou já estás arrependida?
MARLENE	Não é nada disso, que merda! Você bem sabe que não. É tua vida, tua vida que está correndo perigo.
BOLA SETE	Tucão ganhou a parada.
QUIBE	Quase ninguém tá contigo.
SIMPATIA	Fico só, de qualquer jeito. Sou o Presidente eleito.
MARLENE	Eles tão pouco ligando, Simpa, te peço por mim.
BOLA SETE	Juraram que esta noite o ensaio não chega ao fim.
QUIBE	E estão se preparando...
SIMPATIA	Me expulsar daqui, a mim, O Simpa? Só me matando. E vou lá fora pra ver o que é que está se passando.

SIMPATIA *sai, seguido de* BOLA SETE *e* QUIBE. *Entram* AZEITONA, GASOLINA, BOLACHA, PATO ROUCO *e* TUCÃO.

BOLACHA	O que foi que aconteceu?
ZÉ DO RÁDIO	É a turma do Tucão. Tão fazendo agitação.
AUTOR	Do jeito que a coisa vai, meu enredo não sai, não.

MARLENE *tenta segurar* TUCÃO.

TUCÃO	Sai pra lá, sua fedida! Dedaram pra ele, né? Mas não vai adiantar. A coisa está decidida: desta noite ele não

	passa. E você que se comporte, ou vai ter a mesma sorte.
MARLENE	Tucão... e se eu... se a gente fosse embora daqui agora?... Palavra que me arrependo de não ter ido naquela hora... Mas se você me promete que deixa o Simpa em paz...
TUCÃO	Agora tu me diz isso... Agora é tarde demais. Teu Simpa vai descansar em paz, sim, mas de vez...
MARLENE	És mesmo um filho da puta! Agora entendo por que, estando contra o enredo, tu seguias ensaiando, tu e essa tua quadrilha, conspirando e futricando, preparavam a armadilha.
TUCÃO	E tu só manjou agora... Pois vê se te manca em tempo e trata de cair fora. (*Sai.*)

Entram SIMPATIA, BOLA SETE *e* QUIBE.

AUTOR	Comé que é, Simpatia? Descobriu alguma coisa?
SIMPATIA	Tá tudo sob controle. Fofoca, nada de sério. O ensaio continua.
BOLA SETE	Vou ver se acalmo o Tucão. (*Sai.*)
AUTOR	A Ala do Ministério! Um momento decisivo pra Getúlio e pra Nação. Quando ele enfim vai saber quem de fato é seu irmão: quem tá firme do seu lado e quem tá com a traição.

Todos saem, exceto os intérpretes de GETÚLIO, BEJO, ALZIRA *e* MINISTROS.

| GETÚLIO | Senhores, o Ministério está reunido para examinar a situação político-militar criada no país. Como os senhores não ignoram, os brigadeiros lançaram um documento pedindo a minha renúncia. Pelo que acaba de informar o Ministro da Guerra, dos oitenta generais que servem no Rio, trinta e sete já assinaram um manifesto de solidariedade aos brigadeiros. |
| ZENÓBIO | E os outros vão assinar. |

GETÚLIO	É uma sublevação. E hoje à tarde o Vice-Presidente Café Filho fez um discurso no Senado rompendo com meu Governo. Quero agora ouvir a opinião dos senhores. Em primeiro lugar, dos ministros militares. General Zenóbio.
ZENÓBIO	De minha parte, estou disposto a resistir. Se o Presidente ordenar, ponho a Vila Militar na rua, mas previno aos presentes de que, desta vez, vai haver derramamento de sangue.
ALZIRA	(*Tenta interromper.*) General Zenóbio...
GETÚLIO	(*Corta.*) Calma, filha. Almirante Guilhobel...
GUILHOBEL	A Marinha não pensa em depor o Presidente. Mas apoia a Aeronáutica.
GETÚLIO	Ministro Epaminondas, o manifesto dos Brigadeiros reflete a situação real da Aeronáutica?
EPAMINONDAS	Lamentavelmente, sim, Presidente. A Força Aérea está fora do meu controle.
GETÚLIO	Muito bem. Nosso propósito aqui é encontrar uma saída para a crise. Gostaria de ouvir agora a opinião dos Ministros civis. A começar pelo Ministro da Fazenda, Dr. Oswaldo Aranha.
ARANHA	(*Emocionado.*) Seria impossível para mim, neste momento, deixar de levar em conta a longa amizade que me liga ao Presidente. Juntos lutamos na Revolução de 30, juntos permanecemos até hoje e estou convencido de que juntos permaneceremos até o fim, qualquer que ele seja. Assim, das três soluções que vejo para a crise, a primeira é a resistência até a morte. Se for a escolhida, podem contar comigo. A segunda é um balanço das forças fiéis ao Governo, para uma ação militar, que o Presidente não deseja. Resta a terceira: a renúncia. Mas esta decisão só o Presidente pode tomar. (*Tumulto.*)
GETÚLIO	O Ministro da Agricultura, Dr. Apolônio Sales.
APOLÔNIO	Estou com o Presidente no que ele decidir.
GETÚLIO	O Ministro da Justiça, Dr. Tancredo Neves.

TANCREDO	Senhores, o que eu me pergunto neste momento é se vale a pena lutar pela continuação deste Governo. Se vale a pena derramar o nosso sangue e o sangue de nossos irmãos pela permanência do Presidente Vargas à frente da nação. E eu acho que vale. Fazendo um balanço do que o Presidente realizou pelos trabalhadores, pela industrialização do país e por sua emancipação econômica, eu acho que vale. Não participo do pessimismo dos meus colegas militares, acho que ainda há condições para uma resistência, desde que se consiga uma união nacional.
ALZIRA	Muito bem, Dr. Tancredo.
TANCREDO	Sugiro que se submeta o caso ao Congresso Nacional e que se ouçam os Governadores.
JOSÉ AMÉRICO	Que me perdoe o Dr. Tancredo, mas essa medida carece de base legal. Além do mais, não temos tempo. Uma consulta aos Governadores demoraria muito e a situação do país exige de nós uma decisão imediata. Já.
GETÚLIO	O Dr. José Américo tem opinião formada sobre o tipo de decisão que deveríamos tomar?
JOSÉ AMÉRICO	Acho que o Presidente devia responder com um grande gesto.
GETÚLIO	Que entende o Ministro por um "grande gesto"?
JOSÉ AMÉRICO	A renúncia. (*Tumulto.*) Senhores, sejamos realistas. A verdade é que não temos mais o poder de decidir nada. Num país como o nosso, quando as Forças Armadas se levantam contra o Governo constituído, nada mais há a fazer. É triste, é lamentável, mas é assim. (*Tumulto.*)
ALZIRA	Não! Não é assim! Senhores! (*Todos se voltam para ela, surpresos.*) Nesta reunião se decide o destino de muitas vidas, inclusive o da minha. Por isso me acho no direito de dar a minha opinião. (*Para* ZENÓBIO:) Nem todas as informações dadas aqui são verdadeiras. Almirante Guilhobel, seus navios podem, por acaso, atirar contra nós?
GUILHOBEL	Não, mas os fuzileiros navais...

ALZIRA	Sua única tropa são os fuzileiros navais! E eu acabo de falar com o Comandante do Corpo de Fuzileiros: eles só saem do quartel se forem atacados. (*Tumulto.* ALZIRA *volta-se para* EPAMINONDAS:) Brigadeiro Epaminondas, não é verdade que a única base aérea em condições de operar é a Base de Santa Cruz?
EPAMINONDAS	É verdade, mas muitos coronéis...
ALZIRA	Entrei em comunicação com a Base: nenhum avião levanta voo para atacar o Governo! (*Volta-se para* ZENÓBIO:) General Zenóbio da Costa, no Exército, a Vila Militar é o grupamento decisivo, não é mesmo?
ZENÓBIO	É. Mas a Vila Militar...
ALZIRA	E o senhor mesmo acaba de afirmar que a Vila Militar está com o Governo. Estou também informada pelo Serviço Secreto de que só doze generais, não trinta e sete, assinaram o manifesto. E desses doze, nenhum tem comando de tropa! Qual é então o problema, General Zenóbio? Por que o senhor não age?

Estabelece-se um enorme tumulto. Os ministros falam ao mesmo tempo, acusam-se mutuamente.

EPAMINONDAS	É preciso prender Juarez Távora e o Brigadeiro Eduardo Gomes! Eles são os maiores articuladores deste golpe!
ZENÓBIO	E por que você não prende?
EPAMINONDAS	Porque não tenho tropa!
ARANHA	Getúlio, se ninguém quer resistir, eu resisto. Nós dois vamos morrer aqui, de arma na mão!
JOSÉ AMÉRICO	Há que ter ponderação!
ALZIRA	Esse golpe não tem força nenhuma, meu pai! Estão ganhando no berro!
GETÚLIO	Um momento, senhores. (*Faz-se silêncio.*)
ALZIRA	Desculpe, meu pai.
GETÚLIO	(*Sempre sereno.*) Senhores, peço que sejam claros em suas opiniões para que eu possa decidir. General Ze-

nóbio, como Ministro da Guerra, que caminho sugere ao Presidente? A licença, a renúncia ou a resistência?

ZENÓBIO — (*Pausa.*) Eu cumpro ordens, Excelência.

Há um movimento geral de mal-estar.

GETÚLIO — (*Levanta-se.*) Já que os senhores não decidem, eu vou decidir. Determino aos ministros militares que mantenham a ordem e respeitem a Constituição. Uma vez restabelecida a ordem e a disciplina, estarei disposto a solicitar uma licença até que se apurem as responsabilidades. Do contrário, se quiserem impor a violência e chegar até o Catete, daqui levarão apenas o meu cadáver. Boa noite, senhores.

A BATERIA toca enquanto os MINISTROS se retiram, mas um toque surdo, dramático e em surdina. Cessa quando sai o último ministro. GETÚLIO fica a sós com ALZIRA.

GETÚLIO — Que horas são?

ALZIRA — Creio que mais de cinco. O dia não tarda a clarear.

GETÚLIO — Vai dormir que eu vou fazer o mesmo.

ALZIRA — Os ministros estão redigindo uma nota da reunião; o senhor não vai esperar para ler?

GETÚLIO — (*Mostra-se desinteressado.*) Não, façam o que quiserem.

ALZIRA — É uma nota importante. Pode não estar de acordo com o seu pensamento.

GETÚLIO — Se não estiver, tu a modificas. Eu já estou dormindo.

ALZIRA vai sair, ele a detém.

GETÚLIO — Espera. (*Tira do bolso uma chave.*) Esta é a chave do cofre que está no meu gabinete. Se alguma coisa me acontecer, está aqui, neste bolso. (*Recoloca a chave no bolso superior do blusão.*) No cofre tu vais encontrar alguns valores que deves entregar a tua mãe, e também alguns documentos, que podes guardar para ti.

ALZIRA — Que coisa mais tétrica, pai. Deixa disso, patrão. Que é que vai acontecer? O senhor encontrou uma fórmu-

	la para solucionar a crise que vai satisfazer a eles. O senhor pede a licença, Café Filho assume o Governo, e, ainda que seja por pouco tempo, a UDN vai provar o gosto do poder. Gosto que não provou até hoje. Tudo vai acabar bem.
GETÚLIO	Eu também acho. Mas sempre é bom tomar providências. Se nada acontecer, melhor. Vai dormir, vai, e me deixa também descansar.
	ALZIRA *sai.*
TUCÃO E AVES DE RAPINA (BICHEIROS)	(*Entrando, cantam, a princípio em surdina, num crescendo.*) "Vou assistir de camarote ao teu fracasso, palhaço, palhaço. Quem gargalha demais, sem pensar no que faz, quase nunca termina em paz. Num livro de registro desta vida, numa página perdida, teu nome há de ficar. Registram-se os fracassos, esquecem-se os palhaços, e o mundo continua a gargalhar. Eu assisti de camarote ao teu fracasso, palhaço, palhaço!"*
	Saem TUCÃO *e* AVES DE RAPINA.
AUTOR	Para encerrar o desfile de maneira original, tuna bela alegoria: o leito presidencial, o lugar onde Getúlio morrendo, fez-se imortal.
	Entra BEJO.
GETÚLIO	(*Vai deitar-se quando vê* BEJO.) Que há, Bejo? Será que não me deixam dormir?
BEJO	Sinto muito, mas a notícia é grave. Zenóbio reuniu os generais no Ministério de Guerra para comunicar a tua decisão de licenciar-se.
GETÚLIO	Muito bem. E daí?
BEJO	O Gen. Âncora participou dessa reunião e acaba de chegar. Zenóbio disse aos generais que a licença não era para valer. Que tu não voltarias mais ao governo.

---

* "Palhaço" — samba de Herivelto Martins. Constava na época que fora composto contra Getúlio, mas o compositor nega. (*Nota dos autores.*)

GETÚLIO	(*A notícia produz o seu impacto.* GETÚLIO *sente que lhe fecharam a última porta.*) Quer dizer que estou deposto?!
BEJO	Não sei. Só sei que é o fim.
GETÚLIO	Não, o fim quem decide sou eu. Prometi licenciar-me, mas disse as condições: que a ordem constitucional fosse mantida.
BEJO	Os generais não aceitam. Só aceitam a tua deposição.
GETÚLIO	Então... estou desobrigado de qualquer compromisso. (*Ele diz isso como se fosse, subitamente, libertado.*)
BEJO	Que pretendes fazer agora?
GETÚLIO	Agora? Dormir. Estou muito cansado.
	ALZIRA *entra impetuosamente.*
ALZIRA	Pai, falei pelo telefone com a Vila Militar: só estão esperando uma ordem sua para pôr os tanques na rua.
GETÚLIO	Já soubeste da reunião dos generais?
ALZIRA	Já. E por isso entrei em contato com a Vila. O senhor sabe que sem a Vila Militar ninguém dá golpe neste país. E a Vila está fiel e pronta para marchar.
GETÚLIO	(*Tem um sorriso distante, como se ela falasse de coisas que não têm mais sentido.*) Sim, eu sei...
ALZIRA	Pois então! Que espera para esmagá-los?
GETÚLIO	Tu achas justo lançar o país numa guerra civil por causa de um velho de setenta anos?
ALZIRA	Se fossem só os interesses pessoais desse velho que estivessem em jogo, talvez não.
BEJO	Mas há muita gente no mesmo barco. Velhos, moços e crianças.
ALZIRA	Um país inteiro, o senhor sabe melhor do que eu. O senhor não pode entregá-lo assim.
BEJO	É preciso resistir!

GETÚLIO   Resisti até hoje...

BEJO   E é preciso continuar resistindo.

ALZIRA   Não creio que haja uma guerra civil. Temos a força decisiva. Basta prender Juarez e o Brigadeiro, que os outros procuram logo as embaixadas. O senhor os conhece.

BEJO   É isso mesmo, Alzira.

GETÚLIO   Quem vai prender Juarez e o Brigadeiro?

ALZIRA   Eu. Se o senhor me autoriza, eu dou as ordens.

BEJO   Não é preciso que você mova uma palha.

ALZIRA   Pode ir dormir, e quando acordar os dois estarão detidos. Posso fazer isso?

GETÚLIO   (*Sorri, como quem não está mais interessado em coisa nenhuma.*) Está bem, está bem... podes fazer o que quiseres.

ALZIRA   Tio, avisa o Gen. Âncora para esperar um pouco. (BEJO *sai.*) Eu vou dar uns telefonemas... (*Vai sair.*)

GETÚLIO   Filha! (*Ela volta.*) Já sabes que Zenóbio foi convidado para ser o Ministro da Guerra de Café Filho?

ALZIRA   (*Recebe um choque.*) O senhor soube disso agora?

GETÚLIO   Não, desde ontem.

ALZIRA   E por que não me avisou?

GETÚLIO   Porque não adiantava. Jogamos hoje a última partida, as cartas já estavam marcadas. E todos sabiam disso.

ALZIRA   Menos eu. E continuo não aceitando o final do jogo. Pai, eu sei que há uma senha que só o senhor e o Ministro da Guerra conhecem... Uma senha para os generais da Vila Militar botarem a tropa e os tanques na rua. Diga qual é e eu a transmito pelo telefone!

GETÚLIO   É inútil, minha filha...

ALZIRA (*Desesperadamente.*) Não, ainda é tempo! Com os tanques na rua, nós mudamos o jogo. Me dê a senha, pai!

GETÚLIO Mas eu não posso fazer isso...

ALZIRA Pode, sim! Pode, deve, tem a obrigação de fazer! O que o senhor não pode é se deixar vencer sem resistência.

GETÚLIO (*Como se ela tivesse tocado num ponto sensível.*) Eu não estou vencido.

ALZIRA Mas vai estar daqui a pouco, se não reagir agora. Com as armas que ainda possui.

GETÚLIO Pense nas consequências... há muita gente contra nós... até mesmo o povo... que não entende que está contra si mesmo. Ninguém pode prever o resultado de um apelo às armas neste momento... podemos levantar o país agora, mas não sabemos se vamos poder controlar depois...

ALZIRA Mas o senhor não tem escolha! Não pode pensar nas consequências do seu gesto porque não lhe deixaram outra saída! Se o país for levado a um banho de sangue, eles serão os culpados. E não vai haver banho de sangue nenhum. Eu lhe garanto. Me dê a senha e deixe que eu aja. É só o que lhe peço.

GETÚLIO É inútil, minha filha, já tomei a decisão que devia, e ninguém vai alterar os meus planos. Como dissestes há pouco, tudo vai acabar bem... no fim... (*Sorri, para tranquilizá-la.*)

ALZIRA (*Vê que é realmente inútil, nada o demoverá.*) Está bem, mas ainda acho que o senhor está cometendo um erro que não vai ter conserto.

GETÚLIO (*Em tom de blague.*) E eu acho, rapariguinha, que tu continuas a não entender nada de política. (ALZIRA *sai.*)

GETÚLIO *fica só. Está tranquilo. A serenidade de seu rosto é quase absoluta. Ele tira do bolso uma carta e lê. A princípio, ouve-se apenas a sua própria voz, gra-*

vada; depois, ele avança e diz a carta de frente para a plateia, como um discurso.

GETÚLIO "Mais uma vez as forças e os interesses contra o povo coordenaram-se e, novamente, se desencadeiam contra mim. Não me acusam, insultam; não me combatem, caluniam e não me dão o direito de defesa. Precisam sufocar a minha voz e impedir a minha ação, para que eu não continue a defender, como sempre defendi, o povo e, principalmente, os humildes. Sigo o destino que me é imposto. Depois de decênios de domínio e espoliação dos grupos econômicos e financeiros internacionais, fiz-me chefe de uma revolução e venci. Iniciei o trabalho de libertação e instaurei o regime de liberdade social. Tive de renunciar. Voltei ao Governo nos braços do povo. A campanha subterrânea dos grupos internacionais aliou-se à dos grupos nacionais revoltados contra o regime de garantia do trabalho. A lei dos lucros extraordinários foi detida no Congresso. Contra a justiça da revisão do salário mínimo desencadearam-se ódios. Quis criar a liberdade nacional na potencialização das nossas riquezas através da Petrobras, mal começa esta a funcionar, a onda de agitação se avoluma. A Eletrobrás foi obstaculizada até o desespero. Não querem que o trabalhador seja livre. Não querem que o povo seja independente. Assumi o Governo dentro da espiral inflacionária que destruía os valores de trabalho. Os lucros das empresas estrangeiras alcançavam até 500% ao ano. Nas declarações do que importávamos, existiam fraudes contatadas de mais de 100 milhões de dólares por ano. Veio a crise do café, valorizou-se o nosso principal produto. Tentamos defender seu preço e a resposta foi uma violenta pressão sobre a nossa economia a ponto de sermos obrigados a ceder. Tenho lutado mês a mês, dia a dia, hora a hora, resistindo a uma pressão constante, incessante, tudo suportando em silêncio, tudo esquecendo, renunciando a mim mesmo, para defender o povo que agora se queda desamparado. Nada mais vos posso dar a não ser meu sangue. Se as aves de rapina querem o sangue de alguém, querem continuar sugando o povo brasileiro, eu ofereço em holocausto a minha vida. Escolho este meio de estar sempre convosco. Quando vos humilharem, sentireis minha alma sofrendo ao vosso lado. Quando a fome bater à vossa porta, sentireis em vosso peito a energia para a luta por vós e vossos filhos. Quando vos vilipendiarem, sentireis no meu pensamento a força para a reação. Meu sacrifício vos manterá unidos e meu nome será a vossa bandeira de luta. Cada gota de meu sangue será uma chama imortal na vossa consciência e manterá a vibração sagrada para a resistência. Ao ódio respondo com o perdão. E aos que pensam que me derrotaram respondo com a minha vitória. Era escravo do povo e agora me liberto para a vida eterna. Mas esse povo de quem fui escravo não mais será escravo de ninguém. Meu sacrifício ficará para sempre em sua alma e meu sangue será o preço do seu resgate. Lutei... contra a espoliação do Brasil. Lutei contra a espoliação do povo. Tenho lutado de peito aberto. O ódio, as infâmias, a calúnia não abateram meu ânimo. Eu vos dei a minha vida. Agora ofereço a minha morte. Nada receio. Serenamente dou o primeiro passo no caminho da eternidade, e saio da vida para entrar na História.

TUCÃO — Ei! Moleque Simpatia! (*Entrando.*)

SIMPATIA *volta-se, ainda com a carta na mão.*

TUCÃO — Acabou tua alegria!

AS AVES DE RAPINA *sacam rapidamente de suas armas e fuzilam* SIMPATIA, *que cai. O* AUTOR *corre para* SIMPATIA.

AUTOR — Simpa! Simpa! Enlouqueceram!... (*O* AUTOR *debruça-se sobre o corpo de* SIMPATIA, *vê que está morto.*) Vocês sabem o que fizeram?

MARLENE — (*Entra correndo.*) Simpatia! Eles mataram Simpatia!

Entram BOLA SETE *e* QUIBE.

QUIBE — Fuzilaram ele!

BOLA SETE   O nosso Presidente,
O nosso Simpa está morto!

Os componentes da escola vão entrando, em grupos. e se reunindo em volta do corpo. TUCÃO *sai com* AS AVES DE RAPINA.

MARLENE   (*Debruçada sobre o corpo de* SIMPATIA, *ergue a cabeça e seu olhar se ilumina.*) Eles pensam que venceram, mas não nos venceram, não. São movidos pelo ódio, mas nós temos outra paixão. Não procuramos a morte, mas a vida, a alegria. Essa é a paixão mais forte, que a tudo desafia. Aqui, na quadra da Escola, vamos velar Simpatia, mas sem choro e sem tristeza, que o Simpa não gostaria. Ele lutou pela Escola e a Escola vai desfilar como ele disse e queria. Vamos, entra a alegoria final! Os chefes de alas! Passistas! O mestre-sala! Tudo pronto? Bateria! Agora vamos cantar com emoção e energia, com o desatino da vida e a força da melodia, como se o samba pudesse ressuscitar quem um dia a seu povo se entregou inteiro e com valentia morreu pelo que sonhou.

Desce um enorme retrato de GETÚLIO, *enquanto o corpo de* SIMPATIA *é colocado sobre o leito nupcial. Toda a Escola canta o samba-enredo em ritmo lento, solene, quase falado.*

AUTOR   O enredo termina aqui. É parte de nossa História, que eu, como povo, vivi. A verdade escrita em sangue vira mito na memória, mas tudo se deu assim, isso eu posso garantir, porque, meninos, eu vi.

FIM

meu reino
por um cavalo

PERSONAGENS

Otávio Santarrita
Selma Santarrita
Solange Lopes
Senador
Soninha
Tavinho
Produtor
Assaltante
Imortal
Oficial
Juiz
Vianna

CENÁRIO: *espaço livre para diferentes ações ambientadas por sínteses cenográficas em mutações rápidas. Os elementos que compõem essas ambientações devem aparecer dispostos caoticamente, sugerindo desordem, desintegração.*
AÇÃO: *Rio de Janeiro*
ÉPOCA: *atual*

A ação transcorre em quatro planos distintos: o da realidade, o da ficção, o da memória e o da alucinação. Eles se mesclam e às vezes o limite entre um e outro é pouco nítido, cabendo unicamente à iluminação estabelecer algum código elucidativo. A aparente desordem dramatúrgica é proposital e decorrente da confusão mental do protagonista.

Ao centro da cena, sentado no chão, diante de uma máquina de escrever, descabelado, OTÁVIO SANTARRITA *tem mais de cinquenta anos, mas aparenta bem menos. Espírito inquieto, ultraexigente consigo mesmo, obcecado pela ideia fixa de se superar sempre e consciente de sua responsabilidade como intelectual. A crise em que se debate advém de tudo isso. Ele escreve algumas linhas, para, volta a escrever, angustiado. Inicialmente, com o resto da cena às escuras, apenas um foco de luz ilumina a máquina e a mão de* OTÁVIO. *Personagens saem de vários pontos, da sombra, e fazem um balé alucinado em torno dele, saltando por sobre ele. Identificáveis por suas vestimentas da dramaturgia universal, Hamlet, Medeia, Arlequim. Mãe Coragem etc. Há também uma porta-bandeira de escola de samba. O balé dura um minuto. Termina quando* OTÁVIO *arranca o papel da máquina e grita.*

OTÁVIO   Fora daqui! Fora!

As Personagens saem correndo e SELMA *surge num foco de luz.*

OTÁVIO   Merda! Isto é uma merda! Eu sou uma merda! O mundo é uma grande merda!

Ele pega a máquina, ergue-a por sobre a cabeça, corre até a boca de cena e vai lançá-la sobre a plateia, quando SELMA *grita.*

SELMA   Otávio!

Ele se volta. SELMA *é uma mulher bonita, nos seus quarenta e cinco anos, elegante, inteligente, personalidade ofuscada pela personalidade mais forte de* OTÁVIO. *Tem consciência disso, o que motiva um tom sempre crítico e ressentido em relação a ele.*

SELMA   Que vai fazer?

OTÁVIO	Jogar a máquina pela janela.
SELMA	Para provar a lei da gravidade? Já foi provada há séculos, meu amor. (*Raspa as pernas com uma gilete.*)
OTÁVIO	Não, não quero provar nada, Selma. Por que você acha que eu tenho que provar alguma coisa a esta altura da minha vida?
SELMA	Eu não acho.

Ele volta a colocar a máquina onde estava.

OTÁVIO	Mas eu acho. Todos acham.
SELMA	Provar o quê, Otávio Santarrita?
OTÁVIO	Aí é que está. Você acertou na mosca: provar o quê? Para quê? De que maneira? Ou não é preciso provar. Basta mostrar. Dá no mesmo: mostrar o quê? Retratar o quê? Você é capaz de me responder? Alguém é capaz de me responder? O mundo mudou. Ou está mudando permanentemente, desordenadamente. Mudam também as formas de leitura, de percepção. Não é mais como no nosso tempo. Os jovens de hoje não leem mais. Só veem e escutam. Entende? Taí a televisão ordenando o caos e nivelando tudo. É preciso levar tudo isso em conta, se você quiser ser entendido. Equacionar todos esses dados e encontrar a forma. Mas como? Como organizar a desordem? Ou não se deve organizar nada?
SELMA	Amor, você virou um monte de perguntas sem resposta. Um questionário ambulante.
OTÁVIO	Será que só eu sou assim? Você. Você não tem dúvidas? Ninguém tem dúvidas? Todo mundo sabe para onde ir, o que fazer, por que lutar? Será que todo mundo acorda de manhã, escova os dentes, sai de casa, sabendo exatamente como ocupar o resto do dia de uma maneira que dê sentido à sua vida? Houve tempo que eu sabia, sim. O mundo era dividido em dois, preto e branco. Nada de semitons. Os que queriam mudar

tudo e os que não queriam mudar porra nenhuma. Uma linha clara demarcando os dois campos. Ou se estava de um lado ou se estava do outro. E o sentido da História nos parecia cristalino. Tínhamos grandes causas, grandes bandeiras. A campanha do petróleo... a luta pela paz... as Ligas Camponesas... o CPC... a luta contra a ditadura.

Ele se debruça sobre a máquina.

OTÁVIO | Nossas bandeiras... onde estão nossas bandeiras, Selma? A História limpou a bunda com elas.

SELMA | Esse saudosismo idiota não leva a nada. Punheta. Punheta de intelectual de esquerda.

OTÁVIO | Você acha?

SELMA | Será que você perdeu suas bandeiras ou suas muletas?

OTÁVIO | Selma, assim você não ajuda em nada.

SELMA | Fica aí choramingando como um coxo que já não pode andar.

OTÁVIO | Era tudo que eu precisava ouvir.

SELMA | Soninha está com sinusite, sabia? E Tavinho quer largar a Faculdade. Pode isso, pode? Vou ao supermercado fazer as compras do mês, vou ter que gastar quase o dobro do mês passado. Os preços sobem dia a dia, não sei onde isso vai parar. Você vai ter que tirar dinheiro da poupança. A minha conta no banco estourou, você precisa me dar um cheque...

OTÁVIO | Por trás de todo grande homem há sempre uma grande mulher...

SELMA | Que foi que você disse?

OTÁVIO | Nada. Mulheres assim não existem mais. Como a mulher de Freud, Martha... sabe que era com ela que ele se analisava? E Jenny, mulher de Marx. Ela vendeu tudo para sustentá-lo, viu três filhos morrerem de fome e mesmo assim continuou apaixonada. E

Xantipa, mulher de Sócrates, que nunca deixou de amá-lo, nem mesmo quando o via dando o cu pro General Alcebíades.

SELMA É sobre isso que você vai escrever?

OTÁVIO Não, não acho que... talvez... não... não é um tema atual, que preocupe, quer dizer, que possa trazer alguma contribuição... que faça sentido.

SELMA Por que tem que fazer sentido?

OTÁVIO Você faz cada pergunta... não, assim não dá...

SELMA Você escreve para o Teatro. E o Teatro tem sentido?

OTÁVIO (*Perturbado com a pergunta.*) Eu não digo? Você não ajuda... só perturba. Eu já estou perdido, desnorteado... você não vê?... minha cabeça é um caos!

SELMA E fora de sua cabeça?

OTÁVIO O quê, Selma?

SELMA Como estão as coisas? Lance um olhar em volta.

OTÁVIO Não tenho feito outra coisa.

SELMA E então?

OTÁVIO Então o quê? Você me confunde... fala de sentido, razão...? Sei lá... Está tudo tão confuso. É como se... sabe que até já me passou pela cabeça... Não, não, não é por aí... É muito difícil... Antigamente, a gente tinha parâmetros... os caminhos eram sinalizados... Você podia escolher, sabia onde iam dar... é, sabia... ou pensava que sabia. Tudo isso... às vezes eu penso... você percebe?... (*Pausa.*) Acho que no mundo não há mais espaço para a razão.

SELMA Vai continuar na saudade?

OTÁVIO Eu sei, você pensa que eu não tenho mais ideias. Tenho até demais. Um monte de ideias. Estou escrevendo quatro peças ao mesmo tempo, sabia? Excesso de criatividade? Não, confusão mental.

SELMA   Alguma ideia aproveitável?

OTÁVIO   Não sei. Honestamente, não sei. (*Volta-se para a máquina de escrever.*)

                 Luz sobre SOLANGE, *em outro ponto do palco, de calcinha e sutiã, em pânico, falando pelo telefone sem fio, ao lado do corpo de um velho, deitado de bruços, inteiramente despido, com exceção das meias pretas.*

SOLANGE   Alô! É do Senado Federal? Queria falar com o gabinete do senador Petrônio Paranhos.

OTÁVIO   O Senador está morto.

SOLANGE   Eu sei que o Senador está reunido, mas o Senador não está em plenário, não pode estar, eu quero falar com um assessor, porra, minha senhora, o Senador não dá mais ordens, o Senador não dá mais nada, tou falando de um motel, o Senador não é mais candidato a Presidente, é candidato a defunto!

                 Apaga-se a luz sobre SOLANGE *e o* VELHO.

SELMA   (*Simultaneamente com a cena de* SOLANGE.) Hoje vai haver uma reunião do Condomínio, vão discutir a segurança do prédio. Vem um cara instruir os moradores em casos de incêndio, assalto e inundação. Parece que é dono de uma empresa especializada. O vizinho aí do sétimo andar sugeriu que se instalasse alarme em todos os apartamentos, ligados todos à cabine da PM, mas é preciso saber como vão ser acionados esses alarmes. Otávio, veja como está esta sala, é livro por todo canto, pelo chão, tem livro até no banheiro. Por que você não doa metade disso pra alguma Biblioteca Pública? (*Tenta arrumar os livros.*) E olha, chegou uma intimação da Receita Federal: sua declaração de renda foi glosada. Com certeza você vai ter que pagar mais uma nota, com juros e correção monetária pelos trambiques que seu contador resolveu fazer.

OTÁVIO   (*Grita a plenos pulmões:*) Aaaaaaaaah!

SELMA   Que foi?

OTÁVIO — Nada. Gritei, só isso. (*Grita:*) Puta que pariu!

SELMA — Buscando inspiração?

OTÁVIO — Expulsando os demônios.

SELMA — Bobagem. Os anjos nunca inspiraram grandes obras.

OTÁVIO — (*Com certa ironia.*) Observação inteligente.

SELMA — Obrigada.

OTÁVIO — Sabe que você é uma mulher inteligente, bonita, com personalidade... e eu amo você. Não entendo por quê...

SELMA — Por que o quê?

OTÁVIO — Nada... Esquece.

Os refletores se apagam sobre SELMA *e se acendem em outro ponto do palco sobre* SOLANGE, *acabando de se vestir, diante do grande espelho de seu camarim. É uma bela mulher de quarenta anos, com o fascínio pessoal das primeiras atrizes. Alia beleza e sensibilidade. O fato de colocar tudo em função de sua carreira não faz dela uma pessoa calculista ou interesseira.*

SOLANGE — E a peça, Otávio? Já temos teatro, produtor, temos até já um patrocínio quase garantido, sabia?

OTÁVIO — Estou trabalhando, tentando escrever.

SOLANGE — Qual é o problema?

OTÁVIO — O problema é: a peça.

SOLANGE — Aposto no escuro. Se é sua, é uma boa peça.

OTÁVIO — Será que basta? Opinião de crítica: Otávio Santarrita escreveu uma boa peça, a trigésima nona de sua carreira, que foi corretamente interpretada por Solange Lopes e impecavelmente dirigida por Flávio Antunes. E daí?

SOLANGE — Não gostei desse "corretamente".

OTÁVIO — Corrijo: brilhantemente interpretada por Solange Lopes. É isso?

SOLANGE — Que você quer mais? Puta merda, como vocês são complicados!

OTÁVIO — Faz sentido? Acrescenta alguma coisa? Justifica?

SOLANGE — Justifica o quê?

OTÁVIO — Escrever. Fazer teatro. Esse ritual anacrônico que repetimos todas as noites, fazendo as pessoas saírem de casa, arriscando-se a serem atropeladas, assaltadas, estupradas, para virem até aqui. E, na melhor das hipóteses, o que lhes damos é só uma pecinha bem escrita, bem interpretada e bem dirigida.

SOLANGE — E não é muito? Isso é tudo que eles querem, Otávio.

OTÁVIO — Não estou certo disso. A bem da verdade, não estou certo de nada.

SOLANGE — Você acha que eles vêm aqui em busca de uma solução para os grandes problemas do país, ou mesmo para os seus problemas pessoais?

OTÁVIO — Eu sei que não, Solange. Não sou nenhum idiota. O Teatro não tem que resolver os problemas de ninguém, muito menos do país. Mas tem, sim, que refletir esses problemas, mesmo sem apontar soluções. Ou, pelo menos, retratar.

SOLANGE — Pois retrate, porra.

OTÁVIO — Retratar o quê, neste momento? De que maneira?

SOLANGE — Você sempre soube. Que há com você? Tá em crise? Você não disse outro dia, lembra? A gente tinha acabado de fazer amor, um amor gostoso, você disse que tinha uma grande ideia. Eu achei que tinha te inspirado essa ideia. Devo ser uma idiota.

OTÁVIO — Grandes ideias eu tenho todos os dias, Solange. Todas elas, no dia seguinte, me parecem grandes merdas.

SOLANGE — Você não está sendo muito exigente com você mesmo? Parece que está sempre querendo provar alguma coi-

	sa. Caralho, a esta altura de sua vida e de sua carreira você não tem que provar mais nada. Ou é sua mulher?
OTÁVIO	Que tem minha mulher?
SOLANGE	Selma é muito castradora. Acho que é ela que te tira a tesão de tudo. Ela quer anular você, vai por mim, Otávio.
OTÁVIO	Por que ela havia de querer?...
SOLANGE	Ela quer que você fique brocha, intelectualmente.
OTÁVIO	Por quê?
SOLANGE	Um brocha é um merda. Um merda a gente domina com facilidade. Monta em cima.
OTÁVIO	(*Grita:*) Mas eu não estou brocha! Tenho tesão pra foder o mundo!
SOLANGE	Mas é o que Selma não quer. Ela quer te castrar, Otávio.
OTÁVIO	Vocês, mulheres, tendem a reduzir tudo a uma questão de cama. Pra vocês, toda a História da humanidade foi escrita na cama.
SOLANGE	Será que não foi mesmo?
OTÁVIO	(*Grita:*) "Um cavalo! Meu reino por um cavalo!"
SOLANGE	Tou com meu conversível aí fora...
OTÁVIO	Obrigado, não sei pra onde ir... Vou-me embora pra Pasárgada, lá sou amigo do rei...
SOLANGE	Esses delírios monarquistas. Você tem feito análise?
	Entra um rock pauleira. Som altíssimo. Luz no outro extremo do palco. TAVINHO *entra dançando. Vamos chamá-lo de um típico representante da juventude desengajada pós-moderna.* SELMA *entra e observa.*
OTÁVIO	Não consigo entender essa música. Tenho tentado... mas não consigo. (*Tapa os ouvidos com as mãos.*) A música hoje é o flagelo da humanidade! O rock

pauleira é um complô universal organizado pra me enlouquecer. (*Grita:*) Parem! Por favor, parem!

A música cessa.

TAVINHO — Por que é preciso entender? Música é música.

OTÁVIO — Mas essa me atormenta. E se ela me atormenta, eu tenho que entender.

TAVINHO — Que saco, pai, entender resolve alguma coisa? Olha, quer saber por que eu vou largar a faculdade? Porque não quero ser como você. (*Sai.*)

SELMA — É uma música do nosso tempo.

OTÁVIO — Então eu não entendo o nosso tempo. É isso, eu não entendo o nosso tempo.

SELMA — Você está é arranjando pretexto pra não escrever.

OTÁVIO — O nosso mundo atual já não se ajusta ao drama, então o drama já não se ajusta ao mundo. Foi Brecht quem disse isso, ou algo parecido. É preciso ajustar o teatro ao mundo, dando a ele a dimensão do nosso tempo.

SOLANGE — Bonito. Faça isso.

OTÁVIO — E você pensa que é fácil?

SOLANGE — Você pode. Você pode tudo, Otávio.

Enquanto muda a luz e SOLANGE *sai,* OTÁVIO *caminha na direção da máquina de escrever.*

OTÁVIO — Nosso tempo... Será que ainda é nosso mesmo? Será que o nosso não foi perdido?

OTÁVIO *está diante da máquina de escrever quando o* ASSALTANTE *aponta o revólver para ele e para* SELMA.

ASSALTANTE — É um assalto!

OTÁVIO — Estou vendo...

ASSALTANTE — Melhor colaborar pra não se machucar, meu chapa.

SELMA — Ninguém vai resistir.

OTÁVIO	É, pode ficar calmo, não vai haver resistência. O senhor pode ficar à vontade, guardar o revólver, relaxar... Nós entendemos perfeitamente o problema de vocês. Fique tranquilo, saiba que está assaltando pessoas que têm uma visão social da questão da violência urbana, do assalto. Sabemos que vocês são apenas consequência de uma ordem social injusta. Quer um cafezinho?
ASSALTANTE	(*Nervoso, trêmulo.*) Isto é um assalto!
OTÁVIO	O senhor está se repetindo. Já disse isso.
SELMA	Cuidado, Otávio, ele está tremendo...
ASSALTANTE	Quem é que tá tremendo?
SELMA	O senhor... essa arma pode disparar...
ASSALTANTE	Se disparar, azar de vocês!
OTÁVIO	Nosso e seu também. Vai ter que fugir sem levar nada. E se for preso, vai pegar trinta anos de cadeia.
ASSALTANTE	Já tou condenado a cento e dez, trinta a mais, trinta a menos, que diferença faz?
SELMA	Não entendo como ele entrou. Com duas fechaduras e dois ferrolhos de segurança em cada porta, campainha de alarme, circuito de TV...
OTÁVIO	E custou uma nota... Vou processar essa firma.
SELMA	Quanto você pagou?
OTÁVIO	Quarenta, cinquenta mil, sei lá.
ASSALTANTE	Muito caro. É a primeira vez que vocês são assaltados?
OTÁVIO	Não, é a terceira. Isto é, aqui dentro de casa. Mais duas na rua, duas no carro.
SELMA	Você esqueceu aquela vez no motel...
OTÁVIO	Ah, sim...
ASSALTANTE	Motel? Vocês não são casados?
SELMA	Claro...

ASSALTANTE   E o que foram fazer num motel?

OTÁVIO   Mudar de ambiente... pra reestimular nosso casamento, que estava caindo na monotonia.

ASSALTANTE   E... estimulou?

SELMA   Nem um pouco...

OTÁVIO   Também, com um cano de revólver na cabeça, que é que você queria?

SELMA   Bem, a ideia foi sua. Você é que estava desestimulado...

OTÁVIO   Fiz uma tentativa pra salvar o nosso casamento, Selma. Não me acuse por isso.

SELMA   É que não bastava mudar de ambiente... era preciso mudar também o objeto.

OTÁVIO   Ih, lá vem você...

SELMA   Você não quer admitir, mas a verdade é que você se cansou de mim. Vinte e dois anos de casados...

ASSALTANTE   (*Que continua a apontar o revólver para eles.*) Posso continuar essa merda desse assalto, porra!?

OTÁVIO   Não, não, vai embora... não é isso... não é nada disso.

ASSALTANTE   (*Decepcionado.*) Por quê? Quer mais violência? Posso estuprar sua mulher. (*Agarra* SELMA, *encosta o cano do revólver na sua garganta.*)

OTÁVIO   E a quem pode interessar o estupro de minha mulher?

ASSALTANTE   Com requintes de perversidade... (*Obriga-a a deitar-se.*) Vamos, sua puta, abra essas pernas... (*Obriga-a abrir as pernas.*)

OTÁVIO   Para com isso, já disse. E some daqui.

ASSALTANTE *liberta* SELMA *e sai, amuado.*

SELMA   Sabe que a ideia de ser estuprada até que é excitante... Devia ter deixado ele ir adiante.

OTÁVIO   Mulheres são estupradas todos os dias.

SELMA	Então?... Vivemos num mundo violento. É um bom tema.
OTÁVIO	Fácil demais. Sexo e violência são dois ingredientes de qualquer receita de sucesso.
SELMA	E não é o sucesso o único problema do teatro?
OTÁVIO	Uma boa pergunta.
SELMA	Não seja hipócrita.
OTÁVIO	Você acha...?
SELMA	Vamos ser francos, Otávio. Você está em crise porque teme fracassar. É o medo do fracasso que está levando você a essa paranoia. Você se impôs ter que se superar sempre. Cada peça tem que ser melhor que a anterior.
OTÁVIO	Não sou eu que me imponho isso, é o público, são esses críticos de merda.
SELMA	E agora você está apavorado porque descobriu que não é capaz de fazer nada melhor do que já fez. Quem sabe até do mesmo nível. Por que você não tenta o cinema, a televisão. Escreve uma novela.
OTÁVIO	Você acha então que eu estou acabado. É isso.
SELMA	Tudo acaba um dia, Otávio. A juventude, a beleza, o vigor físico, sexual... por que não a inspiração?
OTÁVIO	Você quer me arrasar. É isso, você quer acabar comigo.
SELMA	Não. Mas do mesmo modo que eu devo me preparar para envelhecer, para ver as rugas aparecerem no meu rosto, meus seios caírem, minha bunda despencar, isso é inevitável, você também deve estar preparado para o declínio de sua capacidade inventiva.
OTÁVIO	Isso não é verdade. Verdi compôs até os oitenta e cinco anos e se superou sempre.
SELMA	Verdi era um gênio, meu querido...
OTÁVIO	E eu sou um bosta.

SELMA	Não, você não é um bosta. Mas não é um gênio, só isso... Não quero te magoar. Acho que você sabe disso. Um gênio autêntico, num país como o nosso, é muito difícil. Nossos talentos têm voo curto, fôlego limitado. Acho que é uma consequência do subdesenvolvimento. Gente do Terceiro Mundo. No máximo, encontramos pessoas que passaram de raspão pela genialidade. Glauber Rocha, Nelson Rodrigues... um por cento de gênio, noventa e nove de idiotice. E temos que nos contentar com isso. (*Sai*.)

OTÁVIO *fica só, arrasado. Apenas um foco de luz sobre ele, que cai de joelhos, diante da máquina de escrever, debruça-se sobre ela. As Personagens surgem de vários pontos e o arrancam da máquina, levam-no, aos trambolhões, até* SOLANGE, *que tem nas mãos algumas folhas de papel tamanho ofício.*

SOLANGE	Não entendi bulufas.
OTÁVIO	O que que você não entendeu?
SOLANGE	Esse primeiro ato. Não entendi o que você pretende. Acho que sou muito burra.
OTÁVIO	Não, você não é burra. Eu também não entendi.
SOLANGE	Achei esquisito, inclusive. Não parece peça sua. As personagens não pertencem ao seu universo, não é a sua temática. Não é Otávio Santarrita.
OTÁVIO	Você está dando voltas com receio de me magoar e dizer, claramente, que achou uma merda.
SOLANGE	Não é que eu não tenha gostado... é muito bem escrita... carpintaria excelente...
OTÁVIO	Mas não interessa.
SOLANGE	Acho que é isso mesmo. Não consegui me interessar. Não me prendeu. Não tem uma personagem apaixonante...
OTÁVIO	Que personagem apaixonante você gostaria de interpretar?

SOLANGE (*Assume uma postura marcial.*) "Eu sou uma servidora de Deus. Minha espada é sagrada, eu a encontrei atrás do altar, na igreja de Santa Catarina, onde Deus a guardou para mim. E eu não quero dar com ela um só golpe. Meu coração transborda de bravura, não de ódio. Eu comandarei e vossos homens me seguirão. Isso é tudo que posso fazer. Mas devo fazer. Ninguém será capaz de me impedir."

OTÁVIO Joana D'Arc.

SOLANGE *Santa Joana*, de Bernard Shaw.

OTÁVIO *rasga os originais.*

SOLANGE Que está fazendo? Ficou maluco? Por que não reescreve?

OTÁVIO *atira os pedaços de papel para o alto.*

SOLANGE Desculpe, eu não quis magoar você. Minha opinião também não tem essa importância... eu posso estar equivocada. Você é um gênio, eu posso não ter entendido. (*Abraça-o, apaixonada.*) Eu te amo e o meu grande sonho é fazer uma peça tua, escrita especialmente para mim. Isso ia ser como um casamento espiritual em cena aberta. Muito romântico ou muito babaca? (*Beija-o, apaixonadamente.*)

OTÁVIO Eu também te amo. E tenho que escrever essa peça. Ou escrevo, ou enlouqueço.

Volta o rock pauleira. Muda de luz. SONINHA *entra dançando alucinadamente com três namorados. Quando cessa a música, ela está diante de* OTÁVIO *e* SELMA. *Namorados saem.*

OTÁVIO Quem é o pai?

SONINHA Não sei.

OTÁVIO (*Chocado.*) Como não sabe?

SONINHA Que importância isso tem? Não vai ser seu genro mesmo, não vou me casar com ele.

OTÁVIO — Mas você deve saber quem é. E seus pais também têm o direito de saber.

SONINHA — Não sei por quê. Isso não muda nada. E eu não sei mesmo, não estou escondendo. Não sei.

OTÁVIO — Olha, minha filha, eu não sou nenhum pai medieval, não vou expulsar você de casa e nem vou obrigar o cara a casar na Polícia. Ao contrário, embora não seja motivo pra comemorar e soltar foguetes, vou te dar todo o apoio, porque você é minha filha. Mesmo errando, é minha filha. Eu só quero saber o nome do pai do meu futuro neto.

SONINHA — Quantas vezes vou ter que repetir que não sei, pô. Que saco!

OTÁVIO — Como não sabe? Tem que saber. Essas coisas a mãe sabe, o pai é que pode não saber.

SONINHA — Não tenho certeza. Pode ser o Guga ou o Luiz Antônio... mas também há uma possibilidade remota de ser o Bernardinho. Ah, chega de interrogatório. Chega de repressão. (*Sai.*)

OTÁVIO — (*Perplexo.*) Pode ser o Guga ou o Luiz Antônio... mas há uma possibilidade remota de ser o Bernardinho...

SELMA — Ela não pode precisar porque teve relações com os três antes da última menstruação. Com o Bernardinho foi uma vez só, dentro do carro, mas ela acha que ele não chegou ao orgasmo. Por isso há menos probabilidades.

OTÁVIO — E você diz isso com essa naturalidade...

SELMA — Ela não tem culpa. Disse que começou a usar pílulas, mas teve problemas. Foi ao ginecologista e ele a aconselhou a não usar. Isso acontece. Eu mesma, lembra? Casei grávida e abortei logo depois.

OTÁVIO — Soninha tem só quatorze anos, Selma!

SELMA — Eu também fiquei chocada quando percebi...

OTÁVIO — Quando você percebeu?

SELMA	Há dois meses, mais ou menos. Ela está com quatro.
OTÁVIO	E você não me disse nada!
SELMA	Você anda completamente ausente, senão teria percebido também.
OTÁVIO	Eu ando ausente de quê, Selma?
SELMA	De tudo. De mim, dos seus filhos, de sua casa... Não sei o que está se passando com você, Otávio. Ou melhor, eu sei perfeitamente. Há outra mulher, não é isso?
OTÁVIO	Ih, lá vem você...
SELMA	Pode dizer, eu vou entender. Isso acontece. Estou envelhecendo... Você não sente mais nenhuma atração por mim... Sabe há quanto tempo você não me procura? Mais de um mês. E eu sei que você não é homem de passar um dia sem sexo. (*Percebe que ele se abstraiu, está com o pensamento distante.*) Em que você está pensando? É nela?

Muda a luz. Ouve-se uma música dos anos 60. OTÁVIO *enlaça* SELMA *e os dois saem dançando. Sobre o fundo do palco projeta-se a sombra gigantesca do* PAI.

VOZ DO PAI	Bem, filho, agora que você está casado, veja se cria juízo. Até hoje você só nos deu desgostos. Largue essa mania de querer consertar o mundo e pense no futuro dessa criança que está no ventre de sua noiva.

Cessa a música e muda a luz. OTÁVIO *e* SELMA *voltam a suas posições anteriores.*

SELMA	Não adianta você querer me enganar porque eu sei. Tenho certeza de que você tem outra mulher. Ou você acha que é possível enganar uma pessoa que vive com você há vinte e dois anos, dormindo todas as noites na mesma cama, aspirando o odor do seu corpo. Eu conheço, Otávio, conheço qualquer perfume novo que se misture a esse odor. Como conheço seu olhar e qualquer novo brilho que surja nele. Por que você não responde? Seria bem mais honesto. E

	aí poderemos conversar, examinar a situação, como duas pessoas civilizadas.
OTÁVIO	Eu acho que não é o momento de falarmos nisso, Selma. Temos um problema maior na família.
SELMA	Se você quer saber, não temos só esse problema, temos dois. Tavinho.
OTÁVIO	Que houve com ele?
SELMA	Foi preso na noite passada.
OTÁVIO	Preso?!
SELMA	Não se assuste, já está solto.
OTÁVIO	Mas foi preso por quê?
SELMA	Estava guiando drogado. Acho que vamos ter que interná-lo.
OTÁVIO	Mas só por isso? Ora, não exagere. Isso de experimentar drogas, infelizmente, é quase inevitável na idade dele. Está com dezoito anos. Hoje em dia, muito antes disso, por simples curiosidade, ou pressão dos amigos, às vezes só pela atração da coisa proibida, ou por necessidade de afirmação... poucos escapam disso. Eu mesmo... Mas não tem essa gravidade. Vou conversar com ele.
SELMA	Eu acho que ele não vai querer conversar com você.
OTÁVIO	Por quê?
SELMA	Não é a primeira vez que ele é preso com drogas. A outra eu escondi de você. E hoje ele me disse que vai sair de casa, quer morar sozinho, ou com um amigo. Perguntei por quê, ele disse que quer viver a vida dele, que não tem nada a ver com a nossa. Enfim, ele se sente desajustado aqui dentro.
OTÁVIO	(*Chocado.*) Bem, o meu relacionamento com ele sempre foi difícil, mas nunca imaginei... muito menos que ele estivesse viciado a esse ponto...

SELMA   Você anda perdido dentro de si mesmo, Otávio. Ou então é essa mulher que anda te absorvendo a ponto de você não enxergar mais nada em torno. O braço dele está todo picado.

OTÁVIO   É incrível... Eu não posso acreditar... Vou ter que ser duro com ele.

SELMA   Calma. Ele precisa é de compreensão. Todo esse processo de rejeição que ele desenvolveu contra nós, tem que ter uma causa. E você não está isento de culpa.

OTÁVIO   Ah, e sou eu o culpado.

SELMA   O problema dele é com você. Não é comigo.

OTÁVIO   Você é muito egoísta, sabia?

SELMA   Egoísta, eu?

OTÁVIO   Minha filha grávida, meu filho viciado... e você esconde tudo de mim! É de um egoísmo revoltante, Selma! Ou você deixou pra me revelar tudo ao mesmo tempo, pra me enlouquecer? Que aconteceu com esta casa? Que houve com esta família? O que está havendo com o mundo? Há ainda mais alguma coisa que eu não saiba?

SELMA   Há, sim. Eu não te amo mais. E vou te deixar.

OTÁVIO   Ah, não, essa não. Você não vai pular na água e me deixar sozinho, na hora que o barco está afundando. Você vai ficar pra segurar comigo essa barra.

SELMA   Que barra? Você não vai segurar barra nenhuma, Otávio. Você vai se refazer logo dessa porrada e continuar viajando.

OTÁVIO   (*Segura-a pelos ombros.*) Selma, procure compreender. Olha, eu... meu Deus, será possível que você não entenda? Eu sempre te amei e continuo te amando. Eu preciso de você, como sempre precisei. Ultimamente, eu te procuro e não te encontro. Você mudou. Como você mudou. Pior que isso, você se voltou contra mim. Um pouco de sensibilidade e você perceberia que eu preciso de você mais do que nunca. Porque eu estou em crise.

SELMA — E a outra? E a outra, Otávio?

OTÁVIO — Você não entende... É... não adianta... Se você pudesse entender...

SELMA — O quê? Que você precisa de duas mulheres? Vou arranjar outro homem pra ver se você entende. (*Sai.*)

Surge o ANALISTA, *sentado numa poltrona, de costas para a plateia.* OTÁVIO *diante dele.*

OTÁVIO — Não, nada de me deitar no divã e ficar sentado atrás, escutando. Comigo tem que ser cara a cara, olho no olho. Também nada de penumbra. Esse abajurzinho de luz mortiça... Jurei que nunca me deitaria num divã de analista. Na verdade, eu não preciso de Freud pra nada. Preciso é de alguém que me escute, que discuta comigo, role comigo nessa ribanceira, num jogo leal, frente a frente. Não um ser impessoal, omisso e oculto. Pensa que vou ficar constrangido diante de seu olhar antisséptico, seu sorriso falsamente paternal? De início, admito a minha derrota: um marxista, um materialista histórico, rendido a uma terapia individualista e reacionária. Que diria o Partido, o Comitê Central? (*Ri.*) Também não é um rendimento incondicional. Já expus as condições. Caio de pé. Ou pelo menos sentado. Deitado, nunca. Mas eu preciso, doutor... Não está dando mais pra segurar. E estou com medo de fazer uma tolice... alguma coisa de que venha a me arrepender e não tenha conserto. Não quero magoar ninguém, nem minha mulher, nem meus filhos. Não suporto a ideia de magoar alguém, porque careço de ser amado por todos. Saber que alguém não me ama, doutor, me deixa arrasado.

Sobre o fundo do palco, projeta-se a sombra gigantesca do PAI.

VOZ DO PAI — Esse menino não devia ter nascido... não devia...

VOZ DA MÃE	Expulso da escola pela prática de atos obscenos! Meu Deus!
OTÁVIO	Eu sou aquele que não era esperado. O anti-Messias. Já passei dos cinquenta, doutor. Mais de meio século tentando provar, dia a dia, que merecia ter nascido, merecia sim, merecia. Por isso, preciso tirar nota dez em tudo. Tenho que ser aprovado com distinção e louvor, não me permito um nove. Não sei se é por aí que devemos ir... Estou tateando... Quem sou eu, afinal? Que merda estou fazendo neste mundo? Será que tenho que ir tão longe pra me explicar? E para justificar esse feitor que tenho dentro de mim, me cobrando, me chicoteando a cada performance insatisfatória. Tenho que entrar em campo, jogar os noventa minutos, suar a camisa, me matar e vencer. Vencer sempre, de goleada. Ou ele me coloca no tronco e desce o chicote, sem piedade. Como agora. Estou sangrando, doutor, carregado de culpa.

Muda a luz. Apenas um foco sobre OTÁVIO, *que baixa a cabeça, arrasado, verga sobre si mesmo. Tira do bolso um revólver. A música enfatiza a dramaticidade da cena e vai num crescendo, até explodir num acorde dissonante. No fundo do palco, surge* SONINHA, *crucificada e nua, de pernas abertas, em nu frontal.* OTÁVIO *se volta e atira contra ela.* SONINHA *despenca e cai de pé. Está de patins. Uma criança surge em seus braços. Ela começa a patinar, girando pelo palco.*

SONINHA	Atenção, senhores! Vai correr a tômbola! Confiram seus números! O contemplado será o pai desta criança! Quem quiser ser o pai do meu bebê que se habilite! Quem quer ser o pai do meu bebê?

A música, à base de metais, sobe de intensidade. Ouve-se uma explosão, tal como uma bomba atômica. SONINHA *sai e muda a luz.* OTÁVIO *desperta de um pesadelo na cama de* SOLANGE.

OTÁVIO	Explodiu! Explodiu!
SOLANGE	Explodiu o quê?

OTÁVIO — O mundo!

SOLANGE — Explodiu nada. Tenha calma.

OTÁVIO — (*Leva as mãos à cabeça.*) Ai, a minha cabeça...

SOLANGE — Você está muito excitado, vou lhe dar um tranquilizante.

OTÁVIO — Não, não quero tranquilizante nenhum. (*Refazendo-se.*) Não se preocupe, eu estou bem.

SOLANGE — Está bem nada. Você, sim, está a ponto de explodir. E por quê? Afinal, não vejo motivo pra todo esse desespero. Só porque sua filha vai ser mãe solteira? Tem dó, Otávio. Você, um intelectual de ideias avançadas, com esse preconceito bobo.

OTÁVIO — Não é só isso.

SOLANGE — Ah, sim, você descobriu que seu filho transa cocaína. Outra caretice, você me perdoe.

OTÁVIO — Eu não tenho preconceitos, Solange, nem sou careta.

SOLANGE — Então, porra, por que está nesse estado?

OTÁVIO — E o caos, o caos que está se instaurando em volta de mim, dentro de mim. E agora eu te pergunto: como é que eu posso escrever no meio disso? Como é que eu posso criar? Preciso de paz. E os únicos momentos de paz que eu tenho são aqui, com você. Você me faz bem. Aqui, no seu apartamento, eu me sinto outra pessoa. E também mais verdadeiro. Dá pra entender? Esse nosso mundinho... Ah, se eu pudesse erguer uma muralha em torno de nós...

SOLANGE — A verdade é que esse nosso mundinho é só uma cama onde a gente se encontra uma vez ou duas por semana para trepar.

OTÁVIO — Compreenda... esse não é o momento... Minha vida está um caos...

SOLANGE — A propósito, você sabe que horas são? Quatro da manhã. Você não vai pra casa?

OTÁVIO Está me mandando embora?

SOLANGE Eu, não. Mas sua mulher...?

OTÁVIO Minha mulher quer se separar de mim.

SOLANGE Por minha causa?

OTÁVIO É.

SOLANGE Mas ela já sabe de nossa ligação?

OTÁVIO Não sabe que é você, mas sabe que tenho outra mulher. É fácil deduzir isso do meu comportamento.

SOLANGE Bom, se é ela que te deixa, as coisas ficam mais simples, você não acha?

OTÁVIO Por que ficam mais simples?

SOLANGE É ela quem está te abandonando. Você fica de vítima. Não é melhor assim?

OTÁVIO Como que eu fico de vítima, se sou eu o culpado?

SOLANGE (*Decepcionada.*) Pensei que você fosse ficar satisfeito. Esse sentimento de culpa... Sou uma idiota.

OTÁVIO Calma, Solange, as coisas não são assim tão simples.

SOLANGE Você me disse que nem transava mais com ela. E eu, burra, acreditei.

OTÁVIO E o que tem uma coisa com a outra?

SOLANGE Você parece deprimido porque ela vai te deixar. Isso prova que você ainda gosta dela, Otávio.

OTÁVIO Mas eu nunca te disse que não gostava.

SOLANGE Que papel eu faço então nessa história, porra! Você vem aqui só pra trepar, é? Só pra isso que eu sirvo? Eu entendo o seu lado. E o meu? Eu preciso de um companheiro, alguém que partilhe do meu dia a dia. Não só um parceiro de sexo, preciso de um homem inteiro, não só um cacete pra me satisfazer. Se fosse só isso, meu caro, eu comprava um vibrador. Ora,

	Otávio, quer saber de uma coisa? Pegue sua roupa e vá embora.
OTÁVIO	Pra onde?
SOLANGE	Pra sua casa, pra sua mulherzinha, ou pra puta que pariu.
OTÁVIO	Solange, eu te amo! Será que você não entende? Eu preciso de você!
SOLANGE	Você me ama... Então agora que você vai ficar livre, vamos morar juntos.
OTÁVIO	Não ia dar certo. Nós íamos acabar nos odiando.
SOLANGE	Já li isso em alguma novela barata.
OTÁVIO	E que diabo, será que duas pessoas não podem se amar e ser felizes sem necessariamente viverem juntas, na mesma casa? Olhe o meu casamento. Vinte e dois anos sob o mesmo teto, partilhando o mesmo banheiro. E acabou. A gente continua se gostando, precisando um do outro, mas o casamento foi pro espaço. Dá pra entender?
SOLANGE	Você ainda não pode viver sem ela.
OTÁVIO	Quem disse?
SOLANGE	Você acabou de dizer.
OTÁVIO	Estou tão confuso que já nem sei o que digo. Já nem sei o que quero.
SOLANGE	Então, Sr. Otávio Santarrita, quando o senhor souber, volte.
OTÁVIO	De uma coisa eu sei, tenho certeza: eu quero você. Essa é uma das poucas certezas que eu tenho, em meio a um milhão de dúvidas.
	SOLANGE *sai. Muda a luz, sai a cama. Apenas um foco em* OTÁVIO.
OTÁVIO	Eu não sou um cínico. Os senhores podem estar tendo uma impressão errada a meu respeito, mas

eu não sou isso que estão imaginando. Não sou um hipócrita. Eu amo minha mulher e amo Solange. E por que um homem não pode amar duas mulheres e necessitar desesperadamente tanto de uma quanto de outra? Qual foi o imbecil que inventou essa tolice de que só se ama uma vez na vida, ou pelo menos uma vez de cada vez? Romeu ardia de amor por Rosalina quando se apaixonou por Julieta. "Ó todo que de um simples nada és criado/ Alegria sombria e austera leviandade/ caos informe de formas harmoniosas/ plúmbea pluma, fumaça luminosa/ fogo gelado, saúde doentia! / Um sonhar acordado e um despertar em sonho!/ Esse é o amor que sinto. Se isto for/ o amor, eu amo." Sou um adúltero, sim. E não é o adultério a democratização do amor? Que crime há em amar em dobro? Abaixo a monogamia!

Acordes que lembram um telejornal.

VOZ
DO LOCUTOR
O primeiro ato da Presidenta eleita Eloá Quadros, ao suceder a seu esposo, barbaramente assassinado com um tiro nas costas, foi baixar o seguinte decreto-lei: "Fica instituída a pena de castração no Brasil para os maridos adúlteros. Revogam-se as disposições em contrário."

CORO
DE MULHERES
(*Câmara de eco.*) Eloááá! Eloááá! Eloááá!

SOLANGE e SELMA entram da direita e da esquerda, e apontam para OTÁVIO.

SELMA   É ele!

SOLANGE   É ele!

Entra um OFICIAL com uma adaga que investe contra OTÁVIO, que se agacha, protegendo o sexo.

OTÁVIO   Não! Por Deus, não! E minha cabeça que está muito confusa! Nesse caso me cortem a cabeça, meu pau não tem culpa de nada!

Muda a luz. Saem SELMA e SOLANGE.

OFICIAL O senhor é comunista?

OTÁVIO O senhor acha que eu sou?

OFICIAL Quem faz as perguntas aqui sou eu.

OTÁVIO É que eu tenho sérias dúvidas...

OFICIAL O senhor esteve em Moscou?

OTÁVIO Em Moscou, Nova Iorque, Paris, Londres, Hong Kong...

OFICIAL E teve uma peça traduzida para o russo.

OTÁVIO Para o russo, inglês, francês, alemão, hebraico, servo-croata...

OFICIAL E recebeu um prêmio em Cuba? Cuba? Cuba?

OTÁVIO Aqui também! Ganhei o Molière! Molière! Molière!

OFICIAL Pelotão! Preparar! Fogo!

Ouve-se a rajada de um fuzilamento. OTÁVIO *leva as mãos ao peito e cai de joelhos, de bruços sobre a máquina de escrever.* OFICIAL *sai.*

OTÁVIO Acho que estou enlouquecendo... Minha linha de raciocínio está perdendo a lógica. Estou começando a fundir realidade e imaginação. (*Arranca o papel da máquina, amassa-o entre as mãos e joga fora.*) Acho que vou voltar a fazer análise. Não, não vou. É puro masoquismo. Descer ao fundo do poço e ficar lá chafurdando na lama, me lambuzando em minhas próprias neuroses. Meus problemas têm que ser resolvidos aqui, à flor da terra. Ou resolvo, ou dou um tiro na cabeça. (*Assusta-se.*) Por que eu falei isso? Nunca, nunca seria capaz de me suicidar. É contra o meu temperamento, contra minha formação ideológica. Tá vendo? Falo coisas e faço coisas que não têm nada a ver comigo. Isso é um começo de loucura.

Muda a luz, SELMA *canta uma canção acompanhando-se ao piano.* OTÁVIO *escuta.*

SELMA Gosta? E aquele poema que eu fiz durante a nossa lua de mel. Coloquei música.

OTÁVIO — Ficou muito bonito. Gostei do poema, gostei mais ainda da canção.

SELMA — Verdade mesmo? Você não está dizendo isso só pra me agradar?

OTÁVIO — Puxa, que insegurança é essa? Você sabe, você tem consciência do que faz.

SELMA — Eu tinha, até um ano atrás, antes de nos casarmos.

OTÁVIO — Isso não tem o menor sentido.

SELMA — Antes eu escrevia e compunha sem o menor compromisso.

OTÁVIO — E agora?

SELMA — Agora eu escrevo e componho com o objetivo de me igualar a você. E como não consigo, nem mesmo me aproximar, me sinto ridícula.

OTÁVIO — Ridículo é você dizer uma coisa dessas. Que diabo, Selma, o casamento não é uma competição.

SELMA — Não é esse sentido. Queria apenas que você gostasse dos meus poemas e das minhas músicas.

OTÁVIO — E quem te disse que eu não gosto? Que é que você quer? Que eu jure sobre a Bíblia? Ou sobre o *Capital*?

SELMA — Não ironize, que você me ofende.

OTÁVIO — Desculpe.

SELMA — Seja sincero, se essa canção não fosse minha, você a detestaria, não é verdade?

OTÁVIO — Não, não é verdade.

SELMA — O poema também.

OTÁVIO — Não, não e não. Eu amo você e tudo que você faz.

SELMA — Agora você se traiu: você me ama e é só por isso que ama o que eu faço.

OTÁVIO	Jogo de palavras. Mero jogo de palavras que vem a dar no mesmo.
SELMA	Não, há uma diferença sutil.
OTÁVIO	Eu também podia alegar que você nem sempre gosta das minhas peças. E, no entanto, finge gostar de todas. Porque me ama. E eu entendo isso perfeitamente. Juramos fidelidade apenas conjugal, não juramos ter a mesma cabeça, a mesma sensibilidade. Seria até muito chato se fosse assim. Acho que nosso casamento vai dar certo por isso, porque somos duas pessoas bem diferentes uma da outra. Você é uma espiritualista romântica e eu sou um materialista ecumênico e sensual...

Muda a luz, SOLANGE *está terminando de se maquiar, diante do espelho do camarim. O* PRODUTOR *fala com ela através do espelho.*

PRODUTOR	Ele rasgou a peça?!
SOLANGE	Rasgou. Só porque eu fiz umas restrições.
PRODUTOR	Mas ele tá maluco? Tou pensando que ele já tá terminando a peça...
SOLANGE	Não desespere. Ele disse que está escrevendo quatro peças ao mesmo tempo.
PRODUTOR	Então tá maluco mesmo.
SOLANGE	Rasgou essa, tem mais três.
PRODUTOR	Mas nós precisávamos ter já esse texto. Tenho o teatro a partir de outubro e só preciso da peça pra fechar o patrocínio.
SOLANGE	Que patrocínio você conseguiu?
PRODUTOR	Produtos Farmacêuticos Jackson e Jackson. Vão pagar toda a produção.
SOLANGE	Que ótimo.
PRODUTOR	Em troca de um pequeno *merchandising*. Você vai ter que convencer Otávio a concordar...

SOLANGE   Concordar com quê?

PRODUTOR   Deve haver alguma cena erótica... ou quem sabe nem precisa... basta inserir no diálogo... com sutileza... Eles fabricam camisas de vênus.

SOLANGE   Ah, camisinhas!

PRODUTOR   Só uma menção sutil... nada que violento o texto ou a liberdade de criação. Eles pagam tudo, Solange, toda a produção. Podemos abrir o pano sem gastar um centavo! E com um *merchandising*, de certa forma, de interesse público. Nesses tempos de AIDS, a camisa de vênus é a salvação da humanidade.

SOLANGE   E nossa também...

Muda a luz, OTÁVIO, *de paletó e gravata, mas nu da cintura pra baixo, sob um refletor.*

VOZ DE OTÁVIO   E tem a merda de um sonho, um pesadelo que me persegue: me vejo andando pelas ruas, nu da cintura pra baixo, e morro de vergonha.

Risos em câmara de eco. OTÁVIO *corre de um lado para o outro, aflito, cobrindo o sexo com as mãos, até que esbarra em* SELMA. *Ilumina-se todo o palco. Há agora um piano numa extremidade e uma jaula na outra. Dentro desta,* TAVINHO. SONINHA *faz evoluções num trapézio, pendura-se de cabeça para baixo.*

SELMA   (*De longo, coberta de joias, vestida para grande ocasião.*) Otávio, você ainda está assim? Nosso convidado já está chegando.

OTÁVIO   (*Vestindo-se.*) A que horas ele prometeu vir?

SELMA   Às oito. E já são oito e meia. Seria uma desfeita se você não estivesse pronto quando ele chegasse. Que tal, estou bem?

OTÁVIO   Você vai ao Municipal ou vai desfilar numa escola de samba?

SELMA   Como você é mal-agradecido. Estou fazendo tudo isso por você.

OTÁVIO	Desculpe. Se é um sacrifício para você, é para mim também. Estou me violentando.
SELMA	(*Executa uma escala no piano.*) Desafinado. Completamente desafinado.
OTÁVIO	De novo?
SELMA	Você me pediu para tocar alguma coisa para ele. E nem todos os velhinhos da Academia devem ser surdos. Ele é capaz de ter bom ouvido.
OTÁVIO	Por que você não providenciou um afinador?
SELMA	E você pensa que é fácil? Só conheço um, que afina todos os pianos do Rio de Janeiro. Os afinadores estão morrendo. São uma espécie em extinção. Como o mico-leão.
OTÁVIO	Como vai ser no dia que morrer o último? Já pensou? Todos os pianos do mundo desafinados e ninguém para afinar. Que é que você me diz disso?
TAVINHO	(*De dentro da jaula.*) Digo que o mundo tá fodido.
SELMA	O quê?
TAVINHO	Fo-di-do.
OTÁVIO	Não seja agressivo, meu filho. Se quer conversar, podemos conversar, discutir o assunto. Sou um homem de diálogo. Não posso é aceitar tudo, concordar com tudo, sem mais nem menos. Só porque você tem dezoito anos e eu tenho mais de cinquenta? Isso não é argumento. Eu também já tive dezoito anos.
TAVINHO	Mentira. Você nunca teve dezoito anos.
OTÁVIO	Por que você duvida? Eu posso provar. Com dezoito anos, fiz o serviço militar, tive gonorreia, escrevi minha primeira peça...
SELMA	Ele sabe, ele leu.
TAVINHO	Li. Um cocô.
SELMA	Tavinho! Não seja radical.

TAVINHO   Foi ele mesmo que disse que era um cocô.

SELMA   Ele pode dizer, você não. Nem ninguém mais.

OTÁVIO   E eu tinha dezoito anos quando escrevi.

SELMA   Pra você ver que tolices a gente comete na sua idade.

TAVINHO   Então, se vocês fizeram besteira, me deixem fazer também. Me deixem errar à minha maneira, pô! Me deixem escolher.

OTÁVIO   Uma coisa é errar do lado certo, outra coisa é errar do lado errado. Minha geração errou muito. Mas tinha um projeto. A sua, erra por errar. Pior, querem eliminar a diferença entre o certo e o errado.

TAVINHO   Liberar geral, isso é que é. O errado de hoje pode ser o certo de amanhã.

OTÁVIO   Uma coisa fique clara, meu filho: tudo que fazemos é para seu bem, pensando no seu futuro. E não somos movidos por qualquer preconceito.

Ouve-se uma sineta.

SELMA   É ele!

OTÁVIO   O nosso convidado!

SELMA   (*Para* **TAVINHO**:) Veja como se comporta. Vamos receber uma visita muito importante. Um imortal.

TAVINHO   Caguei.

SELMA   E você, Otávio, veja se não deixa transparecer... seja amável... sei que você o considera um idiota...

OTÁVIO   Completo idiota.

SELMA   Mas você precisa do voto dele pra se eleger. Faça das tripas coração.

Entra o **IMORTAL**. *Veste o fardão acadêmico, chapéu de bico, espada. Tem um porte inevitavelmente marcial. Esforça-se, entretanto, por parecer descontraído,* *amável, bonachão. A música sublinha a imponência e o grotesco da Personagem.*

OTÁVIO — (*Adiantando-se para receber o* IMORTAL.) Viva, viva Seja bem-vindo.

IMORTAL — Boa noite. Desculpe o atraso. O idiota do chofer de táxi que me trouxe levou-me para o Palácio do Governo. Pensou que eu fosse um rei.

OTÁVIO — Os motoristas de táxi são sempre grandes psicólogos.

IMORTAL — Você acha?

OTÁVIO — Selma, aqui está o nosso imortal.

SELMA — (*Sorridente.*) É um prazer e uma honra. (*Beija a mão de* SELMA.) Belíssima. Minhas congratulações, meu caro Santarrita. Tem uma esposa digna de um acadêmico. Belíssima, belíssima.

SELMA — Está vendo, Otávio? Que charme, que simpatia, que *delicatesse*... E dizem tanta coisa deles...

IMORTAL — Que dizem?

OTÁVIO — Bobagens.

SELMA — Inveja, despeito... No fundo, uma profunda mágoa, o senhor sabe, dos que não conseguem chegar lá.

IMORTAL — (*Vê* TAVINHO.) Olá.

OTÁVIO — É meu filho.

IMORTAL — Bonita jaula.

SELMA — Não combina muito com os outros móveis. Mas esse é o mesmo problema da televisão, sempre destoa.

IMORTAL — Vocês veem televisão?

OTÁVIO — Temos dois aparelhos...

SELMA — (*Apressa-se a confessar a gafe do marido.*) No quartinho dos fundos, para as empregadas. Compreende, sofremos pressões...

OTÁVIO	Aceita um aperitivo?
IMORTAL	Não, obrigado. Aperitivos abrem apetite. Apetite faz comer. Comer faz engordar. Engordar é abrir caminho para o enfarte. Sabe quantos imortais morrem de enfarte?
OTÁVIO	Sessenta e cinco por cento.
IMORTAL	Exatamente.
OTÁVIO	Enfarte, 65%, derrame, 15%, câncer, 10%, velhice, 5%...
IMORTAL	Está bem informado...
OTÁVIO	É uma velha paixão pelas estatísticas.
IMORTAL	Ou uma velha obsessão pela imortalidade?
OTÁVIO	Palavra, isso nunca me preocupou. Nunca me passou pela cabeça. Sou um escritor do povo. Não consigo me imaginar vestindo essa farda, brandindo essa espada.
IMORTAL	Não se subestime, você tem boa altura, a farda cair-lhe-ia muito bem. Também o braço... (*Examina a musculatura de* OTÁVIO.) É forte, musculoso, pode brandir a espada facilmente... (*Tira a espada.*) Experimente.
OTÁVIO	(*Empunha a espada e ensaia alguns golpes.*)
IMORTAL	Está vendo? Todos imaginam que é uma bicha de sete cabeças...
SELMA	Maravilhoso.
TAVINHO	De mijar de rir.
	SONINHA *solta uma gargalhada.*
IMORTAL	(*Olha para o alto e vê* SONINHA.) Quem é?
OTÁVIO	Soninha, nossa filha, tem quatorze anos, uma menina inocente. Ainda é virgem. (*Continua desferindo estocadas com a espada.*)
IMORTAL	Um pouco de treino, um pouco de técnica...

OTÁVIO	(*Simula um duelo.*)
IMORTAL	Minha espada, por favor.
OTÁVIO	Desculpe, eu me empolguei... (*Devolve a espada.*)
IMORTAL	(*Embainhando a espada.*) Sem ela, sinto-me nu.
SELMA	Entendo... o hábito.
IMORTAL	Mais do que hábito, a imortalidade é um vício. Cria condicionamentos, dependência... difícil para vocês, simples mortais, entenderem.
TAVINHO	(*Grita:*) Nãããããoo!
IMORTAL	(*Surpreso.*) Ele disse não...
OTÁVIO	(*Para* SELMA*:*) Ele disse não?
SELMA	Não... não ouvi.
IMORTAL	Ele disse não, sim.
OTÁVIO	Disse não, como poderia ter dito sim, talvez.
SELMA	Essa juventude de hoje... tem a mania de contestar tudo.
IMORTAL	A vida me ensinou que quando uma pessoa diz não, começa a correr sérios riscos.
SELMA	Mas que riscos pode correr uma pessoa dentro de uma jaula?
IMORTAL	Ledo engano. Hoje em dia o perigo está em toda parte, dentro e fora das grades.
OTÁVIO	Esqueça isso. Me explique qual a diferença fundamental.
IMORTAL	Diferença?
OTÁVIO	Na passagem da mortalidade para a imortalidade, que é que se sente?
IMORTAL	Primeiro é com relação à temperatura.

OTÁVIO	Mais frio, mais calor?
IMORTAL	Tanto faz. Parece que as variações meteorológicas já não nos dizem respeito. Também não temos mais compromissos com o tempo.
SELMA	Isso deve ser um alívio.
IMORTAL	A falta de compromissos leva à falta de responsabilidade. Pode o amigo imaginar o que é a gente não se sentir responsável pelo degelo da calota polar? Nem pelo efeito estufa, nem pela inclinação do eixo da Terra? Nem pelos que morrem de insolação, nem pelos que morrem de frio? Ninguém nos cobra nada, porque nada devemos a ninguém. Entende? Não precisamos mais rezar "Pai-Nosso que estais no céu, perdoai as nossas dívidas" porque todas as dívidas já nos foram perdoadas.
SELMA	Deve ser maravilhoso. Não sentir mais a passagem do tempo, não ir mais *à la recherche du temps perdu*... Proust foi imortal?
TAVINHO	Proust era uma bichona.
IMORTAL	Bicha, mas não pederasta.
SELMA	Como assim?
IMORTAL	Quer dizer, não dava. Vivia com as tias, não fazia amor com ninguém. Nem com homem nem com mulher.
OTÁVIO	Não era como Gide. Esse dava mesmo.
SELMA	Gide?
OTÁVIO	Gide, Oscar Wilde, Cocteau, Rimbaud, Jean Genet, Whitman. Whitman tem um retrato com um motorneiro.
SELMA	Nossa! Como é que um poeta daquela sensibilidade podia transar com um motorneiro? Não que eu tenha preconceito contra os motorneiros...
IMORTAL	Claro, o motorneiro foi o astronauta do começo do século.

OTÁVIO	Voltando ao nosso assunto, sinceramente, nunca imaginei que a imortalidade trouxesse tantas vantagens. Se é que são vantagens...
IMORTAL	(*Olha-o com desconfiança.*) Essa é uma dúvida que um aspirante à imortalidade não pode ter.
OTÁVIO	Refiro-me à questão semântica, somente. Na verdade, tenho outras dúvidas... que não vêm ao caso.
IMORTAL	Outra diferença fundamental. Você tem dúvidas, passará a ter certezas. Você deixa de fazer perguntas, para dar respostas. Mas também não precisará dar essas respostas a ninguém, porque ninguém perguntar-lhe-á coisa alguma. Percebe?
SELMA	Uma situação interessante. Superinteressante.
IMORTAL	É como se você já tivesse respondido a tudo, a tudo que ninguém jamais lhe perguntou.
OTÁVIO	O que resta, então?
IMORTAL	Resta você. Resta você inteiro, indivisível, inquestionável, incólume, com sua farda, seu chapéu de bicos e sua espada. (*Assume uma pose napoleônica.*)

Ouve-se uma valsa vienense.

IMORTAL	Vamos dançar? Você me permite?
OTÁVIO	Pois não...

O IMORTAL *tira* SELMA *para dançar.*

IMORTAL	(*Sente que a espada o atrapalha.*) Por favor, quer segurar minha espada?

IMORTAL *tira a espada e a entrega a* OTÁVIO, *que fica com ela nos braços, sentindo-se meio idiota e vendo o* IMORTAL *e* SELMA *rodopiarem pelo palco.*

IMORTAL	Para a imortalidade, é preciso. Mas para a dança, é um estorvo.
SELMA	Julguei que nunca tirassem. Nem para dormir.

IMORTAL	Alguns não tiram nem nessa ocasião. Têm medo de morrer dormindo. E morrer desarmado, como qualquer mísero mortal.
SELMA	Entendo. Mas o senhor dança muito bem.
IMORTAL	Acha?
SELMA	Para um intelectual, um cerebral, um imortal, nada mal, nada mal.
IMORTAL	Nunca pensou em se dedicar à literatura?
SELMA	Antes de me casar, perpetrava versos, gostava também de compor...
IMORTAL	Por que que não continuou?
SELMA	Com o casamento, os filhos, a casa para cuidar...
IMORTAL	É lamentável. Precisamos de mulheres na Academia. Já conseguimos eleger algumas. Inteligentes. Mas precisamos de mulheres bonitas também. Encher a Academia de lindas mulheres e transformar o chá das cinco numa grande bacanal! (*Põe a mão na bunda de* SELMA, *que se assusta, mas se conforma, com um sorriso complacente. Ele se anima, começa a beijá-la no pescoço, libidinosamente.*)
TAVINHO	Ele tá apalpando a bunda da minha mãe!
SONINHA	Da nossa mãe!
OTÁVIO	(*Avança de espada em riste contra o* IMORTAL.) Canalha! Libertino! Em guarda!
	O IMORTAL *se afasta de* SELMA, *assustado.*
IMORTAL	Desculpe, acho que fui mal interpretado...
OTÁVIO	Vou matá-lo!
TAVINHO E SONINHA	(*Em coro.*) Mata! Mata! Mata!
IMORTAL	Não pode fazer isso! Eu sou um imortal!

OTÁVIO   Vamos ver!

IMORTAL   Se o fizer, vedará para sempre as portas da Academia!

OTÁVIO   Caguei pra Academia!

O IMORTAL *recua, tropeça e cai de costas.*

SELMA   (*Grita:*) Otávio!

OTÁVIO *crava a espada no peito do* IMORTAL. SELMA *emite um grito de horror.* SONINHA *despenca do trapézio,* TAVINHO *urra de dentro de sua jaula, como um torcedor num grito de gol. Personagens invadem o palco, num balé alucinado, rasgando e atirando para o alto folhas e mais folhas de papel. Black-out rápido. Quando se reacendem as luzes,* OTÁVIO *está estendido ao solo, de bruços, em meio a dezenas de folhas de papel amarrotadas. Há uma pausa.*

OTÁVIO   Não sei... Não sei o que aconteceu... Não dá pra entender... Sou como um barco sem bússola, em meio a uma tempestade... Imagem batida, lugar-comum... Porra, mas a vida é feita de lugares-comuns, de coincidências próprias de folhetim barato. Nenhum crítico tem coragem de dizer isso. Se sou eu... puta merda, malham sem dó nem piedade.

SELMA   (*Entrando.*) Falei com o meu advogado. Ele quer falar com você. Se a separação puder ser amigável, melhor. E mais rápido, mais barato e mais civilizado. Também dói menos.

OTÁVIO   Selma, você acha que eu mereço isso? Você acha que eu sou culpado?

SELMA   Que importa isso agora? Talvez a culpa seja minha, que abdiquei de mim mesma, me despojei de minha personalidade, renunciei a meu projeto pessoal, para desempenhar o importante e difícil papel de esposa de Otávio Santarrita.

OTÁVIO   E desempenhou muito bem.

SELMA	Tão bem que estou sendo substituída no meio da temporada.
OTÁVIO	Você não está sendo substituída por ninguém, Selma. O fato de existir uma outra pessoa não quer dizer que ela tomou o seu lugar.
SELMA	Como cinismo, é um primor, Otávio.
OTÁVIO	Você não me entende.
SELMA	E o que é ela? Uma *double*? Me substitui só nos momentos de perigo... ou nas cenas pornográficas? E nestas cenas, como é que é? Muito fogosa? Faz coisas que eu não faço na cama? O quê, por exemplo? Me diz.
OTÁVIO	Selma!
SELMA	Uma putona.
OTÁVIO	Acho que não precisamos baixar o nível a esse ponto.
SELMA	Não me diga que é uma musa, sua nova fonte de inspiração, porque aí você me ofende muito mais. Prefiro ser derrotada pelo sexo. Ela é inteligente?
OTÁVIO	Pra que você quer saber?
SELMA	Pode parecer masoquismo, mas quero conhecer as razões do meu fracasso. É culta, brilhante? Quem sabe ela é aquilo que eu poderia ter sido, se não tivesse renunciado a todas as minhas veleidades para ser apenas a sua parceira?
OTÁVIO	Para com isso, Selma.
SELMA	Não paro, porra! Depois de vinte e dois anos, eu não posso ser jogada fora assim como uma seringa descartável!
OTÁVIO	Eu não estou te jogando fora, estou te suplicando que fique, que não me abandone. Será que você não percebe... que eu não posso ser responsabilizado pelos meus atos neste momento?
SELMA	Ah, não...

OTÁVIO Não.

SELMA Por quê? Não está de posse de suas faculdades mentais? Ou está dopado? Quem sabe não atingiu ainda a maioridade emocional. Ou então... é um índio! Irresponsável perante a lei. Ora vejam só, passei vinte e dois anos dormindo com um índio, sem saber! (*Sai.*)

OTÁVIO senta-se numa cadeira, como diante de um volante. Apenas um foco de luz em cima dele. Ouve-se o ruído de um carro que arranca. No fundo do palco surgem faróis dirigidos contra a plateia. Durante todo o monólogo permanecem os ruídos de buzinas, derrapagens, freadas violentas, apito de guarda de trânsito, vozes: "Navalhai... Tá maluco?... Filho da puta!"

OTÁVIO Bem, isso não é o fim do mundo. Parece, mas não é. É um trânsito muito louco, um país muito louco, ninguém respeita sinais, mão e contramão... "proibido estacionar"... "proibido ultrapassar"... "proibido dobrar à esquerda"... "proibido matar índios"... "proibido derrubar árvores"... "velocidade máxima 60 quilômetros"... inflação: mil por cento ao ano! Onde vou aplicar meu dinheiro? Bolsa, dólar, overnaite... Para onde vai este país e para onde vamos nós? Roleta-russa!

Ruídos de violenta derrapagem seguida de colisão. Muda a luz.

TAVINHO Sabe, um cara lá na Universidade falou que você tá superado.

OTÁVIO Superado? Superado por quê?

TAVINHO Sei lá. Porque tá superado, pô.

OTÁVIO E você? Você acha isso?

TAVINHO Importa alguma coisa o que eu acho?

OTÁVIO Claro, você é meu filho.

TAVINHO Acho que é por sua posição política meio babaca.

OTÁVIO Babaca?

TAVINHO   Isso de engajamento já era.

OTÁVIO   Engajamento não é sectarismo político, maniqueísmo ideológico, realismo socialista, essas bobagens. Nunca embarquei nessa. Mesmo quando militava no Partido, sempre preservei a minha liberdade de criação. Nunca submeti uma peça minha à apreciação de qualquer Comitê. Sempre fui um indisciplinado e me orgulho disso. E hoje sou um livre-atirador.

TAVINHO   E por que você precisa ser atirador? Atirar em quê? Por quê? Pra quê?

OTÁVIO   Porque do contrário não tem sentido... tudo passa a ser inócuo.

TAVINHO   Atira pro alto, velho.

OTÁVIO   Isso é alienação.

TAVINHO   É... Alienação é o grande barato do pós-moderno. Para com essa babaquice de querer retratar o mundo, conscientizar pessoas, teatro social, esse troço. Isso é papo dos anos sessenta, quando vocês pensavam que iam mudar tudo. Não mudaram porra nenhuma. Ninguém mais tem saco pra isso.

OTÁVIO   (*Profundamente chocado.*) Me deixa olhar bem pra você... Sabe que às vezes custo a acreditar que você seja meu filho?

TAVINHO   Isso é problema teu lá com a velha... (*Sai.*)

Muda a luz. No fundo do palco surge o JUIZ.

JUIZ   Atenção, respeitável público! A próxima luta reúne duas valentes lutadoras! Com 45 anos, dois filhos, 22 anos de casada... Selma Santarrita.

SELMA *entra, vestida como lutadora de catch. Aplausos, gritos, assobios.* SELMA *agradece erguendo os braços.*

Com 40 anos, três casamentos, dois abortos, divorciada... Solange Lopes!

SOLANGE *entra do lado oposto. Aplausos, gritos, assobios; ela agradece. Ficam as duas frente a frente no centro do palco. Olham-se com ódio.*

JUIZ — Lutem com lealdade. Nada de golpes baixos. Cumpram as regras e boa sorte.

Soa o gongo.

JUIZ — Primeiro *round*.

OTÁVIO — (*Grita:*) Não, não! Parem com isso! É uma estupidez! Parem!

Muda a luz. Saem de cena SELMA, SOLANGE *e o* JUIZ. OTÁVIO *começa a marchar em círculo pelo palco.*

OTÁVIO — Preciso andar. Andar para ativar a circulação e perder a barriga. Cuidar do corpo. A idade está chegando... mais de meio século, meio de estrada. Já se começa a perder de vista a juventude e avistar a velhice. Meus cabelos estão caindo... estou ficando meio balofo. Meu tempo está terminando. Quanto será que me resta? Dez, vinte anos? Isso só me preocupa porque ainda não terminei o meu trabalho. Não que tenha medo da morte. Palavra que não tenho. Mas não estou preparado para envelhecer, essa é que é a verdade. Perder o vigor físico, a agilidade mental, a memória... isso me apavora. A velhice é uma tremenda sacanagem da natureza. Ou de Deus, quem sabe? Também o que se pode esperar de um deus que criou o universo provocando uma grande explosão? Deus é um terrorista!

Muda a luz. Camarim de SOLANGE. SELMA *diante dela.*

SELMA — Então é você. Ora, vejam só... eu pensei em mil mulheres, menos em você. Talvez por ser tão evidente. A amiga, a estrela...

SOLANGE — Selma, por favor, vamos evitar uma cena ridícula. A esposa traída vai ao encontro da rival reclamar o marido de volta em nome dos filhos, da família, da harmonia do lar, do cacete. Puro dramalhão. Vamos nos poupar esse vexame, tá? Tenho um caso com Otávio, sim. Devia ter durado uma noite e já dura um ano. Se você é uma mulher inteligente, pense nisso: eu só queria dormir com ele uma noite, nada mais. O que aconteceu depois não estava programado.

SELMA　Estava programado, sim, Solange. Você só queria e só quer que ele escreva uma peça para você estrelar.

SOLANGE　Isso é consequência.

SELMA　Consequência de quê?

SOLANGE　Do que aconteceu depois da primeira noite.

SELMA　E que aconteceu? Se apaixonou?

SOLANGE　A gente se entende bem...

SELMA　Na cama.

SOLANGE　Também. Mas é uma transa mais de cabeça.

SELMA　Eu não acredito.

SOLANGE　Por quê? Você acha que eu sou burra, ignorante? Entendo: é humilhante pra você admitir que perdeu num terreno onde se julga superior. Espero que tenha um pouco de espírito esportivo e aceite a derrota.

SELMA　E se eu não aceitar? Se resolver lutar?

SOLANGE　Aí a decisão vai ser dele, não nossa. Ele vai ter que resolver.

SELMA　É o que você sugere?

SOLANGE　Não, acho que ele não merece ser imprensado assim contra a parede. Principalmente agora.

SELMA　Por que agora?

SOLANGE　Ele está escrevendo uma peça. Precisa de paz.

SELMA　Você sabe que ele está em crise?

SOLANGE　Sei. Mas ele sai dessa. Se a gente ajudar.

SELMA   Espere lá... Você não está me propondo... seria imoral! Imoralíssimo!

SOLANGE   O quê?

SELMA   Manter essa situação.

SOLANGE   Você mesma disse que ele está em crise, cheio de problemas. Ele está sofrendo, Selma. Sofrendo muito. A gente tira isso de letra, mas ele, não. Ele assume todas as culpas do mundo. E assim fica difícil.

SELMA   Pra você é muito fácil. Afinal, você é a amante. Pra ele também, muito cômodo. Mas eu sou a esposa legítima e nosso contrato de casamento não prevê outra mulher na nossa cama. Só porque ele precisa de paz para escrever? Passei 22 anos me desdobrando, me sacrificando, renunciando, para que ele tivesse paz para trabalhar. Agora chega. Eu é que não merecia isto.

SOLANGE   Se você quer saber, pra mim também não é fácil. E também acho que não mereço.

Ouve-se o sinal para início de espetáculo (três toques de campainha).

SOLANGE   Eu tenho que entrar em cena. *Ciao.* (*Sai.*)

SELMA fica um instante sem ação, concentrada e imobilizada pelo seu problema. Entra o PRODUTOR.

PRODUTOR   Solange?... (*Reconhece SELMA.*) Selma! Você aqui... (*Pressente algo, fica sem saber o que dizer.*) Que ótimo...

SELMA   Ótimo por quê?

PRODUTOR   Ótimo te ver. Como vai Otávio? Escrevendo muito? E a peça? Diga a ele que já garanti um patrocínio pela Lei Sarney. Só estou esperando o texto. Ele já te deu alguma coisa pra ler? Eu sei que você é sempre a primeira a ler tudo que ele escreve.

SELMA começa a rir, um riso nervoso, que ela não consegue conter. O PRODUTOR se espanta.

PRODUTOR — Que há? De que está rindo?

SELMA — Da peça que ele está escrevendo. É muito engraçada. (*Consegue controlar-se antes de chegar ao pranto.*) Desculpe... eu já estava de saída. Boa noite.

PRODUTOR — Tem condução? Quer que te leve em casa?

SELMA — (*Pensa um instante.*) Não, mas se quiser me levar a outro lugar qualquer... eu aceito.

PRODUTOR — (*Mostra surpresa.*) Por exemplo...

SELMA — Onde se possa beber... dançar. Estou a fim de varar a noite.

PRODUTOR — (*Hesita, perplexo com o oferecimento.*) E Otávio?...

SELMA — Otávio está criando. Não deve ser perturbado. E temos agora um casamento aberto.

PRODUTOR — Aberto...

SELMA — É, qualquer um pode entrar... A boca é livre. (*Segura-o pelo braço.*) Vamos? (*Saem.*)

Muda a luz. Apenas um foco sobre OTÁVIO, *que está deitado sobre um praticável, de costas, olhos fixos no teto.*

SOLANGE — (*Voz em câmara de eco.*) A peça, Otávio? Quando você vai terminar essa peça?

PRODUTOR — (*Idem.*) Consegui um *merchandising*: Camisas de vênus!

SELMA — (*Idem.*) Você e aquela vagabunda usam camisa de vênus?

TAVINHO — (*Idem.*) Você tá superado, velho. Superado!

SONINHA — (*Idem.*) Eu não posso usar pílulas! Que é que eu faço?

SOLANGE — (*Idem.*) E a peça, Otávio? A peça? A peça?

Ilumina-se o fundo do palco. Na contraluz, aparece VIANNA. *Apenas a silhueta, numa luz estranha..*

VIANNA   Olá, companheiro. Comé que é?

OTÁVIO   (*Levanta-se, surpreso.*) Vianinha! Você não tinha ido...?

VIANNA   (*Sorrindo.*) Claro que sim. Vim só te dar uma força. Os companheiros me pediram. Tarefa... Paulinho e Leon estão preocupados com você. O velho também.

OTÁVIO   É... acho que estou entrando em parafuso.

VIANNA   Eu sei. Também já passei por isso. É uma barra.

OTÁVIO   E como é que se sai dessa, companheiro? Me diz.

VIANNA   Mergulhando de cabeça na confusão. De repente as coisas ficam claras como água em pote de barro. Não desespere. Vá fundo que você chega lá.

OTÁVIO   É bom ouvir isso. Você não sabe como a coisa piorou depois que você se foi. Ah, você não sabe. Tá muito sofrido.

VIANNA   Tem que sofrer, tem que sangrar.

OTÁVIO   Bons tempos aqueles...

VIANNA   Meu avô deve ter dito isso. Meu pai também. Nossos filhos provavelmente vão dizer, que merda de mundo vocês nos deixaram. Porque a culpa é nossa mesmo. Só que, como dizia um amigo meu, no bonde da História, nunca sente no banco que viaja de costas.

OTÁVIO   Porra, Vianna, a gente agitou, a gente sonhou... a gente fez coisas! Você sabe! Ou você tem dúvidas? Eu confesso que tenho.

VIANNA   Se você tem dúvidas, é porque está vivo. É bom, é ótimo ter dúvidas. Duvide sempre. Não acredite em nada sem duvidar um pouco. As pessoas que têm certeza de tudo nunca são confiáveis. Vai fundo, companheiro. Dê um abraço na turma.

VIANNA *desaparece. Muda a luz.*

OTÁVIO	Vianinha! Espere...
SOLANGE	(*Surge no mesmo local onde estava* VIANNA.) Otávio...
OTÁVIO	Solange... (*Abre os braços para ela, aperta-a contra o peito.*)
SOLANGE	Por que você me fez vir aqui?
OTÁVIO	Porque preciso de você.
SOLANGE	Selma não está?
OTÁVIO	Não, Selma não mora mais aqui.
SOLANGE	Seus filhos?
OTÁVIO	Tavinho se mandou. Tá por aí... Tudo bem. Soninha está com a mãe. Meu neto deve nascer daqui a dois meses. Tudo segue os caminhos do inevitável.
SOLANGE	Você está só...
OTÁVIO	Eu sempre estive só.
SOLANGE	E a nossa peça?
OTÁVIO	Pode assinar contrato com o teatro e marcar a estreia.
SOLANGE	Está pronta?
OTÁVIO	(*Com ansiedade.*) Não, mas tenho ela toda na cabeça.
SOLANGE	(*Com entusiasmo.*) Que ótimo!
OTÁVIO	Ia escrever a primeira cena quando você chegou. Gostaria até de ler pra você. É de grande efeito.
SOLANGE	Posso ler agora?
OTÁVIO	Não. Depois. Depois eu te chamo.
SOLANGE	(*Beija-o na boca, mas de leve.*) Ciao.
OTÁVIO	(*Agarra-a e a beija demorada e sensualmente.*)
SOLANGE	Espera... assim você não escreve. Depois a gente continua... temos muito tempo.

OTÁVIO	Sim, temos. Todo o tempo do mundo.
SOLANGE	Vou tomar um banho, me perfumar e te esperar... no quarto. (*Sorri e sai.*)

OTÁVIO *senta-se no chão, em posição de harakiri, diante da máquina de escrever. Concentra-se demoradamente. Muda a luz. Apenas um foco sobre ele, que saca de um revólver, mede com os dedos a posição exata do coração, aponta a arma e dispara. Cai de bruços sobre a máquina.* SOLANGE *entra correndo, vê o corpo de* OTÁVIO *caído e solta um grito de horror.*

SOLANGE	(*Corre para ele, abraça-o por trás, soluçando.*) Otávio... não, meu Deus, não!...

OTÁVIO *levanta-se de um salto, soltando uma gargalhada.*

SOLANGE	(*Com raiva.*) Seu estúpido! Idiota! Imbecil! Não me diga que é assim que começa sua nova peça.
OTÁVIO	Não, nada disso. Minha peça começa é com um balé fantástico de todas as personagens. Todos dançando dentro da minha cabeça, me pisando, me queimando, me triturando os miolos, me levando à loucura e me abrindo a cabeça!

Muda a luz, que se concentra em OTÁVIO *e* SOLANGE, *que permanecem no centro do palco, abraçados, enquanto, tal como no início, Personagens saem de vários pontos e dançam um balé fantástico, alucinado, em torno deles.* SONINHA *e* TAVINHO *participam, juntamente com o* PRODUTOR, *o* IMORTAL, *o* OFICIAL *e o* ASSALTANTE. SELMA *surge na boca de cena e fica olhando. Não um olhar ressentido. Há até um leve sorriso em seus lábios, um sorriso de entendimento.*

FIM
RIO, 31 DE JULHO DE 1988